Dänemark

Frankreich

England

Fachwerkinstandsetzung

Jetzt diesen Titel zusätzlich als E-Book downloaden und 70 % sparen!

Als Käufer dieses Buchtitels haben Sie Anspruch auf ein besonderes Kombi-Angebot: Sie können den Titel zusätzlich zum Ihnen vorliegenden gedruckten Exemplar für nur 30 % des Normalpreises als E-Book beziehen.

Der BESONDERE VORTEIL: Im E-Book recherchieren Sie in Sekundenschnelle die gewünschten Themen und Textpassagen. Denn die E-Book-Variante ist mit einer komfortablen Volltextsuche ausgestattet!

Deshalb: Zögern Sie nicht. Laden Sie sich am besten gleich Ihre persönliche E-Book-Ausgabe dieses Titels herunter.

In 3 einfachen Schritten zum E-Book:

❶ Rufen Sie die Website **www.dinmedia.de/e-book** auf.

❷ Geben Sie hier Ihren persönlichen, nur einmal verwendbaren E-Book-Code ein:

38357CC5A36D410

❸ Klicken Sie das „Download-Feld“ an und gehen dann weiter zum Warenkorb. Führen Sie den normalen Bestellprozess aus.

Hinweis: Der E-Book-Code wurde individuell für Sie als Erwerber dieses Buches erzeugt und darf nicht an Dritte weitergegeben werden. Mit Zurückziehung dieses Buches wird auch der damit verbundene E-Book-Code für den Download ungültig.

Fachwerkinstandsetzung

Mehr zu diesem Titel

... finden Sie in der DIN Mediathek

Zu vielen neuen Publikationen bietet DIN Media nützliches Zusatzmaterial im Internet an, das Ihnen kostenlos bereitgestellt wird.
Art und Umfang des Zusatzmaterials – seien es Checklisten, Excel-Hilfen, Audiodateien etc. – sind jeweils abgestimmt auf die individuellen Besonderheiten der Primär-Publikationen.

Für den erstmaligen Zugriff auf die DIN Mediathek müssen Sie sich einmalig kostenlos registrieren. Zum Freischalten des Zusatzmaterials für diese Publikation gehen Sie bitte ins Internet unter

www.dinmediathek.de

und geben Sie den folgenden Media-Code in das Feld „Media-Code eingeben und registrieren" ein:

M383576880

Sie erhalten Ihren Nutzernamen und das Passwort per E-Mail und können damit nach dem Log-in über „Meine Inhalte" auf alle für Sie freigeschalteten Zusatzmaterialien zugreifen.

Der Media-Code muss nur bei der ersten Freischaltung der Publikation eingegeben werden. Jeder weitere Zugriff erfolgt über das Log-In.

Wir freuen uns auf Ihren Besuch in der DIN Mediathek.

Hinweis: Der Media-Code wurde individuell für Sie als Erwerber dieser Publikation erzeugt und darf nicht an Dritte weitergegeben werden. Mit Zurückziehung dieses Buches wird auch der damit verbundene Media-Code ungültig.

Fachwerkinstandsetzung

Barbara Roesler gewidmet

Ekkehart Hähnel

Fachwerkinstandsetzung

Arbeitsschritte – Fallbeispiele – Detailzeichnungen – Dokumente – Leistungsverzeichnis

5., überarbeitete Auflage 2024

Herausgeber:

DIN Deutsches Institut für Normung e. V.

Fraunhofer IRB | Verlag

Herausgeber: DIN Deutsches Institut für Normung e. V.

© 2024 DIN Media GmbH
Am DIN-Platz
Burggrafenstraße 6
10787 Berlin

Telefon: +49 30 588 857 00-70
Internet: www.dinmedia.de
E-Mail: kundenservice@dinmedia.de

Fraunhofer IRB Verlag
Fraunhofer-Informationszentrum
Raum und Bau IRB
Nobelstraße 12
70569 Stuttgart

Telefon: +49 711 970-25 00
Internet: www.baufachinformation.de
E-Mail: irb@irb.fraunhofer.de

Umschlaggestaltung: DIN Media GmbH
Satz: DIN Media GmbH
Druck: DRUKARNIA SKLENIARZ, Kraków
Gedruckt auf säurefreiem, alterungsbeständigem Papier nach DIN EN ISO 9706

ISBN 978-3-410-38357-4 (DIN Media)
ISBN (E-Book) 978-3-410-38390-1 (DIN Media)
ISBN 978-3-7388-0958-9 (IRB)

Autorenporträt

Nach seiner Berufsausbildung zum Betonbauer studierte E. Hähnel in Zittau und Gotha Bauingenieurwesen. Danach war er in verschiedenen leitenden Positionen als Bauingenieur tätig. Dipl.-Ing. (FH) Ekkehart Hähnel arbeitete mit seinem Büro von 1990 bis 2017 als selbstständiger Architekt. Bereits 1985 begann er mit der Instandsetzung wertvoller historischer Gebäude. 1989 wurde er mit der Karl-Friedrich-Schinkel-Medaille für besondere Leistungen in der Denkmalpflege ausgezeichnet. Neben dem Wohnungs- und Gesellschaftsbau widmete er sich mehr und mehr der Erhaltung historischer Gebäude. Entsprechend der Aufträge entstand eine Spezialisierung auf Gebäude in Fachwerkbauweise. Er arbeitete 15 Jahre als Mitglied der WTA, Referat Fachwerk/Holzkonstruktionen mit. In dieser Zeit wirkte er als freier Dozent bei EIPOS in Dresden, der FH Eberswalde bei der Holzschutzausbildung und im ÜAZ Frankfurt (Oder) bei der Ausbildung der Restauratoren im Handwerk. Er war Referent bei nationalen und internationalen Fachtagungen und veröffentlichte viele Aufsätze zum historischen Holzbau.

Restaurierte Straßen und Plätze mit Fachwerkarchitektur sind oft Stätten der Ruhe und Besinnung geworden. Die Anziehungskraft für individuelles Wohnen und den Tourismus ist groß. Außerdem wird die Beschäftigung mit der Geschichte angeregt. Quedlinburg

Vorwort und Dank zur 5. Auflage

Das Buch Fachwerkinstandsetzung erschien vor über 20 Jahren.

Es gab viele inhaltliche Anregungen für weitere Auflagen, die kontinuierlich gesammelt und umgesetzt wurden. Stets sind auch Vorschriften und Regelwerke der aktuellen Entwicklung angepasst worden. Durch meine enge Zusammenarbeit, vor allem mit den Zimmerleuten auf vielen anspruchsvollen Baustellen, konnte ich viele interessante Details aus den verschiedensten Projekten dokumentieren und in das Buch übernehmen. Bauwerke, wie Windmühlen, hölzerne Brücken und Dachtragwerke, haben über das Material und die Holzverbindungen eine enge Verwandtschaft mit dem Fachwerkbau. Deshalb sind einige solche Beispiele in das Buch aufgenommen worden. Die Vielfalt der Fachwerkgebäude und ihrer spezifischen Baukonstruktionen kann, unter den Gesichtspunkten der Instandhaltung und Instandsetzung, in einem Buch kaum dargestellt werden. Deshalb ist die Kenntnis wichtig, aus welchen Quellen man das Notwendige entnehmen kann. Das im Buch angelegte Literaturverzeichnis soll dabei helfen.

Die Hinweise auf den Merkblättern der Wissenschaftlich-Technischen Arbeitsgemeinschaft für Bauwerkserhaltung und Denkmalpflege e. V. (WTA) sowie die Arbeitsblätter der Propstei Johannesberg sollten stets beachtet werden. Diese werden durch die Autorenschaft auch aktualisiert. Hier muss man sich sorgfältig informieren. Dazu sind weitere Hinweise im Buch aufgenommen worden.

Durch meine langjährige Mitarbeit bei der WTA im Referat 8 „Fachwerk und Holzkonstruktionen“ konnte ich mein Fachwissen stets erweitern, sodass ich an dieser Stelle allen ehemaligen und gegenwärtigen Mitstreitern des Referates 8 meinen Dank sagen möchte, denn es ist leider nicht selbstverständlich, dass jemand sein Wissen kostenlos weitergibt. Das ist aber das Fundament der gesamten Arbeit der WTA und anderer ehrenamtlich arbeitender Gremien.

Aus Altersgründen werde ich weitere Ausgaben meines Fachwerksbuches nicht mehr betreuen.

Aus den Reihen der WTA habe ich, in Übereinstimmung mit dem Verlag, Nachfolger für die Autorenschaft meines Buches gewonnen. Für künftige Nachauflagen, soweit die „Bauschaffenden“ diese wünschen, werden meine geschätzten Kollegen Dipl.-Ing. Architekt Ulrich Arnold und Dr. Uli Ruisinger diese Autorenschaft übernehmen. Dafür danke ich ihnen.

Für die 5. Auflage erhielt ich fachliche Unterstützung von Dr. Ulrich Ruisinger (Dresden), Ulrich Arnold (Castrop-Rauxel), Uli Thümmler (Hünfeld) und Frank Eßmann (Mölln). Den Genannten danke ich für die Zuarbeit zur Aktualisierung von Vorschriften, Normen und Gesetzen.

Für die angenehme und zielstrebige Zusammenarbeit und die gute Qualität des Buches danke ich Frau Mareike Jock und Frau Rebecca Feist von DIN Media. Für die Mitwirkung danke ich auch dem Frauenhofer IRB Verlag.

Nicht zuletzt gilt mein besonderer Dank meiner Frau Karin, die mir mit viel Verständnis und praktischer Hilfe, wie immer, zur Seite stand.

Ekkehart Hähnel

Müncheberg, April 2024

Vorwort zur 4. Auflage

Die Erfolge bei der Bewahrung, Restaurierung und Modernisierung historischer Gebäude werden in den vergangenen Jahrzehnten immer deutlicher. Nicht nur die Freude an Individualität, sondern auch der Respekt für die Leistungen unserer Vorfahren sind Kräfte dieser Entwicklung. Dazu gehört auch das Streben nach Erhalt der historisch gewachsenen Vielfalt, der unverwechselbaren Räume und Stadtansichten, auch als wirtschaftsförderndes Element. Das beruht auf einem Fundament verschiedenster Erkenntnisse und Bemühungen.

Neben flächendeckender Auseinandersetzung zum Denkmalschutz und zu Erhaltungssatzungen sind in Forschung und Lehre wichtige Grundlagen dieser Entwicklung gelegt worden. Eine solide Basis bilden die Fachingenieure für Bauwerkserhaltung, Fachhandwerker für Restaurierungsarbeiten, Meister und Gesellen als Restauratoren im Handwerk, nationale und internationale Fachtagungen, ehrenamtliche Gremien, die Wissen sammeln und weitergeben, Stiftungen und Forschungseinrichtungen, die spezielle Fragen zu historischem Konstruktionen und zeitgemäßen Anforderungen untersuchen und für die Praxis aufbereiten.

Auf der Suche nach guten Lösungen finden auch Architektenwettbewerbe statt, doch gerade hier ruht noch ein großes Potenzial, das ausgeschöpft werden muss.

Die Vielfalt an Baukonstruktionen hat zu einer gewissen Spezialisierung geführt. So bieten Unternehmen die ganze Palette erforderlicher Leistungen an, Planungsbüros arbeiten komplex an Untersuchung, Bestandsaufnahme, Nutzungskonzepten, Ausführungsplanung und Baukontrolle. Dies wird auf dem Gebiet der Fachwerkbauweise besonders deutlich. Das Spektrum umfasst dabei nicht nur Wohn- und Geschäftshäuser, Wirtschaftsgebäude und Hofanlagen im ländlichen Raum, sondern auch mehrgeschossige Industriegebäude und eine große Anzahl von Sakralbauten in Stadt und Land.

Das vorliegende Buch will ein Baustein für die weitere, erfolgreiche Arbeit bei der Erhaltung und Restaurierung von Fachwerkkonstruktionen sein. Vorhandene Erfahrungen sollen helfen, effektiv die umfangreichen individuellen Arbeitsschritte zu meistern. Insofern wendet sich das Buch an alle, die sich der beschriebenen Aufgabe widmen.

Zum Gelingen des Buches geht der Dank an meine Frau Karin, die mit großem Verständnis ihren Beitrag leistete und oft erste kritische Stimme war. Mein Dank geht an A. Fenzke, J. Gänßmantel und N. Nieke, die beratend und mit Beiträgen mitgewirkt haben.

Dem Beuth Verlag danke ich für die Möglichkeit einer 4. Auflage. Dank gilt auch dem IRB Verlag.

Das Buch widme ich Frau Barbara Roesler (†), die als Lektorin die Buchidee hatte, und mich bei den ersten beiden Auflagen engagiert begleitete.

An die zentrale Militärbibliothek der Bundeswehr in Strausberg geht ein ganz besonderer Dank, dort wurde (fast) jede gewünschte Literatur aufgespürt und mir bereitgestellt.

Ekkehart Hähnel

Müncheberg, Juli 2018

Inhaltsverzeichnis

Inhalt der DIN Mediathek

Die unten angeführten Inhalte finden Sie auch in der DIN Mediathek unter www.dinmediathek.de

Arbeitsblätter 1 bis 92 aus Abschnitt 6.2

Vorschlag für ein Beratungsprotokoll aus Abschnitt 7.3 (ausfüllbar)

Leistungsverzeichnis Fachwerkinstandsetzung (Muster) aus Abschnitt 7.5 (ausfüllbar)

Bild 1.1.1 Fachwerkkonstruktionen und fachwerkähnliche Konstruktionen sind oft in Bauwerken versteckt, denen man das nicht ansieht. Dazu gehören Burgen, Schlösser, Herrenhäuser, Brücken, Windmühlen – hier das Beispiel einer ehemaligen Templer-Komturei mit einem massiven mitteralterlichen Speichergebäude.

1 Holzfachwerk – die besondere Bauweise

1.1 Baugeschichtliches

Zu den prägenden Elementen ländlicher wie städtischer Architektur gehören die Fachwerkgebäude. Die Fachwerkbauweise finden wir nicht nur bei Wohn- und Geschäftshäusern, sondern auch bei Brücken, Windmühlen, Kirchen, Fabrikhallen, Ställen, Scheunen und vielen anderen Nutzungen.

Eine Baukonstruktion bewährt sich durch Haltbarkeit, Gebrauchseigenschaften, Reparierbarkeit und Wirtschaftlichkeit.

Im Vergleich mit anderen Bauweisen hat die Fachwerkkonstruktion ihre Qualitäten bewiesen. Das Alter der verschiedenen Bauweisen lässt sich wie folgt darstellen:

Lehmbauweise	7000 Jahre, Anatolien, Tigris
Natursteintechnik	6000 Jahre, Ägypten
Ziegelsteinbau	4000 Jahre, Mesopotamien
Fachwerkbauweise	2000 Jahre, weltweit
Betonbau (Gussgestein)	2000 Jahre, Rom
Blockbauweise	1200 Jahre, Skandinavien, Russland
Stabbauweise	900 Jahre, Norwegen
Gusseisenkonstruktionen	230 Jahre, England/Amerika
Holzleimbau (BSH)*	155 Jahre, England
Stahlbaukonstruktionen	145 Jahre, Amerika
Stahlbetonbau	120 Jahre, Frankreich/England

* BSH: Brettschichtholz, Holzschichten geklebt für tragende Bauteile

Geliebt oder verpönt, reich geschmückt und stattlich oder schlicht und bescheiden hat eine große Anzahl dieser Gebäude die Zeit überdauert. Viele der berühmtesten Figuren der Geschichte lebten in Fachwerkhäusern. Noch heute lebt die Hälfte der Weltbevölkerung in Häusern aus Holz und Lehm.

Bild 1.1.2 Ältere Ansicht des massiven Speichers der ehemaligen Templer-Komturei. Lietzen bei Seelow, 14./15. Jahrhundert

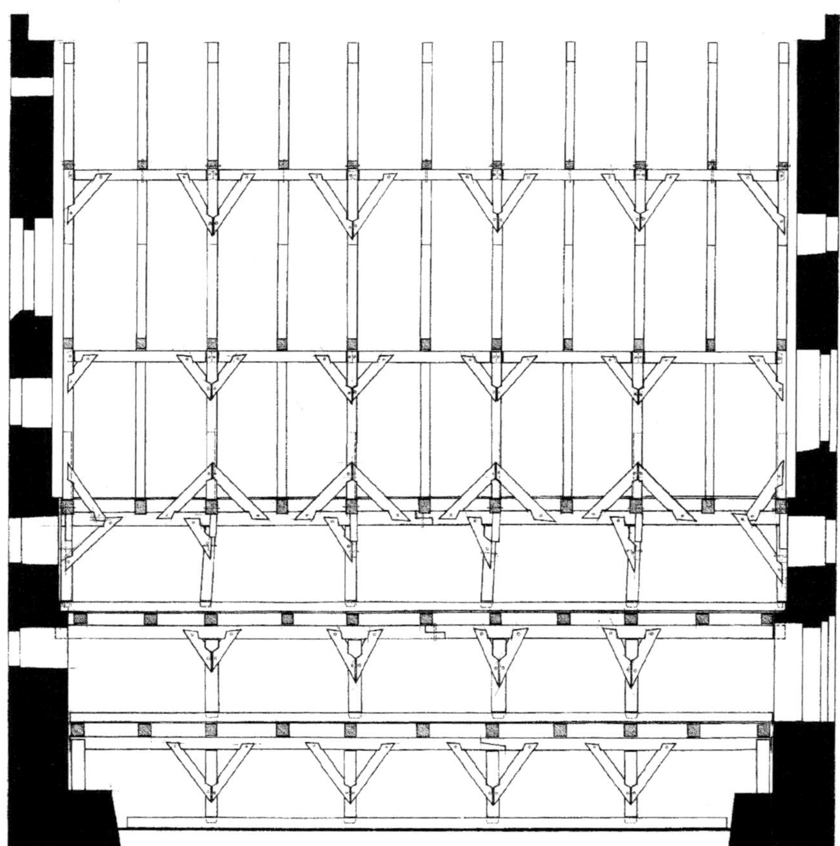

Bild 1.1.3 Im Speicher gibt es eine mittig stehende Trennwand zur Aufnahme der Speicherböden und des Daches. Die Zeichnung zeigt die Rekonstruktion des ursprünglichen Zustandes. Die Handschrift süddeutscher Zimmerleute ist erkennbar.

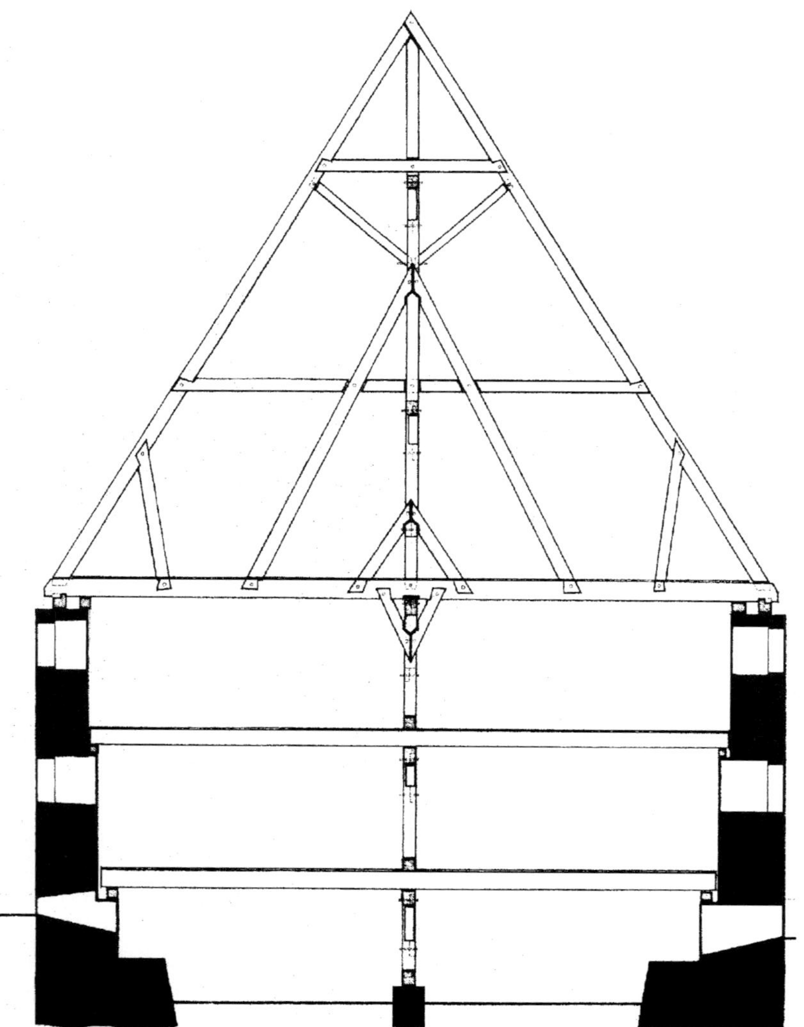

Bild 1.1.4 Der Querschnitt zeigt die vorbildliche Konstruktion mit nicht eingemauerten Balkenköpfen

Der Fachwerkbau ist ein Konstruktionsprinzip, das sich aus Pfostenbau, Stabbohlenbau, Blockbohlenbau und Blockhausbau entwickelt hat. Die Reduzierung des Holzeinsatzes, aber auch gestalterische Aspekte haben diese Entwicklung beeinflusst.

Ein wesentlicher Entwicklungsschritt war der Übergang von der Hochständerbauweise zur Stockwerksbauweise. Damit war die Errichtung von Fachwerkbauten mit mehr als zwei Stockwerken in hoher Qualität möglich, was besonders die städtische Architektur prägte.

Bild 1.1.5 Im ländlichen Bereich gibt es einheitlich konzipierte Dorfanlagen, in denen das Fachwerk dominiert. Sünna, Thüringen

Die Gebäudekonstruktionen sind miteinander verwandt; Bauweise, Haltbarkeit, Instandsetzungstechniken und Gebäudepflege beruhen auf gleichen Grundsätzen.

Baumaterial:	Vollholz/Lehm/Naturstein
Konstruktionsweise:	Stabwerk/Riegelbau
Knotenverbindung:	Handwerkliche Anfertigung
Knotenarten:	Blattverbindung
	Zapfenverbindung
	Kammverbindung
	Klauenverbindung
	Eisenbeschlag
Gebäudearten:	Wohn-/Lager-/Stall-/Verwaltungsbau
	Kirchen
	Brücken
	Mühlen
	Gewerbe- und Industriebau

Die Gestaltungskonzepte und handwerklichen Kenntnisse wurden mündlich und am fertigen Gebäude überliefert. Generation für Generation übernahm dieses Erbe und fügte ihre Erkenntnisse vorsichtig hinzu, was zu sehr interessanten regionalen Besonderheiten führte.

Die wandernden Handwerker und die Ansiedler in neu angelegten Dörfern waren es auch häufig, die die Bauweise weitertrugen und beeinflussten.

Bild 1.1.6 Städtisches Handelshaus mit Wohnteil und drei Lagerböden. Bad Salzuflen

Bild 1.1.7 Einhaus, Norddeutschland; Wohnen, Tierhaltung und Futterlagerung unter einem Dach

Bild 1.1.8 Kleines, zweigeschossiges Bürgerhaus von 5 Achsen, ansprechend restauriert. Ueckermünde

Bild 1.1.9 Preußisches Zankhaus auf dem Elbdamm, Norddeutschland

Bild 1.1.12 Häufig sieht man einem Fachwerkgebäude an, dass es eigentlich nicht mehr gebraucht wird, besonders Wirtschaftsgebäude gehen zu schnell verloren.

Bild 1.1.10 Viergeschossiges Rathaus am Marktplatz in Vacha, um 1614

Bild 1.1.13 Geschlossene innerstädtische Bebauung, Bürgerhäuser, Mietwohnungen, Handel. Hann. Münden

Bild 1.1.11 Zu den Höhepunkten ländlicher Architektur gehören die in vielfältiger Formensprache und Materialauswahl erhaltenen Dorfkirchen. Besonders im 18. Jh. wurden die Fachwerkkirchen oft auf rechteckigem Grundriss errichtet. Ihre Erhaltung ist ein allgemeines Anliegen geworden. Pechern bei Weißwasser

Fachwerkgebäude sind nach ihren Merkmalen zu unterscheiden. Das hat wesentlichen Einfluss auf den Umgang mit dem Gebäude.

Die Vielfalt der überlieferten Konstruktionen verlangt ein sehr differenziertes Herangehen bei anstehenden Instandsetzungen oder Umnutzungen.

Wesentliche Unterscheidungsmerkmale für Fachwerkgebäude sind unter anderem:

Warmbau	Kaltbau
Frei stehend	Geschlossene Bebauung
Sichtfachwerk	Verkleidetes Fachwerk
Eingeschossig	Mehrgeschossig
Hochständerbauweise	Stockwerksbauweise
Weichholzkonstruktion	Hartholzkonstruktion
Geeignete Nutzung	Ungeeignete Nutzung
Gute Erhaltung	Mangelhafte Erhaltung
Baudenkmal	Kein Denkmalschutz

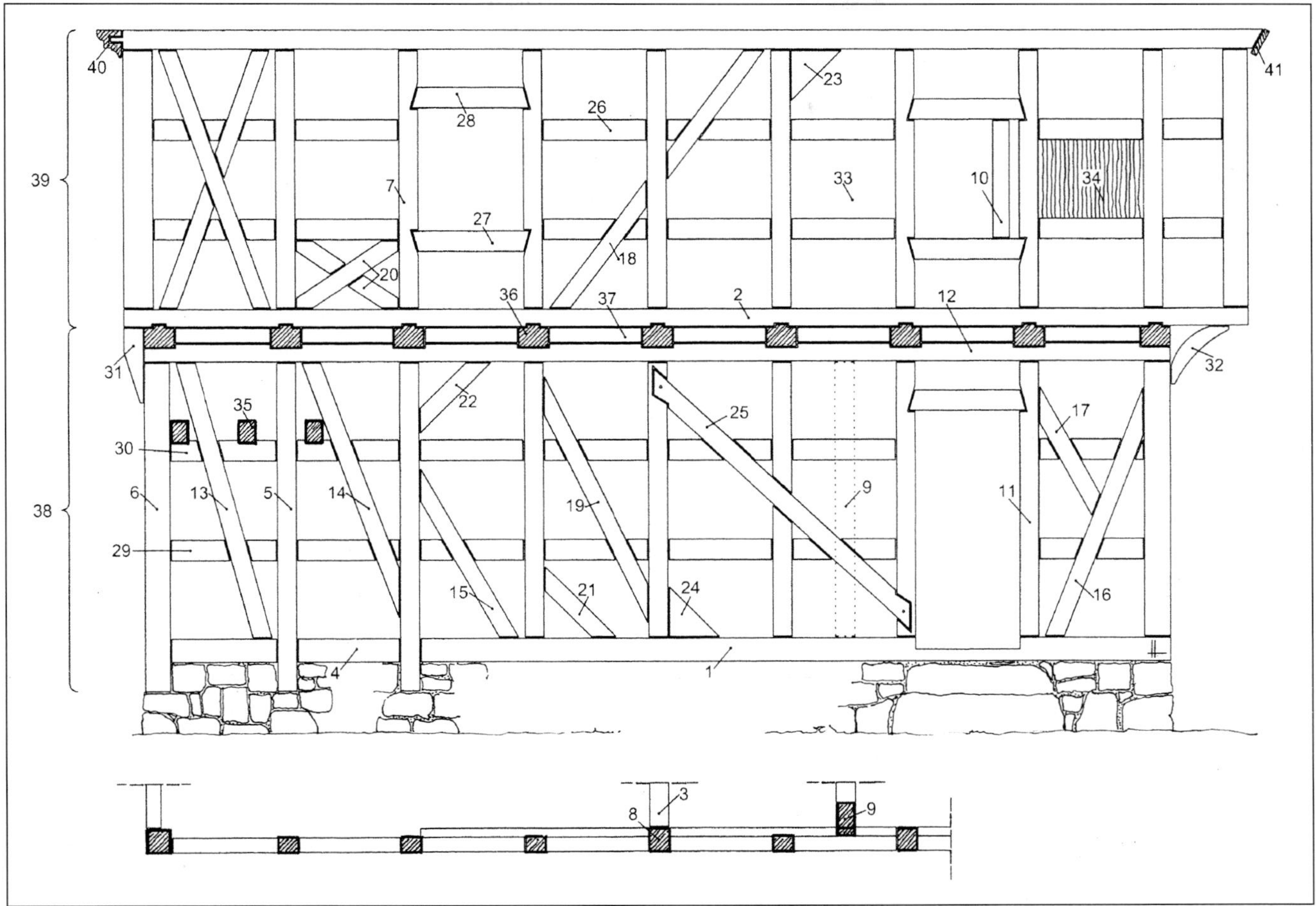

Bild 1.1.14 Bezeichnungen der Fachwerkbauteile am Beispiel der Stockwerksbauweise

1 Schwelle, Grundschwelle, Fußschwelle, Wandschwelle, Schwellenkranz
2 Saumschwelle, Stockschwelle
3 Bundschwelle
4 Schwellriegel
5 Wandständer, Stiel
6 Eckständer, Eckstiel
7 Fensterständer, Fensterstiel
8 Bundständer
9 Klappständer
10 Beiständer
11 Türständer, Türpfosten
12 Rähm, Wandrähm, Rähmbalken, Rahmenholz
13 Langstrebe, kann auch über 2 Geschosse führen
14 Ständerstrebe
15 Grundstrebe
16 Dreiviertelstrebe
17 Gegenstrebe
18 Steigstrebe, Steigband
19 Ständer-Ständer-Strebe
20 Andreaskreuz
21 Fußstrebe, Fußband, Fußholz
22 Kopfstrebe, Kopfband, Kopfholz
23 Kopfwinkelholz
24 Fußwinkelholz
25 Verschwertung, Schwertung, innen oder außen liegend
26 Riegel, Fachriegel
27 Brüstungsriegel, Brustriegel
28 Sturzriegel, Kopfriegel
29 Unterer Riegelzug
30 Oberer Riegelzug
31 Knagge
32 Büge, Bug
33 Gefach, Fach
34 Ausfachung
35 Senkbalken, Deckenbalken
36 Balkenkopf
37 Füllholz
38 Unterstock
39 Oberstock
40 Blockgesims, Gesimsbalken
41 Gesimsbrett, Gesimsbohle

1.2 Bezeichnung der Fachwerkbauteile

Der Höhepunkt der Fachwerkbauweise war im 15./16. Jahrhundert erreicht. Im städtischen Bauen, aber auch in bäuerlichen Anlagen fanden Reichtum, Machtanspruch sowie Gediegenheit eine architektonische Ausprägung. Aus dem 18. Jahrhundert sind ernsthafte Bestrebungen bekannt, die Fachwerkbauweise zu verbieten, da die Holzvorräte zur Neige gingen. Besonders die Eichenwälder waren abgeholzt.

Einfluss auf diese nicht gerade feuersichere Bauweise nahmen ganz besonders die Feuerversicherungen, wenn es um Brandschutzvorschriften ging und Baukonstruktionen, z. B. Schornsteine, Brandwände, Dachbedeckung sowie die Lage der Hauseingänge, vorgeschrieben wurden.

Im norddeutschen und im skandinavischen Raum baute man zwar überwiegend mit Kiefernholz, aber auch hier wurde das Holz knapp. Endgültig kam der Fachwerkbau erst zum Erliegen, als mit der industriellen Backsteinproduktion (um 1880) ein finanzierbarer Ersatzbaustoff da war. Besonders die witterungsanfälligen Gefachfüllungen aus Lehmbaustoffen konnten so ersetzt werden.

Das massive Bauen setzte sich rasch durch, Fachwerk war nicht mehr zeitgemäß, wurde verkleidet, verputzt oder niedergelegt. Nicht selten sind Fachwerkhäuser von vornherein zum Verputzen vorgesehen und nicht als Sichtfachwerk errichtet worden.

Diese Tatsache ist für geplante Instandsetzungsarbeiten genau zu erkunden.

Besonders ausgeprägt für die Fassaden im öffentlichen Raum war der Schmuck in Form von farbig gefasstem Schnitzwerk. Die Benutzung von Farbe zur Steigerung der Ausdruckskraft begann etwa im 15. Jahrhundert im Städtebau. Auch mit Symbolen und Schmuckelementen bis zu aufwändigen Schnitzarbeiten in der Form von Plastiken und Schriftzügen sind die Gebäude überliefert. Siehe hierzu Abschnitt 2.8.

Die Darstellung der Bauteile und die Sammlung der Bauteilbezeichnungen erheben keinen Anspruch auf Vollständigkeit.

Die Vielfalt der Bezeichnungen in der „Fachsprache“ der Zimmerleute sollte weiter gepflegt und überliefert werden.

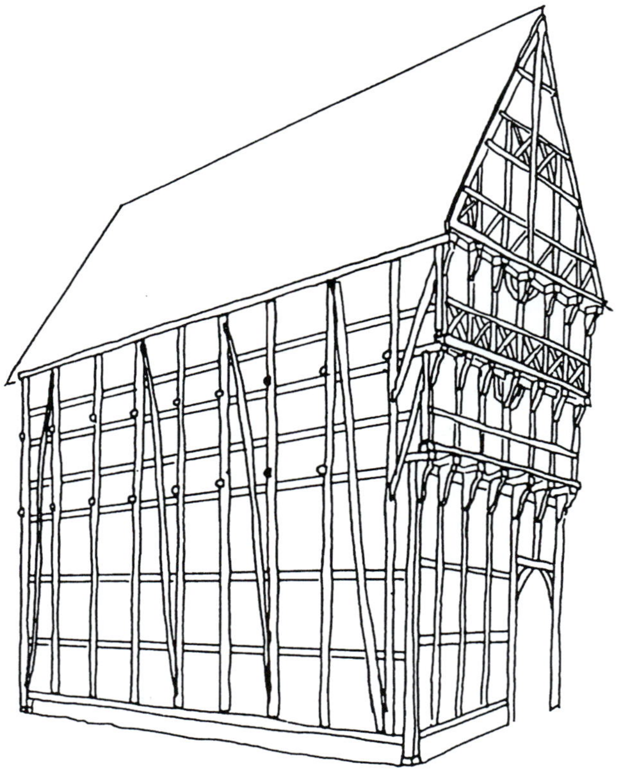

Bild 1.1.15 Zu den Konstruktionsprinzipien des Fachwerks gehört, wenn auch nicht sehr weit verbreitet, die Hochständerbauweise, auch als Wandständerbauweise bezeichnet. Die Instandsetzung derartiger Konstruktionen erfordert ein anderes Herangehen als bei der Stockwerksbauweise. Die statische Sicherheit während der Bauzeit ist über Absteifungen/Abfangungen in besonderer Weise herzustellen. Ein erfahrener Statiker darf nicht fehlen.

Bild 1.1.16 In Fritzlar ist die Hochständerbauweise noch an einigen Gebäuden gut zu erkennen.

2 Arbeitsschritte

2.1 Leitfaden

Die Beschäftigung mit einem Fachwerkhaus kann in die nachfolgend dargestellten Arbeitsschritte gegliedert werden. Die gesammelten Erkenntnisse zu einem Gebäude führen in Verbindung mit den Nutzungsvorstellungen zwingend zu einem Ergebnis. Schlimmstenfalls stellt sich heraus, dass Wunsch und Wirklichkeit nicht in Übereinstimmung zu bringen sind. Dieses Ergebnis ist auf jeden Fall wertvoller als ein unbedachter Sanierungsversuch, der irgendwann scheitert.

2.2 Aktuelle Situation

Das Schicksal eines Fachwerkhauses wird überwiegend von subjektiven Gegebenheiten bestimmt.

Die Interessen sind in der Regel vorgegeben. Solange der Erbauer der Hauseigentümer ist, bestand und besteht für das Haus und seine Erhaltung wenig Gefahr. Auch der Erbe hatte in der Regel einen emotionalen Bezug und oft Respekt. Der Mieter jedoch drängt vorrangig auf Mängelbeseitigung. Der Makler nimmt das Haus als besonderen kulturellen Wert vielfach nicht mehr wahr.

Das Fachwerkhaus, vom Eigentümer selbst genutzt, ist ein günstiger Ansatz für seine Erhaltung. Der Schutz der Fachwerkarchitektur bedarf aber stets eines verständigen Umfeldes, das mit den Erlassen der Landes-Denkmalschutzgesetze um 1975/76 geschaffen werden sollte. Diese Gesetzestexte sind allen Interessenten zugänglich.

Die öffentliche Aufmerksamkeit wurde unter anderem auf die Fachwerkarchitektur mit ihrer Vielfalt geschichtlicher und handwerklicher Aussagekraft gelenkt. Dabei stellte sich rasch heraus, dass der fachgerechte Umgang mit dieser Bauweise in der jüngeren Vergangenheit oft problematisch war. Die notwendigen Fachkenntnisse waren weitestgehend verloren gegangen. Die praktizierte Sanierung führte nicht selten zu neuen Schäden, und weitere Verluste mussten hingenommen werden.

Es wurde erforderlich, das Thema gründlich anzugehen. Alle guten Erfahrungen galt es zusammenzutragen, falsche Techniken und Materialien müssen benannt werden.

Die kulturellen und sozialen Anforderungen der Nutzung in der Gegenwart waren und sind im Spannungsfeld „richtige Fachwerkhausnutzung" stets neu zu bedenken. Die denkmalrechtlichen Anforderungen ließen Lösungen oft unmöglich erscheinen. Eine Vielzahl vorzeigbarer Beispiele von neuer Nutzung in alten Gebäuden beweist das Gegenteil.

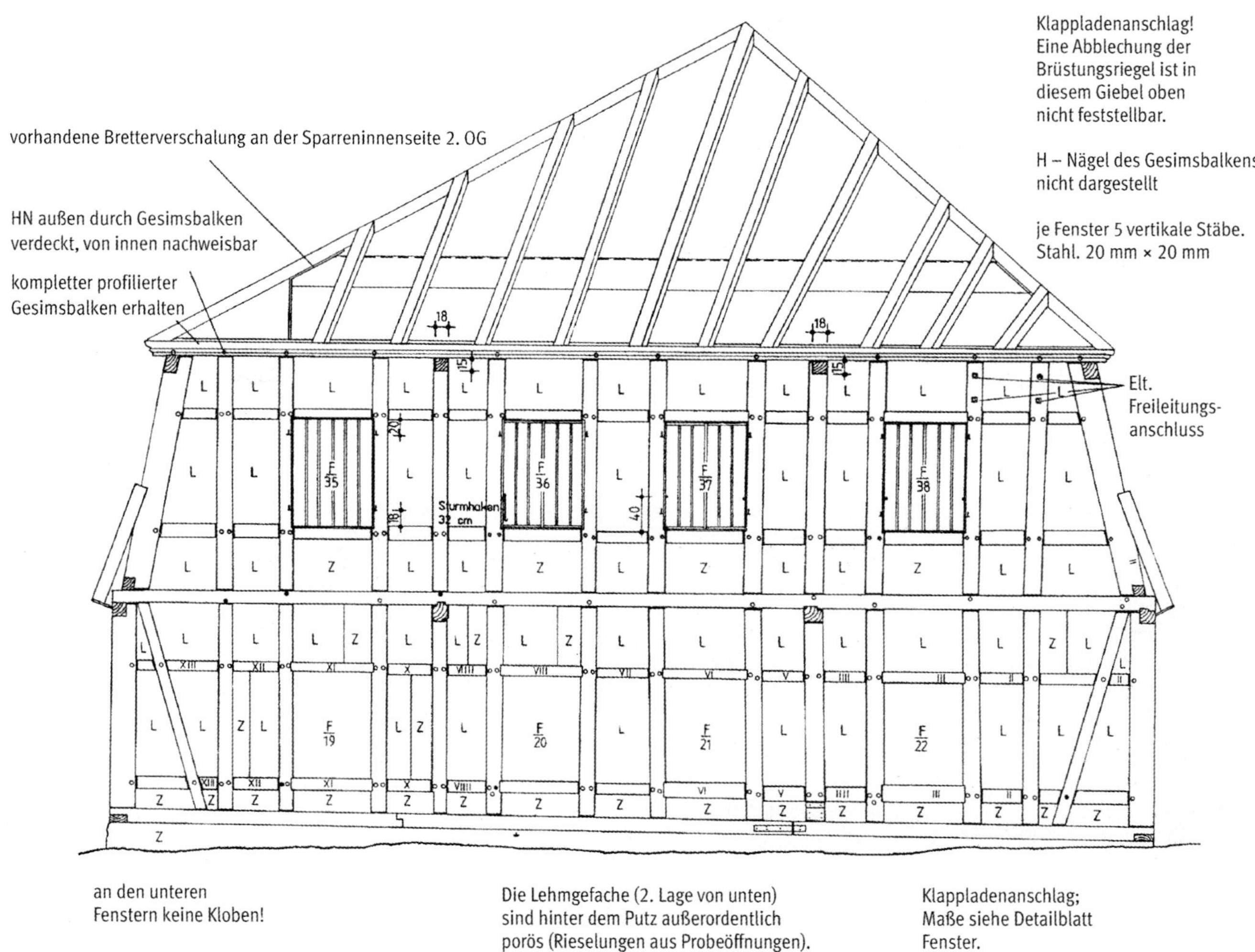

Legende:

A vorhandene Aufbohlung
F Fenster
Z Ziegelmauerwerk
L Lehmgefach (Stakung)
● fehlender Holznagel, kein Nagelloch
◑ fehlender Holznagel, vorh. Nagelloch
○ Holznagel
+ Nagel o. Ä.
ɪ Stützhaken
✱ fehlendes Bauteil

Bild 2.2.1 Bestandsaufnahme Instandsetzung Speicher

Fallbeispiel

Ein Getreidespeicher mit zwei Vollgeschossen (preußische Heeresscheune, um 1730/31) sollte instand gesetzt und einer neuen Nutzung zugeführt werden. Der Speicher wurde fast bis zum Beginn der Arbeiten genutzt, sodass es keine Schwammschäden gab, da das Dach dicht gehalten wurde. Die Vorbereitung bestand aus einem geometrischen Aufmaß (ohne Verformungen) und der Untersuchung des Bestandes.

Der Grundriss mit der Form eines verschobenen Parallelogramms gab einige Rätsel auf, da der Speicher ein frei stehendes Bauwerk ist.

Die Instandsetzungsplanung erfolgte für jedes Detail. Der weitestgehende Erhalt der vorgefundenen Bauteile war wichtiges Arbeitsziel.

Zur Ermittlung der erfüllbaren Forderungen an eine neue Nutzung muss man ausreichend Zeit einplanen.

Im Fallbeispiel sind Ausstellungsraum, Vortragsraum, Teeküche, zwei WCs und ein Windfang zum Obergeschoss vorgesehen und ausgeführt worden. Da das Heizen der Räume von vornherein als nicht machbar angesehen wurde, musste der Gedanke an eine Gemeindebibliothek aufgegeben werden. Die Innenräume sind temperierbar, was eine gewisse Einschränkung im Winter bedeutet.

Ein ganz subjektives Problem der Gebäudenutzung kann auch das Fehlen eines kulturpolitischen Anspruchs und damit des guten Willens sein.

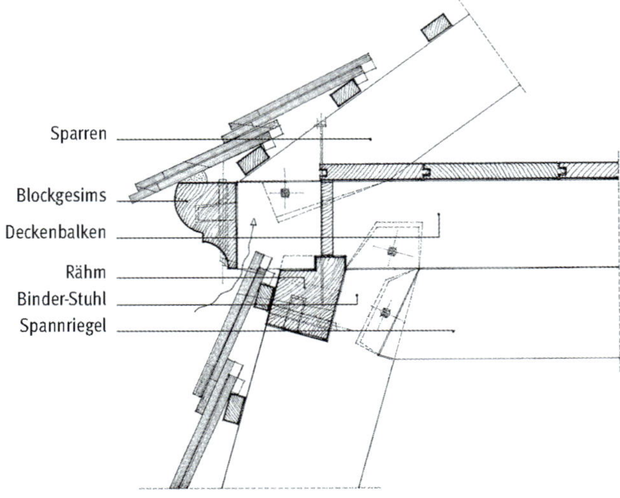

Bild 2.2.2 Konstruktionsdetails müssen in einem großen Maßstab aufgemessen und gezeichnet werden.

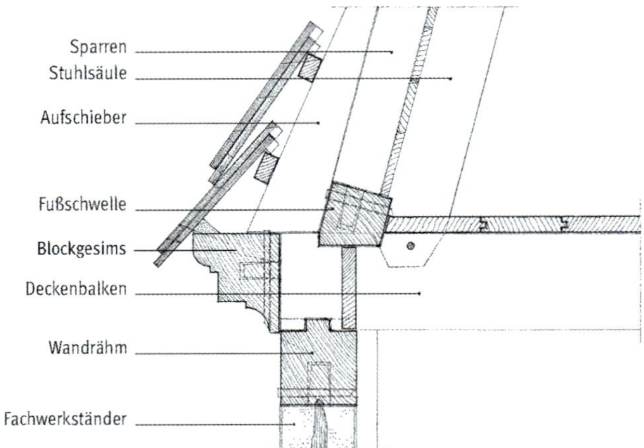

Bild 2.2.3 Ist das Gefüge im Detail aufgemessen, ist die Reihenfolge des Zusammenbaus ablesbar. Schlussfolgerungen für die Instandsetzung können abgeleitet werden.

Bild 2.2.4 Eine restaurierte preußische Heeresscheune, heute mit neuer Nutzung als kulturelle Begegnungsstätte der Gemeinde. Schöneiche bei Berlin, 1730/31

Bild 2.2.5 Notwendige Stahlverbindungsmittel (hier von innen angeordnete Schlüsselschrauben) werden versenkt eingebaut.

Bild 2.2.6 Die versenkten Stahlverbindungsmittel werden mit einer artgleichen Holzscheibe bündig abgedeckt.

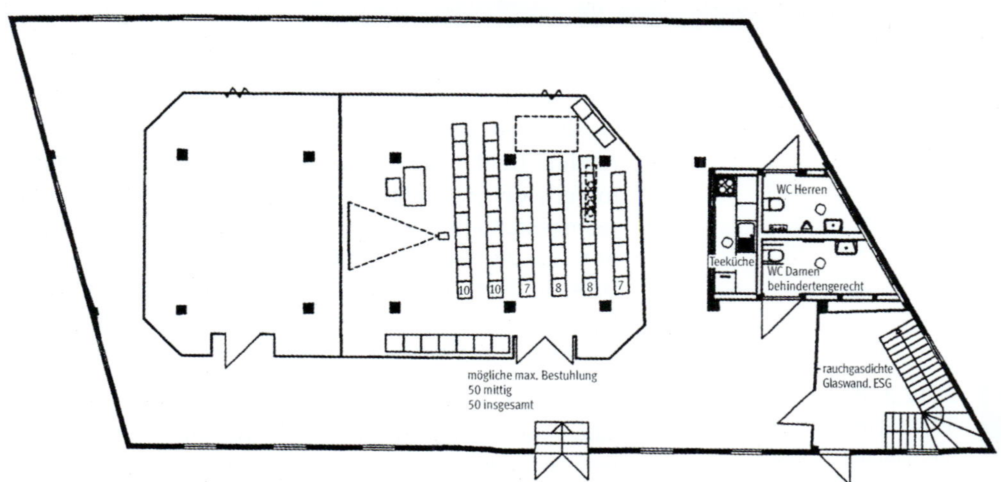

Bild 2.2.7 Grundriss der ausgeführten Raumanordnung

Bild 2.2.8 Blick in das Erdgeschoss eines dreigeschossigen Speichers. Für die Instandsetzung der tragenden Bauteile wurden Stahlverbindungsmittel eingesetzt. Im Bild sind sie noch nicht abgedeckt. Preußische Heeresscheune in Schöneiche bei Berlin

Bild 2.2.9 Raumbildender Glaseinbau, der das Erleben des historischen Baukörpers in allen Details ermöglicht. Die Heizkörper ordnen sich unter, sind aber auch zur Wahrnehmung der Glaskonstruktion von Bedeutung.

Bild 2.2.10 Die 30 cm × 30 cm starken Kiefernholz-Ständer des Speichers waren am Fuß teilweise stark kerngeschädigt. Die Reparaturmöglichkeiten bestanden im Kürzen und Anschuhen oder im Verpressen der Hohlräume. Zur Erhaltung der Oberflächen mit den Abbundzeichen, den Gebrauchsspuren und kleinen Beschädigungen wurde ausnahmsweise eine Lösung durch Auspressen der Hohlräume gewählt. Das Auspressen erfolgte als Niederdruckinjektage mit PU-Harzgemisch, das mit Sägemehl angereichert ist und eine Quellwirkung ausübt. Entsprechende praktische Proben wurden im Vorfeld auf der Baustelle vorgestellt. Diese Arbeit hat keine äußeren Spuren hinterlassen.

Die in der Öffentlichkeit gestellte Forderung, sich der Fachwerkbauten mit neuer Gründlichkeit anzunehmen, fand rundum Gehör. Gleichzeitig wurde Widerstand herausgefordert, der mit Fragen der Stadterneuerung, der Stadtraumgestaltung, der tatsächlichen Nutzungsmöglichkeiten oder der zu erwartenden Baukosten in Verbindung steht. Da es in Deutschland noch etwa zwei Millionen Fachwerkhäuser geben soll, ist eine gründliche Auseinandersetzung mit allen Argumenten gefordert.

Zu vielen statischen, physikalischen und chemischen Zusammenhängen speziell der Fachwerkbauweise musste in den vergangenen Jahrzehnten intensiv wissenschaftliche Grundlagenarbeit geleistet werden. Die qualifizierte Mitwirkung der Produkthersteller, aber auch der Einfluss auf diese führten zu neuen Instandsetzungsstrategien.

Das Wissen ist weitgehend in den Merkblättern Fachwerkinstandsetzung der Wissenschaftlich-Technischen Arbeitsgemeinschaft für Bauwerkserhaltung und Denkmalpflege e. V. (WTA) zusammengefasst dargestellt. Diese sind in einem Kompendium erschienen. Innerhalb dieser Merkblätter wird auf weiterreichende Fachliteratur verwiesen.

Siehe: www.wta.de und Abschnitt 7.6.

2.3 Aufgabenstellung

Fachwerkhäuser haben nicht nur eine spezifische Bau-, sondern auch eine Nutzungsgeschichte. Die Eigenschaften des Hauses zu kennen und zu achten, ist die wichtigste Voraussetzung, um das Haus zu erhalten.

Der Architekt kann ein altes Haus „kaputtplanen", der Statiker kann es „kaputtrechnen" und der Bauherr kann es „kaputtreden".

Fallbeispiel

Bild 2.2.11 Der Hilferuf kam von einer Gemeinde. Die Barockkirche von 1711/18 war durch Teileinsturz stark gefährdet. Die notwendige Sicherungskonstruktion wurde erarbeitet und kurzfristig bereitgestellt. Die beauftragte „Denkmalfirma" setzte durch, dass ein Totalabriss erfolgte und eine komplette Rekonstruktion zur Ausführung kam. Hier hätten etwa zwei Drittel der Originalkonstruktion einschließlich der Empore, der Fenster, Türen und des Gestühls erhalten werden können. Das Stoppen der mit Bagger ausgeführten Aktion war nicht mehr möglich. Auf der Deponie wurden alle Teile bereits zu Brennholz geschnitten (Eiche, 250 Jahre getrocknet!).

Alle drei zusammen können das alte Fachwerkgebäude aber auch zu einem Kleinod werden lassen.

Unabhängig von der Art des Bauwerkes (Wohnhaus, Kirche, Speicher o. Ä.) ist immer wieder eine Folge fast gleicher Arbeitsschritte erforderlich. Diese Arbeitsschritte müssen vollzogen werden, egal ob eine Fassadenverschönerung, eine Instandsetzung oder Modernisierung bzw. eine Grundinstandsetzung – vielleicht noch mit vorgesehener Umnutzung – geplant ist.

Eine gründliche Aufgabenstellung für alle Details muss formuliert werden. Was soll in Ordnung gebracht und modernisiert werden, wie soll die künftige Nutzung aussehen, welche bekannten Schäden sind zu beseitigen? Das ist für jeden Raum und die Ansichtsflächen der Fassaden des Gebäudes als Wunschliste festzulegen. Dies sollte in der Form eines Raumbuches erfolgen.

Mit diesem ersten Schritt können bereits Grundsatzfragen geklärt werden. Sie brauchen einen erfahrenen Planer/Architekten, der sie zu den Anfangsschritten kundig berät. In diesem Arbeitsstadium sollte noch kein Gesamtplanungsvertrag abgeschlossen werden.

2.2.12 Viele Gebäude verraten, dass sie im Kern aus Fachwerk errichtet sind. Wird das nicht nur durch Risse, sondern auch durch farbliche Veränderungen infolge Feuchte deutlich, ist das ein Zeichen für dringenden Handlungsbedarf.

Annäherung an das Bauwerk, Vorschlag für die Arbeitsschritte der Planung:

- Baugeschichte erkunden (Umbau- und Reparaturgeschichte, Bauetappen)
- Nutzungsgeschichte erkunden
- Aufnahme des Bestandes (Klärung der Genauigkeit)
- Aufnahme des Zustandes (Verwendung der Legenden)
- Restauratorische Untersuchung
- Zuordnung der Bausubstanz zu den Bauetappen
- Klärung der Nutzungsabsicht mit den Gegebenheiten
- Erarbeitung der Nutzungsplanung (Bauherrenwünsche/Baurechtliche Vorgaben)
- Genehmigungsfähigkeit klären
- Klärung der Einzelheiten zu Standsicherheit, Brandschutz, Schallschutz, Feuchtigkeitsschutz, Wärmeschutz
- Schlagregenschutz
- Inanspruchnahme von Spezialisten (Sonderfachleuten), z. B. für Feuchtigkeitsschutz/Brandschutz
- Detaillierte Ausführungsplanung: Jeder Knoten, jeder Fußbodenaufbau (mit den Wandanschlüssen), jeder Wandaufbau wird zeichnerisch und gegebenenfalls rechnerisch geplant; Schwerpunkte können sein: Sockel, Traufe, Treppen, Reparaturdetails an den Knoten, Gefachausbildung, Farbkonzept usw.

Den Planungsschritten folgen Ausschreibung, Vergabe und Bauüberwachung. Hier sollte unter Beachtung bzw. Einhaltung von HOAI und VOB gehandelt werden.

Die Genehmigungsfähigkeit des Vorhabens ist zuerst zu klären, das bedeutet die Erarbeitung einer Genehmigungsplanung durch den Architekten und die dazugehörige Klärung mit der Bauaufsichtsbehörde und den Trägern öffentlicher Belange. Unter bestimmten Bedingungen ist eine Bauvoranfrage an die Baubehörde sinnvoll. Das ist zu besprechen und abzustimmen.

2.4 Denkmalschutz

Denkmalschutz sollte als Herausforderung und nicht als Hemmnis für die Entwicklung verstanden werden. Besteht für ein Gebäude Denkmalschutz, so ist besonders umsichtig vorzugehen. Auch städtische Sanierungssatzungen, Ortsgestaltungssatzungen und Dorferneuerungspläne sind zu beachten. Bereits die Frage nach dem Denkmalschutzstatus wird, je nach Bundesland, gegebenenfalls unterschiedlich beantwortet. Besteht der Schutz, hat man in der Regel Anspruch auf eine schriftliche Dokumentation zum Denkmalwert (rechtsmittelfähiger Bescheid bzw. nachrichtliche Eintragung). Die Handhabung der Unterschutzstellung ist in den Bundesländern unterschiedlich geregelt, sodass empfohlen wird, hier genaue Informationen bei der zuständigen Denkmalschutzbehörde einzuholen. Mit den sich daraus ergebenden Bindungen muss planerisch verantwortungsvoll umgegangen werden. Ein Makler muss diese Informationen in seinem Exposé aufnehmen.

Für den grundsätzlichen Umgang mit Baudenkmalen und das restauratorische Vorgehen ist nach wie vor die Charta von Venedig von 1964 verbindlich (Anhang 7.1).

Zu Irrtümern kommt es beim Umgang mit Fachbegriffen, wenn die Auffassungen auseinandergehen. Am Schluss des Buches ist als Hilfe eine Begriffserläuterung angefügt (Anhang 7.4).

Zeit und Geld für restauratorische und gegebenenfalls für hauskundliche Untersuchungen ist rechtzeitig einzuplanen. Auch ist im Vorfeld festzulegen, welche bodendenkmalpflegerischen Belange existieren und ob archäologische Vorbereitungen und eine Baubegleitung erforderlich sind. Das muss für die Bauzeitplanung und die Finanzierung sorgfältig geklärt sein.

Der Denkmalwert eines Gebäudes kann sich auch während der Arbeiten herausstellen. Das ist eher die Ausnahme, gehört aber zur Vollständigkeit der zu bedenkenden Schritte. Auch ohne Denkmalschutzstatus ist mit der zuständigen Baubehörde eine Vorabklärung in ähnlicher Weise geboten. Eine fertige Ausführungsplanung einzureichen, wird nicht empfohlen; unnötige Kosten würden bei Änderungen entstehen. Mit Bauordnungsamt und Denkmalschutzbehörde vereinbarte Lösungen stellen in der Regel brauchbare Kompromisse dar.

2.5 Fördermittel

In den Bundesländern gibt es unterschiedliche Förderprogramme, Fördermittel und Zuschüsse. Steuerrechtlich gibt es Abschreibungsmöglichkeiten für Mehraufwendungen.

Hier muss sich der Bauwillige rechtzeitig, das heißt stets vor Baubeginn, mit der Unteren Denkmalbehörde und den kommunalen Bauverwaltungsämtern sowie dem Steuerberater zusammensetzen, um seine Möglichkeiten zu erfahren. Die Möglichkeiten eines Zuschusses, eines günstigen Kredites und/oder der möglichen Abschreibungen im Steuerrecht sind frühzeitig zu klären. Dafür sollten die aktuellen Informationen eingeholt werden, da sich diese leider zu oft ändern. Antragstellungen müssen in der Regel weit über ein Jahr vorher getätigt werden, um in die Programme aufgenommen zu werden.

Hier wird auch auf die unterschiedlichen im städtischen und ländlichen Bereich vorhandenenen Möglichkeiten verwiesen. Auch private Stiftungen können Ansprechpartner für den Erhalt kultureller Werte sein.

Ein Baubeginn vor einer Zuschussbewilligung zu einem Fördermittelantrag ist nicht zu empfehlen, er könnte die Empfangsberechtigung einer Förderung aufheben.

Hat man eine verbindliche Zusage, kann mit Aufmaß und Zustandsuntersuchung vorab begonnen werden, ohne dass das als vorzeitiger Baubeginn zählt, aber nur schriftlich!

2.6 Bestandsaufnahme/Zustandsaufnahme

Bevor an einem Bauwerk verändernde Arbeiten begonnen werden sollen, ist stets eine Bestandsaufnahme zu veranlassen. Diese sollte einem ausgewiesenen Fachmann übertragen werden.

Bestand und Zustand sind getrennt aufzunehmen. Keinesfalls sind Bestandspläne mit Planungsabsichten zu vermischen. Bei diesen Arbeiten sind nur Sachverhalte darzustellen, die den festgestellten Tatsachen entsprechen.

Für das Gebäude/Bauwerk ist eine zeichnerische Bestandsaufnahme vorzunehmen (Aufmaß). Dabei ist für jede Wandebene und jede Deckenbalkenlage eine Zeichnung, mindestens Maßstab 1:50, anzufertigen. Ein größerer Maßstab wird erforderlich, wenn die Einzelheiten nicht ausreichend darstellbar sind. Die Bestandsaufnahme für die Ebenen der Dachkonstruktion ist nach ähnlichen Kriterien festzulegen. In diesen Blättern werden die geometrische Lage aller Bauteile, Maße, Materialart, Hauptverformung, genaue Lagebezeichnung innerhalb des Gebäudes sowie Auffälligkeiten des Bestandes erfasst.

Bild 2.6.1 Auch im ländlichen Bereich wurden aus modischen Gründen Fachwerkkonstruktionen überputzt. Giebellaubenhaus, Pillgram, um 1687 erbaut

Als nächster Arbeitsschritt ist der Zustand zu erfassen. Es sind vor allem die Schäden und Schadensursachen nach Art und Umfang deutlich zu machen (Kartierung). Auch wenn nur ein neuer Anstrich vorgesehen ist, untersucht man die Fassadenbauteile gründlich, um später keine bösen Überraschungen zu erleben.

Bild 2.6.2 Ist eine Instandsetzung auszuführen, ist es sehr vorteilhaft, wenn man auf alte Dokumente zurückgreifen kann. Leider gibt es nicht immer die Bauakte, in der man alles findet. Im vorgestellten Beispiel tauchte das alte Foto erst nach Fertigstellung der Arbeiten auf. Giebellaubenhaus in Pillgram, um 1687 erbaut

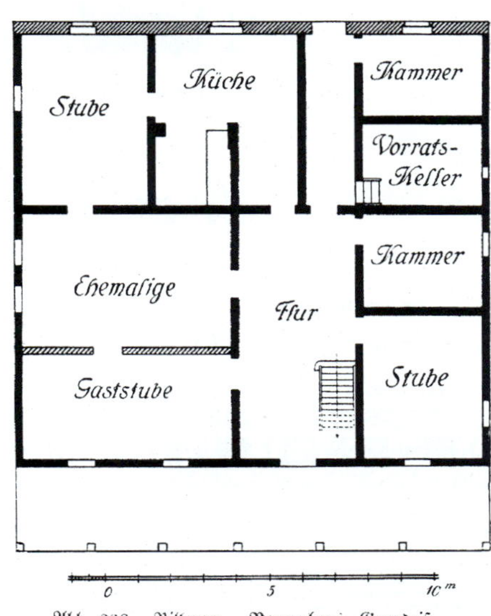

Bild 2.6.3 Grundriss, Maßstab: ohne; das Haus wurde zum abgetragenen Stallteil hin mit einer Wand aus Mauerwerk verschlossen.

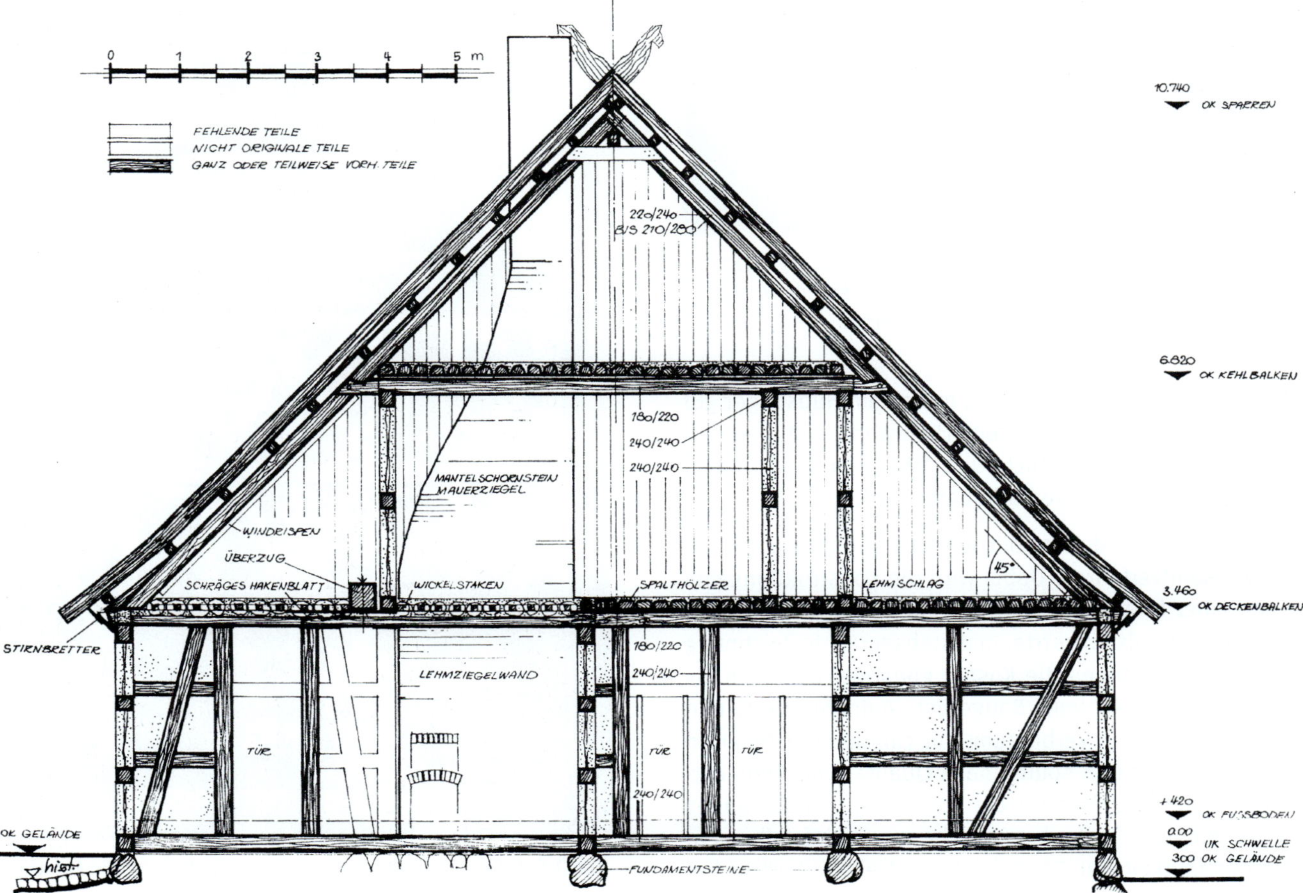

Bild 2.6.4 Querschnitt durch das Haus, nicht verformungsgerecht, mit Abgreifmaßstab, Handaufmaß

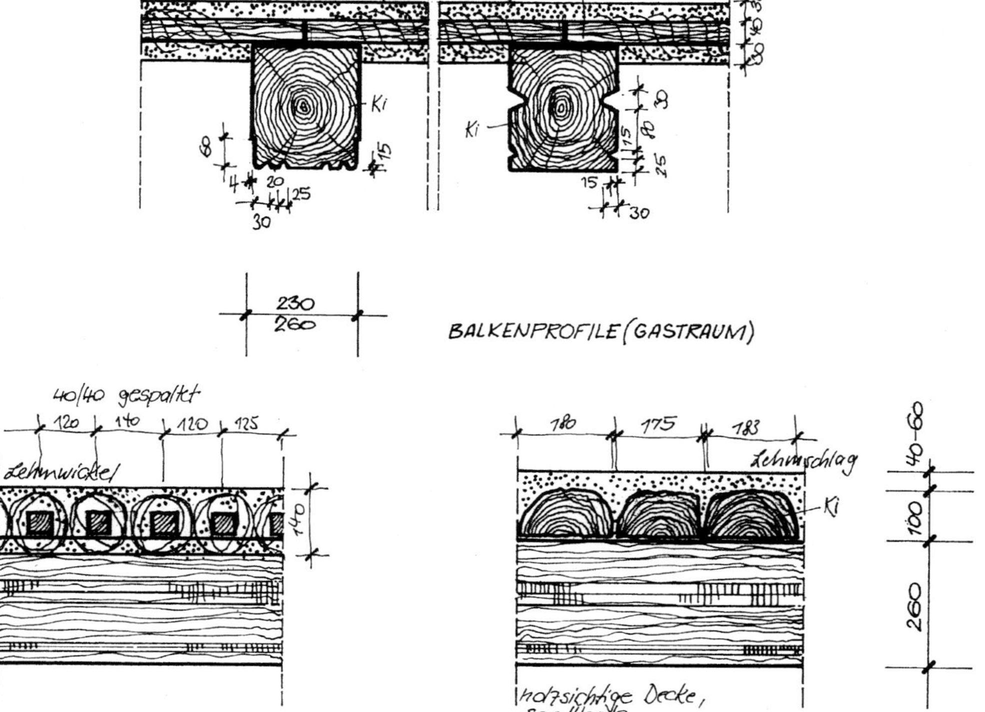

Bild 2.6.5 Vier Details der Bestandsaufnahme von den Holzbalkendecken. Einzelheiten sind in ausreichend großem Maßstab darzustellen.

Bild 2.6.6 Die Bestandsaufnahme ist durch Fotos zu ergänzen, die den Konstruktionsebenen zugeordnet sind – hier der Zustand eines bereits durchgebrochenen Deckenbereiches.

Die Befahrung einer Fassade ist mit einem Hubsteiger gut realisierbar. Hierfür sind bereits Handwerksleistungen für Freilegungsarbeiten zeitlich und finanziell einzuplanen (gegebenenfalls auch Gerüstbauarbeiten).

Eine Möglichkeit der maßlichen Bestandsaufnahme ist das Messbildverfahren. Dabei wird die Konstruktionsebene mit einer Messbildkamera fotografisch abgebildet und dem Bauherrn als entzerrte, maßstabsgerechte Zeichnung geliefert. Hier können die Kosten günstiger ausfallen als bei einem Aufmaß vom Baugerüst. Aufnahmeverfahren mit Lasertechnik in Verbindung mit computergesteuerten Vermessungsgeräten sollten nach Qualität und Preis entschieden werden. Wird für die Ermittlung des Zustandes (Schädigungen, Schadensursachen, Schiefstellungen, Resttragfähigkeit der Bauteile u. dgl.) ein Gutachter bestellt, was durchaus nützlich ist, muss darauf geachtet werden, dass alle tragenden Bauteile untersucht und

Bild 2.6.7 Eine Methode der Bestandsaufnahme ist die Anfertigung von Messbildern. Im Maßstab 1:50 oder größer stehen exakte Pläne zur Verfügung. Altmarkt 8, Schmalkalden

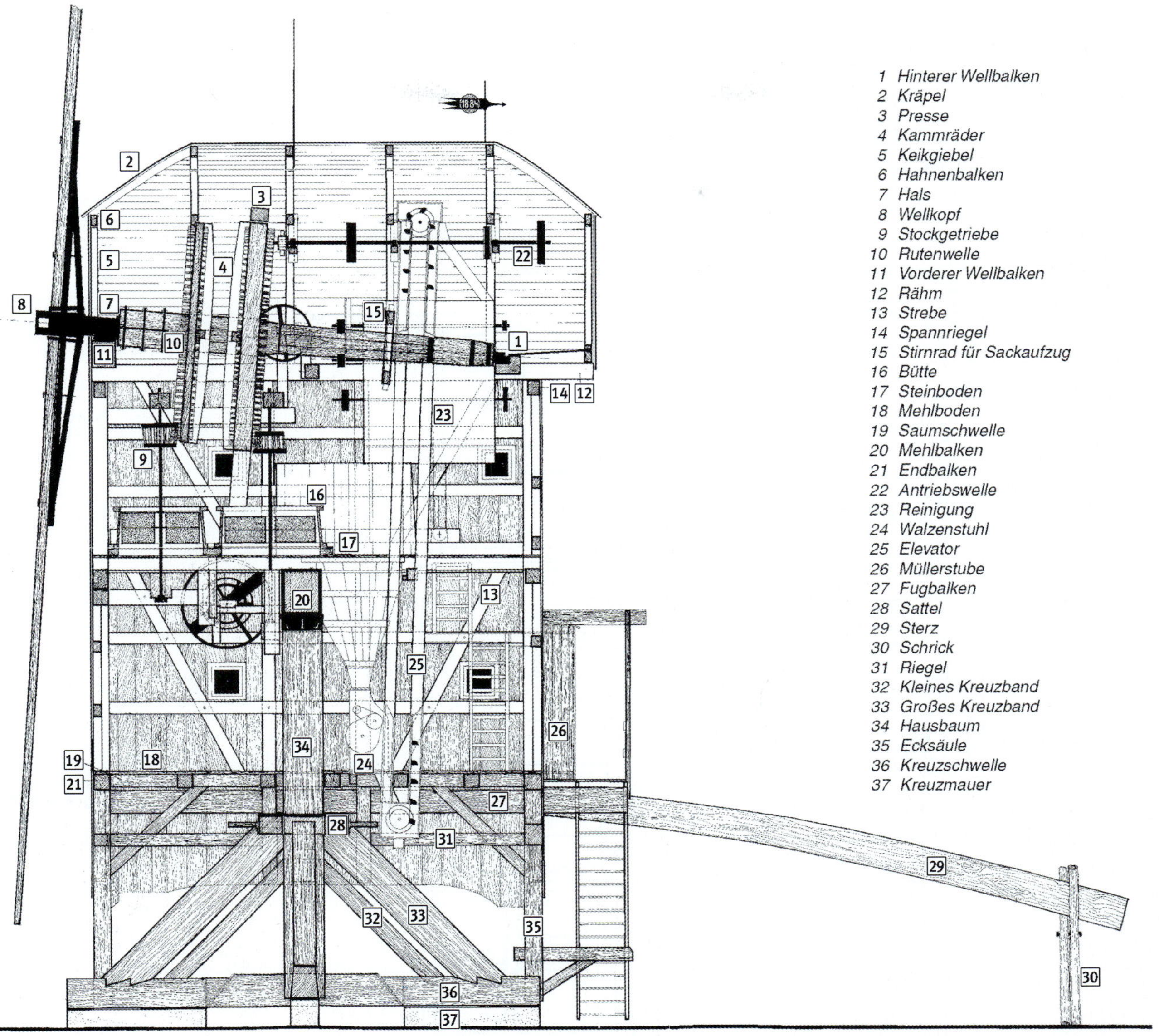

1 *Hinterer Wellbalken*
2 *Kräpel*
3 *Presse*
4 *Kammräder*
5 *Keikgiebel*
6 *Hahnenbalken*
7 *Hals*
8 *Wellkopf*
9 *Stockgetriebe*
10 *Rutenwelle*
11 *Vorderer Wellbalken*
12 *Rähm*
13 *Strebe*
14 *Spannriegel*
15 *Stirnrad für Sackaufzug*
16 *Bütte*
17 *Steinboden*
18 *Mehlboden*
19 *Saumschwelle*
20 *Mehlbalken*
21 *Endbalken*
22 *Antriebswelle*
23 *Reinigung*
24 *Walzenstuhl*
25 *Elevator*
26 *Müllerstube*
27 *Fugbalken*
28 *Sattel*
29 *Sterz*
30 *Schrick*
31 *Riegel*
32 *Kleines Kreuzband*
33 *Großes Kreuzband*
34 *Hausbaum*
35 *Ecksäule*
36 *Kreuzschwelle*
37 *Kreuzmauer*

Bild 2.6.8 Bestandsaufnahmen werden aufwändiger, wenn technologische Ausstattung mit aufzunehmen ist. Bei einer Bockwindmühle (eine Maschine aus Holz) ist das unerlässlich. Handaufmaß, nicht verformungsgerecht, vor Ort gezeichnet, Zustand 1988. Bockwindmühle Wilhelmsaue von 1880

bewertet werden. In die Zustandsuntersuchung sind alle tragenden Bauteile aufzunehmen. Verbindliche Aussagen zur Feuchtigkeit, zum Restquerschnitt, zur Verformung, zur Tragfähigkeit und, wenn notwendig, zur vorliegenden Holzart sind aufzunehmen. Dabei sind technische Möglichkeiten, wie beispielsweise die Bohrwiderstandsmessung, anzuwenden. Für diese Arbeiten ist die notwendige Freilegung der Konstruktionsteile einzuplanen. Ein Gutachten, in dem wesentliche Teile des Gebäudes – aus welchen Gründen auch immer – fehlen, hat geringen Wert. Bei Befund von Echtem Hausschwamm oder akut einsturzgefährdeten Objekten sollte auf einen versierten Gutachter niemals verzichtet werden.

Ein verformungsgerechtes Aufmaß kann in besonderen Situationen notwendig werden. Der zeitliche und finanzielle Aufwand ist rechtzeitig zu klären.

Eine mustergültige Bestandsaufnahme kann in dem Buch von Katerina Kaletsch „Ein Hirtenhaus aus dem Stiftland“ des Oberpfälzer Freilandmuseums betrachtet werden. Für

Bild 2.6.9 Die letzte Bockwindmühle im Oderbruch mit den neu angebrachten Ruten (Flügeln). 1988, Letschin OT Wilhelmsaue. Heute funktionsfähige Schauanlage mit 2 Mahlwerken

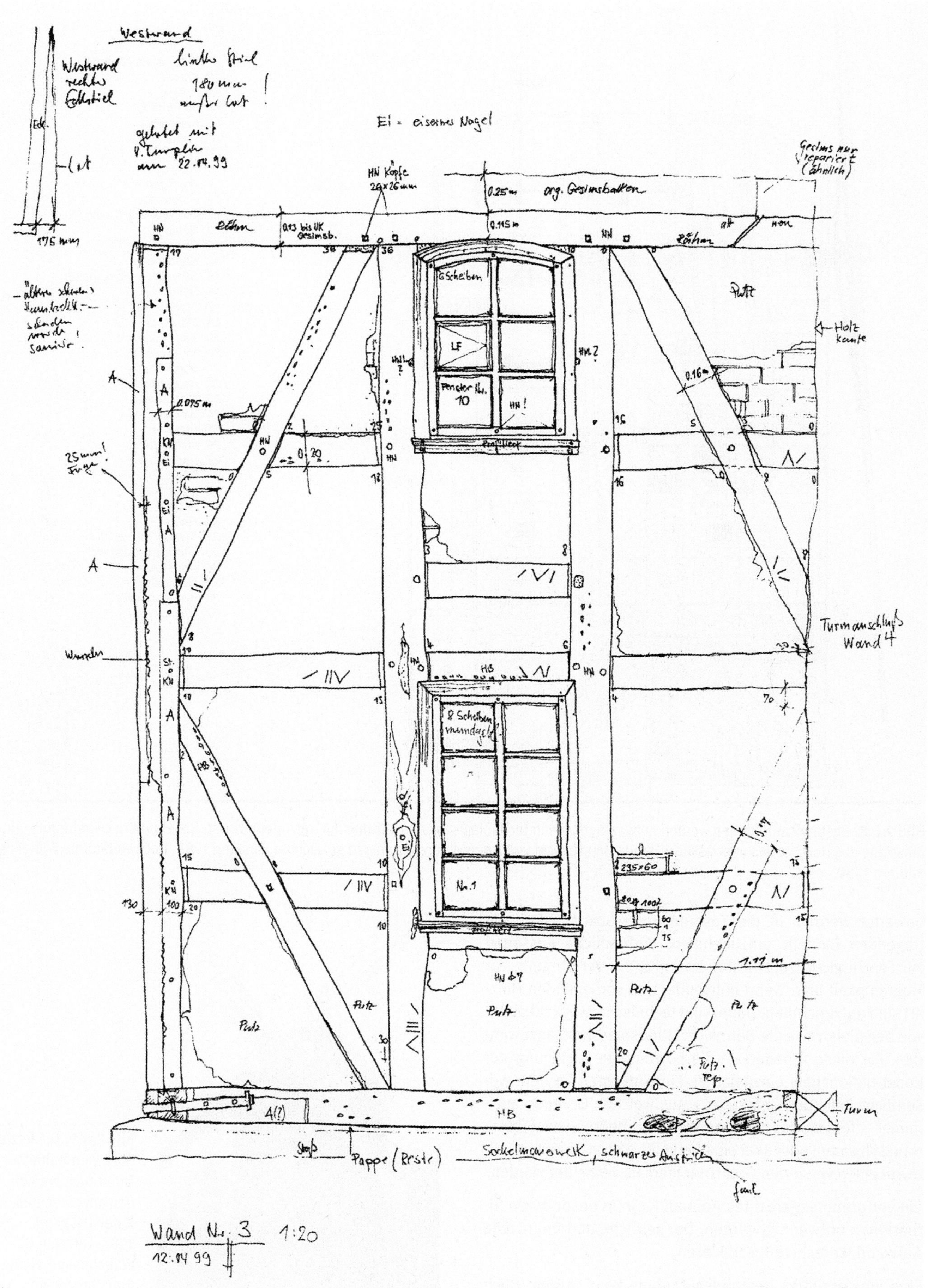

Bild 2.6.10 Freihändige Risszeichnung, Maßstab: ohne; als Ergänzung zu den Messbildern, besonders nützlich für Angaben der Hausforschung. Fachwerkkirche Altbarnim, Wand 3

die Bestandsaufnahme eines Bauwerkes gibt es ausgereifte Checklisten und Legenden, die verwendet werden sollten.

Fallbeispiel

Eines der letzten Giebellaubenhäuser im östlichen Brandenburg steht in Pillgram und wurde nach dendrochronologischen Untersuchungen um 1687 errichtet. Eine wechselvolle Geschichte des Einhauses ist dokumentiert. Der Stallteil des Gebäudes ist seit längerem verloren gegangen und wurde durch eine Hofscheune ersetzt. Das Gebäude wurde umfassend restauriert und von 1989 bis 1992 als Begegnungsstätte der Gemeinde mit heimatgeschichtlicher Ausstellung, Küche und Sanitärteil ausgestattet. Schwerste Schäden durch Echten Hausschwamm galt es zu beheben. Die Bestandsaufnahme wurde als geometrisches Aufmaß aller Ebenen gefertigt. Eine Bauakte stand nicht zur Verfügung, lediglich zwei ältere Fotos und eine Grundrissskizze als Anhaltspunkte.

Bild 2.6.11 Die aufwändigste Form ist das verformungsgerechte, zustandsgerechte und materialgerechte Aufmaß eines Gebäudes. Das muss für alle Ebenen, auf ein einheitliches Höhenmaß bezogen, erfolgen. Die zeichnerische Umsetzung erfolgt unter Zuhilfenahme von Fotos. Wichtig ist immer, was nicht zu sehen ist, darf auch bei eindeutiger Vermutung nicht mit dargestellt werden. Handaufmaß, Längsansicht Ostseite, Giebelansicht Nordseite, gezeichnet M 1:50. Freilichtmuseum Altranft, Mittelflurhaus

Bild 2.6.12 Längsansicht zu Bild 2.6.11

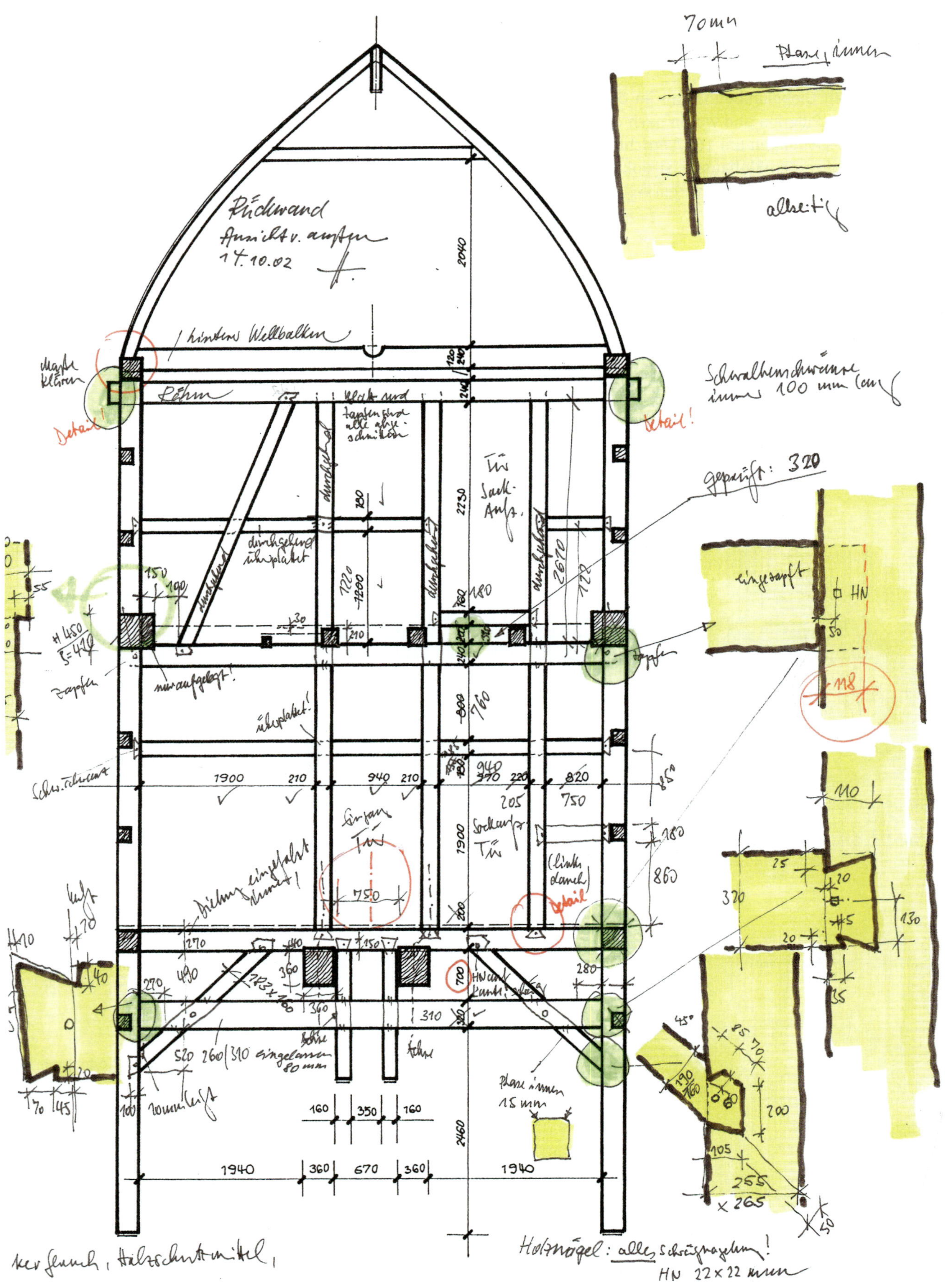

Bild 2.6.13 Methodischer Hinweis zur händischen Bestandsaufnahme: Eine geometrische Bestandaufnahme wird maßstäblich gezeichnet und in diese Zeichnung werden dann alle konstruktiven Befunde eingetragen. Beispiel: Windwand der Bockwindmühle

2.7 Dendrochronologische Untersuchungen

Bei Arbeiten an einem Baudenkmal spielt eine zuverlässige Datierung von Holzbauteilen zu Bauzeit und Umbauphasen eine wichtige Rolle. Die bisherige geschichtliche Bewertung und vorhandene Erkenntnisse können qualifiziert werden. Die Entnahme von entsprechenden Proben ist bei einer Instandsetzungstätigkeit relativ gut möglich. In Zusammenarbeit mit einem entsprechenden Fachmann sollten diese Möglichkeit genutzt und das Ergebnis der Dokumentation beigefügt werden. Der Hauseigentümer hat in der Regel ein eigenes Interesse, etwas über sein Haus zu erfahren. Das nächstgelegene Labor, das solche Untersuchungen machen kann, nennt sicher auch die zuständige Denkmalschutzbehörde.

Bild 2.7.1 Vorbereitete Holzproben für die dendrochronologische Untersuchung. Die Beschriftung beinhaltet Probennummer, Entnahmeort und Datum.

2.8 Schmuckelemente

Der Schauwert der Fachwerkgebäude wird oft durch reichhaltigen Schmuck in Form von Schnitzereien und Farbfassungen gesteigert. Diese den verschiedenen Architekturepochen zuordenbaren Elemente sind in ihrem Originalzustand öffentlich erlebbare Zeitzeugen.

Das Bewahren durch Konservieren und Restaurieren ist der Rekonstruktion unbedingt vorzuziehen. Die rechtzeitige Zusammenarbeit mit Denkmalamt und versiertem Restaurator sind unbedingt zu sichern.

Müssen Schmuckelemente ausgebaut werden, ist ein wesentlicher Teil der Originalität verloren gegangen. Die Bewahrung am vorgefundenen Ort muss das erstrangige Ziel sein.

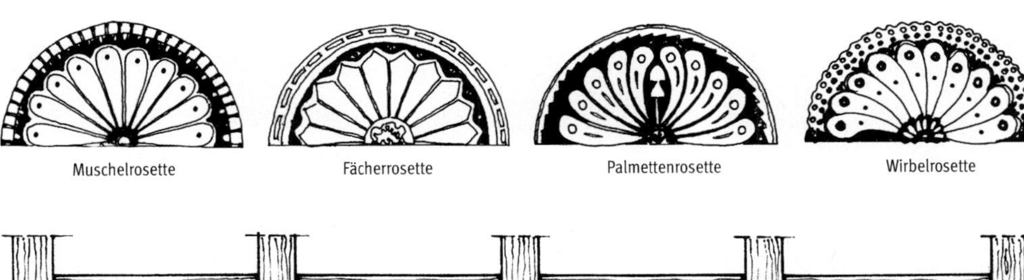

Bild 2.8.1 Rosetten Grundformen

Bild 2.8.2 Varianten Rosettenanordnung
Oben: Rosette axial auf der Brüstungstafel, gebundene Ausführung
Mitte: Rosette axial auf Ständer und Fußwinkelholz
Unten: Rosette im unabhängigen Rhythmus, ungebundene Ausführung

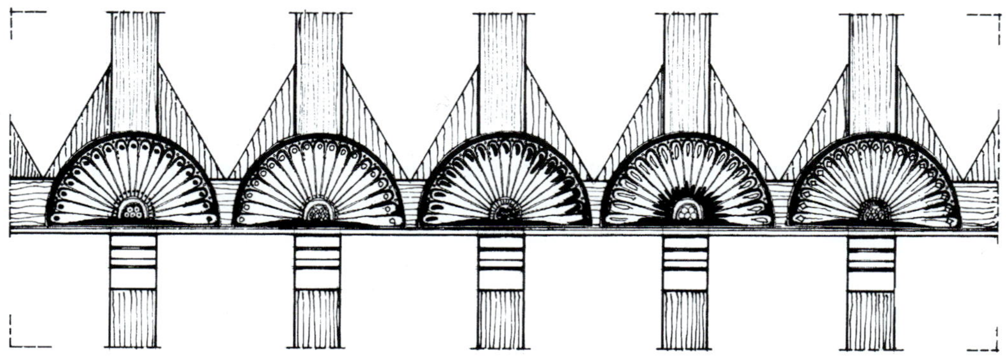

Bild 2.8.3 Besondere Formen
Oben: Anordnung der Muschelrosetten auf der Fußschwelle, dem Ständer und den Fußwinkelhölzern (Braunschweig, nach: Uhde, C.)
Unten: Rosetten nur auf der Stockwerksschwelle (Lüneburg, Hildesheim)

Bild 2.8.4 Beispiele Rosetten
Oben: Ungebundenes System der Rosetten, Bad Salzuflen
Mitte: Gebundenes System der Rosetten auf Brüstungstafeln, Lemgo
Unten: Axial angeordnete Rosetten auf dem Ständer, Lemgo

Bild 2.8.5 Die vier Grundformen der Rosetten an einem Haus in Bad Salzuflen

Bild 2.8.6 Zwei Rosetten sind miteinander verbunden. (Hann. Münden)

Bild 2.8.7 Stade

Bild 2.8.9 Hann. Münden

Bild 2.8.8 Hann. Münden

Anhand einiger Beispiele der überlieferten Rosetten soll deutlich werden, wie viel Aufmerksamkeit und Sorgfalt bei der Erkundung und Dokumentation der vorgefundenen Bausubstanz erforderlich ist.

Die Rosetten kommen am häufigsten als Halbrosetten vor. Dabei wird zwischen den Grundformen unterschieden. Vollrosetten sind z. B. in Gröningen, Reichenstraße 11, an einem Haus von 1581 erhalten (nach: Schauer, H.-H.). Vollrosetten findet man auch in Goslar, Kreuzgasse 1, an einem Haus von 1612 (nach: Griep, H.-G.).

Die Anordnung der Rosetten auf der Fassade hat viele Ausführungen aufzuweisen.

Neben vier häufiger zu findenden Varianten kennen wir besondere Formen, die durchaus regional begrenzt zur Ausführung kamen.

Die Gebälkzonen sind neben den Brüstungen die am vielfältigsten gestalteten Gebäudeteile. Die Untersuchung des Bauzustandes und die Bestimmung der Konstruktion mit ihren Verbindungselementen ist eine besondere Herausforderung. Doch in Vorbereitung einer Instandsetzung muss diese Arbeit erfolgen. Ein wichtiges Hilfsmittel kann Fachliteratur sein. Fachwerkliteratur aus der Zeit des ausgehenden 19. Jahrhunderts bietet unübertroffene Konstruktionszeichnungen, nicht selten als isometrische Darstellung aus der Vielfalt der Gebälkzonen. Hier lohnt es immer, sich entsprechend vorzubereiten. Einige wenige Beispiele sollen hier diesen Bereich darstellen.

Bild 2.8.10 Befund einer freigelegten Gebälkzone, nachdem die Fassade lange Zeit unter einem Putz lag.

Bild 2.8.11 Brüstungstafeln, Stockwerksschwelle mit Aufschrift, Balkenköpfe ohne Konsole, beladene Schiffchen (Schiffskehlen). Goslar

Bild 2.8.12 Balkenköpfe mit kurzen Konsolen, doppelte Schiffskehle. Hann. Münden

Bild 2.8.13 Balkenköpfe ohne Konsole, Stockwerksschwelle mit erhabenem Schriftzug, Farbfassung sehr zurückhaltend, reich gestaltete Verschlüsse (Stellbretter/Bohlen/Balken) zwischen den Balkenköpfen. Bad Salzuflen

Bild 2.8.14.1 Stockwerksschwelle mit erhabenem Schriftzug, doppelte Schiffskehle, aufwändig gestaltete Balkenköpfe mit Konsolen, reiche Farbfassung. Schleswig Holstein Restaurierungsarbeiten erfordern hier hohe Fertigkeit und Sorgfalt. Eventuell verloren gegangene Holzsubstanz sollte nicht mit Ersatzmasse ergänzt werden. Kleine Verluste, Schrammen und Risse bezeugen das Alter und sollten als Gebrauchsspuren geachtet werden.

Bild 2.8.14.2 Bei Restaurierungsarbeiten ist sorgfältig auf den Erhalt aller Elemente zu achten; hier eine mittelalterliche Knagge.

Bild 2.8.15 Haustafel mit Daten zur Baugeschichte, in einem Segmentbogen gestaltet, Hann. Münden

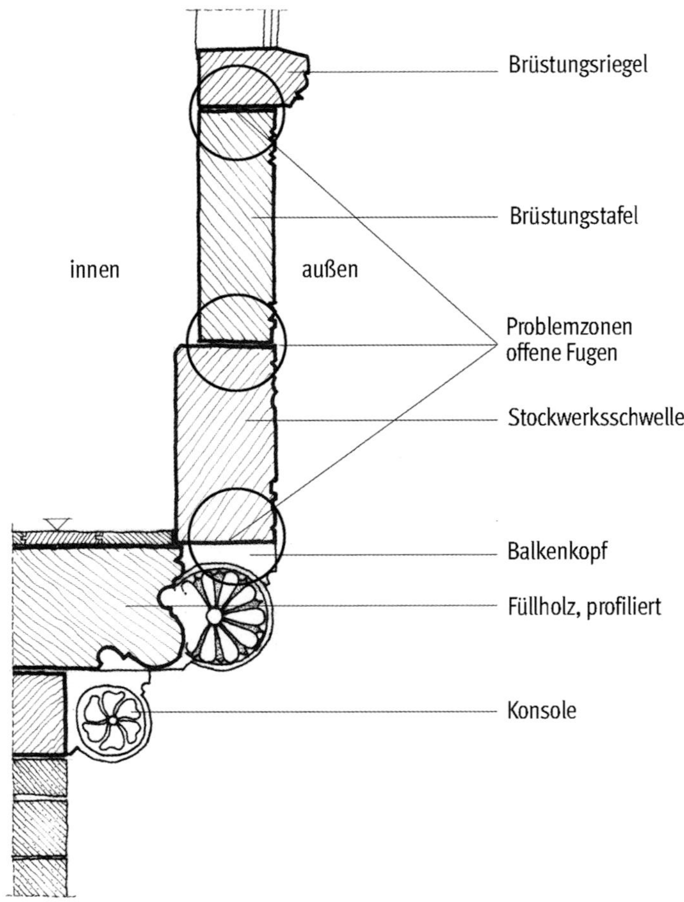

Bild 2.8.16 Beispiel einer Gebälkzone vom Rathaus Goslar, 1560 (Vertikalschnitt nach: Griep, H.-G.)
Die Konstruktionen ähneln sich. Hier erkennt man große Holzquerschnitte. Die Fugen sind scheinbar einfache Stöße. Die Untersuchung ohne entsprechende Eingriffe ist schwierig. Die Gefährdung durch Wassereintritt besteht bei durch Schlagregen belasteten Fassaden. Korrigierende Änderungen sind sorgfältig zu erkunden.

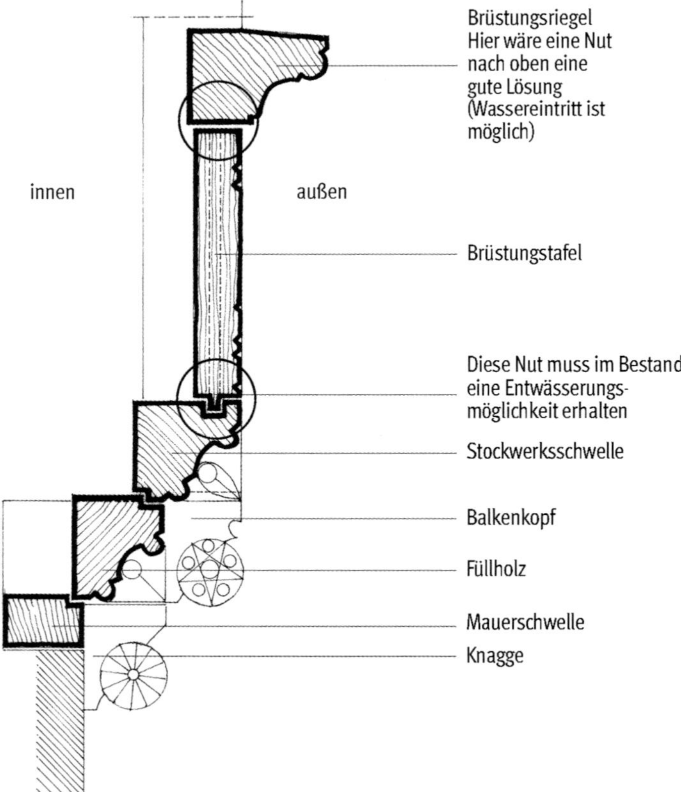

Bild 2.8.17 Beispiel einer Gebälkzone, Wernigerode, Marktstraße 1/3 (Vertikalschnitt nach: Schauer, H.-H.)

Bild 2.8.18 Dreiviertelrosetten in gebundener Ordnung in monochromer Fassung
Quedlinburg

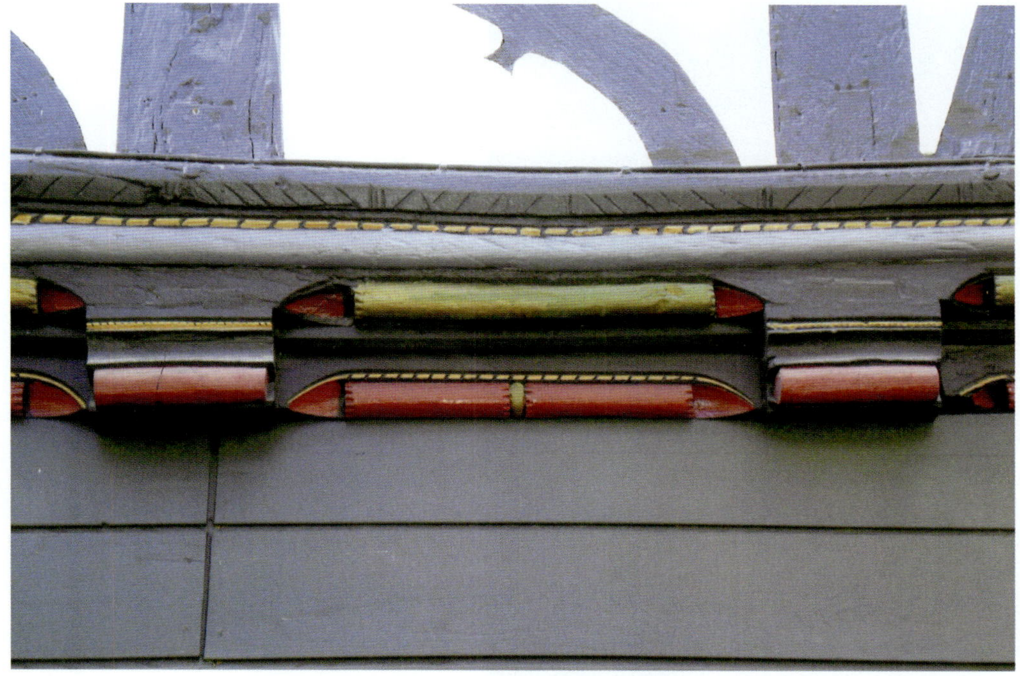

Bild 2.8.19 Gestaltung einer Gebälkzone mit doppelter Schiffskehle, mit beladenen Schiffen
Hann. Minden

2.9 Fachwerk und Farbe

Mit der Entwicklung des Fachwerkbaus entstanden Forderungen an seine Ansichtsflächen. Ursprünglich innen und außen fachwerksichtig ergab sich der Wunsch nach einer Aufwertung und auch Unterscheidung zum Nachbarhaus. In der städtischen Architektur sind erste Farbfassungen ab etwa 1500 nachweisbar.

Die Geschichte der Anstriche ist die Geschichte der Farbigkeit. Die Mittel und Methoden sind stark regional geprägt. Der Zeitgeschmack der Epochen führte ebenfalls zu einer farblichen Orientierung. Die heute sichtbaren Farbfassungen müssen nicht dem Original entsprechen. Am Baudenkmal ist nach gründlicher restauratorischer Untersuchung mit der Denkmalbehörde zu entscheiden, welcher Befund der Restaurierung bzw. Instandsetzung zugrunde gelegt wird.

Grundsätzlich finden sich lasierende und deckende Anstriche. Die deckenden Anstriche erscheinen zwar attraktiver, die Gefahr, dass sich Wasser zwischen Farbauftrag und Holz anstaut, ist aber gegeben.

Die Entwicklungsgeschichte der Anstriche für Putz- und Holzoberflächen ist auch die Auseinandersetzung mit Tauglichkeit und Untauglichkeit. Die Übermittlung von

Bild 2.9.1 Zur traditionellen Pflege von Fachwerkhäusern gehört das jährliche Streichen der Fassade mit einem Kalkanstrich. Dadurch wurden Fugen geschlossen, kleine Schäden an der Gefachfüllung beseitigt und eine saubere Fassadenansicht erzielt. Hier ein aktuelles Beispiel aus Dänemark, 2002. Diese Handwerkstechnik ist weitestgehend verloren gegangen, weil einmal die unterschiedliche Farbigkeit von Holz und Gefach gewünscht wird und außerdem der Arbeitsaufwand dem Hauseigentümer entschieden zu groß ist.

Bild 2.9.2 Werden Arbeiten an einem unter Denkmalschutz stehenden Fachwerkgebäude begonnen, müssen vorher die Untersuchung auf Farbbefunde sowie deren Sicherung und Dokumentation erfolgen.
Wohnhaus in Sietzing, Landkreis MOL

Rezepten und Erfahrungen zu Schadensfällen und ihre Behebung hielten die alten Meister für wichtig. Da praktische Erfahrungen nicht immer ausreichend in unsere Zeit überliefert wurden, müssen diese neu erarbeitet und zusammengetragen werden.

Für die Restaurierung stellt sich als zentrales Anliegen die Frage der Farbfassungen im Innenraum und auf den Fassaden. Die gründliche Bestandsaufnahme vorausgesetzt, ist das Restaurierungskonzept zu erarbeiten. Hilfreich sind Schaubilder und Probeachsen am Gebäude aufgetragen. Immer ist die Machbarkeit in Abhängigkeit vom Untergrund (Materialeigenschaften) und zu erwartender Witterungseinflüsse auf die Fassaden zu betrachten.

Hinweise und Beispiele zu den Anforderungen an die handwerklichen Arbeiten siehe Abschnitte 4.6.6 und 4.6.7.

Bild 2.9.3 Bei Fachwerkhäusern gibt es manchmal die Unsicherheit, ob das Gebäude ursprünglich holzsichtig oder überputzt war. Eine zweite Frage ist dann: Gab es eine Farbfassung oder nicht?- Durch entsprechende Untersuchungen kann festgestellt werden, ob Anstriche auf dem Holz vorhanden waren.

Bild 2.9.4 Detail zu Bild 2.9.1. Die einfachen Kalkanstriche sind dampfdiffusionsoffen, auch wenn sie in mehreren Lagen ausgeführt werden. Die Verblechung des Balkenkopfes ist nicht die Vorzugslösung.

Bilder 2.9.5 bis 2.9.7 Die Farbigkeit von Fachwerk sollte so abgestimmt sein, dass selbst bei der Verwendung kräftiger Farben ein harmonischer Eindruck vorhanden ist. Keinesfalls darf es willkürlich und bunt werden, das war nie das Prinzip in der Farbgestaltung des Fachwerkes.

Bild 2.9.8 Aufgrund eines Farbbefundes vorgeschlagene Farbgestaltung einer Fachwerkdorfkirche. Altbarnim, Oderbruch

Bild 2.9.9 Ausgeführte Farbfassung zum Farbvorschlag Bild 2.9.8

Bild 2.9.10 Ist eine Farbfassung vorgesehen, ist das mit entsprechenden Entwürfen vorzubereiten.

Bild 2.9.11 Fassadendetail nach der Umsetzung eines Farbentwurfes (vgl. Bild 2.9.10)

Bild 2.9.12 Einheitliche Farbfassung für Holz und Ausfachung, gut geschlossene Fugen zwischen den Materialien, Quedlinburg

Bild 2.9.13 Dreigeschossiges Wohnhaus in Quedlinburg, Ausfachungen als Sichtmauerwerk mit Backstein, ungeputzt mit Farbfassung, anspruchsvolle Arbeit

Bild 9.2.14 Detail der Bemalung zu Bild 2.9.13,

Bild 9.2.15 Haustafel zu Bild 2.9.13

2.10 Statik des Hauses

Sind diese vorbereitenden Arbeiten abgeschlossen, können der Statiker und möglichst parallel auch der Prüfstatiker, die in Abstimmung mit dem Architekten ausgewählt werden sollten, mit der Arbeit beginnen. Mit dieser ersten Arbeit ist zu klären, ob das alte Haus den neuen statischen Anforderungen gewachsen ist. Dies natürlich nur, wenn es solche Anforderungen aus einem neuen Konzept gibt. Dabei ist es vorteilhaft, wenn Art und Umfang der rechnerischen Nachweise rechtzeitig vereinbart werden. Sind tragende Bauteile im Sinne einer Reparatur auszuwechseln, ist die Mitwirkung des Statikers erforderlich.

Bild 2.10.1 Die Deckenbalken eines Kirchenschiffes sind verloren gegangen. Die Druckkräfte des Daches haben die Außenwand aufgespalten. Eine Instandsetzung ist selbst in solchen Schadensfällen noch möglich. Chorwand, Kirche Tuchen

Die rechtzeitige Mitwirkung des Statikers hilft zu klären, ob geschädigte Bauteile auszuwechseln sind. Es gilt der Grundsatz, dass ein Fachwerkgebäude, welches Jahrhunderte überdauert hat, seine Standfestigkeit ausreichend bewiesen hat. Wenn man die Tragkonstruktion nicht verändert, braucht kein neuer statischer Nachweis grundsätzlicher Art erbracht zu werden.

Es ist jedoch immer der Nachweis erforderlich, dass alle tragenden Bauteile und die Holzverbindungen wieder in Ordnung gebracht worden sind. Auch ist nachzuweisen, dass keine tragenden Bauteile ausgebaut wurden, um

Bild 2.10.2 Rähmstoß auf einem Ständer, Holznägel abgeschert, statisch nicht zulässige Holzverbindung

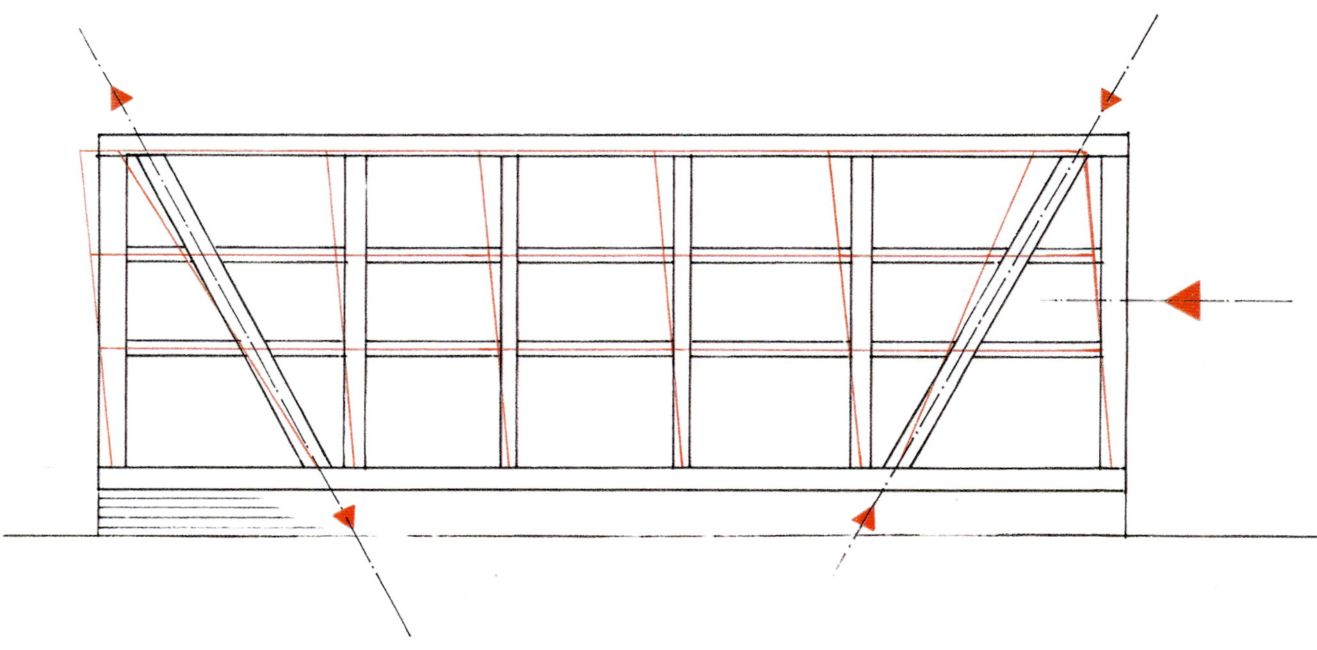

Bild 2.10.3 Betrachtung einer belasteten Fachwerkwand. Wie reagieren die Bauteile? Die Horizontalkraft kommt von rechts (angenommen: Windlast aus einem Giebel), die Wand verschiebt sich nach links, die rechte Strebe (Druckstrebe) hebt das Rähm an, die linke Strebe (Zugband) wird aus der Verbindung gezogen. Da die Holznägel im Allgemeinen diese Scherkräfte nicht aufnehmen können, ist kein Widerstand da, um die Verformung aufzuhalten. Allein eine Auflast auf das Wandrähm kann hier helfen. Also: Ein schweres Dach hält das Haus zusammen.

neue Nutzungen zu ermöglichen z. B.: Wo bisher eine Strebe war, ist jetzt ein Fenster oder eine Innentür. Dabei sei darauf hingewiesen, dass die Standsicherheit von Fachwerkbauten wesentlich auf den aussteifenden Innenwänden beruhen kann, je nach Größe des Bauwerkes.

Auf Erdreich verlegte Holzfußböden sowie durchfeuchtete Holzbauteile zeigen häufig die typischen Schwammschäden, z. B. Befall durch Echten Hausschwamm. In diesem Fall ist die gesamte Baukonstruktion von einem Sachverständigen auf Befall und Schädigung zu untersuchen.

Risse in Holzbauteilen führen häufig zu Unsicherheit bei der Bewertung der Standsicherheit. Im Zweifelsfall ist eine Bewertung durch einen versierten Statiker erforderlich.

Es ist eine Rissbildkartierung vorzunehmen. Die genaue Feststellung der Holzquerschnitte wird in diesem Zusammenhang als Selbstverständlichkeit angesehen (s. Bild 2.10.4).

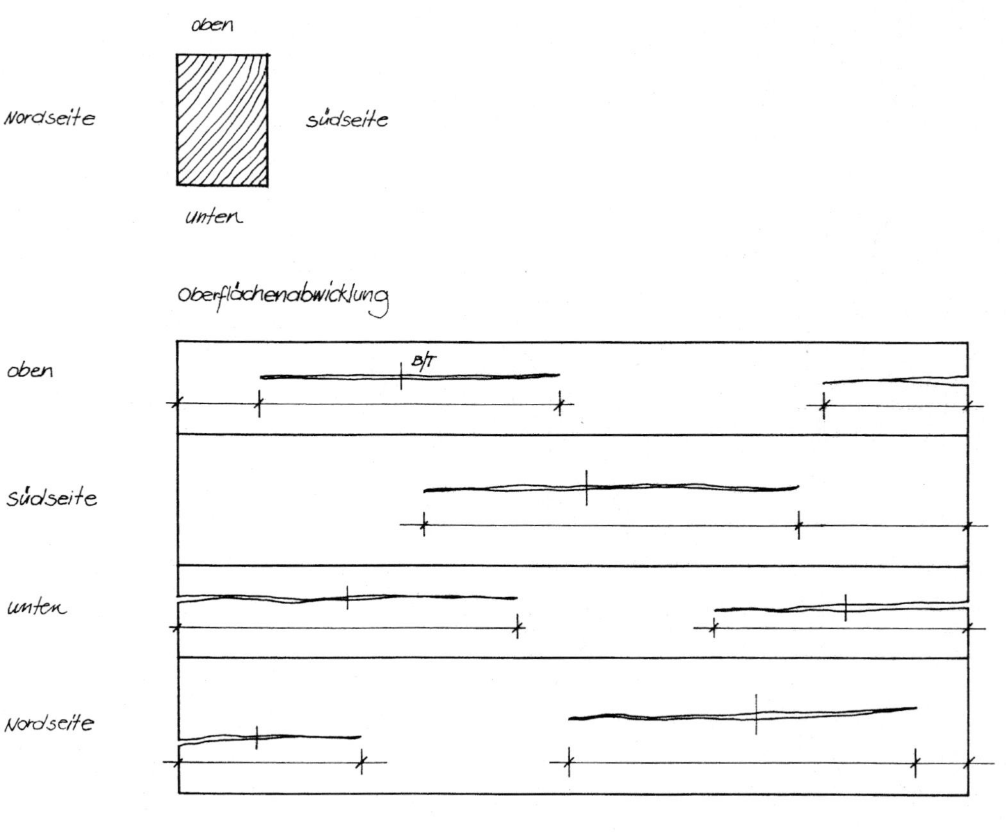

Bild 2.10.4 Beispiel einer Rissbildkartierung
Werden bedenkliche Risse vorgefunden, so ist die Prüfung der Auswirkung auf die Tragfähigkeit vorzunehmen. Für diese Prüfung muss das Rissbild für alle vier Bauteilseiten vorliegen. Das Einmessen erfordert eine Abwicklungsskizze. Mit einem Stahllineal werden Breite (B) und Tiefe (T) gemessen und maßstäblich kartiert.
Zur Feststellung der Resttragfähigkeit ist die Rissbildkartierung mit der Ermittlung des Restquerschnittes und der Verformung des Bauteils in beiden Achsen zu verbinden.

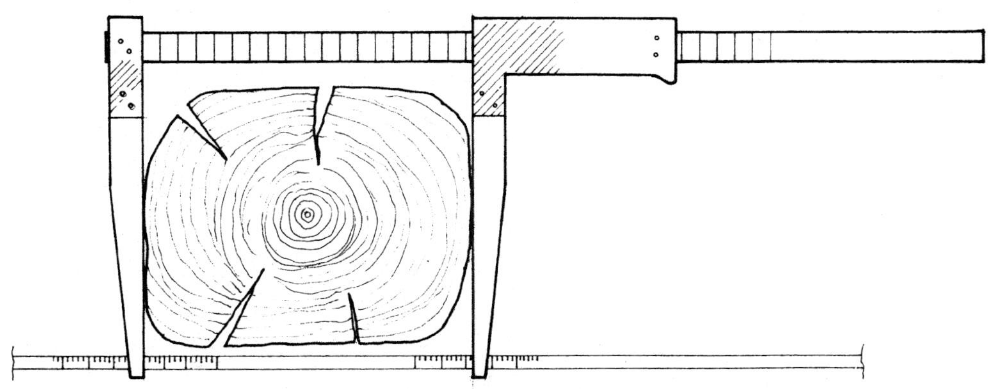

Bild 2.10.5 Die Feststellung des Holzquerschnittes ist besonders bei alten, handbebeilten Holzbauteilen schwierig. Ein gutes Hilfsmittel ist die Forstlehre, eine Schiebelehre, die ein Messen des „theoretischen“ Querschnittes ermöglicht.

Bild 2.10.6 Giebelansicht eines mit Auszeichnungen bedachten Hotels. Akut mag keine Gefahr bestehen, eine Werbung für Fachwerk und Handwerkskunst wird so jedoch nicht vermittelt.

Bild 2.10.7 In Hessen erregte dieses Fachwerkhaus die Aufmerksamkeit. Eine derartige Verformung ließ auf Ursachen wie Baugrundabsenkung, Überlastung oder mangelnde Holzqualität schließen. Gefälle im Fußboden, eingekürzte Türöffnungen, ständige Risse und andere Beeinträchtigungen wurden „erahnt". Das Gutachten war fast fertig. Ein Gespräch mit dem Eigentümer ergab aber Folgendes: Zum Zeitpunkt der Errichtung des Gebäudes gab es die Möglichkeit, stark gekrümmtes Balkenholz zu einem bedeutend besseren Preis zu erwerben als die eigentlich notwendige Qualität. Die Zimmerleute verwendeten auf Wunsch das vorgefundene Holz und sorgten mit kleinen (nicht sichtbaren) „Zwischenkonstruktionen" für einwandfreie Räume und Raumhöhen. Das war eine gute Lehre zum Thema „Gebäudebeurteilung".

2.11 Genehmigungen

Reine Instandsetzungsarbeiten ohne Eingriff in tragende Teile sowie Fassadenveränderung sind, ohne Denkmalschutz des Bauwerkes, allgemein genehmigungsfrei. Die Einsicht in die Landesbauordnung unter „Genehmigungsfreie Arbeiten" (sprich: Baumaßnahmen) kann Klärung bringen. Die baurechtlich unter Umständen nicht genehmigungspflichtige Erneuerung einer Fassadenoberfläche (Putz/Farbe) ist am denkmalgeschützten Objekt jedoch von der Denkmalbehörde zu genehmigen. Im Zweifel ist eine Rückversicherung bei der Behörde kein Fehler.

Für genehmigungspflichtige Arbeiten werden jetzt die Unterlagen für Baugesuch/Bauantrag erarbeitet. In dieser Planungsphase muss für alle Etagen und Räume die Nutzung festgelegt sein. Es müssen ebenso alle Belange der haustechnischen Ausstattung, der brandschutztechnischen Anforderungen, des Schallschutzes und des Wärmeschutzes grundsätzlich entschieden sein.

Die genehmigungsfähigen Planungsarbeiten für Statik und Haustechnik (Heizung, Lüftung, Sanitär- und Elektrotechnik) müssen zu diesem Zeitpunkt ebenfalls vorliegen.

Der genaue Umfang der einzureichenden Unterlagen ist in der Bauvorlagenverordnung des jeweiligen Landes festgelegt, die dem Architekten vorliegt. Im Internet sind diese Anforderungen und Formulare allgemein zugänglich.

Bis zur Erteilung der Baugenehmigung vergeht immer etwas Zeit, und es könnte, natürlich auf Risiko des Bauherrn, mit der Ausführungsplanung begonnen werden. Inwieweit besondere Genehmigungen zu den Anforderungen aus dem „Gesetz zur Einsparung von Energie und zur Nutzung erneuerbarer Energien zur Wärme- und Kälteerzeugung in Gebäuden" (GEG) erforderlich sind, ist rechtzeitig zu klären.

2.12 Ausführungsplanung

Die Ausführungsplanung ist eine der wichtigsten Arbeiten zum Gelingen des Bauwerkes. Es muss ausreichend Bearbeitungszeit eingeplant werden. Diese Leistung wird in der Regel nach Erteilung der Baugenehmigung und Vorlage der Prüfstatik ausgeführt. Auflagen aus der Baugenehmigung sind dabei zu berücksichtigen.

In der Gegenwart hat die unverantwortliche Praxis zugenommen, ohne Ausführungsplanung eine Bauausführung in Auftrag zu geben. Ohne Ausführungsplanung gibt es keine ordentliche Massenberechnung, kein sorgfältiges Leistungsverzeichnis und damit keine Möglichkeit einer wirklich qualitativ bewertbaren Ausschreibung, die auch im privaten Bereich von großem Nutzen sein kann. Gewiss kann man bei Wegfall der Ausführungsplanung momentan Honorarkosten sparen, das steht aber in keinem Verhältnis zum damit eingegangenen Risiko.

Die Ausführungsplanung hat alle konstruktiven und gestalterischen Details zeichnerisch maßstabsgerecht dargestellt zu enthalten, um alle Belange des Feuchtigkeitsschutzes, des Schallschutzes, des Brandschutzes, des konstruktiven Holzschutzes, der Hygiene, des energiewirtschaftlich richtigen Bauens, der Baugestaltung bis zur Farbgebung und vieles mehr im Interesse des Bauherrn richtig zu erfassen und zu lösen.

Ein Baubetrieb mit eigenem Qualitätsanspruch baut nicht ohne Ausführungsplanung. Bei fehlender Ausführungsplanung kann es durchaus zu einem handfesten Streit mit dem Bauausführenden zum Nachteil des Bauherrn kommen, wenn entstandene Mängel dem Verursacher zuzuordnen sind.

2.13 Ausschreibung und Vergabe

Für öffentliche Auftraggeber gibt es Festlegungen – landesspezifisch, gut oder weniger gut. Diese sind einzuhalten.

Der Bauherr als Privatperson ist nicht zwingend an ein Ausschreibungsverfahren gebunden. Er sollte aber, im ureigenen finanziellen Interesse, eine sorgfältige Ausschreibung vornehmen lassen. Ausschreibung heißt, dass ein mit der Ausführungsplanung übereinstimmendes Gesamtleistungsverzeichnis, nach Gewerken/Leistungsbereichen gegliedert, mehreren (3 bis 5) wirklich geeigneten Fachfirmen zur Angebotsabgabe überreicht wird. Vorher ist festzulegen, ob der Auftrag *einem* Fachunternehmen oder, nach Gewerken getrennt, an *einzelne* Handwerker vergeben werden soll.

Liegen nach etwa drei Wochen die Angebote vor, kann auf der Grundlage genau gleicher Leistungs- und Qualitätsanforderungen das jeweils annehmbare Angebot ausgewählt werden.

Falsch ist es, Firmen ein Angebot nach eigenem Ermessen erarbeiten zu lassen. Das bedeutet, dass der Baubetrieb das Leistungsverzeichnis nach seinen Vorstellungen anfertigt. Hat der Bauherr mehrere solche Angebote, sind Qualität, Menge und Einheitspreis nicht vergleichbar und somit im Sinne von Wirtschaftlichkeit nicht prüfbar. Zur Vorbereitung und Auswertung der Ausschreibung benötigt der Bauherr den erfahrenen Architekten an seiner Seite. Es ist nicht selten, dass erhebliche Baukostendifferenzen in den einzelnen Positionen der Angebote zutage treten. Der Auffassung, dass die komplizierte Instandsetzung eines wertvollen Fachwerkhauses in wesentlichen Leistungen nur als Stundenlohnarbeit vergeben und in Rechnung gestellt werden kann, muss entschieden widersprochen werden, da die Praxis das Gegenteil bewiesen hat. Die finanziellen Folgen für einen Aufttraggeber wären unübersehbar.

2.14 Bauvertrag/Werkvertrag/VOB

Hat man sich für ein Angebot entschieden, kommt es zu Auftragsvergabe und Werkvertragsabschluss. Auch hier sollte der Fachmann in Anspruch genommen werden. Nicht zuletzt sind Leistungsumfang, Leistungszeit, Nachauftragnehmer, Gewährleistungsfristen, Sicherheitseinbehalte, Verzugsvertragsstrafe, Abrechnungsfristen, Zahlungsfristen, Nachlässe und einiges mehr korrekt miteinander zu vereinbaren. Es empfiehlt sich, solche Verträge auf der Grundlage der VOB abzuschließen. Einzelheiten sind mithilfe eines Fachmanns festzulegen. Pauschale Verträge sind nicht zu empfehlen.

Wesentlicher Inhalt ist das Leistungsverzeichnis als Ergebnis der Ausschreibung, womit Menge, Qualität und Einheitspreise für jede Arbeitseinheit feststehen.

Zum Bauvertrag gehört ein Baufristenplan, der unter Sanktion stehen kann, vorausgesetzt, er ist schriftlich vereinbart. Zur Sicherheit des Bauherrn gehört auch ein Zahlungsplan aller beteiligten Firmen.

Gewährleistung kann nach BGB vereinbart werden (5 Jahre). Wird das versäumt, gelten bei einem VOB-Vertrag 4 bzw. 2 Jahre. Dem Unternehmer ist mitzuteilen, wer mit welchen Rechten und Pflichten den Bauherrn auf der Baustelle vertritt. Der Unternehmer benennt seinen bevollmächtigten Vertreter ebenfalls.

2.15 Bauausführung

Vor Beginn der Bauausführung sollte entschieden sein, wer für die Überwachung der Bauausführung, Abnahmen und Abrechnung einschließlich der Kostenkontrolle eingesetzt wird. Die Honorarkosten für die Objektüberwachung sind nicht gering.

Doch wer soll entscheiden über Fragen und Forderungen zu Baufreiheit, Verkehrssicherheit, Nachbarschaftsrecht, Beweissicherungen, Nachträgen, Stundenlohnabrechnungen, Baubehinderungsanzeigen, Materialproben, Bedenkenanmeldungen, Mehrmassenanzeigen, Terminplanänderungen, Mängelanzeigen, Zusatzwünschen des Bauherrn und, und, und? Außerdem soll alles im festgelegten Preisrahmen ablaufen. Alles Gründe, einen versierten Fachmann zu beauftragen, der die in der VOB, der Landesbauordnung und dem BGB festgelegten Bauherrenpflichten absichert.

Hier muss darauf verwiesen werden, das all die genannten Einzelheiten des Bauprozesses schriftlich festzuhalten sind, was in Form des regelmäßigen Bauprotokolls sowie in besonderen Festlegungsniederschriften zu erfolgen hat.

Es ist empfehlenswert, mit dem Architekten weiterzuarbeiten, der das Objekt bis dahin betreut hat. Da es sich bei Arbeiten an Fachwerkhäusern in der Regel um Arbeiten im Bestand handelt, muss dem Architekten zugestanden werden, dass einige Erkenntnisse über den tatsächlichen Bauzustand erst bei der praktischen Arbeit gewonnen werden. Notwendige Entscheidungen dazu sind im laufenden Arbeitsprozess zu fällen. Kurz gesagt: Planung, Ausschreibung und Bauüberwachung sollten im Interesse des Bauherrn in einer Hand liegen. Der Beauftragte hat der Bauherrschaft eine im Architektenrecht vorgeschriebene Haftpflichtversicherung für seine Tätigkeit nachzuweisen (Sachschäden, Personenschäden).

Ein besonderes Kapitel sind die Mängelanzeige und die Mängelbeseitigungskontrolle. Diese können während oder nach der Bauzeit notwendig werden, wenn von der vereinbarten Qualität abgewichen wurde.

Je nachdem wie die Gewährleistungsfrist vereinbart wurde, ist sie zu kontrollieren. Das kann unter Umständen weit länger als 5 Jahre dauern, denn ist ein Mangel behoben, läuft die Gewährleistungsfrist für die betroffene Leistung neu an. Hier ist für alle Vorgänge die Schriftform Pflicht.

Eine wichtige Regel ist, dass der Bauherr von seinen beauftragten Fachleuten wie Baugrundingenieur, Statiker, Architekt oder Heizungsingenieur beraten wird. Das heißt unter anderem, dass auch das Für und Wider Bestandteil der Beratung sein muss, um den Entscheidungsspielraum dem Bauherrn deutlich zu machen. Die tatsächlichen Entscheidungen muss er selbst fällen. Ist seine Entscheidung offensichtlich nicht zweckmäßig, muss der Bauherr verbindlich darauf aufmerksam gemacht werden (Bedenkenanmeldung), dass er eine entscheidende Verantwortung übernimmt.

Hier sollte die Schriftform gewählt und akzeptiert werden, um die Beratungstätigkeit und den Beratungsinhalt im Zweifelsfall nachweisen zu können.

Im Anhang 7.3 ist für Holzbauwerke ein Vorschlag für ein Beratungsprotokoll enthalten.

2.16 anerkannte Regeln der Technik (a. R. d. T.)

Die Mangelfreiheit eines Objektes ist gegebenenfalls unter Zugrundelegung der anerkannten Regeln der Technik festzustellen.

„Die anerkannten Regeln der Technik bilden nach ständiger Rechtsprechung das qalitative Minimum jeglicher Planungs- und Bauleistung, unabhängig davon, ob sie im Vertrag erwähnt sind“ (nach: Gaßner, Groth, Siederer & Coll.].

Für die Instandsetzung von Fachwerkgebäuden werden die anerkannten Regeln der Technik wesentlich durch die Merkblätter der Wissenschaftlich-Technischen Arbeitsgemeinschaft für Bauwerkserhaltung und Denkmalpflege (WTA) dargestellt. Diese WTA-Merkblätter sind nicht die einzige, sondern eine Erkenntnisquelle für eine regelgerechte Leistung. Die Merkblätter unterliegen einer Aktualisierung ohne festen Zeitrahmen. Maßgebend für das Anwenden aller Merkblätter ist die Fassung mit dem neuesten Ausgabedatum.

Das Vorhandensein von a. R. d. T. wird an drei Tatbeständen gemessen:

- in der Wissenschaft als theoretisch richtig bestätigt
- in der Technik von den dafür Befähigten anerkannt
- in der Praxis durch ausreichende Erfahrung bestätigt

Werden ein neues Produkt oder ein neues Verfahren auf den Markt gebracht, stellt sich stets die Frage, ob bzw. wann die Kriterien der a. R. d. T. als erfüllt angesehen werden können. Die a. R. d. T. gelten für Planung und Ausführung.

Der Auftragnehmer ist allein dafür verantwortlich, sich die notwendigen Kenntnisse zu verschaffen und aktuelle Informationsquellen zu nutzen, um den für sein Arbeitsgebiet erforderlichen Wissensstand zu besitzen.

Fehler in einem Leistungsvertrag (Werkvertrag) oder in einer Planung bzw. Genehmigung befreien nicht von der Pflicht, ein Werk herzustellen, welches in allen Teilen den a. R. d. T. entspricht.

Die Mangelfreiheit ist am Tag der Abnahme nachzuweisen, auch wenn die Ausführungszeit mehrere Jahre betrug und Regelwerke eine Aktualisierung erfahren haben. Selbst die Änderung der Aufgabenstellung während der Bauausführung verpflichtet zur mangelfreien Ausführung.

Weitere Teile der a. R. d. T. sind: DIN-Normen, Unfallverhütungsvorschriften (UVV), Gesetz- und Verordnungsblätter, Produktzertifikate, Herstellervorschriften, Gewerke-Fachregeln, Informationsdienste der Industrie- und Wirtschaftsfachverbände, WTA-Merkblätter, Gutachten, Gerichtsurteile, Qualifizierungsveranstaltungen, Fachtagungen, Fachzeitschriften, Fachbücher, BGB und VOB.

2.17 Inhalt der Dokumentation

„Eine Dokumentation ist das Sammeln, Festhalten und Auswerten von vergegenständlichten Zeugnissen, die wegen ihres speziellen Informationsgehaltes der Gewinnung neuer Erkenntnisse und Erfahrungen dienen können.“[1]

[1] Bearbeitet nach der Quelle: Bartmann-Kompa, Ingrid: Die Dokumentation des Bestandes und der denkmalpflegerischen Maßnahmen, in: Baudenkmalpflege, Beiträge zur Methodik und Technologie, Verlag für Bauwesen, Berlin 1990, Seite 15

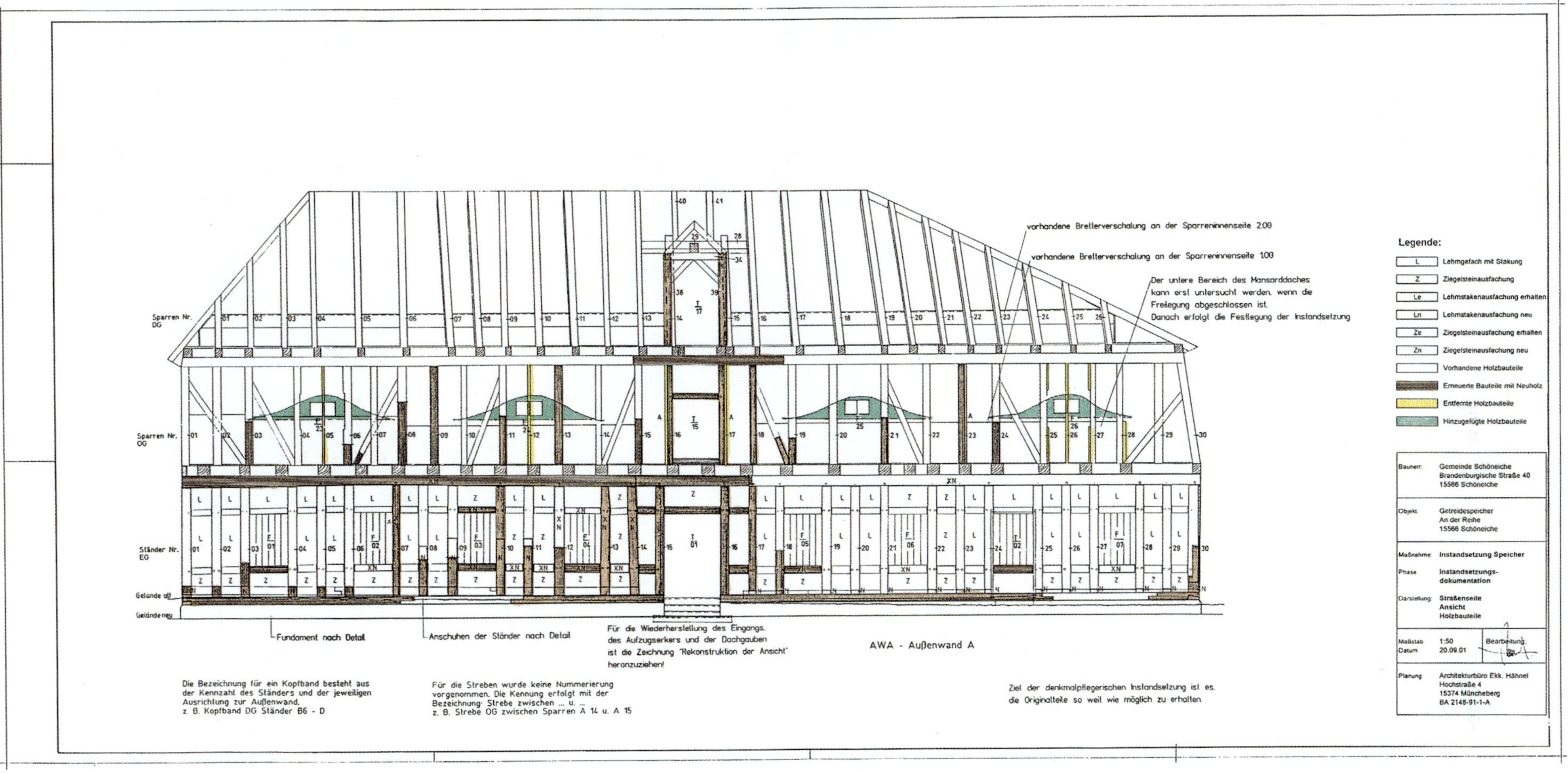

Bild 2.17.1 Nach dem Abschluss der Instandsetzungsarbeiten sind die ausgeführten Arbeiten zu dokumentieren. Für diese Arbeit eignen sich Zeichnungen, die farbig angelegt werden können. Diese sind für jede vertikale und horizontale Ebene zu fertigen.

Die Aspekte der Dokumentation sind: Voruntersuchung – Verlauf – Abschluss.

Voruntersuchung: Sammeln und Festhalten aller mit dem Denkmal überkommenen und die historische Entstehung und Entwicklung belegenden Einzelheiten (Urkunden, Dokumente, Archivalien, Datierungen, archäologische/restauratorische/hauskundliche Untersuchungen, geometrische Bestandsaufnahme, bildliche Bestandsaufnahme)

Verlauf: Sammeln und Festhalten der mit Arbeiten am Baudenkmal verbundenen Analysen, Gutachten, Untersuchungen, Planungen, Stellungnahmen, Genehmigungen, Arbeitsabläufen (Materialzertifikaten), Restaurierungsberichten, Zeitplänen

Abschluss: Das Ergebnis der Restaurierungsarbeit ist zu dokumentieren: Beschreibung der durchgeführten Maßnahmen mit der Darlegung der Veränderungen am historischen Bestand (Original), Nachweis der Ablageorte der Dokumentation, Publizierung.

Nach der Charta von Venedig ist bei Arbeiten an einem unter Denkmalschutz stehenden Gebäude die Dokumentationsarbeit Pflicht (Artikel 16). Siehe Anhang 7.1.

Zu sammeln sind also Kenntnisse zur Bau- und Nutzungsgeschichte, alte Baupläne, Handwerkerrechnungen (Bauakte), bildliche Darstellungen, Zeitungsberichte, Aussagen von Zeitzeugen zum Objekt, die neue Bestandsaufnahme, Bauantrag und Baugenehmigung, restauratorische Untersuchungsergebnisse, Ergebnisse der archäologischen Begleitung sowie der Hausforschung usw.

Während einer Restaurierungsarbeit sind die Arbeitsschritte und Ergebnisse festzuhalten. Die Methode der Gegenüberstellung vorher–nachher ist wichtig. Ist die Restaurierung eines Baudenkmales abgeschlossen, so ist die Dokumentation beim Architekten, beim Bauherrn und beim zuständigen Denkmalamt aufzubewahren. Diese beinhaltet auch die Ausführungszeit, die genaue Beschreibung der ausgeführten Arbeiten, die eingesetzten Produkte einschließlich der Produkteigenschaften sowie der angewandten Arbeitsverfahren. Bei der Gliederung ist bauteilweise oder gewerkemäßig vorzugehen. Eine Dokumentation ist durch zeichnerische Darstellungen und Fotos zu komplettieren.

In der zeichnerischen Dokumentation sind die reparierten bzw. erneuerten Bauteile darzustellen (siehe Bild 2.17.1).

Ergebnisse aus Altersbestimmungen von Bauholz (dendrochronologische Untersuchung) und andere Datierungserkenntnisse sind wichtige Bestandteile einer Dokumentation.

Steht ein Gebäude nicht unter Denkmalschutz, sollte trotzdem eine aussagekräftige Bauakte geführt werden. Die Informationen zu einem Gebäude müssen über Generationen zuverlässig weitergereicht werden. Die Kenntnisse sind Grundlage für die richtige Nutzung und helfen bei späteren Instandsetzungsabsichten jeder Art.

Inhaltsübersicht

- Historische und ästhetische Bewertung, Bestimmung des Denkmalwertes
- Bedeutung des Denkmals im historischen Siedlungsbereich, Schutzbereich, Gesamtkunstwerk, gesellschaftliche Rolle in Vergangenheit und Gegenwart, Nutzungen, überörtliche Bedeutung, Analogien
- Datierungen in Verbindung mit Bau- und Nutzungsphasen, Urkunden, Eigentümern, Wechsel in geografischer oder politischer Zuordnung, Bedeutung für die Architektur- und Kunstgeschichte
- Erhaltungszustand nach originalen, verlorenen, veränderten, restaurierten, rekonstruierten Bestandteilen, Bauphasen darstellen, Schäden kartieren
- Bauplanung, Nutzungsplanung, denkmalpflegerische Zielstellung, Genehmigungen, Stellungnahmen, Gutachten, Bautagebuch, Materialzertifikate, Ist-Zustandszeichnungen nach Abschluss, Bilddokumentation
- Durchgeführte denkmalpflegerische Maßnahmen wie: Konservierung, Restaurierung, Reparatur, Kopie, Rekonstruktion
- Schutzmaßnahmen, Sicherungskonstruktionen (unsichtbar), Auslagerungen in andere Objekte
- Zeichnungsnachweis
- Messbildverzeichnis
- Fotonegativ-Archivierung
- Quellennachweis (Archivalien, Karten, Pläne), Bildnachweis
- Literaturverzeichnis

Bild 2.17.2 Schadbildkartierung, Beispiel einer Fotodokumentation: Umfangreiche Instandsetzungsarbeiten, bei denen der Bestand weitestgehend geschont wurde.

Bild 2.17.3 Instandsetzungsdokumentation, Arbeitsschritte einer Fotodokumentation: Die Instandsetzung bzw. Erneuerung der Gefache durch umwickelte Stakenhölzer ist abgeschlossen. Als Nächstes folgen die Lehmputzarbeiten.

2.17.1 Bestandsaufnahme Beispiel einer Zeichnungslegende

Die Bestandsaufnahme eines Gebäudes darf nicht auf die Geometrie der Oberflächen begrenzt werden. Es ist nur das zeichnerisch wiederzugeben, was visuell wahrgenommen wird, dazu gehören die Übergänge von einem Material zum anderen, Feststellungen zur Materialart und zu verloren gegangenen Bauteilen. Die Darstellung ist nicht nur im Fachwerkbau nötig und möglich. Schraffuren und Farbigkeit nach DIN EN ISO 128-3:2022-02 und DIN 1356.

- Erdboden gewachsen
- Erdboden aufgefüllt
- Fels
- Kies/Sand
- Pflasterung, Feldstein/Naturstein
- Pflasterung, Ziegel-/Backstein
- Stampfbeton
- Stahlbeton
- Naturstein (Materialart)
- Ziegelstein/Backstein (Formate)
- Gefachfüllung Flechtwerk
- Gefachfüllung Stakung
- Lehmziegel
- Kalkputz
- Zementputz
- Lehmputz
- Konstruktionsholz (Holzart)
- Konstruktionsholz Verlust (Feststellung/Vermutung)
- Materialstoß (Art der Verbindung)
- Holznagel, vorhanden
- Holznagelbohrung ohne Nagel
- Stahlnagel
- Stahlverbindung
- A – Aufbohlung, Holz
- Verschalung/Verkleidung (Materialart)
- DZ – Dachziegel
- DS – Dachsteine
- Sch – Schiefer
- Texthinweise zu Farbbefunden mit lfd. Nummerierung

2.17.2 Schadbildkartierung Beispiel einer Zeichnungslegende

Während die Bauaufnahme die unverfälschte Wiedergabe des Bestandes zum Ziel hat, zeigt die Schadbildkartierung den tatsächlichen Zustand zu einem definierten Zeitpunkt. Der Darstellung hat eine ausreichende Begutachtung bzw. Untersuchung vorauszugehen. Schraffur und Farbigkeit nach DIN EN ISO 128-3:2022-02 und DIN 1356.

- Mauerwerk/Salzausblühung
- grün – Mauerwerk/Befall durch Echten Hausschwamm *(Serpula lacrimans)*
- Mauerwerk/Bindemittelverlust
- 3/400 – Rissbildung (Breite/Tiefe in mm)
- Holz/Braunfäule (allgemein)
- grün – Holz/Befall Echter Hausschwamm *(Serpula lacrimans)*
- Holz/Befall Brauner Keller- oder Warzenschwamm *(Coniophora puteana)*
- Holz/Befall Weißer Porenschwamm *(Antrodia vaillantii)*
- Holz/Befall Blättling
- Holz/Fraßlöcher Hausbockkäfer *(Hylotrupes bajulus)*
- Holz/Fraßlöcher Gewöhnlicher Nagekäfer *(Anobium punctatum)*
- Holz/Fraßlöcher Trotzkopf *(Hadrobregmus pertinax)*
- Wasserflecke trocken
- blau – Wasserflecke feucht
- Sch – Schimmelbefall (Beschreibung)
- Brandschaden/Brandspuren
- Bruch im Bauteil (Beschreibung)

2.17.3 Instandsetzungsdokumentation / Beispiel einer Zeichnungslegende

Ein Teil der Dokumentation ist die zeichnerische Auswertung und Darstellung restauratorischer Arbeiten. Da die Instandsetzungsdokumentation in der Regel in die Zeichnungen der Bestandsaufnahme bzw. Instandsetzungsplanung übernommen wird, was den interessanten Plan-Ist-Vergleich unmittelbar zulässt, ist die farbige Kartierung empfehlenswert. Insofern ist die Gestaltung einer aussagekräftigen Legende geboten.

- abgetragenes Erdreich
- alte Höhe
- neue Höhe
- erhaltenes Bauteil
- gelb – entferntes Bauteil
- rot – erneuertes Bauteil, Auswechslung infolge Schädigung*
- erneuertes Holzbauteil infolge Hausschwammbekämpfung
- rot – erneuertes Bauteil, fehlendes Teil ergänzt
- violett – zusätzlich eingefügtes Bauteil, statische Sicherung
- Stoß zwischen Bauteilen neu durch Anschuhen o. Ä.
- dunkelgrün – Bereich der ausgeführten Hausschwammbekämpfung
- dunkelgrün – Bereich der sonstigen bekämpfenden Holzschutzmaßnahmen
- hellgrün – Bereich der ausgeführten vorbeugenden Holzschutzmaßnahme
- Holznagel alt
- Holznagel neu
- schwarz – Stahlverbindung alt
- hellblau – Stahlverbindung neu
- hellgelb – Gefachfüllung erhalten
- dunkelgelb – Gefachfüllung neu
- grau – Putzfläche erhalten
- beige – Putzfläche neu
- dunkelblau (gestrichelt) – Farbfassung erhalten, Umfassungs-Linie dunkelblau
- dunkelblau – Farbfassung neu, Umfassungs-Linie dunkelblau

* Erneuerung mit Altmaterial vom Objekt bzw. von einem Fremdobjekt ist deutlich zu machen.

FACHWERKKIRCHE ALTBARNIM

INSTANDSETZUNGSDOKUMENTATION

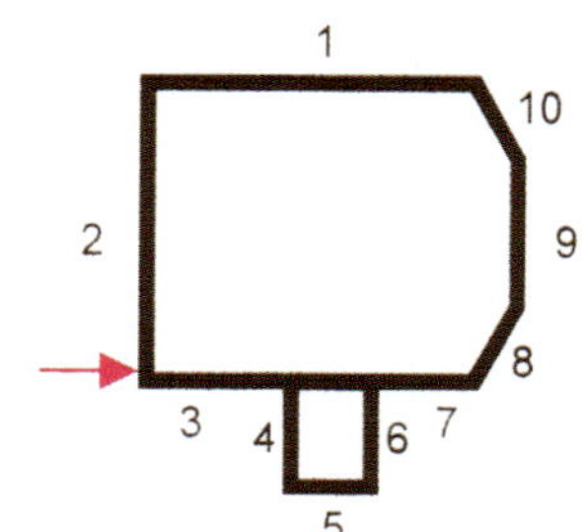

Arbeitsstand Oktober 2001

Die Verformung des Gebäudes führte zum Abscheren vieler Holznägel in den Zapfen. Der Einbau neuer Riegel wurde erforderlich, auch wenn der alte Riegel noch brauchbar war.

Architekturbüro Ekk. Hähnel Hochstrasse 4 15374 Müncheberg

Bild 2.17.4 Beispiel einer Zuordnung des Bildes zum Grundriss in einer Fotodokumentation

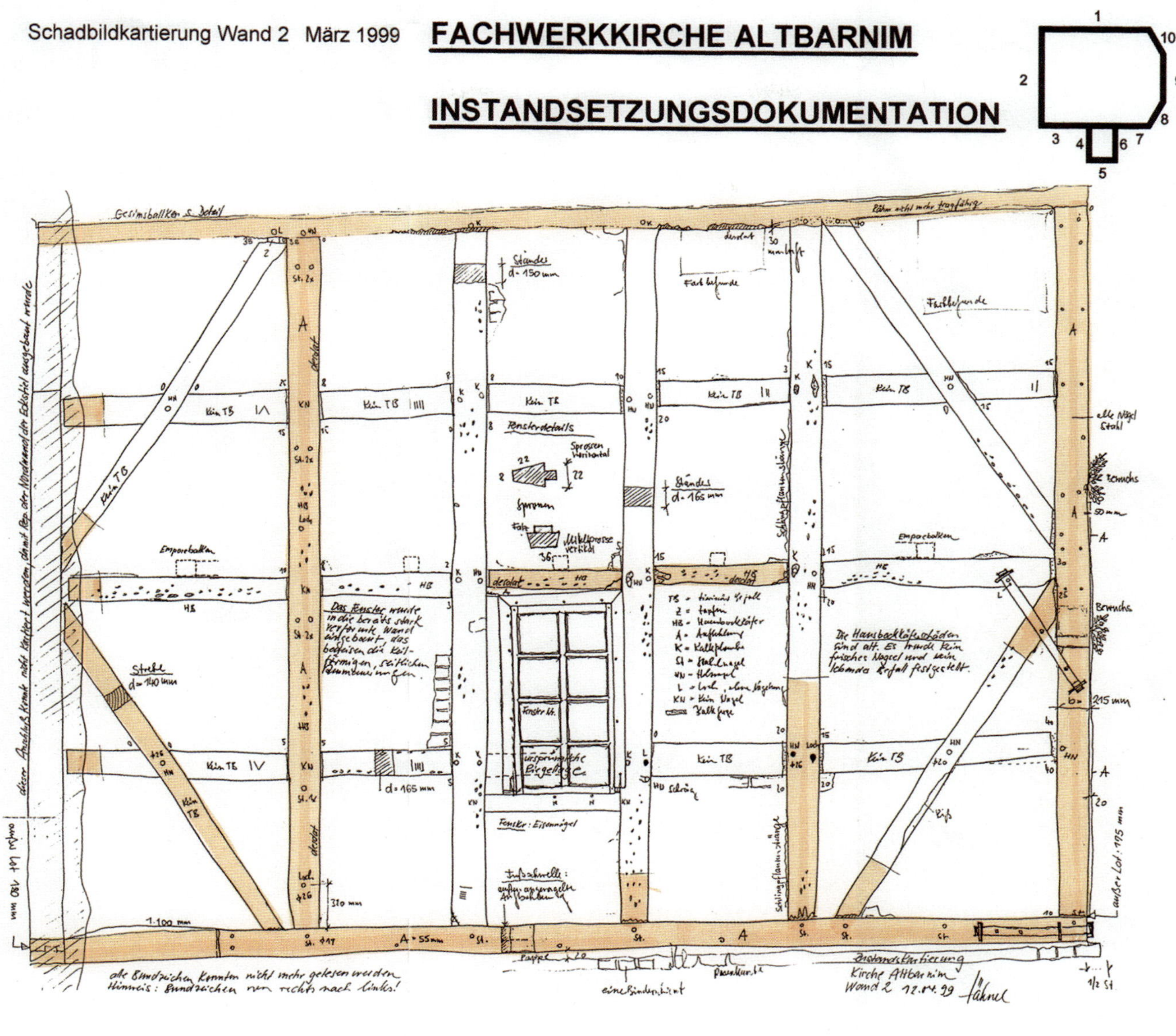

Bild 2.17.5 Für die Dokumentation der ausgeführten Arbeiten können die Bestandspläne verwendet werden. Durch farbiges Anlegen sind die Einzelheiten gut darstellbar.

3 Richtig konstruieren

3.1 Energieeinsparung planen, Gebäudeenergiegesetz (GEG)

Eine energetische Planung muss vielerlei Gesichtspunkte berücksichtigen. Neben der Verbesserung des Dämmstandards sind gleichzeitig auch die bauphysikalische Funktionsfähigkeit, die Einflüsse auf die Gestaltung (insbesondere bei Baudenkmalen und besonders erhaltenswerter Bausubstanz) sowie die Investitions- und Betriebskosten zu beachten. Anforderungen und Hinweise findet man in dem gegenwärtig aktuellen Gebäudeenergiegesetz (GEG 2024), gültig ab 01.01.2024. Die Mitwirkung eines erfahrenen, produktunabhängigen Planungsingenieurs ist zweckmäßig. Das Honorar kann sich schnell amortisieren. Bei Inanspruchnahme einer BEG-Förderung (Bundesförderung für effiziente Gebäude) ist teilweise ein sogenannter „Energieberater für Baudenkmale" auch formal gefordert.

Handelt es sich um ein eingetragenes Baudenkmal, können die spezifischen Regeln des GEG wirksam werden. Bei einem Baudenkmal sowie bei besonders erhaltenswerter Bausubstanz kann das GEG unberücksichtigt bleiben, wenn dessen Forderungen nicht oder nur mit unverhältnismäßig hohem Aufwand realisierbar sind. In diesen Fällen ist eine Abweichung nach § 105 GEG begründbar. Diese Abweichung ist nicht antragspflichtig. Anders verhält es sich bei einer Befreiung nach § 102 GEG. Der Antrag ist entsprechend zu begründen und den Bauunterlagen beizufügen.

Der Mindestwärmeschutz der Bauteile nach DIN 4108-2 bzw. WTA-Merkblatt 8-1 ist bei energetischen Planungen jedoch zu beachten.

Kirchen und andere Gebäude religiöser Zweckbestimmung sind von den Forderungen des GEG ausgenommen. (Weitere Ausnahmen siehe GEG)

Wenn zu allen Fragen Übereinstimmung zwischen Bauherrschaft, Genehmigungsbehörde und Planungsbüro hergestellt ist, steht der Ausführung nichts im Wege. Sollte jedoch die Situation bestehen, dass der Auftraggeber wissentlich eine Abweichung von den Anforderungen des GEG verlangt, sollten sich die Verantwortlichen der Bauausführung und Bauüberwachung nicht darauf einlassen. Die Folgen in Form von Bußgeld und/oder baurechtlichen Auseinandersetzungen sollten vermieden werden. Eine Bedenkenanmeldung kann dabei nicht automatisch als Befreiung von der Einhaltung des GEG angesehen werden. Erbringt die Bauherrschaft Leistungen in eigener Regie, ist sie zur Einhaltung des GEG ebenfalls verpflichtet.

Bei Verkauf oder Vermietung von Gebäuden bzw. von einzelnen Nutzungseinheiten ist ein Energieausweis erforderlich. Gleiches gilt auch, wenn eine umfangreiche Sanierung mit Berechnung des Primärenergiebedarfs vorgenommen wird. Werden Sanierungsmaßnahmen lediglich nach dem Bauteilverfahren (Einhaltung einzelner U-Werte gemäß GEG) vorgenommen, ist kein Energieausweis erforderlich. Auch bei Baudenkmalen gibt es Ausnahmen.

Nicht alles, was heute technisch machbar ist, wie Vakuumdämmplatten, Fußbodenheizung, Klimaanlage und manches andere, ist für ein Fachwerk bedenkenlos geeignet.

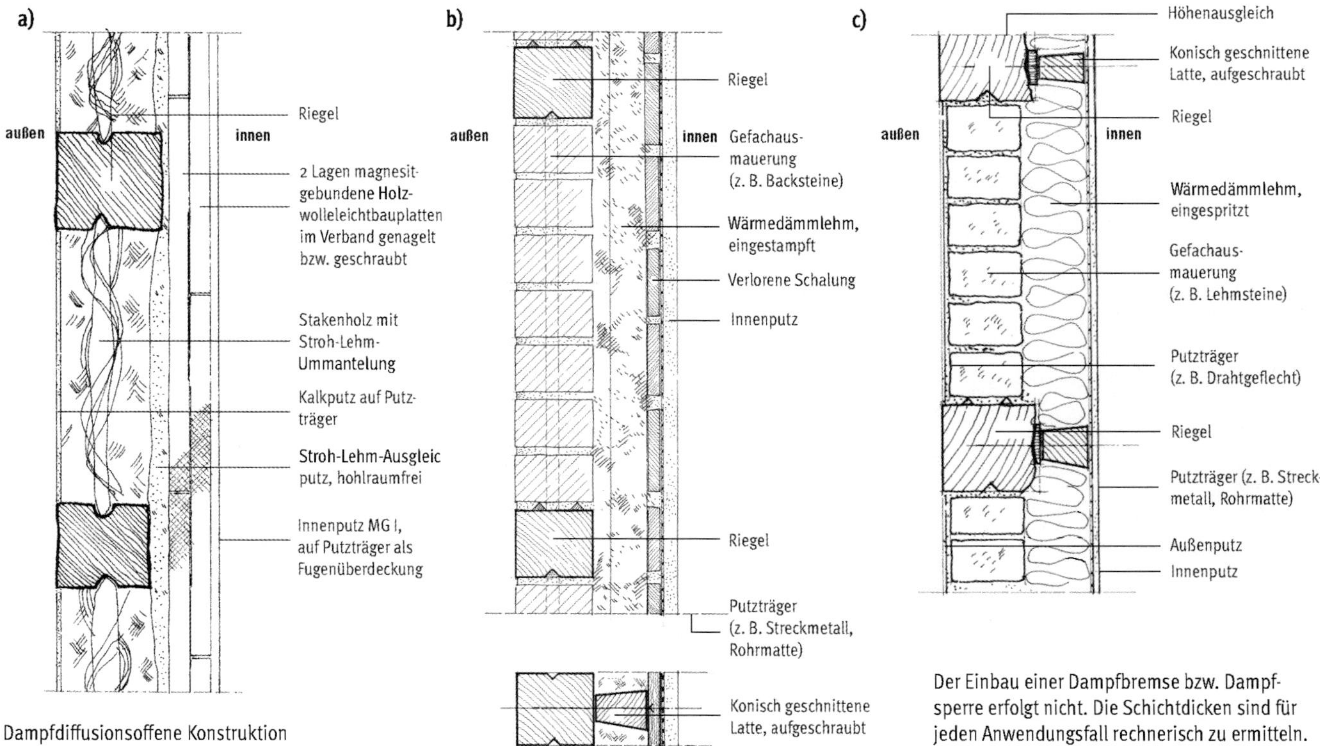

Bilder 3.1.1 bis 3.1.3 Beispiele für ausgeführte Innendämmungen an Fachwerk-Wohnhäusern mit verschiedenen Dämmmaterialien (Vertikalschnitte): **a)** magnesitgebundene Holzwolleleichtbauplatten, **b)** Wärmedämmlehm, eingestampft, **c)** Wärmedämmlehm, eingespritzt

Bild 3.2.1 Der Straßenbau zerschneidet die Sockelbereiche der Fachwerkhäuser in unverantwortlicher Weise. Bad Salzuflen

Bild 3.2.2 Schadbild an einer dauerhaft „eingegrabenen" Grundschwelle.

Bild 3.2.3 Hat die Wetterseite keinen Schutz, gibt es Schäden durch das Wasser. Es entstehen auch Wachstums- und Lebensbedingungen für Pilze und Insekten, die zu komplexen Schädigungen führen.

Hier sollten vorhandene Erfahrungen gesammelt und bewertet werden. Der Einsatz von erneuerbaren Energien und nachwachsenden Baustoffen sollte jedoch angestrebt werden.

3.2 Konstruktiver und organisatorischer Holzschutz

Die heute vorhandenen Fachwerkgebäude sind der Restbestand einer ursprünglich nicht vorstellbaren Anzahl im städtischen und ländlichen Raum. Es muss eine Ursache geben, dass noch nicht alle verfallen sind, ganz abgesehen von den Verlusten infolge von Kriegen, Feuersbrünsten und Stadterneuerung. So wurde die gesamte Fachwerkinnenstadt Hamburgs beim Stadtbrand von 1842 niedergelegt, weitere große Verluste brachten neue Straßen und Bahntrassen im Stadtgebiet.

Grundsätzlich kann gesagt werden: Die noch vorhandenen Fachwerkgebäude sind gut konstruiert worden. Dabei geht es auch um die Frage, ob diese Bauweise historisch überholt ist und keine Existenzberechtigung mehr hat, oder ob die Bemühungen sinnvoll und damit zu verstärken sind. Ein besonders wertvoller Teil unseres kulturellen Erbes ist die außerordentliche Vielfalt – und es sind die guten Beispiele in Stadt und Land, die eine Antwort geben.

Wenn man sich mit dem Gefüge des Fachwerkhauses beschäftigt, wird man die Qualität der Konstruktion erkennen und für die Arbeit lernen. Schäden, die in großem Umfang auftreten, sind meistens infolge mangelhafter Pflege dem Gebäude vom Menschen zugefügt worden.

Nimmt man nur das Anheben der öffentlichen Verkehrswege. In einer Rücksichtslosigkeit gegenüber dem Gebäudebestand wird auch noch in der Gegenwart dieses Übel produziert. Denn dadurch geht jeder Spritzwasserschutz verloren, die Schwellen sinken ab, als Nächstes faulen die

Bild 3.2.4: Wenn Gebäude aus Holz Jahrhunderte überdauern, so hat das seine Gründe. Dieser norwegische Stabbur steht aufgebockt, um Nagetieren den Zugang zu erschweren. Gleichzeitig hat diese Bauweise einen Spritzwasserschutz von etwa 50 cm. So bleibt das Holz trocken.

Bild 3.2.5: Durch den Treppenanbau wird der ansonsten vorhandene Spritzwasserschutz aufgehoben. Der partielle Verlust der Grundschwelle bewirkt massive Schäden an der Konstruktion.

Ständerfüße und die eintretenden Verformungen schädigen das gesamte Tragwerk.

Ein weiterer Punkt ist die mangelhafte Wartung der Dachdeckung und der Regenwasserableitung.

Ein dritter Punkt ist die Schädigung durch untaugliche Nutzung und falsche Instandsetzung.

Spätestens hier kann davon gesprochen werden, dass Holzschutz auch organisatorisch zu erreichen ist. Die beste Konstruktion kann durch Nachlässigkeit zerstört werden – eine Erkenntnis, die nicht nur für die Fachwerkbauweise gilt.

Zur angestrebten Objektivität gehört die Tatsache, dass es an der historischen Zimmermannsarbeit auch kritische Punkte gibt, die einer Betrachtung unterzogen werden müssen. Dem Schutz der gefährdeten Holzbauteile durch richtiges Konstruieren gilt das Hauptaugenmerk. Die größte Haltbarkeit des Holzes wird mit zwei Möglichkeiten erreicht: entweder ständig unter Wasser oder ständig luftumspült. Der Wechsel von feucht und trocken ist das größte Übel. Da Wasser in die Konstruktion eindringen kann, ist sicherzustellen, dass es wieder herauslaufen kann. Nach diesem Grundsatz sollte jedes Detail, auch wenn es schon tausendfach gefertigt wurde, neu betrachtet werden.

3.3 Feuchtigkeitsschutz

Konstruktiver und organisatorischer Holzschutz sind von Bedeutung für den Schutz vor Schäden aus nicht beherrschter Feuchtigkeit. Wir können – genau genommen – die Konstruktion nicht vor der Feuchtigkeit schützen, sondern nur negative Folgen ihrer Einwirkung vermeiden. Die auftretende Feuchtigkeit muss in allen Erscheinungsformen beherrscht werden.

Auf jede Einwirkung ist eine planerisch-konstruktive bzw. eine planerisch-organisatorische Lösung vorzuschlagen und durchzusetzen.

Regen: Der schräg auftreffende Schlagregen ab einer bestimmten Dauer und Heftigkeit ist abzuwehren. Auf der Wetterseite geht das nur mit einer geeigneten Bekleidung, wie es den historischen Befunden auch entspricht (Holzschalung, Holzschindeln, Dachdeckungsmaterial in hinterlüfteter Bauweise). Ein Verputz ist nicht die Vorzugslösung. Fassaden werden dazu in Beanspruchungsgruppen eingeteilt, aus denen die konstruktiven Anforderungen abzuleiten sind. (DIN 4108-3)

Spritzwasser: Es entsteht am Gebäudesockel und an Fassadenvorsprüngen. Spritzwasser belastet auch die Konstruktion, wenn Fahrzeuge das Stauwasser der Straßengerinne aufwirbeln. Hier müssen ein Gegengefälle (vom Gebäude weg) und eine wirksame Wasserableitung hergestellt werden.

Schnee: Die kritische Situation entsteht durch das Eintreiben von Firnschnee in Fugen und unter Abdeckungen sowie das sich danach bildende Schmelzwasser. Hier sind Unterspannbahnen hilfreich, die aber in einem Baudenkmal nicht die Regel sein können. Die natürliche Dachraumlüftung ist hier wichtig und eine visuelle Kontrolle bei derartigen Wettersituationen zweckmäßig.

Nebel: Nebel ist die visuell wahrnehmbare Situation der Wasserdampfsättigung der Luft. Die Kondensatbildung an kühleren Bauteilen ist die Folge. Hier hilft die gründliche Lüftung und eine angemessene Temperierung des Raumes.

Aufsteigende Feuchtigkeit: Darunter versteht man die durch Kapillarkräfte aufsteigende Feuchte in Baukonstruktionen. Dagegen sind horizontale, teilweise auch vertikale Sperrschichten einzubauen.

Wasserdampf: Er bildet sich durch die verschiedenen menschlichen Tätigkeiten im Haus (natürliche Körperausdünstung, Waschen, Kochen, Backen, Baden, Duschen, Bügeln, Blumengießen, Teppichreinigung u. v. a.). Durch das Betreiben der Heizanlagen wird diese Wasserdampfbildung verstärkt. Die Belastung der Fachwerkkonstruktion wird dann am kritischsten, wenn bei zu niedriger Oberflächentemperatur der Außenwand der Wasserdampf aus der Raumluft zu kondensieren beginnt.

Abhilfe schafft das regelmäßige Lüften, wobei eine Stoßlüftung gemeint ist (mehrere Fenster kurzzeitig weit öffnen, auch im Winter). Wichtig ist die Konstruktion eines wasserdampfdiffusionsoffenen Wandaufbaus (keine Dampfsperren!). Hier werden sicher noch entscheidende Fehler gemacht.

3.3.1 Sperrschichtanordnung im Holzbau

Beim historischen Holzbau/Fachwerkbau spielten Sperrschichten in unserem heutigen Sinn keine große Rolle. Es wurden konstruktive Lösungen wie massive Sockel, Unterlagen aus Feld- oder Naturstein, Wandbekleidungen als Bewitterungsschutz oder Ausführung der Konstruktion in Eichenkernholz gewählt. Bei guter Pflege der Gebäude boten diese Bauweisen eine lange Haltbarkeit.

Werden heute Leistungen an derartigen Gebäuden erbracht, müssen Anforderungen zu Gewährleistung, Haftung, zulässigen Fugen und Rissen, Luftdichtigkeit, Energieverbrauch und einigem mehr beachtet und nachgewiesen werden. Dazu werden Normen (DIN) herangezogen sowie Erkenntnisse die die anerkannten Regeln der Technik darstellen. Siehe hierzu auch Abschnitt 2.16. im vorliegenden Buch.

DIN 18533-1:2017-07 (Abdichtung von erdberührten Bauteilen) besagt unter Punkt 4.1.4 – Zuverlässigkeit:

... *Die Abdichtung (hierbei sind alle Bauweisen von Abdichtungen gemeint, E. H.) muss ihre Funktion für die geplante Nutzungsdauer mit ausreichender Zuverlässigkeit erfüllen. Weitergehende Anforderungen an die Zuverlässigkeit können sich aus den Bedingungen des planerischen Einzelfalls ergeben und sind ggf. auch maßgebend für die Wahl einer geeigneten Abdichtungsbauart.*

Bild 3.3.1.1: Zwischen Hirnholz und Natursteinsockel ist eine Dichtungsebene eingelegt worden. Wahrscheinlich handelt es sich um Bleiblech. Es ist gut zu sehen, dass Feuchtigkeit in die offenen Fugen eindringen kann.

Bild 3.3.1.2: Eine hölzerne Zugbrücke im Alten Land. Die Schwelle trägt den Aufbau. Dieser ist eingezapft. Um das Eindringen von Niederschlag in das Zapfenloch zu behindern, ist die Grundschwelle dachförmig ausgearbeitet – eine durchdachte Lösung. Das Zapfenloch sollte unbedingt eine vertikale Drainagebohrung haben.

Auf diese Formulierung wird im Schadensfall bestimmt Bezug genommen. Welche Anforderungen an Baustoffe und Verfahren hier gestellt werden, muss man sorgfältig durchdenken.

DIN 18533-1 fordert auch: ... *Die Abdichtung darf bei den zu erwartenden Bewegungen der Bauteile, z. B. durch Schwinden, Temperaturänderungen und Setzungen, ihre Schutzwirkung nicht verlieren ...*

Eine Anforderung, die gerade für den Holzbau von Bedeutung ist.

Beim Rückgriff auf DIN 18533-1 ist zu beachten:

Diese Norm ... *gilt nicht ... für die nachträgliche Abdichtung in der Bauwerkserhaltung oder in der Baudenkmalpflege, es sei denn, es können hierfür Verfahren angewendet werden, die in dieser Norm geregelt sind ...*

Da wir uns hier mit der Instandhaltung beschäftigen, ist diese Frage vorab zu klären. Die Norm selbst bezieht sich nicht auf den Holzbau und bietet auch in den Detaildarstellungen keine Beispiele des Holzbaus.

Da Vorgaben für Instandsetzungsarbeiten von DIN nicht vorliegen, werden die bisherigen baupraktischen Erfahrungen für die Sperrschichtanordnung wie folgt zusammengefasst dargestellt:

Bei der Festlegung der Arbeitsschritte ist zu empfehlen, Massivbauteile wie Sockelmauerwerk, Keller und Erdgeschosse nach dieser Norm zu bewerten.

Für die Holzbauteile sollten die nachfolgenden Empfehlungen/Erfahrungen herangezogen werden, dafür stellt die genannte Norm keine konkreten Anforderungen.

Bild 3.3.1.3: Ein sorgfältig restauriertes Haus im Alten Land. Der Eingang durch das Tor ist ohne Schwelle gestaltet, eine normale Forderung in unserer Zeit. Der Feuchtigkeitsschutz der Grundschwelle ist dabei nicht gesichert. Hier sind weiterführende Überlegungen angebracht

Bild 3.3.1.4: Aus der Not wurde eine Tugend. Die mit viel Baumkante verbaute Grundschwelle erforderte eine ungewöhnliche Anarbeitung der Ständerfüße. Diese sind wie üblich eingezapft und greifen über die Baumkante schräg nach unten. So entsteht ein Schutz der Fuge, eine konstruktive Besonderheit aus Quedlinburg

Für Planung und Bauausführung kann DIN 18334 (VOB Teil C) verbindlich sein, wenn diese vereinbart wird/ist. Hier findet man auf Seite 10 einen Hinweis zu

... *Schutzschichten unter Hölzern, z. B. unter Schwellen und Balken* ...

In DIN 68800-2 (Holzschutz) findet man Anforderungen zu ... *vorbeugender Schutz baulicher Maßnahmen im Hochbau* ...

Für Sperrschichten, die Holz vor Feuchtigkeitsschäden schützen sollen, ist ein einheitlicher Sprachgebrauch erforderlich, um bei Beratung, Planung, Ausschreibung, Materialbestellung, Aufmaß und Abrechnung sowie gutachterlicher Arbeit unmissverständlich zu sein.

Der Begriff Horizontalsperre scheint angemessen zu sein.

Die Planung und Ausführung einer Feuchtigkeitssperre hat den Mindestanforderungen von DIN 18533-1 und 18533-2 sowie DIN 18534-1 zu entsprechen. Geeignete Sperrschichtmaterialien sind in den Normen 18533-2 und 18534-1 aufgeführt.

Der nachträgliche Einbau ist, besonders bei der Grundinstandsetzung wertvoller, älterer Bausubstanz sicher eine aufwendige Angelegenheit. Doch für den Schutz des Bauwerkes sollte man diesbezüglich keine falschen Kompromisse eingehen. Ist der Einbau zum Beispiel wegen eines Hochkellers oder verschiedener Fußbodenhöhen nicht in einer durchgehenden Ebene möglich, sollte der Einbau mit den notwendigen Höhensprüngen erfolgen.

Eine immer noch vorzufindende Umhüllung von Balkenköpfen mit einem Dichtungsmaterial wie Sperrpappe – vor dem Einmauern in eine Wand – ist nicht richtig. Der Grundsatz heißt: Die Wand muss trocken sein, sonst kann man kein Holz mit ihr in Verbindung bringen.

Das Einfügen einer lose verlegten Dichtungsbahn unter feuchtegefährdeten Holzbauteilen sollte als nicht fachgerecht angesehen werden, wenn ein Feuchtestau durch Wassereintrag in diese Fuge zu erwarten ist. Das gilt natürlich für Außenwände. Bei Innenwänden ist eine lose eingefügte Sperrschicht zwischen Holzbauteilen und Unterbau nicht falsch.

Als Feuchtigkeitsschutz für Holzkonstruktionen kann auch ein wasseraufnahmefähiges Material wie Kalkmörtel, Lehmmörtel, geringer gebrannter Backstein und ähnliches Material verwendet werden, vorausgesetzt, dass der Spritzwasserschutz bei Außenwänden mit mindestens 300 mm eingehalten ist.

In gefährdeten Bereichen der Baukonstruktion ist eine wirksame Horizontalsperre nur dadurch zu erreichen, dass diese auf das Holz geklebt, gespachtelt oder gestrichen, also fugenlos aufgebracht wird, und kein seitlicher Überstand vorhanden ist.

Das Aufkleben von 2 mm dickem Walzblei mit einem Bitumenkleber hat sich als eine dauerhafte Möglichkeit bewährt.

Material für Horizontalsperren sollte in seiner Dauerhaftigkeit mindestens der des Holzbaus selbst entsprechen.

Stark schlagregenbelastete Fachwerkwände sind grundsätzlich zu verkleiden, hierzu sind die Kriterien der DIN 4108-3 zu beachten. Siehe dazu auch WTA-Merkblatt 8-1.

Wird eine vorgeschlagene/geplante Sperrschicht gegen aufsteigende Feuchtigkeit im Rahmen der Planung oder Bauausführung vom Auftraggeber abgelehnt, ist eine Bedenkenanmeldung des Planers/Bauausführenden angebracht. Diese ist schriftlich niederzulegen.

Für Nassräume sind stets besondere Überlegungen notwendig.

Eine enge Zusammenarbeit von Planer, Bauherr, Produkthersteller und Verarbeiter wird empfohlen.

3.4 Baulicher Wärmeschutz

Hierunter versteht man den konstruktiven Schutz vor ungewolltem Wärmeabfluss und den Schutz vor Kaltluft von außen bzw. aus angrenzenden Räumen. Man unterscheidet sommerlichen und winterlichen Wärmeschutz.

Das Fachwerkhaus mit seiner attraktiven Fassade ist für den üblichen zusätzlichen Wärmeschutz von außen nicht geeignet. Dass die Konstruktion zusätzlichen Wärmeschutz benötigt, ist unbestritten.

Gesucht wird also die richtige Innendämmung. Um die Konstruktion zu bestimmen, die auch Sicherheit vor Kondensatbildung im Inneren der Wandkonstruktion bietet, muss der erfahrene Ingenieur (Bauphysiker) herangezogen werden. Es muss sorgfältig gerechnet werden.

Besondere Beachtung ist den Schwachstellen zu widmen, die in Form von Nischen, Balkenkopfdurchgängen in der Außenwand, Fenster- und Türanschlüssen, Unterputzsteckdosen und Schaltern, Metallverbindungsmitteln, Rohrleitungskanälen und Heizkörpernischen vorhanden sind. Beim Vorhandensein historischer Vertäfelungen und anderer anliegender Einbauten ist besondere Sorgfalt erforderlich. Auch die Decken nach unten zum Keller und nach oben zum Dach sind in die Planung einzubeziehen. Liegen unbeheizbare Räume gegenüber, müssen die Nutzungsgrenzen des Bauwerkes aufgezeigt werden.

Das gewaltsame Durchsetzen einer Idee kann dem Haus und seinem Besitzer sehr schaden. Mit dem GEG gibt es vom Gesetzgeber eingeräumte Ausnahmen, die man in Anspruch nehmen sollte. Die für einen heutigen Neubau geforderten Werte sind mit vertretbaren Mitteln im Fachwerkbaubestand kaum zu erreichen.

Für eine den Anforderungen entsprechende Innendämmung gibt es bewährte Konstruktionen, die empfohlen werden können. Dabei spielt auch der historisch bekannte Leichtlehmvorsatz, gemauert, angeputzt oder eingestampft, eine wichtige Rolle. Eine weitere gute Lösung ist die Verwendung von Wärmedämmlehm, der großflächig durch Spritzen, aber auch mit verlorener Schalung durch Einstampfen eingebaut wird.

3.5 Brandschutz

3.5.1 Bautechnischer Brandschutz

Für das brandschutztechnische Konzept ist in der Regel ein Fachingenieur zu beauftragen. Bei größeren Objekten kann die Prüfung des Konzeptes durch einen Sachverständigen erforderlich werden. Das ist mit der Genehmigungsbehörde zu vereinbaren.

Im Baudenkmal ist durchaus die Frage zu erörtern, wie die Nutzung angepasst werden könnte, um aufwändige Zusatzkonstruktionen zur Erfüllung brandschutztechnischer Erfordernisse zu vermeiden.

Die notwendige Anordnung von Rettungswegen, Sicherheitstreppenhäusern, Rauch- und Wärmeabzugsanlagen, Sprinkleranlagen und anderem mehr kann einem Baudenkmal schwer zu schaffen machen. Die baulichen Lösungen sind in der Regel unbefriedigend.

Zu den Möglichkeiten, bestehende Konstruktionen zu ertüchtigen, gehört das Verkleiden mit brandhemmendem Material bzw. Streichen mit Brandschutzfarbe. Beide Methoden sind zu prüfen, wobei das von der Holzsichtigkeit lebende Fachwerk beeinträchtigt wird.

Eine wesentliche Komponente des Brandschutzes ist der Schutz vor Rauch. Rauchmeldeanlagen sollten heute in keinem Objekt, einschließlich dem Einfamilienhaus, fehlen.

3.5.2 Organisatorischer Brandschutz

Der organisatorische Brandschutz besteht aus verschiedenen Komponenten wie:

- Einweisung in die Schutz-, Sicherungs- und Rettungsvorschriften
- Kenntnisse über Alarmierungswege
- Kontrollen baulich-technischer Anlagen
- Revision der elektrischen Anlagen
- Bereitstellung von Löschmitteln
- Kontrolle der Rettungswege und Fluchttüren
- Kontrolle der Notbeleuchtung
- Kontrolle der Fluchtwegkennzeichnung

Ergänzt wird der vorbeugende Brandschutz durch:

- Alarmierungsübungen
- Rettungsübungen
- Übungen mit Löschtechnik/Handhabung der Feuerlöscher
- Schulung der Beschäftigten im brandschutzgerechten Verhalten

Die notwendigen Maßnahmen für ein Objekt sind vor Innutzungnahme festzulegen.

3.6 Schallschutz

3.6.1 Konstruktiver Schallschutz

Schallschutzanforderungen sind genormt und sollten nur als Mindestanforderung verstanden werden. Guter Schallschutz gehört zu den wesentlichen Qualitätsmerkmalen eines Bauwerkes.

Einmal begangene Fehler im Schallschutz lassen sich kaum beheben, deshalb sind auch hier Sachverstand und Sorgfalt notwendig. Das Fachwerkhaus bietet grundsätzlich die Möglichkeiten, eine gute Schallschutzqualität zu erreichen.

Ein wichtiges Kriterium für den Umfang des festgelegten Schallschutzes ist die Gebäudenutzung. Sobald Vermietungsverhältnisse angestrebt werden, sollten alle Normwerte erreicht sein, höhere Qualität wird empfohlen (DIN 4109-5).

Alle horizontalen und vertikalen Trennkonstruktionen zu verschiedenen Eigentümern bzw. Nutzern sind ausreichend auszubilden. Auch Treppenhäuser und andere gemeinschaftlich genutzten Räume sind in entsprechender Qualität zu konstruieren.

Mängel treten häufig durch Betriebsgeräusche von installierten haustechnischen Anlagen, z. B. Umwälzpumpen, auf.

Notwendige Abweichungen bzw. Befreiungen müssen zivilrechtlich vereinbart werden.

3.6.2 Organisatorischer Schallschutz

Wie so oft sind es die kleinen Unachtsamkeiten, die zu einer Belästigung ausarten können. Da ist z. B. früh um 5 Uhr der klappernde Deckel des Blechbriefkastens an der Außenwand. Schon ein Dämmerungsschalter an der Schlafzimmerwand kann störend sein. Richtig eingestellte Tür-Selbstschließer sollten ebenso wenig fehlen wie festliegende Bürstenabtreter anstelle wackeliger Roste. Klingelanlagen von Nachbarn sollten nicht zu hören sein. Weiche Beläge auf Treppenstufen können erhebliche Trittschallminderung bringen. Im Wohnbereich integrierte Garagen mit ihren Blechtüren, die wie große Trommeln klingen können, sollte es eigentlich gar nicht geben. Bei stärkerem Wind klappernde Außenbeläge aus Schindeln an Hauswänden – da muss nachgearbeitet werden.

Sicher findet jeder Aufmerksame weitere Beispiele von ungenügendem Schallschutz in seinem Lebensbereich.

3.7 Luftdichtigkeit

Die Luftdichtigkeit ist eine Forderung zur Energieeinsparung und dient dem Wohlbefinden des Menschen.

Ist die Fassade dicht, kann keine Wärme unkontrolliert den Raum verlassen. Fachwerk ist „von Natur aus“ nicht luftdicht. Das ist ein wesentlicher Nachteil der Konstruktion, der immer wieder zur Verunsicherung bei Planung und Genehmigung führt. Die Fuge zwischen Holz und Gefachfüllung ist eine Bewegungsfuge zum Ausgleich von Quellen und Schwinden durch Feuchtigkeit. Dieses Bewegen bildet die offene Fuge, die je nach Material unterschiedlich breit werden kann.

Die Fachwerkaußenwände geheizter Räume bekamen früher eine Innenschale aus Leichtlehm. Diese konnte unterschiedlich stark sein (5 bis 12 cm) und brachte in jedem Fall eine Luftdichtigkeit – bis auf die Anschlussfugen, die natürlich häufiger (jährlich) nachgearbeitet werden mussten. Mit den heute ebenfalls üblichen Innendämmungen werden noch bessere Ergebnisse erzielt, sodass man gut im Fachwerkhaus leben kann.

3.8 Schlagregendichtigkeit

Unter Verwendung eines Beitrages von Jürgen Gänßmantel

Der wirksame Schlagregenschutz beim Fachwerk stellt besonders hohe Anforderungen an Planer und Ausführende. Fachwerksichtige Fassaden bieten nicht nur in der Fläche Möglichkeiten des Wassereintritts. Besonders gefährdet sind die Fugen zwischen Holz und Gefachen sowie Risse in den Hölzern. Es muss daher gewährleistet sein, dass die Außenwand durch Schlagregen nicht durchfeuchtet wird. Dazu ist grundsätzlich eine Einordnung des Standortes hinsichtlich der Schlagregenbeanspruchung nach DIN 4108 (Wärmeschutz und Energieeinsparung in Gebäuden) durchzuführen. Entspricht der Standort nicht der Beanspruchungsgruppe I, so ist in der Regel immer von einer hohen Schlagregenbeanspruchung auszugehen.

Gemäß WTA-Merkblatt 8-1 ist unabhängig von der Einordnung standortspezifisch immer zu prüfen, ob einzelne Fassaden einer besonderen Schlagregenbelastung unterliegen. Hierzu sind die Wetterseiten festzulegen und zu untersuchen, ob sie vom Wind frei angeströmt werden,

Bild 3.8.1 Sogenannte Klebedächer (diese wurden zusätzlich außen angebaut) schützen wesentliche Teile der Fassade. Ein sicherer Schutz der gesamten Fassade stellen diese nicht dar. Oberseebach bei Weißenburg, Elsass

d. h., ob sie die umgebende Bebauung überragen, ob der Abstand zur umgebenden Bebauung mehr als etwa das 2,5-Fache der Fassadenhöhe beträgt oder ob die städtebauliche Situation eine Schlagregenbelastung begünstigt, z. B. wenn sich Gassen oder Straßen so verjüngen, dass die Windgeschwindigkeit stark zunimmt.

Bereits vorhandene bauliche Holzschutzmaßnahmen wie Dachüberstände und Bekleidungen sollten beibehalten oder erneuert werden.

Je nach ermittelter Witterungsbelastung ist zu prüfen, ob eine geplante Fachwerksichtigkeit ohne schädigende Feuchtebelastung ausführbar ist. Dazu wird grundsätzlich auch die umgebende Bebauung mit in die Bewertung einbezogen.

In der Regel wird ein Witterungsschutz von Fachwerkfassaden bei objektspezifisch hoher Schlagregenbeanspruchung gemäß den o. g. Maßnahmen erfolgen. Falls erforderlich sollen für stark witterungsbelastete Flächen auch Bekleidungen neu angeordnet werden, damit durch diesen zusätzlichen konstruktiven Wetterschutz Niederschlag durch Wind nicht in Ritzen und Fugen „hineingedrückt" werden kann. Im WTA-Merkblatt 8-3 „Ausfachungen", Kap. 4.1, wurde diese Forderung bei den Schlagregenbeanspruchungsgruppen II und III nach DIN 4108-3 explizit definiert, um so ein höchstes Maß an Sicherheit zu gewährleisten. Sämtliche konstruktiven Maßnahmen können grundsätzlich als Stufe 1 des bei Fachwerk erforderlichen Schlagregenschutzes bewertet werden.

Die Hinweise im WTA-Merkblatt 8-1 wurden bewusst mit dem modalen Hilfsverb „sollen" ausgedrückt. Damit wird eine bedingte Forderung formuliert im Sinne einer durch Verabredung oder Vereinbarung freiwillig übernommenen Verpflichtung, von der nur in begründeten Fällen abgewichen werden darf. Die Abweichung vom rein konstruktiven Schlagregenschutz durch vollflächiges Verputzen oder Bekleiden des Fachwerks (Stufe 1) kann in der Fachwerkpraxis bei Sichtfachwerk dann begründet sein, wenn folgende Voraussetzungen erfüllt sind:

Bild 3.8.2 und Bild 3.8.3 Zwei Beispiele für funktionierendes Sichtfachwerk bei hoher Schlagregenbeanspruchung – links: verputzte Gefache, bei denen die Risse zum Holz regelmäßig verschlämmt und die Instandhaltungsstellen farblich grau abgesetzt wurden (Bad Wimpfen); rechts: ausgemauerte Gefache, bei denen die umlaufenden Mörtelfugen regelmäßig erneuert wurden. Wolfenbüttel

Bilder 3.8.4 bis 3.8.6 Beispiele des Schlagregenschutzes. Vogtland, Erzgebirge

- geeignete Holzqualität (Hartholz, z. B. Eiche) für das Fachwerk
- geeignete Gefachmaterialien (kapillar hochwirksam und diffusionsoffen)
- geeignete Anstrichqualität für Gefach und Holzfachwerk (reduzierte kapillare Wasseraufnahme, hohe Verdunstungsrate = Diffusionsoffenheit)
- kontinuierliche und regelmäßige Instandhaltung der Fuge Gefach – Holz, je nach Witterungsbeanspruchung in angepassten, ggf. reduzierten Zeitintervallen

Instandhaltung umfasst nach DIN 31051 die vier Grundmaßnahmen Wartung, Inspektion, Instandsetzung und Verbesserung. Die praktische Erfahrung im Umgang mit intakten Sichtfachwerkgebäuden an jahrhundertealten Baudenkmalen zeigt, dass bei Einhaltung der o. g. Voraussetzungen und der Grundmaßnahmen der Instandhaltung auch bei erhöhter Schlagregenbelastung eine Sichtfachwerkkonstruktion nicht dauerhaft durch Feuchtigkeit geschädigt wird.

3.9 Lüftung

Wie bereits ausgeführt, ist der Sinn der Lüftung, dass Wasserdampf aus der Innenluft an die Außenluft kontrolliert abgegeben wird. Tägliches gründliches Lüften sollte durch eine Dauerlüftung unterstützt werden. Geeignet sind im Fensterbereich (Blendrahmen) angeordnete kleine Öffnungen, die eine Mindestzirkulation sichern. Früher geschah das durch die natürliche Strömung über die Fugen der Holzfenster. Für Schimmelbildung können sich so kaum kritische Situationen entwickeln. Deshalb ist es so wichtig geworden, der Raumlüftung über die Fenster wieder größere Aufmerksamkeit zu widmen. Ein für kurze Zeit angeklapptes Fenster bringt kein wirkungsvolles Ergebnis.

3.10 Fenster und Türen

Die Fenster, die „Augen des Hauses“, sowie die Eingänge, die dem Gast den Weg weisen und dem Ungebetenen den Zugang verwehren sollen, benötigen unsere besondere Aufmerksamkeit. Diese Bauteile haben wichtige Funktionen wie Abgrenzung des Eigentums, Abwehr von Witterungseinflüssen, Sicherheit, Repräsentation (Straßenseite) und Schmuck des Hauses.

Oft sind ältere Fenster und Türen mit vertretbarem Aufwand reparierbar. Sie sind in ihrer Funktion und Gestaltung auf das jeweilige Haus abgestimmt, und Veränderungen beeinträchtigen die Qualität der Ansicht häufig negativ.

Fachbetriebe haben sich auf derartige Restaurierungen spezialisiert, und selbst die wertvollen Beschläge können nach einer Restaurierung heute wieder ihren Dienst tun. Fachbetriebe für historische Baustoffe beraten, wenn etwas verloren gegangen ist. Muss für einen erhöhten Sicherheitsstandard eine zusätzliche Schließanlage installiert werden, kann das recht unauffällig geschehen.

Besonders in der Denkmalpflegearbeit sind den Türen und Fenstern in allen diesen Details ausreichend Aufmerksamkeit zu schenken. Farbuntersuchungen sind rechtzeitig zu veranlassen, damit keine Befunde verloren gehen.

3.10.1 Das Tragwerk bestimmt die Fensterordnung

Der Fensterbau erfordert eine Einordnung des Fachwerkbaus nach seiner spezifischen Bauweise. Während die Massivbauweise das Anlegen von Öffnungen beliebiger Größe fast überall zulässt, war/ist die Fenstergröße im Fachwerkbau durch Ständerstellung und Riegelanordnung vorgegeben. Die relativ kleinen Lichtflächen führten dazu, dass Fenstergruppen gebildet wurden. Ständerstellung und Riegelhöhe wurden so angeordnet, dass das größere Fenster möglich wurde. Bild 3.10.1 zeigt ein gelungenes Beispiel.

Die Anordnung der Fenster- und Türöffnungen in den vorgegebenen Flächen der Gefache wurde bei Umbauten und Umnutzungen häufig verändert. Diese Änderungen werden bei Freilegungen entdeckt. Bild 3.10.3 zeigt eine solche Situation.

Bild 3.10.1 Wonsbeck bei Hadersleben (Haderslev), damals Schleswig-Holstein, heute Dänemark. Bauernhof, Wohnhaus mit Fensterreihung, Aufmaß um 1905, Umzeichnung, Ausschnitt

Bild 3.10.2 Öffnungen in Vorratsspeichern sind vorrangig Lüftungsöffnungen, die je nach Temperatur, Wind- und Wetterlage bedient werden müssen. Die Innenverglasung ist aus späterer Zeit. Bad Salzuflen

Der Wunsch nach mehr Tageslicht in den Räumen der Fachwerkhäuser führte fast überall zu entsprechenden Veränderungen an den Fassadenöffnungen.

Solange die tragenden und aussteifenden Hölzer nicht durchtrennt werden, sind viele Lösungen denkbar. Ist eine Strebe für den Fenstereinbau entfernt worden, wie in Bild 3.10.4 dargestellt, kann das in der Regel nicht belassen werden.

Stehen in Verbindung mit einer Neu- oder Umnutzung die Fragen der Fenstergestaltung an, sollte stets behutsam und sorgfältig vorgegangen werden. Stadtbildgestaltung (Ortssatzungen) und Denkmalschutz sollten als Herausforderung und nicht als lästig angesehen werden.

3.10.2 Konstruktion und Gestaltung der Fenster

Die Fensterkonstruktion im Fachwerkhaus erfordert eine besondere Betrachtung. Dieser Fensterbau unterscheidet sich von anderen historischen Fenstern. Konstruktion, Funktion und Gestaltung sind neben der Zweckmäßigkeit und Sparsamkeit besonderen Zwängen unterlegen. Im ländlichen und im städtischen Bereich (sowie regional geprägt) gibt es Unterschiede in Größe und gestalterischer Ausprägung der Fenster.

Bild 3.10.3 Sünna, Thüringen; Wohnhaus am Markt. Die baulichen Veränderungen an der Fassade treten nach Freilegungsarbeiten zutage. Durchtrennte Konstruktionshölzer sind bei neuen Fensteröffnungen häufig zu finden. Die Entscheidung für einen früheren oder den neueren Zustand ist zu fällen.

Die gestalterische Vielfalt wird mit den folgenden Bildbeispielen gezeigt.

Während in den massiven Sakral- und Profanbauten die Fenster in der Regel in einem Anschlag der gemauerten Wand von innen befestigt wurden, brachte man die Fachwerkfenster fast immer bündig mit der Außenfläche der Außenwand an.

Die wesentliche Besonderheit der Fachwerkkonstruktion ist also der fehlende Anschlag, wie er im Mauerwerksbau üblich ist. Dieser Anschlag wäre nur mit großem Holzverlust in einem massiven Balken herzustellen. Das widersprach auch der Sparsamkeit der Vorvorderen. Im Fachwerkneubau sollte man diesen Anschlag als sehr bewährte Konstruktion herstellen.

Bild 3.10.4 Pillgram, Ldkr. LOS, Giebellaubenhaus um 1686, Befund, Aufmaß. Ist für eine neue Fensteröffnung eine Strebe durchtrennt, kann der Zustand nicht belassen werden.

Bild 3.10.5 Stein am Rhein, Stadthaus am Rathausplatz, 2011. Die neue Fenstergruppe im historischen Gefüge ist sehr dominant und bewahrt kaum etwas vom ursprünglichen Gefüge.

Bild 3.10.6 Reichenau, Bodensee, Museum.
Das Einfügen einer Blockbohlenstube, besonders im 1. Obergeschoss, ist häufiger vorzufinden. Ein repräsentativer Raum erhält große Lichtflächen.

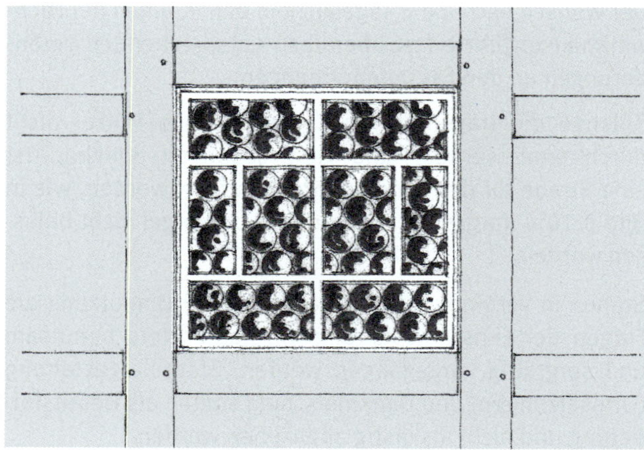

Bild 3.10.8 Monstab, Thüringen, Bauernhof, Torgebäude von 1686, Aufmaß um 1905, Umzeichnung.
Das Beispiel zeigt die Vielfalt an Formen und Möglichkeiten der Fenstergestaltung (Renaissance). Hier handelt es sich wahrscheinlich um eine Festverglasung.

Bild 3.10.7 Stein am Rhein, Stadthaus am Rathausplatz.
Die Fenstergruppe erscheint harmonisch eingefügt. Doch der niedersächsische Abbund weist eine horizontal versetzte Ständerstellung in den Geschossen auf. Beim genaueren Betrachten ist die rechte Strebe durchtrennt und keiner der Ständer ist geschosshoch. Die Blockzarge der Fenstergruppe bildet einen großen „Wechsel“ in der Fassadenkonstruktion – also auch hier ein problematischer Eingriff zu Herstellung größerer Fenster.

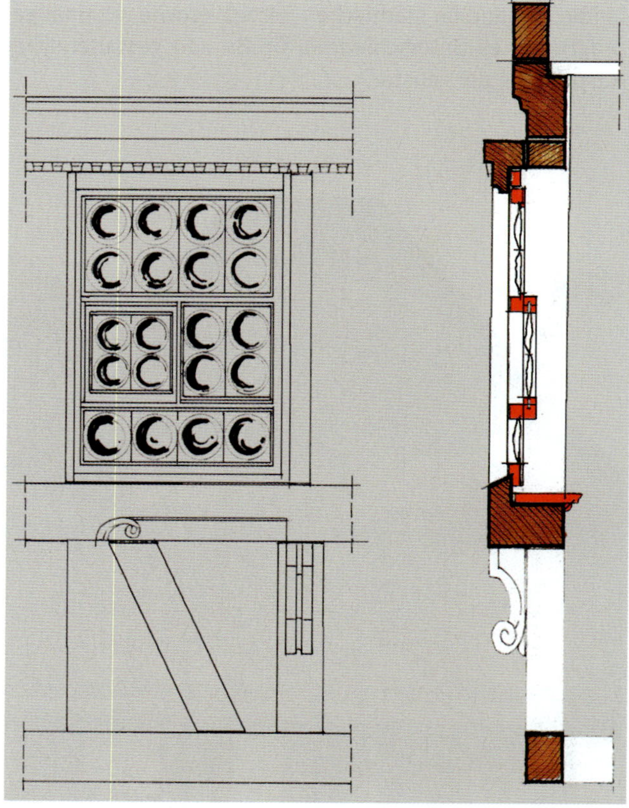

Bild 3.10.9 Oberstdorf Allgäu, Haus Huber von 1675, Aufmaß um 1905.
Die Konstruktion zeigt ein kleines eingefügtes Schiebefenster, wie es lange Zeit üblich war.

Das Fenster konnte, außen bündig angeschlagen, den Brüstungsriegel vor Feuchtigkeit schützen. Ist das Fenster nicht „außen bündig“ angeschlagen, muss ein Fensterbrett den Schutz des Riegels übernehmen. An eine Verblechung sind besondere Anforderungen bezüglich der Kondensatbildung an der Unterseite zu erfüllen.

Nicht nur im Fachwerkbau finden wir außen liegende hölzerne Fenstersohlbänke bei älteren Bauwerken. Diese äußeren Abdeckungen sollten die Anforderungen einer Opferkonstruktion erfüllen. Das heißt nach Schädigung auswechseln, bevor tragende Teile angegriffen werden.

Der Fertigungsaufwand historischer Fenster war relativ gering, das Rahmenholz mit nur einem Falz, die Ecken geschlitzt und mit Holznagelung verbunden. Eine Bekleidung (profiliertes Brett) verschloss die Fuge zwischen Rahmenholz (Blendrahmen) und Fachwerkkonstruktion. Doch dieses Detail „stumpf aufgenagelt“ ist ein ernster Schwachpunkt dieser Konstruktion, der nicht schematisch nachgebaut werden sollte. Bild 3.10.12 zeigt die Schwachpunkte und eine Möglichkeit, den Mangel abzustellen.

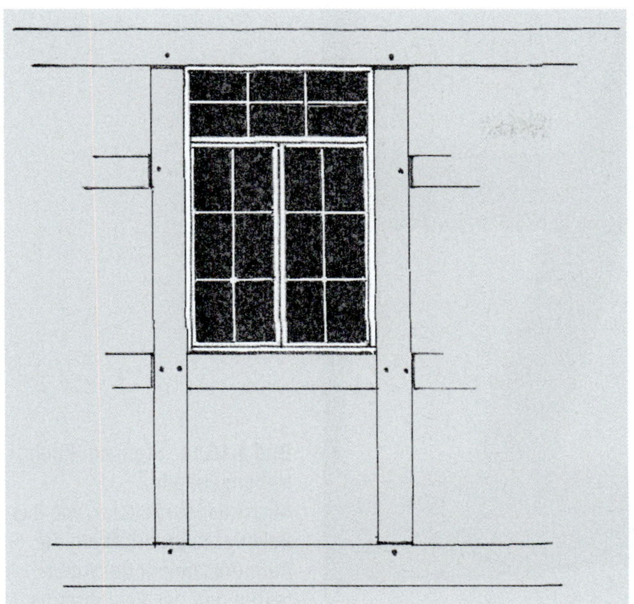

Bild 3.10.10 Dürrmenz, Baden Württemberg, Bauernhaus, Aufmaß um 1905.
Das Fenster zeigt bereits eine moderne Gliederung. Das quer liegende „Oberlicht" ist sicher ein Überbleibsel der Fenster wie im Bild 3.10.8 vorgestellt.

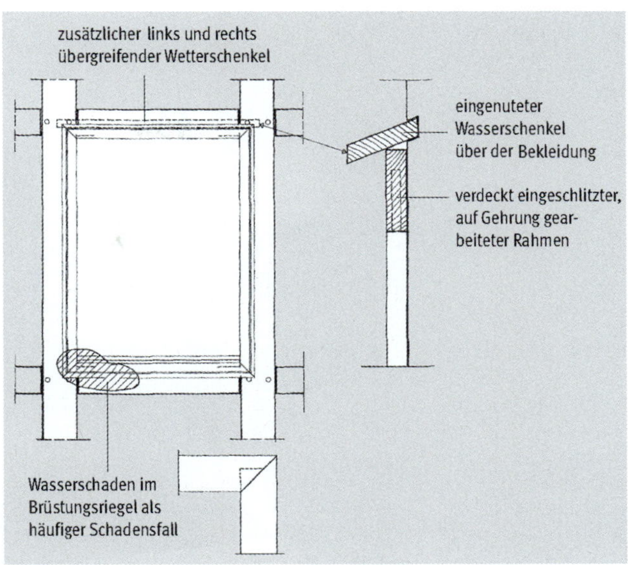

Bild 3.10.12 Außenansicht und Vertikalschnitt eines Fensters – konstruktive Hinweise für den Fensterbau

Bild 3.10.11 Strausberg, Wohn- und Geschäftshaus.
Der Wasserablauf ist nicht überzeugend, die „offene Fuge" mit dem Schrägschnitt zeugt von Unsicherheit bei der Suche nach der richtigen Lösung. Die Wasserableitung für das Fensterbrett ist nicht wirksam.

Bild 3.10.13 Dorfkirche Bibow, Ende 13. Jh.
Bleiglasscheiben in einfachen Holzrahmen – ein gelungener Kontrast zum Eichenholzfachwerk. Was nass regnet, kann wieder trocknen. Offene Fugen behindern das Schwinden und Quellen nicht – eine dauerhafte Beziehung.

Bild 3.10.14 Stein am Rhein, Nebengebäude.
Auch kleinste Fenster, wie das Beispiel zeigt, erfordern die Aufmerksamkeit des Architekten und des Restaurators. Altes und Neues fügt sich in guter Harmonie.

Bild 3.10.15 Altbarnim Dorfkirche, 1776. Fensterabdeckung. Diese nachträglich angebrachten Bleche können die Anforderungen an ein Baudenkmal nicht erfüllen. Mit der „Andichtung" ist auch keine Dauerhaftigkeit gegeben.

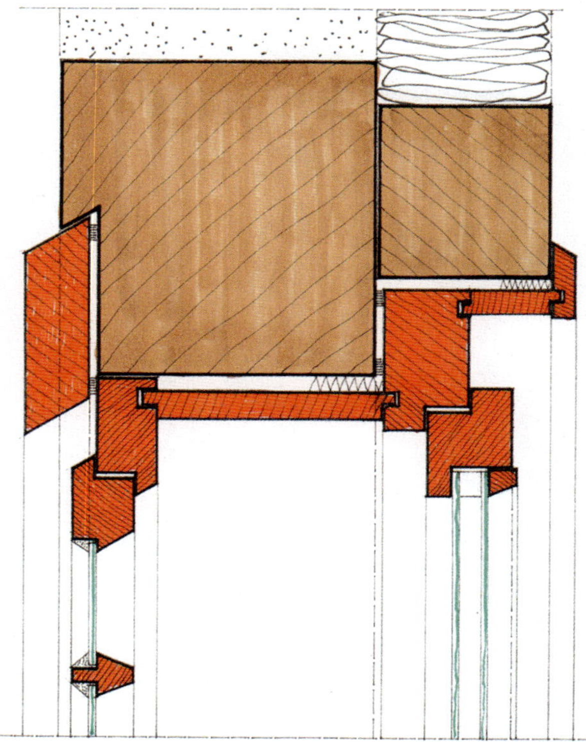

Bild 3.10.16 Konstruktionsvorschlag:
Stumpf angeschlagenes, nach außen öffnendes Einfachfenster mit innen liegendem Zusatzfenster. Der innere Anschlag wird in Verbindung mit einer Innendämmung hergestellt. Der Vertikalschnitt zeigt das eingelassene Bekleidungsbrett (Bohle), das auch das Flügelholz schützen kann. Der Raum zwischen beiden Fenstern ist ein Kaltraum.

Bekannt sind auch die innen zusätzlich angebrachten Winterflügel (Kastenfenster), die im Sommer auf den Speicher gebracht wurden. Die Sonne sollte das Haus erwärmen, und es waren weniger Scheiben zu putzen. Hier finden wir vergessene, energetisch und ökonomisch kluge Überlegungen.

Ausnahmen stellen Fenster und Türen dar, die für sogenannte Kaltbauten gedacht sind. Das sind z. B. Lagerräume, Speicher, Kirchen, Kapellen, Windmühlen, Werkstätten, Garagen und ähnliche Bauten. Hier gibt es keine Anforderungen an den Wärmedurchgang. Auch Luftdichtigkeit und Winddichtigkeit spielen keine große Rolle. Diese Fenster werden grundsätzlich eine längere Haltbarkeit als Fenster in Warmbauten haben. Der Erhalt dieser Bauteile gestaltet sich auch einfacher. Die Gefährdung des Wassereintritts bei Schlagregen ist natürlich vorhanden und kann mit handwerklichen Mitteln gemildert werden, siehe Bild 3.10.13.

3.10.3 Rekonstruktion und Restaurierung der Fenster

Bei der Bewertung alter Fenster ist stets in Betracht zu ziehen: Historische Fenster, gebaut ohne chemischen Holzschutz und ohne Bläueschutz, versehen mit einem deckenden Anstrich, bringen es auf 50 und mehr Jahre Haltbarkeit.

Bei einer Rekonstruktion ist es vorrangig möglich, alte Schwachstellen und Mängel der Konstruktion zu korrigieren.

Eine Restaurierung lässt kaum Spielraum, konstruktive Korrekturen vorzunehmen.

Korrigierbare Einzelheiten sind:

- Bekleidungsbretter mit Wetterschenkel schützen
- Dem äußeren Fensterbrett ausreichend Gefälle nach außen geben
- Äußeres Fensterbrett ganz unter den Blendrahmen setzen
- Nacharbeiten der Wassernasen
- Verblechungen mit Seitenaufkantung herstellen
- Fugendichtungen dampfdiffusionsoffen herstellen
- Hohlräume mit Dämmstoff (nicht hygroskopisch) ausfüllen
- Farbbeschichtung mit geeignetem Material

Bild 3.10.16 zeigt einen konstruktiven Vorschlag.

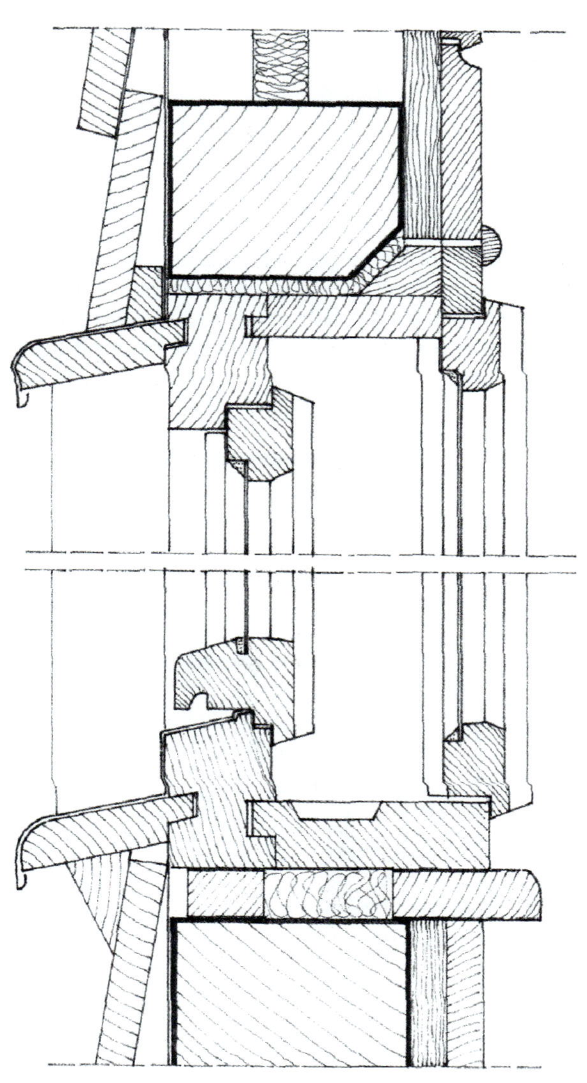

Bild 3.10.17 Beispiel einer Fensterkonstruktion (Vertikalschnitt) mit Winterfenster, wie es in der ersten Hälfte des 20. Jahrhunderts durchaus üblich war. Alle Einzelheiten sind gut durchgearbeitet. Die innen liegenden Winterfenster wurden im Sommer ausgehängt und eingelagert. Die Anschlüsse der Stülpschalung mit einem Tropfbrett an den Blendrahmen sind besonders zu beachten. Die Dichtungen und Dämmstoffe wären noch darzustellen und zu definieren.

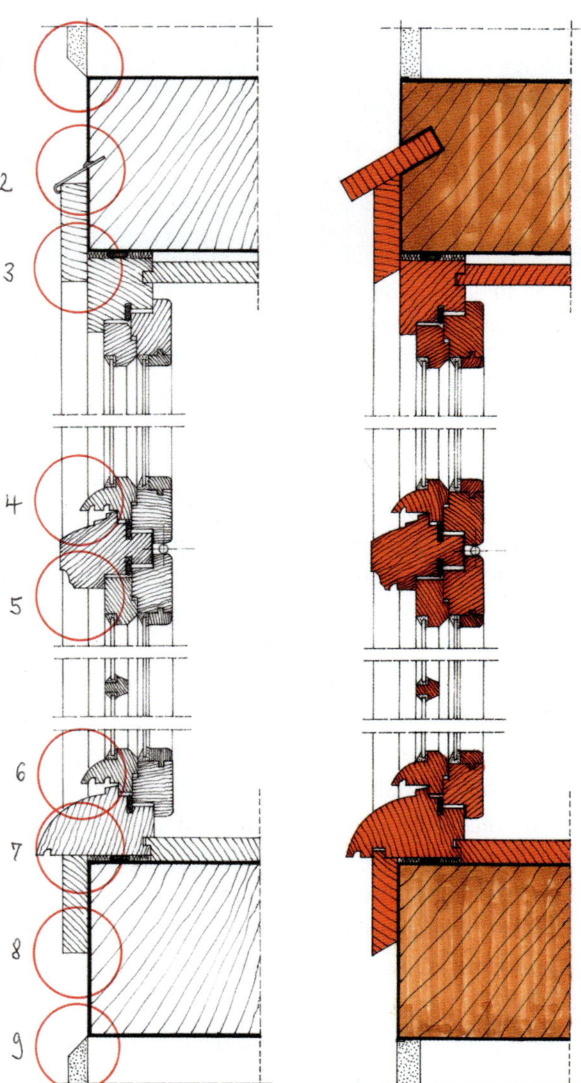

Bilder 3.10.18.1, 3.10.18.2 Verbundfenster mit Oberlicht, Vertikalschnitt

Bild 3.10.19 Stein am Rhein, Wohnhaus.
Außen aufgesetzte „Sprossen" sind billige Täuschungen, die keine erstrebenswerte Lösung darstellen. Der als Ganzes kippende Flügel wirkt fremdartig – das ist keine denkmalgerechte Lösung. Als grundsätzliches Arbeitsziel sollte gelten: außen das alte Fenster, innen ein Vorsatzfenster, ähnlich nach Bild 3.10.16.

Anhand einer vorgefundenen Schnittzeichnung werden die notwendigen Verbesserungen der Konstruktion dargestellt.

1. Außenputz ist bündig mit der Holzoberfläche herzustellen.
2. Eine Abdeckung aus Holz erscheint zweckmäßiger.
3. Eine Abschrägung von 30° wählen.
4. Eine ausreichend große Wassernut erfüllt den Zweck.
5. Der Kämpfer erhält auch eine Wassernut.
6. Eine – nicht zwei – ausreichend große Wassernut erfüllt den Zweck.
7. Das Bekleidungsbrett ist einzunuten.
8. Das Bekleidungsbrett ist unten abzuschrägen.
9. Außenputz ist bündig mit der Holzoberfläche herzustellen.

Für Restaurierung und/oder Rekonstruktion von Fenstern und Türen ist der Musterbau ein wichtiges Hilfsmittel für ein gutes Endergebnis. Dieser Musterbau gehört in die Ausschreibung und kann Details oder auch ganze funktionsfähige Einheiten betreffen. Aussagefähige Farbmuster gehören dazu.

Mit der Beurteilung des Endergebnisses einer Restaurierung/Rekonstruktion kann man deshalb nicht bis zum Übergabetermin warten.

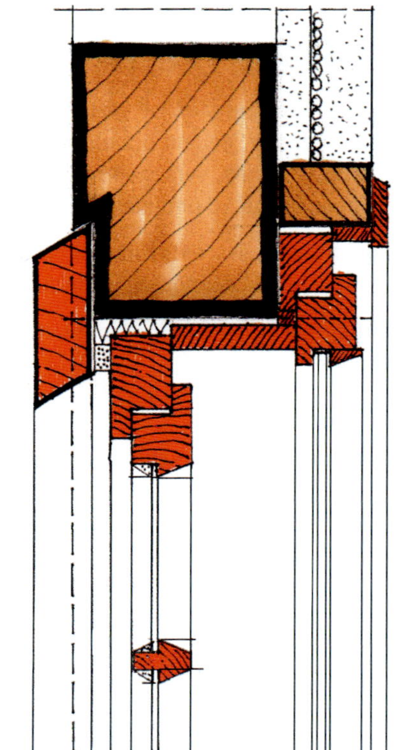

Bild 3.10.20 Der „Vertikalschnitt durch einen Sturzriegel" ist ein Vorschlag für die Lösung der gestellten Anforderungen. Außen befindet sich das historische Fenster und innen wird als Ergänzung das Fenster für den Wärmeschutz und den Schallschutz eingebaut. Das Detail bezieht sich auf den Zusammenhang mit einer Innendämmung.

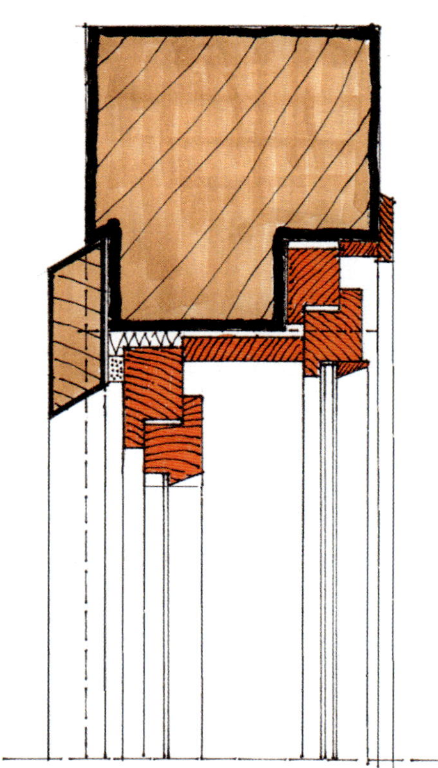

Bild 3.10.21 Die Zeichnung zeigt eine Variante zu Bild 3.10.20, jedoch ohne Innendämmung, der Anschlag ist dabei aus dem Konstruktionsholz herauszuschneiden. Das geht nur bei ausreichend dimensionierten Hölzern.

Bilder 3.10.22, 3.10.23 Giebellaubenhaus Pillgram, um 1687, Einhaus, Bauernhof mit Schankwirtschaft.
Außenansicht und Innenansicht eines restaurierten 16-Scheiben-Fensters als Einfachfenster mit unteren Lüftungsflügeln, nach innen öffnend. Die Restaurierung erfolgte durch sparsame Ergänzung geschädigter Teile.

Bild 3.10.24 Wismar, Wohnhaus, 2011.
Ist das Tragwerk verformt, kann man ein „verformtes" Fenster bauen und einsetzen. Bedingung für eine Gebäuderestaurierung ist das aber nicht. Das liegende Hakenblatt über dem Blendrahmen ist sehr ungünstig angeordnet. Lastabtragung auf das Fenster ist schon erkennbar.

Bild 3.10.25 Pfarrhaus Altfriedland, Lkr. MOL, um 1633.
Nach einem erhaltenen und restaurierten Fenster wurden die fehlenden Fenster nachgebaut. Die Platzierung der Fenster in der Fassade wurde nach den Befunden vorgenommen. Auf dem Dachboden fand sich auch noch ein Fensterladen, der als bauzeitlich eingeordnet werden konnte.
Einfache Fensterladen mit konischer Schwalbenschwanz-Nutleiste und Kleeblattausschnitt wurden wieder angebracht. Die Fensterladen waren immer ein Schutz gegen Stürme, Schlagregen und Schnee.

Bilder 3.10.26.1, 3.10.26.2 Wuschewier, Lkr. MOL, Schul- und Bethaus, 1764, „Ochsenauge", Außenansicht und Innenansicht.
Bei der Restaurierung wurden alle Fenster und Türen, selbst mit eigenwilligen Verformungen und baulichen Veränderungen erhalten. Das Fenster der Gaube trug zeitweise Teile des Daches. Das Fenster wurde immer wieder der Verformung angepasst. Insofern unterscheidet sich die Situation gegenüber Bild 3.10.25. Die Bilder zeigen das Ergebnis der Restaurierung.

Bild 3.10.26.3 Vorbildlich restauriertes 4-flügeliges Einfachfenster mit partiell erneuerten Teilen. Der Erhalt der Originalsubstanz ist ablesbar – Denkmalpflege im Detail.

Werden in Gebäuden Fragmente alter Fenster und Türen vorgefunden, gehört es zur verantwortungsvollen Arbeit, die ursprüngliche Einbaulage, eventuelle Veränderungen, Farbfassungen, Beschlag, Befestigung und andere Details aufzuspüren.

Nichts ist unwürdiger, als auf einem „Antikmarkt" Teile aufzukaufen und als „original alt" am anderen Ort unter der Prämisse „Denkmalschutz" zu verwenden.

Bild 3.10.27 Bad Kissingen, Wohnhaus.
Sind neue Fenster im alten Haus notwendig, so kann das historische Vorbild zu einer gelungenen Synthese führen. Die Bleisprossengliederung überzeugt.
Die in den Laibungen sitzenden neuen Fenster machen eine äußere Abdeckung des Brüstungsriegels erforderlich. Die Verwendung von Blech ist denkbar. Neben der konstruktiven Ausbildung besonders der seitlichen Aufkantungen ist eine farbliche Anpassung erstrebenswert.

Werden Fenster rekonstruiert (Nachbau, Neubau), so sind Verformungen der Baukonstruktion zu beachten. Dass die Verformung in die Geometrie des Fensters übertragen wird, ist ungewöhnlich und nicht das eigentliche Restaurierungsziel. Bild 3.10.24 zeigt ein ungewöhnliches Beispiel.

Der Fensterladen ist oft ein wichtiger Bestandteil von Fenster- und Türöffnungen. Neben der ursprünglichen Schutzfunktion (z. B. Schlagregen, Hagel, Vogelanflug) hat der Fensterladen (Klappladen) eine gestalterische Funktion erhalten. Da die Fensterbauweise sich immer weiter vervollkommnet hat, ist diese Schutzfunktion weitestgehend verloren gegangen. Diese Läden sollten nicht verloren gehen. Bild 3.10.25 zeigt Fensterläden am ältesten Pfarrhaus des Oderbruchs.

Bild 3.10.27.1 Mit dieser kleinen Auswahl von Beispielen aus Halberstadt soll die Frage angeregt werden, ob die fast immer sehr sorgfältige Restaurierung der Fachwerkfassaden bessere Lösungen für den Fensterbau erfordert. Im vorliegenden Buch sind dafür Anregungen gegeben. Denkmalpflege vorausgesetzt, sind die guten Beispiele erkennbar. Anspruchsvolle Arbeiten sind aber auch ohne Denkmalpflege willkommen.

Bilder 3.10.28.1, 3.10.28.2, 3.10.28.3 Erhaltene Türen verschiedener Bauweisen, die eine sorgsame Restaurierung erwarten.

Das Schul- und Bethaus Wuschewier ist die „Betscheune" eines Kolonistendorfes aus der Zeit der Besiedlung des Oderbruchs nach der Trockenlegung. Das Gebäude ist ein unersetzliches Zeugnis der Arbeits- und Lebensverhältnisse dieser Zeit. Eine behutsame umfangreiche Restaurierung konnte den Erhalt sichern.

3.10.4 Außentüren

Die originalen (historischen) Türkonstruktionen sind vielfältig und in ihren Details sehr wertvoll. Man findet Formen wie die einfache Brettertür, die reich gestaltete Füllungstür, die horizontal geteilten Türflügel (Bauernhäuser) oder die repräsentative zweiflügelige Eingangstür.

Den Außentüren ist in der Regel gemeinsam, dass sie ganz oder teilweise im Spritzwasserbereich des Hauses liegen. Außerdem stehen sie auf der Grundschwelle, die zur Hälfte ausgenommen sein kann. Insofern gehören sie zu den am meisten gefährdeten Bauteilen.

Mit den Fenstern sind sie „verwandt", da sie ebenfalls die nicht unproblematisch auf die Außenwand aufgesetzte umlaufende Bekleidung (Futter und Bekleidung) haben.

Es gibt eine Anzahl neuralgischer Fugen und Anschlüsse, die eine Gefährdung darstellen. Diese Gefährdung besteht besonders darin, dass die Fachwerkschwellen und der rechte und linke Ständerfuß mit seinem in die Schwelle führenden Zapfen schnell Schaden nehmen, da Niederschlagswasser direkt auf diese Punkte geleitet wird.

In der Regel werden die Fenster- und Türbekleidungen auf das Fachwerkholz von außen aufgesetzt. Die entstehende Fuge ist ein wesentlicher Schwachpunkt historischer Fachwerkkonstruktionen. Der Vorschlag in Bild 3.10.32 zeigt eine mögliche Lösung, die die Ansicht des Gebäudes nicht beeinträchtigt.

Bild 3.10.29 Zudar, Rügen, Wohnhaus.
Die 8-Füllungstür mit Oberlicht ist in fast allen Einzelheiten erhalten, wenn auch stark beschädigt. Die Schäden am Fachwerk (Füße der Türständer und Grundschwelle) wirken auf die Türbauteile negativ. Eine Restaurierung ist mit erheblichem Aufwand verbunden, zur Erhaltung des Gebäudes aber erforderlich.

Bild 3.10.30 Stein am Rhein, Wirtschaftsgebäude (Museum). Könnte diese Tür in ihrer Ursprünglichkeit mit Verformungen und Gebrauchsspuren erhalten werden, wäre das einer „gründlichen Restaurierung" vorzuziehen. Zu beachten ist das Wassertropfbrett über der Tür, das viel zur Bewahrung beiträgt.

Häufig findet man im städtischen und ländlichen Straßenraum unverantwortliche Veränderungen der Höhenverhältnisse zu bestehenden Gebäuden, die durch bauliche Veränderungen am Straßenniveau entstanden sind. Bei Fachwerkhäusern sind das präkere Situationen, weil die Baukonstruktion massiv durch Spritzwasser geschädigt wird. Das betrifft auch ganz besonders die Türsituationen. Wenn die Möglichkeit besteht, sollte, wie in Bild 3.10.35 dargestellt, ein Raum zwischen Gebäude und Straßendecke geschaffen werden.

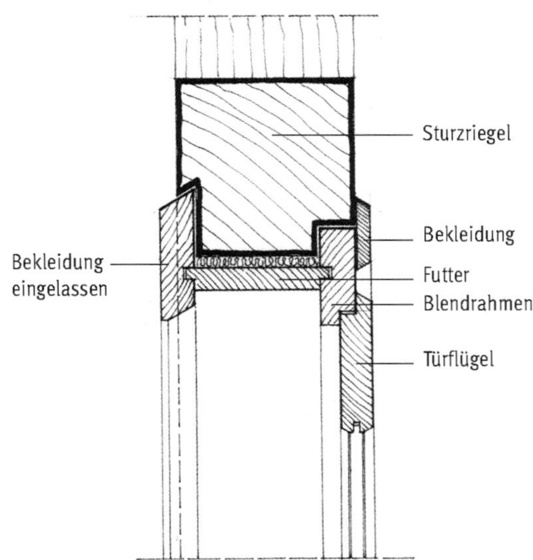

Bild 3.10.32 Ein eingefrästes, entsprechend profiliertes Tropfbrett (Bohle) leitet das Wasser sicher von der Fuge weg. Dieses Tropfbrett bildet gleichzeitig das Bekleidungsbrett und ist mit diesem außen oberflächenbündig anzubringen. Die vertikalen Teile der Bekleidung können in gleicher Weise ausgebildet werden, um einen seitlichen Wassereintritt zu verwehren.

Türständer
Türfutter
abgesetzter Zapfen
Türschwelle
Grundschwelle

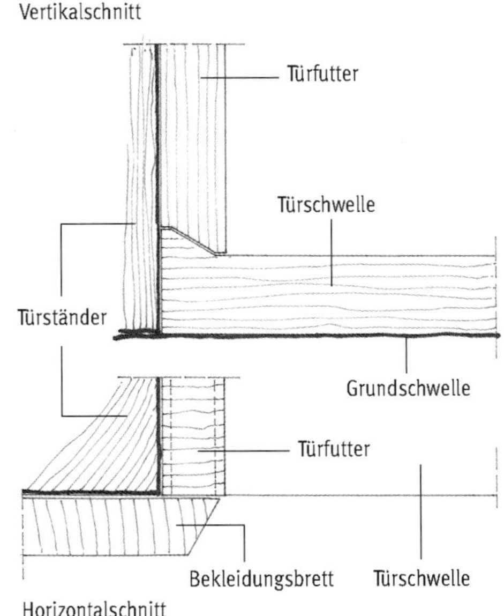

Bild 3.10.31 Fachwerkkonstruktion, Außenansicht der Türständer, Detailzeichnungen Ansicht, Vertikalschnitt und Horizontalschnitt. Die Schwelle ist zur Hälfte ausgenommen, die Türständer sind mit halbem (geächseltem) Zapfen eingelassen. Die Fugen zwischen Futter und Schwelle können Wasser in diesen sensiblen Bereich leiten. Im Bild 3.10.31 ist dieses Detail entsprechend vergrößert dargestellt. Der Konstruktionsvorschlag verhindert den seitlichen Wassereintrag. Von vorn wird die Fuge durch das Bekleidungsbrett abgedeckt. Eine weitere konstruktive Einzelheit ist die schräge Fuge zwischen Türfutter und Türschwelle.

Allgemein gilt für Türen wie für Fenster, dass eine regelmäßige Kontrolle und Pflege von Beschlägen und Anstrichen eine gute Haltbarkeit sichern. Die Errichtung von Vordächern (Klebedächern) ist in der Regel keine Lösung. Man darf davon ausgehen, dass ein Schutz vor Niederschlag nur begrenzt gegeben ist, da dieses Maß vom Überstand (Tiefe) des Vordaches bestimmt wird. Die Niederschlagsbelastung ist ab etwa 45° anzunehmen. Andere Angaben und Darstellungen erfüllen nicht die Anforderungen. (Es regnet nicht so, wie es sich der Architekt wünscht.) Schlagregen bei starkem Wind kann fast waagerecht auftreffen. Auch das ist stets zu beachten. Diese Situation ist im Bild 3.10.36 verdeutlicht.

3.10.5 Rekonstruktion und Restaurierung der Türen

Grundsätzlich gilt alles, was für den Umgang mit Holzfenstern dargestellt ist, auch für hölzerne Türen. Besonderheiten liegen in den erforderlichen Schutzmaßnahmen und nicht in besonderen Instandhaltungs- oder Restaurierungstechniken. Zu appellieren ist an die Behutsamkeit, mit der zu arbeiten ist. Erfüllt ein Bauteil noch seine Funktion, ist die Frage, ob und wann wirklich erneuert werden muss. Leider ist es in der Regel so, dass durch eine Instandsetzung einem Bauteil die Spuren der Alterung abhandenkommen. „Strahlend schön", „schöner als zuvor", „im Glanz der Bebauungszeit" und ähnlich sind häufig die Belobigungen einer Arbeit. Das darf aber nicht das Ziel sein. Die Schönheit des Alters ist zu bewahren.

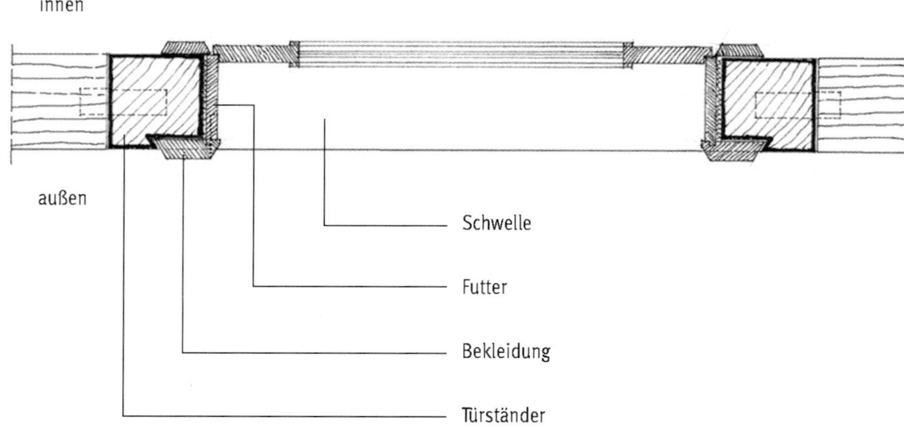

Bild 3.10.33 Der Horizontalschnitt durch eine Hauseingangstür zeigt die eingefrästen seitlichen Bekleidungsbretter. Niederschlagswasser kann vom Wind nicht in die sonst vorhandene offene Fuge eintreiben. Dichtstoffe sind nicht erforderlich.

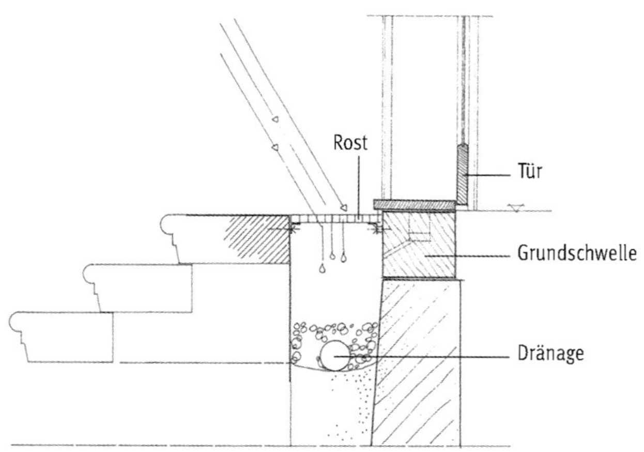

Bild 3.10.34 Zur Überwindung des in der Regel vorhandenen Höhenunterschiedes zwischen Terrain (Hof, Gehweg, Straße) und Fußboden im Erdgeschoss müssen häufig massive Treppenstufen vor dem Gebäudesockel angeordnet werden. Diese führen das Wasser unzulässig an die Grundschwelle. Selbst bei Fachwerk-Neubauten sieht man in unverantwortlicher Weise die Grundschwelle unmittelbar auf Bodenniveau liegen. Für diese vorgelegte Treppe ist eine Trennung zum Haus erforderlich (Vorschlag). Die obere Steinstufe stößt nicht an die Grundschwelle.
Ein Rost, der kaum Spritzwasser hervorruft, trennt die Konstruktion. Die Schwelle liegt frei belüftet und nimmt keinen Schaden.

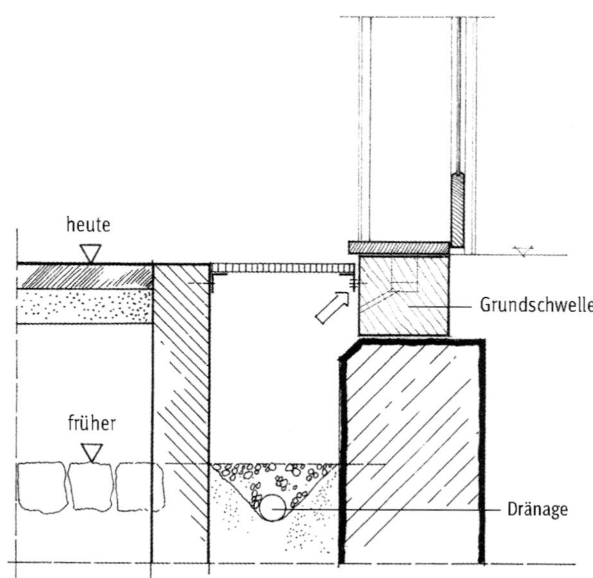

Bild 3.10.35 Eine statisch relevante Stützwand und ein zwischengeschalteter Rost können die Situation entschärfen. Inwieweit das im Einzelfall realisierbar ist, muss geprüft werden. Objektiv ist durch den Straßenbau eine Sachbeschädigung verursacht worden.

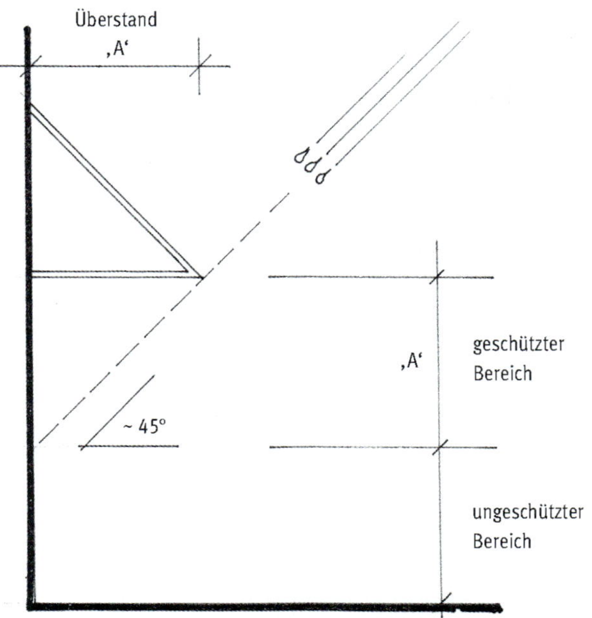

Bild 3.10.36 Der wirksame Regenschutz darf nicht unter 45° angenommen werden. Die in der Fachliteratur häufig dargestellte Annahme, dass ein Überstand in der Fassade (egal welches Kragmaß vorhanden ist) einen ausreichenden Schutz der darunterliegenden Bauteile darstellt, ist falsch. Man möge sich während oder nach einem Regen ins Freie begeben und diese These prüfen.

Bild 3.10.38 Le Mans, Frankreich, städtisches Wohnhaus. Doppelportal, die Gebrauchsspuren und kleinen baulichen Veränderungen gehören zur Faszination originaler Bausubstanz.

Bild 3.10.37 Le Mans, Frankreich, städtisches Wohnhaus. Ein Fachwerkhaus, die Eingangstür. Architekturdetails sprechen uns an. Gebrauchsspuren bezeugen das stolze Alter. Die Wechselsprechanlage verrät die genwärtige Nutzung. Möge dieser Rarität der Architektur eine „gründliche Restaurierung" erspart bleiben.

Bilder 3.10.39.1, 3.10.39.2 Den Beschlägen ist besondere Aufmerksamkeit zu widmen. Oft sind diese über lange Zeit funktionsfähig. Die Zugabe eines Sicherheitsschlosses kann meistens unauffällig gelöst werden.

3.10.6 Fugen und Anschlüsse

Zu Fugendichtungen, Anschlussprofilen, Dichtschnüren und Injektionspasten gibt es umfangreiches Material als Produktdatenblatt, Herstellerhinweis, Merkblatt, Verarbeitungsvorschrift und Ähnlichem. DIN-Normen für Instandsetzung und Restaurierung liegen nicht vor. Viele vorgefundene Lösungen sind ungenügend.

Es gilt also, sich am überkommenen Bestand zu orientieren und die Bauweisen zu studieren, die die Überlebensfähigkeit alter Gebäude ermöglichten. Dabei kommt man schnell auf die „offenen Fugen" der Fachwerkbauweise, wie sie in den Gefachen und den Fenstern und Türen, Luken und Klappen immer vorhanden waren. Der ständig wirkende Luftstrom hielt die Konstruktion in der notwendigen Ausgleichsfeuchte. Die Nutzung eines Fachwerkhauses musste mit diesen Unbilden im Allgemeinen hingenommen werden. Natürlich wurden die Fugen ausgestopft, es wurde Lehm-Innenputz angebracht, um die Wohnlichkeit zu verbessern. Aber es wurde nicht abgedichtet im Sinne von wasserdampfundurchlässig. Im Gegenteil, die verwendeten Baustoffe sicherten eine niedrige Diffusionswiderstandszahl. Das heißt, der Wasserdampfaustausch zwischen Innen- und Außenraum fand auf einfachem Wege statt. Die Kondenswasserbildung in der Außenwandkonstruktion konnte keine gefährliche Form annehmen.

Bild 3.10.40 Beispiel einer restaurierten zweiflügeligen Türanlage im Alten Land.

Bei Konstruktion und Gestaltung sind Wege und Lösungen zu suchen, die die genannten Gefährdungen für die Fenster und Türen entspannen: Das Einschlitzen der oberen Bekleidungsleiste, seitliche Abdichtungen mit bewährtem Material (keine Pasten, Spachtelmassen u. Ä.), eine Türschwelle und ein Wetterschenkel; austauschbar als Opferkonstruktion (Auswechslung im Schadensfall).

Das „Abdichten" der Fenster und Türen im Anschlag erfolgte früher mit Material, das im Alltag zur Verfügung stand. Diese Materialien waren nicht alle fäulnisfest, konnten aber im eingebauten Zustand immer wieder austrocknen und waren so relativ dauerhaft. Zur Anwendung kamen Werg (Hanf), Dichtschnur aus Flachs, Zeitungspapier, Lumpen, Strohlehm und manches andere. Der Einsatz von „Dichtstoffen" ist unter diesem Gesichtspunkt zu prüfen. Ungeeignete Stoffe „sperren das Wasser ein" und fördern Fäulnisprozesse auf das Ärgste.

3.10.7 Bestandsaufnahme von Fenstern und Türen

Die detailgenaue Bestandszeichnung ist aufwändig und erfordert handwerkliche Vorleistungen.

Zu diesen Vorleistungen gehören in der Regel die Freilegung von Bauteilen, das Abnehmen von Anstrichen, der Ausbau ganzer Bauteile, die sorgfältige Profilabnahme, eine Klärung der Verbindungs- und Anschlagkonstruktion, die Holzbestimmung und die Untersuchung der Beschläge.

Das Ergebnis muss die zeichnerische Darstellung im Maßstab 1:1 sein (Tischlerzeichnung).

- Vertikal- und Horizontalschnitte sind in ausreichender Anzahl festzulegen.
- Eine Beschreibung der Befunde ist anzufertigen.
- Eine fotografische Dokumentation ergänzt die Arbeit.
- Ursprünglicher und vorgefundener Zustand des Fensters ist in getrennten Zeichnungen nebeneinander darzustellen, um eine Beurteilung der Befunde vornehmen zu können.

Siehe auch Abschnitt 2.17 „Inhalt der Dokumentation".

3.11 Holzverbindungen

Im Begriff der Verbindung ist das ursprüngliche, wirkliche Binden mit Fasern oder Stricken enthalten. Erst mit der Entwicklung der Holzbearbeitung sind frühe Verbindungen wie Durchstecken und Verkeilen, Einzapfen, Vernageln (mit Holznägeln), in eine Nut einlassen und andere Formen entstanden. Das Verbinden von Bauteilen mit Hanf- oder Stahlseilen gab es im Gerüstbau noch bis in die 2. Hälfte des vorigen Jahrhunderts.

Die Verbindung der Holzbauteile ist an Kreuzungspunkten und am Ende erforderlich sowie bei der Verlängerung horizontal oder vertikal. Für diese Anwendungen entstanden die klassischen Verbindungen:

- Blatt (Anschluss, ebene Kreuzung, Ecke, Verlängerung)
- Zapfen (mit oder ohne Vernagelung, Zapfenschloss)
- Versatz (verschiedenste Formen)
- Kamm (Kreuzungspunkt, aufgesetzt)
- Klaue (schräg angesetzter Anschluss)

Zu diesen fünf Klassikern gesellen sich Varianten und Spielarten, die durch die wandernden Handwerker weit verbreitet wurden. Die etwa 280 bekanntesten europäischen Holzverbindungen des Zimmermannes sind in verschiedenen Fachbüchern umfassend dargestellt.

Die Blattverbindung, die für Fachwerkgebäude seit dem späten Mittelalter bereits verboten war, findet man in Bockwindmühlen, auch des 19. Jahrhunderts, noch umfangreich vor. Da das Mühlengehäuse am Hausbaum aufgehängt ist, müssen die Blätter alle Zugkräfte zuverlässig aufnehmen.

Verbindungsmittel muss man auch kreativ entwickeln. Die Vielfalt vorgefertigter Elemente kann durch individuelle Lösungen immer noch ergänzt werden.

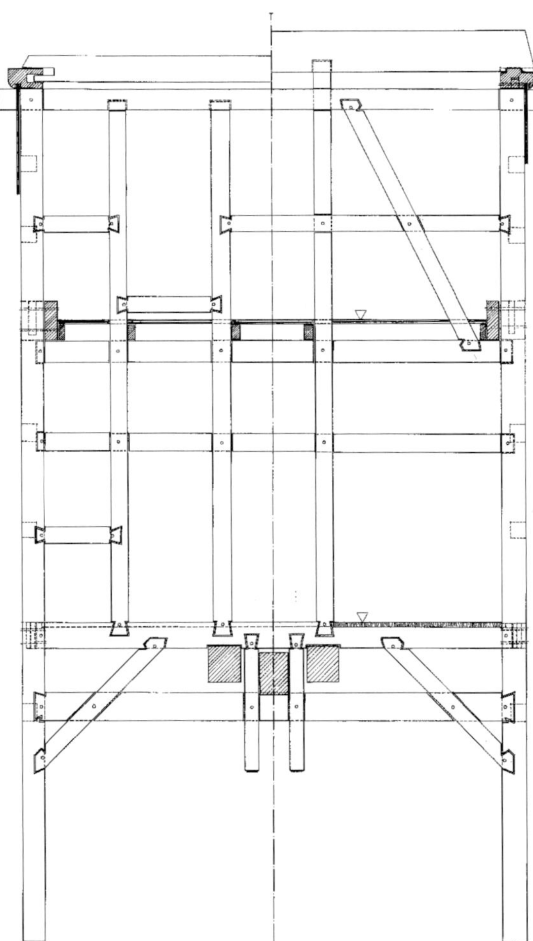

Bild 3.11.1 Hier sind Gefüge und Holzverbindungen dargestellt, wie sie im Fachwerkbau üblich sind. Es sind jeweils ähnliche Instandsetzungsstrategien anzuwenden (geometrische Bestandsaufnahme). Rückwand, Bockwindmühle Wilhelmsaue

Bild 3.11.2 Das Zusammenfügen der historischen Holzverbindungen (hier: ein Blatt) sollte in der Regel mit sanfter Gewalt erfolgen, z. B. durch den Einsatz einer Zwinge.

Bild 3.11.3 Auch wenn viele Maschinen für die Holzbearbeitung auf der Baustelle in handlicher Größe zur Verfügung stehen, ist die Fertigkeit in traditioneller Handarbeit gefragt.

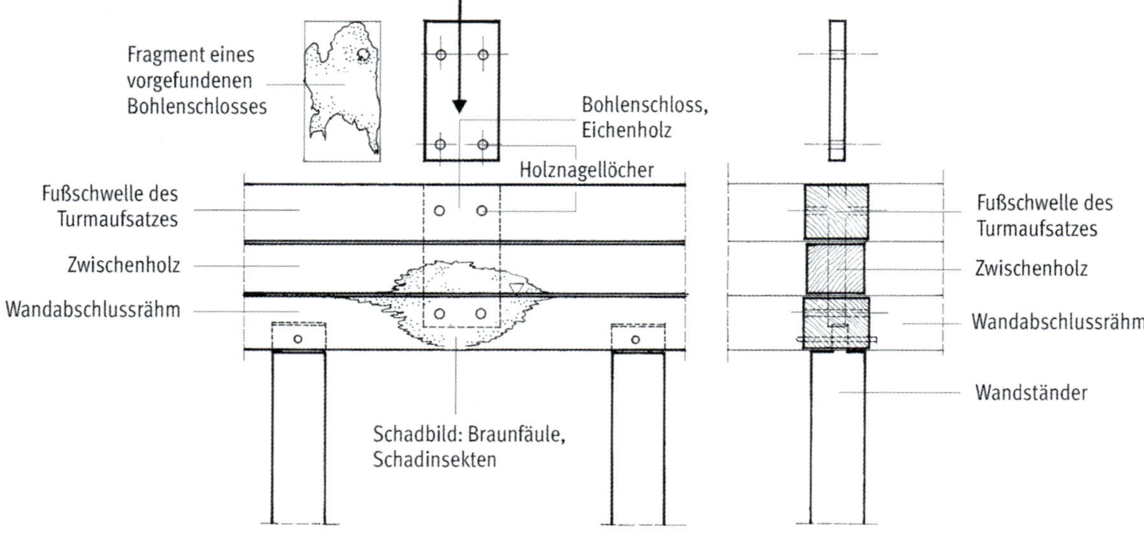

Bild 3.11.4 Ein Fachwerkturm-Aufsatz einer Dorfkirche war mit 4 Bohlenschlössern am Fachwerk-Turmschaft angeschlossen. Im vorgefundenen Zustand war nur noch eine Verbindung tragfähig vorhanden. Die Ursache des Schadens war die fehlende Dränage im Zapfenloch. Der Turmaufsatz musste in allen Teilen demontiert werden. Ehemalige Komturei-Kirche, Lietzen

Bild 3.11.5 Eine eigenwillige Anordnung von Ständer und Strebe. Beide führen scheinbar in das gleiche Zapfenloch. Wahrscheinlich ist die Strebe nur aufgeblattet und vernagelt. Im Rahmen einer Instandsetzung wäre das zu klären, um statische Sicherheit zu haben.

Bild 3.11.6 Zum Anschuhen werden hier eingefräste Ringdübel benutzt.

Bild 3.11.7 Der falsch angeordnete Stoß der Grundschwelle führt zu Schäden an der Ausfachung. Der Schwellenstoß sollte unter dem Ständer liegen.

Bild 3.11.8 Handwerklich korrekt ausgeführte Reparaturen. Das Blatt wird vom darauf stehenden Ständer gehalten.

3.12 Holznägel

Bei der Anfertigung und beim Einsatz von Holznägeln werden relativ viele Fehler begangen. Das Angebot fertiger preiswerter Holznägel lässt einige wichtige Erkenntnisse leicht vergessen.

Die Herstellung der Holznägel erfolgt durch Spalten von Kernholz. Dabei werden die Fasern nicht zerstört, und die Widerstandsfähigkeit ist größer als bei maschinell geschnittenen/gesägten Nägeln. Der Nagel sollte sechs-, besser achteckig zugearbeitet werden, weil das bessere Anpressflächen schafft und eine gute Lastverteilung darstellt.

Runde Holznägel sind so gut wie ungeeignet, da die Maßhaltigkeit, besonders auf der Baustelle, nur unbefriedigend gelingt. Außerdem ist die Herstellung runder Holznägel nicht mit der Spalttechnik machbar.

Bild 3.11.9 An Stelle einer Scheibe mit Mutter kann eine Gewindescheibe angefertigt werden, die im Holz eingelassen ist.

Bild 3.11.10 Die Details einer Instandsetzungsarbeit im Sichtfachwerk erfordern handwerkliche Sorgfalt und haben die statischen Grundsätze zu wahren. Hier fragt man: „Wer trägt wen?"

Die Querschnitte der Holznägel sind nach der Tabelle im Arbeitsblatt Nr. 70 zu wählen, sie sollen nach Holzart und Nagelkopfform dem Befund am Bauwerk entsprechen. Praktische Proben auf der Baustelle sollten sorgfältig erfolgen.

Als Holzart für Holznägel wird zwar häufig Eichenholz gefordert, doch die Untersuchung an Bestandsgebäuden ergibt, dass fast alle Holzarten vorzufinden sind. Hier sollte man auf den Befund am Objekt achten.

Die Gestaltung des Nagelkopfes ist regional recht unterschiedlich. An der Außenwand bündig sitzende Nägel leiten am wenigsten Wasser in das Innere der Konstruktion. Hervorstehende Holznagelköpfe, wie sie im süddeutschen Raum üblich sind, können Wasser in das Innere der Konstruktion leiten.

Vor dem Einschlagen ist der Holznagel auf die zu erwartende Ausgleichsfeuchte des Gebrauchszustandes zu trocknen, um ein Nachtrocknen zu vermeiden. Diese liegt im Außenbereich bei etwa 16 % bis 20 %. Unmittelbar vor dem Einschlagen sollte der Holznagel in ein öliges Holz-

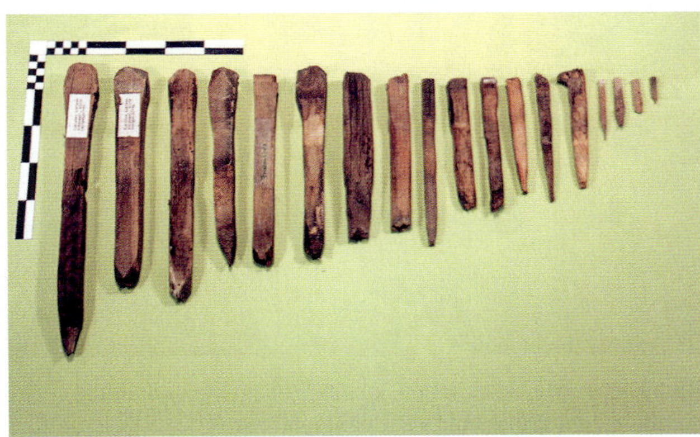

Bild 3.12.1 Kleine Sammlung historischer Holznägel

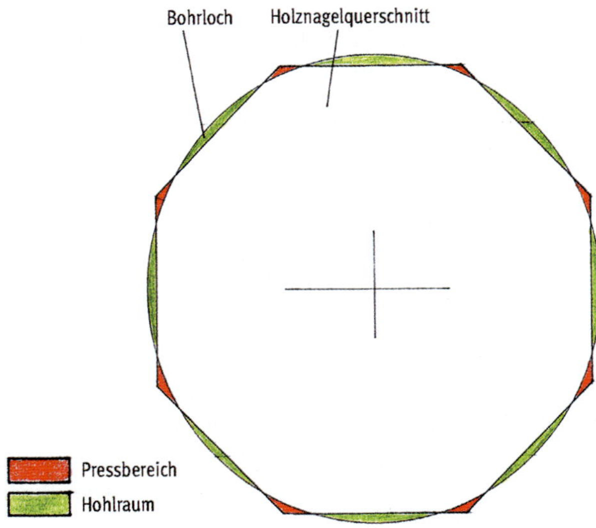

Bild 3.12.2 Das Bohrloch und der Holznagel müssen in ihrem Querschnitt exakt aufeinander abgestimmt sein. Vorzugsweise ist der achteckige Holznagel zu wählen, der eine gleichmäßige Kraftübertragung auf die Bohrlochwand gewährleistet.

Bild 3.12.3 Vorbildliche Passgenauigkeit von Holznägeln. So kann kein Wasser eindringen.

Bild 3.12.4 Wie beschrieben, ist das Vernageln der Bauteile sorgfältig und fachkundig vorzunehmen.

schutzmittel getaucht werden, das macht ihn widerstandsfähiger. Das Einschlagen erfolgt mit einem schweren Schlegel, nicht mit dem Zimmermannshammer. Damit vermeidet man ein Spalten und Beschädigen am Kopf.

Weitere Hinweise zur Herstellung von Holznagelverbindungen enthält Abschnitt 4.7.2.

3.13 Gefache/Gefachfüllung

Das Ausfüllen der Gefache erfolgte mit zwei historischen Grundtechniken: entweder mit Stakholz/Flechtwerk/Bewurf oder durch Ausmauerung. Erst in neuerer Zeit ist das Ausspritzen hinzugekommen. In kaum einer anderen Konstruktion als in den Gefachfüllungen gibt es eine solche Vielfalt praktischer Lösungen. Wollte man sie alle aufzählen und vorstellen, gäbe das fast ein eigenes Buch. Diese Fülle ist mit den regional typischen Materialien und Arbeitstechniken sowie den entsprechenden Langzeiterfahrungen zu erklären.

Arbeitsschritte am Baudenkmal sind die Erhaltung, die Reparatur und notwendigerweise der Ersatz, und zwar in dieser Abfolge. Dass Konstruktionen gewählt werden, die mit den historischen vergleichbar sind, ist anzustreben.

Bild 3.13.1 Detaildarstellung auf einem Bild (Geburt Christi) aus dem 15. Jh. Die Gefachflächen sind mit Stabwerk übernagelt und mit einer Lehmschicht verschlossen. Sicher handelt es sich um eine winddichte Konstruktion. (Meister von Flémalle, 1399 – 1463, Musée des Beaux-Arts de Dijon)

Bild 3.13.2 Gefachausmauerung mit Handstrichziegeln, sehr lebendig, gut erhalten. Die Ortgangziegel in Winkelform können sicher mal wieder entfernt werden. Bad Salzuflen

Die Wiederverwendung ausgebauter Baustoffe ist oft selbstverständlich. Das Hauptproblem des Fachwerkbaus ist hier die Fuge zwischen Holz und Gefachmaterial. Während das Holz „arbeitet", ist das Gefach relativ starr. Um hier eine vertretbare Lösung zu finden, gibt es reichlich Vorschläge. Eine gepflegte historische Gefachfüllung ist eine dauerhafte Konstruktion. Siehe auch Abschnitt 3.14.

Bei Arbeiten frei an einem Objekt, das heißt ohne Denkmalschutzstatus, kann das Wählen einer Ausfachungsart schon schwierig werden. Man sollte sich hier von den bewährten ortstypischen Befunden leiten lassen und nicht um jeden Preis Gestaltungen aus anderen Landschaften übertragen. In den Bildern werden einige Beispiele gezeigt.

Das Material der Gefachfüllung hat einen Einfluss auf das spätere Innenraumklima.

Das oben genannte Spritzverfahren beruht darauf, dass ein modifizierter, maschinengängiger Leichtmörtel mit Niederdrucktechnik in die Gefache eingetragen wird.

Der Mörtel ist ein Fertigprodukt und hat dem Leichtlehm ähnliche Eigenschaften. Ohne Anwendungsberater sollte jedoch nicht gearbeitet werden.

Bild 3.13.3 Die hohe Kunst der Gefachausmauerung mit Sichtbackstein ist im Norden weit entwickelt. In Anlehnung an die handwerklichen Traditionen wird das Maurerhandwerk auch in der Gegenwart gepflegt. Norddeutschland

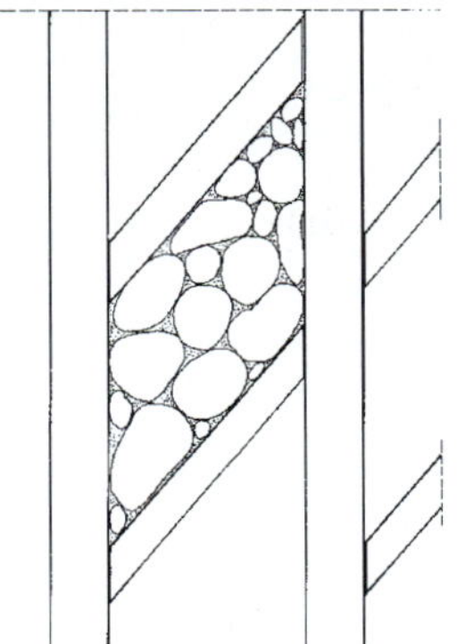

Bild 3.13.4 Eine pfiffige Lösung für den Gefachausbau erreicht man mit schrägen Riegeln, wenn mit Flusskieseln ausgemauert wird. Die Steine verkeilen sich aufgrund ihres Gewichtes (Türkei).

Bild 3.13.5 Zur Technik der Gefachfüllung gehören die Lehmstaken. Handgespaltene und beidseits angespitzte Kanteln werden maßgerecht vorbereitet und in das Gefach gestellt. Der zweite Arbeitsgang ist das Umwickeln mit lehmgetränktem Langstroh, sodass die Gefache geschlossen sind.

Bild 3.13.6 Vorbereitete Fachwerkoberfläche für den Innenputz

Bild 3.13.7 Ausmauerung der Gefache mit Naturstein, plattenartig zugehauen und mit Lehmmörtel vermauert. Für den Brandschutz und den Schallschutz keine schlechte Konstruktion.

Bild 3.13.8 Ausfachungsdetail an einer Hofscheune, Backstein, zweifarbig. Der Pflegebedarf an der Anschlussfuge zum Holz ist sichtbar. Oderbruch

Bild 3.13.9 Wiederhergestellter Fachwerkaufbau einer Hofscheune mit Lüftungsöffnungen. Außen hervorstehende Balkenköpfe sind mit einer hölzernen Schutzabdeckung versehen.

Bild 3.13.10: Gefachausmauerung mit handgestrichenen, weich gebrannten Ziegeln, in Kalkmörtel vermauert. Sind Reparaturen am Holz erforderlich, sollte der originale Erhalt dieser Gefachfüllung – auch mit größerem Aufwand – betrieben werden. Jeder verloren gegangene Ziegel wäre unersetzlich. Der Verband und das Farbspiel des Materials sind eine Augenweide.
Niedersachsen

3.14 Fuge Gefach – Holz

Unter Verwendung eines Beitrages von Alexander Fenzke

Der Anschlussfuge vom Gefachmaterial zum Holz muss besondere Aufmerksamkeit gewidmet werden. In der Fachliteratur findet man verschiedene Vorschläge, die mindestens auf ihre Dauerhaftigkeit zu prüfen sind. Besonders schwierig wird dabei sein, die Verträglichkeit bezüglich Feuchtigkeitsschäden verbindlich festzustellen.

Eine alte Weisheit besteht darin, dass diese Fuge nicht dauerhaft sein kann und sie deshalb regelmäßig nachzuarbeiten ist. Dabei ist das „Nacharbeiten", wenn überhaupt, durch ein Überschlämmen möglich. Die eigentliche Fuge wurde nicht verschlossen.

Auch mit einer Fugenkelle wird man Fugenmaterial nicht tief genug in die Konstruktion einbringen können. Das ist außerdem eine mühevolle, zeitaufwändige Arbeit.

A. Fenzke verfolgte besonders das Ziel, geschädigte Ausfachungen mit seiner Entwicklung zu erhalten, da beschädigte Gefache schnell ausgeräumt werden, obwohl der Erhalt möglich wäre.

Diesen Arbeitsgang zu rationalisieren und das Arbeitsergebnis zu verbessern war/ist das Anliegen von A. Fenzke.

Unter dem Gesichtspunkt, dass nur der Naturbaustoff Lehm als Ausgangsmaterial infrage kommt, dessen Nachteile wie Wasserlöslichkeit und Schwundunfähigkeit ausgeglichen werden müssen, arbeitete er an diesem Problem.

Im Ergebnis wurde ein modifizierter Lehm als Spritzmörtel für die Fugenfüllung und partielle Gefachreparaturen gefunden.

Die Entwicklung der Verarbeitungstechnik ist ebenfalls ein Ergebnis der Arbeit des Restaurators im Handwerk. Der Lehmspritzmörtel kann einsatzfähig erworben werden.

Sowohl an Wänden als auch an Decken werden Material und Technologie seit 2008 erfolgreich angewendet.

Weitere Einzelheiten unter www.lehmspritzmoertel.de/

Bild 3.14.1 Die Kartusche mit der Spritzdüse

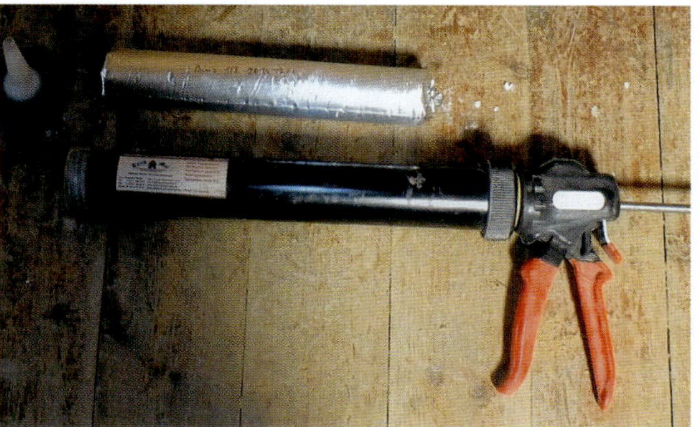

Bild 3.14.2 Der fertige plastische Spritzmörtel wird in die Spritze eingesetzt.

Bild 3.14.4 Abschließend wird der Mörtel glatt gestrichen.

Bild 3.14.3 Die Spritze kann auch pneumatisch betrieben werden.

Bild 3.14.5 Der Einsatz an Wand und Decke ist problemlos möglich.

3.15 Nut und Leiste

Wiederholt wurde die Frage gestellt, ob Nut oder Leiste die richtige Bauweise ist. Nut u n d Leiste haben in der detailreichen Entwicklungsgeschichte der Fachwerkbauweise ihren festen Platz.

In Abhängigkeit des verwendeten Materials für die Gefachfüllung und der jeweiligen Auffassung der Bauausführenden sind verschiedene Konstruktionen überliefert.

Fachwerkwände als Innenwände hatten häufig die Stärke eines halben Ziegels. Für diese Situationen hat T. Böhm die Beispiele Bild 3.15.2 überliefert. Zweckmäßigkeit, Haltbarkeit und Aufwand sind individuell zu bewerten.

Die Verwendung von Stahlbauteilen wie Winkelbefestigung, Fugennagelung, Bandstahl und andere Befestigungsmittel ist nicht die Vorzugslösung, da Korrosionsschäden unkontrollierbar auftreten können.

Neben der Ausmauerung gehört die Ausstakung zu den ältesten Bauweisen. Für die Stakhölzer bekam das obere Holz des Gefaches Löcher, in die das Stakenholz eingesteckt wurde. Das untere Holz bekam eine Nut, um die Staken seitlich bewegen zu können. Seitlich gab es im Gefach keine Nut. Häufig wurden Nuten erst nach dem Verlust der Lehmstaken eingearbeitet, um eine Ausmauerung auszuführen.

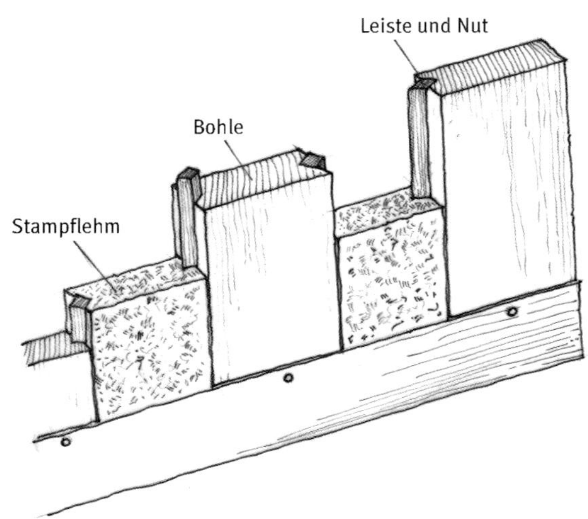

Bild 3.15.1 Die Gefache wurden mit genuteten Bohlen und dazwischenliegenden schmalen Lehmgefachen verschlossen. Unten stießen die Bohlen in eine Nut und wurden vernagelt. Sicher gab es in dieser Nut Öffnungen (Bohrlöcher) für den Wasserablauf. England, Haus des Walter Coney, Ende 15. Jh. erbaut, nicht erhalten

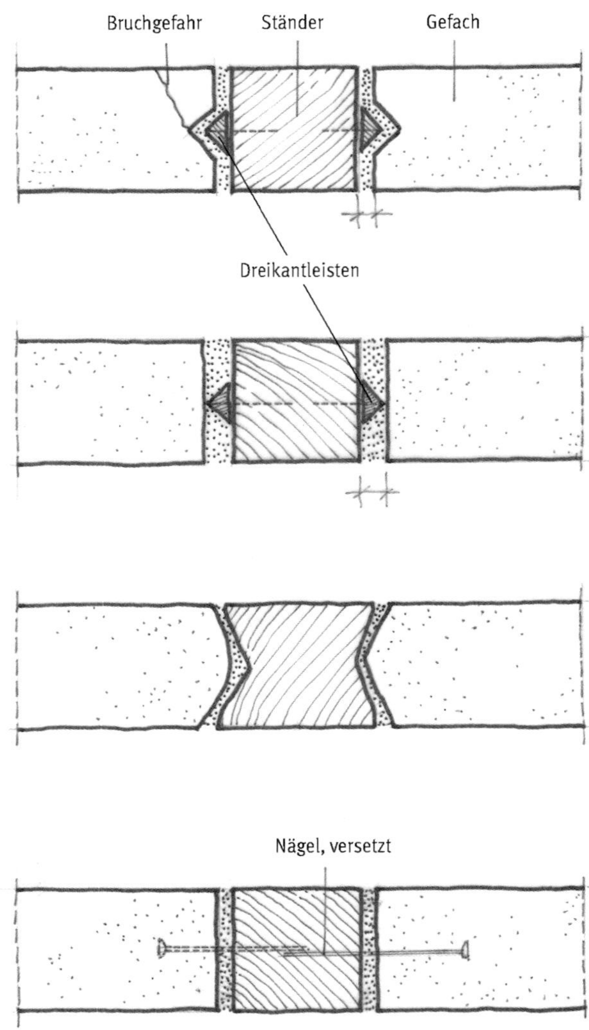

Bild 3.15.2 Von oben nach unten:

- Aufgenagelte Dreikantleiste, Ausfachungsziegel müssen genutet werden, häufigste Anwendung, Rissgefahr
- Aufgenagelte Dreikantleiste, Ausfachung nicht genutet, sehr breite Fuge, geht bei Sichtmauerwerk nicht
- Holzständer ausgearbeitet, Ausfachungsmaterial zugerichtet
- Nägel in den Lagerfugen der Ausfachung, jede 3. Schichtfuge

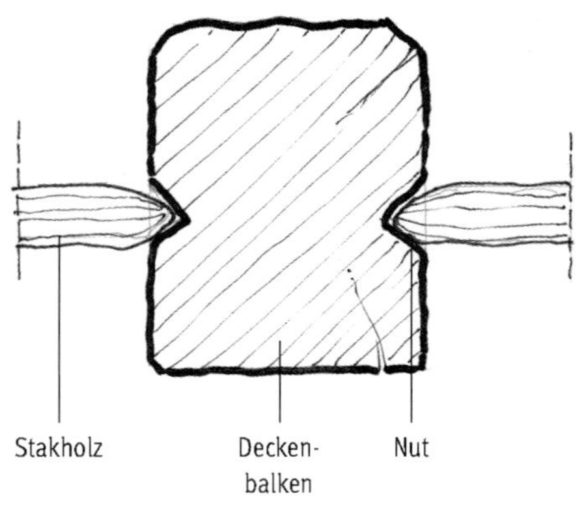

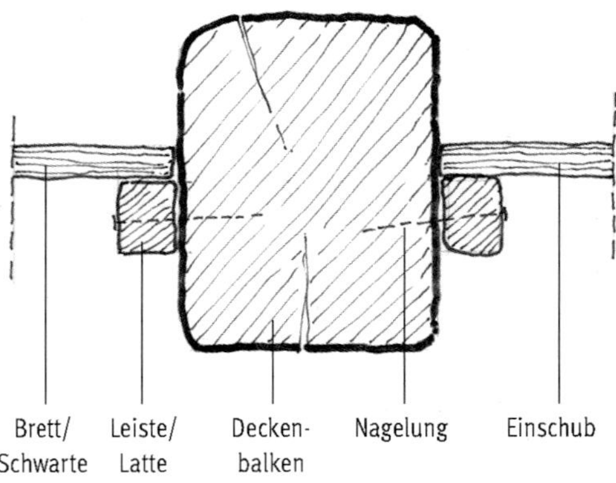

Bild 3.15.3 In den Decken zeigt sich die Konstruktionen mit Nut oder Leiste ebenfalls. Die Ausarbeitung der Nut war kostengünstiger als die Anfertigung von Leisten und Eisennägeln. Die Nut ist als die frühere Bauweise anzusehen.

Bild 3.15.4 Beispiele einer backsteinsichtigen Gefachausmauerung zeigen, welche maßliche Genauigkeit für diese Arbeit erforderlich ist (nach: Böhm, T.).

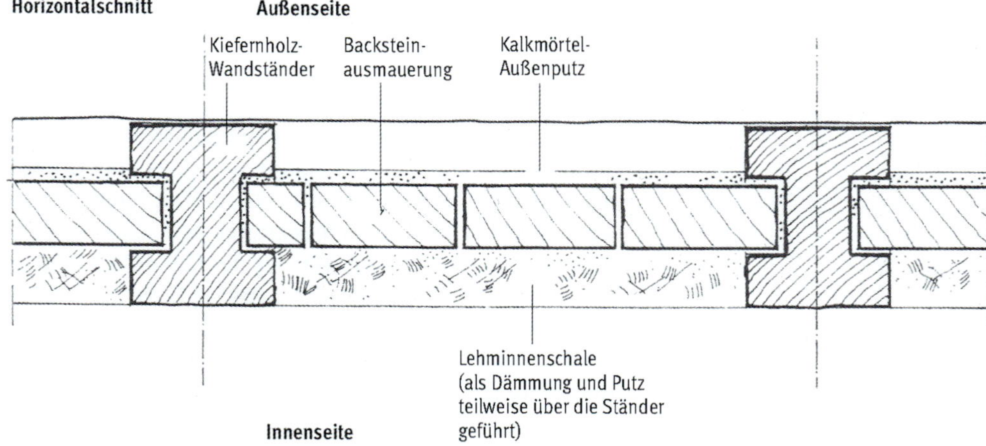

Bild 3.15.5 Kirche Wulkow (1687). Außenwand, Horizontalschnitt, Zeichnung

Bild 3.15.6 Kirche Wulkow. Außenwand, Foto

Bild 3.15.8 Beispiel einer Mischform von Ausblockung und Ausmauerung. Dänemark

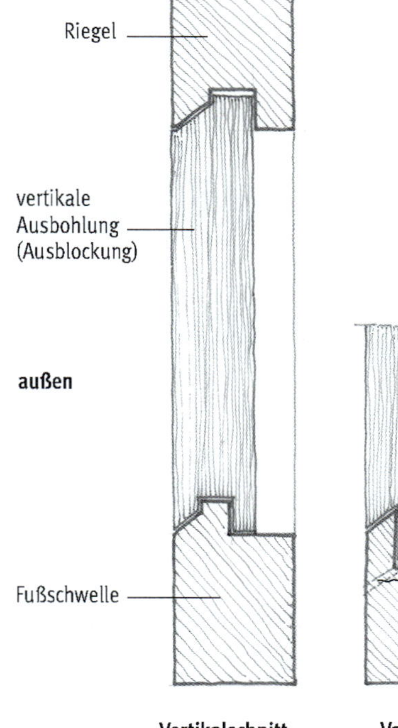

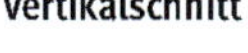

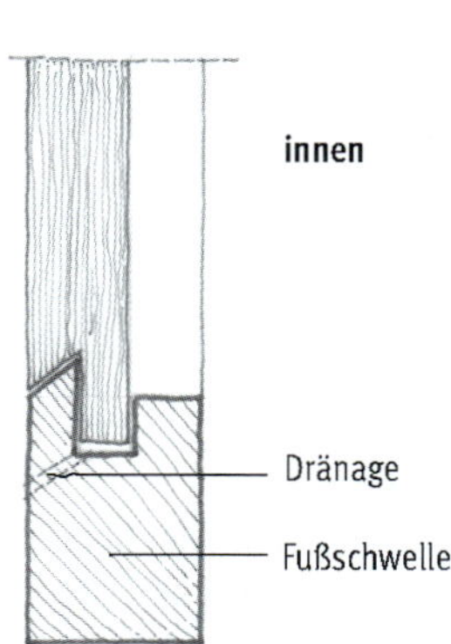

Bild 3.15.7 Ausblockung
Besteht die Möglichkeit, sollte die Bohle aufgesteckt werden und nicht in eine Nut geschoben sein. Ist die Nut vorgegeben (z. B. Baudenkmal), muss eine Entwässerung durch ausreichende Bohrungen gesichert werden.

Werden die Gefachflächen verputzt, ist die handwerkliche Anforderung an die Gefachfüllung geringer als bei der Ausfachung mit Sichtmauerwerk. Ein einheitliches Fugenbild und ein nachvollziehbarer Zuschnitt der Ziegel werden erwartet. Da die Lagerfuge 12 mm dick bzw. etwas dünner ist, kann keine Dreikantleiste in der Lagerfuge angebracht werden. Hier würde sich eine Nut anbieten, doch diese kann zum Wasserstau führen. Also wird, ohne Vorbereitung, auf das Holz gemauert (keine Nut, keine Leiste).

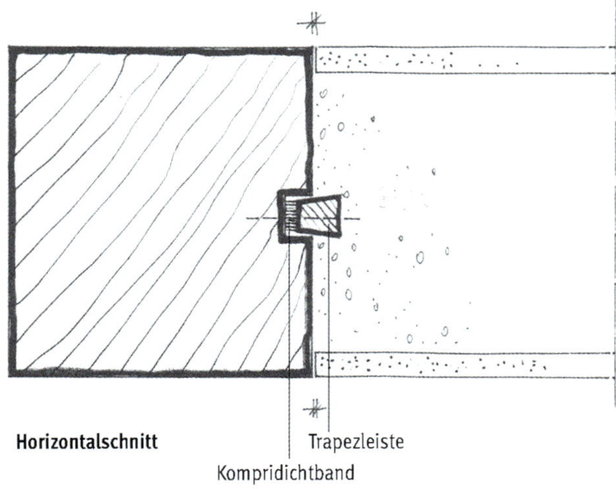

Bild 3.15.9 Die konisch gearbeitete Leiste wird, mit einem geeigneten Kompriband versehen, in die Nut eingeschraubt. Bei Bewegungen der Konstruktion aus Quellen und Schwinden des Holzes kann eine durchgehende winddurchlässige Fuge vermieden werden. Diese Fugenausbildung wird allseitig ausgeführt. Eine spezielle maßliche Abstimmung mit dem Gefachmaterial ist natürlich erforderlich.
Wann die Konstruktion eine Nut und wann die Konstruktion eine Leiste erfordert, zeigen anschaulich die Beispiele historischer Bautechniken.

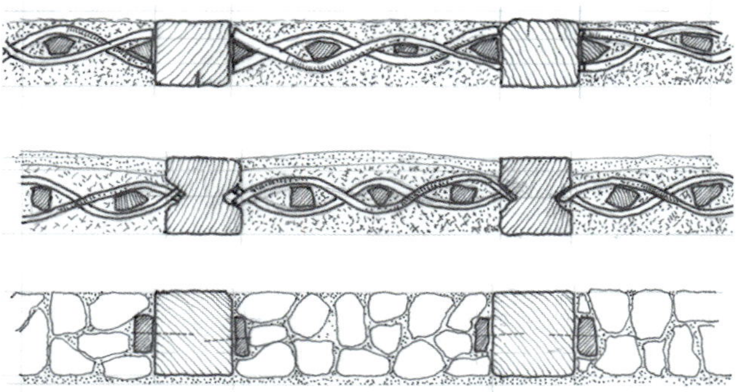

Bild 3.15.10
Oben:
Horizontalschnitt der Gefache mit Staken und Geflecht. Steht die erste Stake direkt am Ständer, ist keine Nut erforderlich, denn die Ruten lassen sich einflechten.
Mitte:
Die eingearbeitete Nut schafft die Möglichkeit, die Ruten einzuspannen und Stakhölzer zu sparen.
Unten:
Für eine Ausmauerung mit Natursteinen (Flusskiesel, Feldsteine) wurde eine massive Leiste erforderlich.
(Beispiele nach W. Weiss)

Eine besondere konstruktive Lösung fand sich an der Dorfkirche Wulkow, Lkr. MOL. Die außerordentlich starken Ständer der Kirchenhalle wurden mit einer Nut versehen, in die die Ausmauerung eingreift. Ob es hier einmal eine Backsteinsichtigkeit gab, ist nicht überliefert.

Eine besondere Bauweise ist das Füllen der Gefache mit senkrechten Bohlen, Ausblockung genannt. Zur Sicherung der Dauerhaftigkeit ist besonders der Fußpunkt zu beachten.

Die fehlende Winddichtigkeit in der Holzfachwerkbauweise ist ein wichtiger Punkt der Konstruktion. Mit Bild 3.15.9 hier ein Vorschlag mit Nut und Leiste.

3.16 Gefachputz

Im ursprünglichen Fachwerkbau wurden materialsichtige Gefachfüllungen mehr oder weniger geglättet. Die bewitterten Lehmgefachflächen zeigten sich sehr reparaturanfällig.

Drei Möglichkeiten boten sich an: ständiges Nachbessern, Anbringen eines Schlagregenschutzes oder Überzug mit einem haltbaren Oberputz. Von diesen Möglichkeiten wurde unterschiedlich Gebrauch gemacht. Später wurde bereits beim Errichten des Hauses der Kalkputz für die Gefache vorgesehen. Die Gefachfüllung lag fingertief und aufgeraut von dem Balkenwerk zurück und ein Kalkputz wurde holzbündig aufgetragen. Die umlaufende Fuge soll vom Holz getrennt werden, um Spannungsrisse und Abplatzungen zu vermeiden (Kellenschnitt/Messerschnitt).

Bild 3.16.1 Eichenholzfachwerk mit Lehmgefachfüllung ohne Kalkputzüberzug. Ist ein Fachwerk in die Jahre gekommen, kann eine ursprüngliche Farbfassung völlig verloren gegangen sein. Ist eine neue Fassung geplant, sollte die regional typische Farbigkeit gewählt werden. Farbentwürfe sind anzufertigen als Entscheidungsfindung.

Diese Oberflächen waren dauerhaft. Das Verzieren und Bemalen konnte besser halten.

Die Putzrezepte sind ein besonderer Punkt.

Aus dem hervorragenden Buch: *Weiss, Walter, Fachwerk in der Schweiz, Basel 1991* ist das folgende Rezept eines Gefachputzes als Beispiel entnommen.

Altes Rezept für Kalkputzmischungen aus Deutschland:

Grundputz	Deckputz
3 Eimer Sand (0 mm bis 2 mm)	3 Eimer Sand (0 mm bis 2 mm)
3 Eimer Kies (0 mm bis 7 mm)	3 Eimer Kies (0 mm bis 4 mm)
1 Eimer Sumpfkalk	1 Eimer Sumpfkalk
250 g Magerquark	250 g Magerquark
Haare oder Borsten	

Sumpfkalk und Quark mit wenig Wasser im Mischer verflüssigen, dann Sand und Kies dazumischen, zuletzt Haare oder Borsten einstreuen. Konsistenz der fertigen Mischung: dünner als Kartoffelbrei, trotzdem nicht fließend, aber leicht von der Kelle abrutschend.

Für die Haftung am Untermaterial wird ein etwas haltbarerer, härterer und gröberer Kalkmörtel verwendet als für den Oberputz. Dieser ist feiner für eine gut geschlossene Oberfläche. Soll nachträglich ein Gefachkalkputz aufgebracht werden, muss die Ausfachung um die Putzstärke (10 bis 15 mm) ausgekratzt werden. Zweckmäßig ist die Verwendung eines Putzträgers, der an der Holzflanke zu befestigen ist. Die Oberfläche des Putzes endet immer an der Außenkante des Ständer- oder Riegelholzes, auch wenn die Hauswand nicht in Flucht und Lot steht. Die Putze werden von innen nach außen „weicher" hergestellt, das heißt, dass der Kalkanteil zunimmt, um die Wasserdampfdiffusion nicht zu behindern. Die natürliche Farbigkeit der Putze bestimmen die im Rohmaterial gebundenen Mineralien. Selbst ohne Anstriche lassen sich ansprechende Wirkungen erzielen. Die rechtzeitige und verantwortliche Mitwirkung des Werk-Trockenmörtel-Herstellers sollte gesichert werden.

Bild 3.16.2 Um im Lehmgefach Haftung für den Kalkoberputz zu erhalten, wurden kleine Holznägel eingeschlagen.

3.17 Zur Ästhetik von Instandsetzungen im Holzbau

- Jeder Eingriff ist mit der Zerstörung und dem Verlust originaler Bausubstanz verbunden.
- Bohren und Schneiden sind Verletzungen des gesunden Bestandes und schaffen Angriffsmöglichkeiten, die zu neuen Beschädigungen führen können.
- Die Notwendigkeit eines konstruktiven Eingriffs muss auch im Nachhinein erkennbar bleiben.
- Der Respekt vor dem Bestand muss die Bemühungen leiten.
- Ein Eingriff darf sichtbar sein.
- Die Proportionalität des Hinzugefügten zum Vorhandenen ist zu wahren.
- Das Detail ist individuell. Die Summe der Details muss ebenfalls individuell sein.
- Zum verwendeten Material muss ein logischer Bezug erkennbar sein.
- Die handwerkliche Ausführung soll Fertigkeit und Mühe bezeugen.
- Reversibilität ist eine Versicherung, später schonender und vielleicht behutsamer vorgehen zu können.
- Reversibilität von Verlust gibt es nicht.

4 Auf der Baustelle

4.1 Eigenleistungen des Bauherrn

Da bei der Instandsetzung von Fachwerkgebäuden ein besonderer Reiz darin besteht, selbst Hand anzulegen, soll das vorliegende Buch einerseits Mut machen, andererseits aber auch Ansprüche fördern.

Das Studium der Fachliteratur und die Kontaktaufnahme mit Baustellen, Bauherren, erfahrenen Architekten und Fachfirmen gehört zum Nachweis eigener Qualifikation. Seit vielen Jahren wird in vielen Bauberufen der Restaurator im Handwerk ausgebildet. Sein Wissen und seine Erfahrungen sollten genutzt werden. Ohne begleitende fachliche Unterstützung dürfte nicht gearbeitet werden. Bekannte Fehler in der Instandsetzungstechnik müssen nicht wiederholt werden.

Ist ein Baubetrieb beauftragt, darf nur in klarer Abstimmung mit diesem eine eigene Bauleistung erbracht werden. Arbeitet man auf der eigenen Baustelle, ist man für alle sicherheitstechnischen Belange haftbar. Eine diesbezügliche Personen- und Sachversicherung ist erforderlich.

Beim Arbeiten am denkmalgeschützten Bestand darf kein unzulässiger Termindruck herrschen.

4.2 Baustelleneinrichtung

Bevor mit den Arbeiten begonnen wird, sollte der Zustand der angrenzenden fremden Gebäude und baulichen Anlagen fotografisch dokumentiert werden – Beweissicherung. Besonders vorhandene Mängel und Schäden sind festzuhalten, um sich von späteren Haftungsforderungen befreien zu können.

Die Baustellenordnung ist Grundlage für unfallfreies Arbeiten. Ein Plan für Wegeflächen, Lagerflächen und Gerüststellflächen ist dabei hilfreich. Elektro-, Wasser- und Gasanschlüsse müssen gut zugänglich sein. Öffentliche Flächen dürfen ohne Genehmigung nicht benutzt werden. Eine Einzäunung sollte aufgestellt werden. Die Bautafel nennt den Bauherrn und den für die Baustelle Verantwortlichen mit seiner Telefonnummer. Notwendige Informationen sowie Abstimmungen mit den Nachbarn sollten rechtzeitig erfolgen.

4.3 Sicherungsarbeiten

Bevor Eingriffe in die Bausubstanz vorgenommen werden, sind alle erforderlichen Sicherungsmaßnahmen vorzunehmen:

- Absperrung, Beschilderung, z. B. Bauzaun mit Warnlampen
- Wahrung der Verkehrssicherheit im öffentlichen Straßenraum
- Schutz gegen herabfallende Bauteile oder Bauschutt, Schutzgerüste
- Aussteifung nicht mehr voll tragfähiger Konstruktionsebenen
- Sicherung zu angrenzenden Bauwerken
- Herstellung der Begehbarkeit aller Ebenen
- ausreichende Baustellenbeleuchtung

Die Herstellung der Aussteifungen kann bzw. muss in drei Ebenen erfolgen. Das sind:

- vertikale Konstruktionen
- horizontale Konstruktionen
- diagonale Konstruktionen

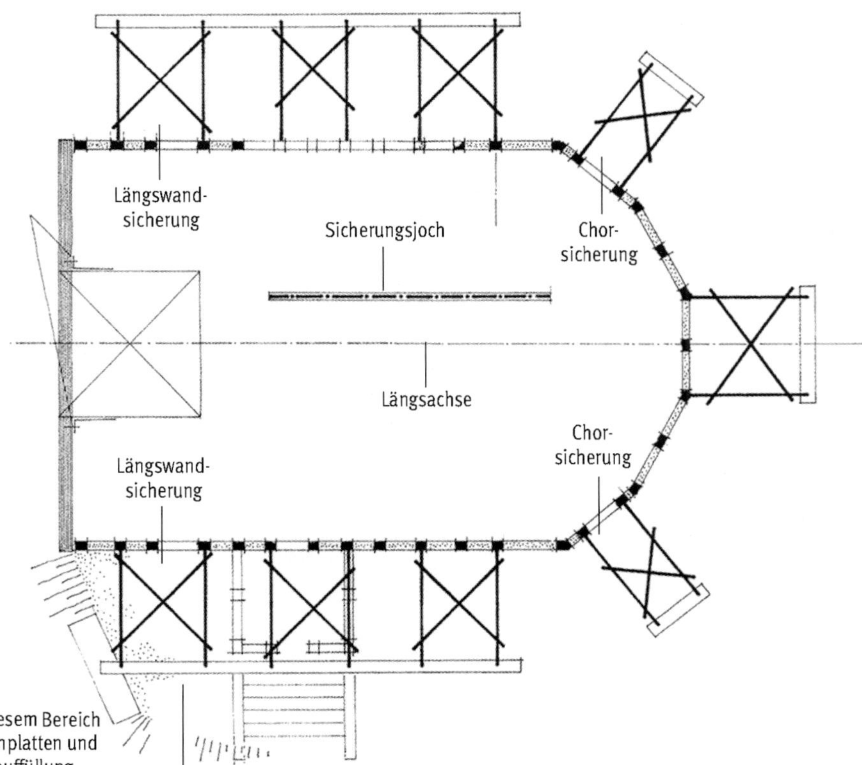

Bild 4.3.1 Praxisbeispiel: Sicherung einer barocken Fachwerkkirche, deren Dachtragwerk nicht mehr standsicher war.

Bild 4.3.2 Ist die „erste Hilfe" geleistet, besteht die Hoffnung, dass der völlige Verlust nicht eintritt. Zudar, Rügen

Da diese in der Regel aus Holz gefertigt werden und sehr individuell sein können, ist immer der Zimmermann zu beauftragen.

Die Vorgaben des Statikers sind einzuholen. Aussteifungen jeder Art müssen stets einen stabilen Dreiecksverband ergeben, der in Längs- und Querrichtung wirksam ist.

Ungenügende Aussteifungen können in der Bauzeit weitere Verformungen mit sich bringen, was zulasten der Standsicherheit geht.

Absteifungen können im Zusammenhang mit tragenden Gerüsten errichtet werden. Der statische Nachweis ist dann zwingend erforderlich.

Ist eine Decken- oder Wandebene durch Absteifung zu sichern, so sollte das so erfolgen, dass jedes Holzbauteil mit Doppelkeilen unterlegt wird. Dadurch kann man einzelne Teile aus der Absteifung lösen, um an ihnen zu arbeiten.

Bild 4.3.3 Aus einem bereits einsturzgefährdeten ehemaligen Schul- und Bethaus ...

Bild 4.3.4 ... wurde das Domizil der Freiwilligen Feuerwehr (natürlich ohne Garagen). Alttrebbin, 1834

Selbst stark verformte Gebäudeteile müssen nicht gerichtet oder abgetragen werden.

Hat ein Turm keine Glocken mehr, ist die statische Situation bedeutend günstiger.

Ein in seiner Tragkonstruktion stark geschädigter Speicher kann in der Regel eine neue Nutzung problemlos tragen, denn die bisherigen Verkehrslasten bestehen nicht mehr. Eine übliche Getreideschüttung brachte fast 750 kp/m² auf die Dielung. Diese Tragreserven gilt es zu nutzen.

4.4 Gerüstbau

Außengerüste an Fachwerkgebäuden sollten zweckmäßigerweise frei stehend errichtet werden. Das ergibt sich daraus, dass Befestigungen an Gefachfüllungen unzulässig sind und die Verschraubung an Holzbauteilen nur dann denkbar ist, wenn mit Sicherheit nicht daran gearbeitet werden muss. Doch wer will das sicher festlegen?

Geht das grundsätzlich nicht, weil z. B. kein Platz für Absteifungen vorhanden ist, so dürfen Gerüstanker nur an tragfähigen Bauteilen angebracht werden. Die Entscheidung, ob ein Bauteil tragfähig ist oder nicht, kann nicht dem Gerüstbauer überlassen werden.

Um das Auswechseln der Fassadenbauteile nicht zu behindern, kann die Gerüstverankerung auch im Gebäudeinneren erfolgen. Die Festlegungen sind mit dem Statiker zu treffen.

Bei den oft üblichen Etagenauskragungen (diese gibt es bis 1,50 m über mehrere Etagen), aber auch bei großen Gesimsbreiten sind Gerüstverbreiterungen bzw. Konsolträger vorzusehen.

Bei Arbeiten an Fachwerkfassaden ist es in der Regel notwendig, vorübergehend ausgebaute Teile auf der jeweiligen Gerüstebene zwischenzulagern. Hat man eine ausreichende Gerüsttragfähigkeit und Gerüstbodenbreite gewählt, ist das gut möglich.

Insofern kann der Gerüstbau jedoch recht aufwändig sein, und die Kosten für die Standzeit sind hoch (Vorhalteentgelt). Diese Kosten können nur begrenzt werden, wenn eine optimale Bauzeit organisiert wird und der Unternehmer eine fest vereinbarte Standzeit akzeptiert.

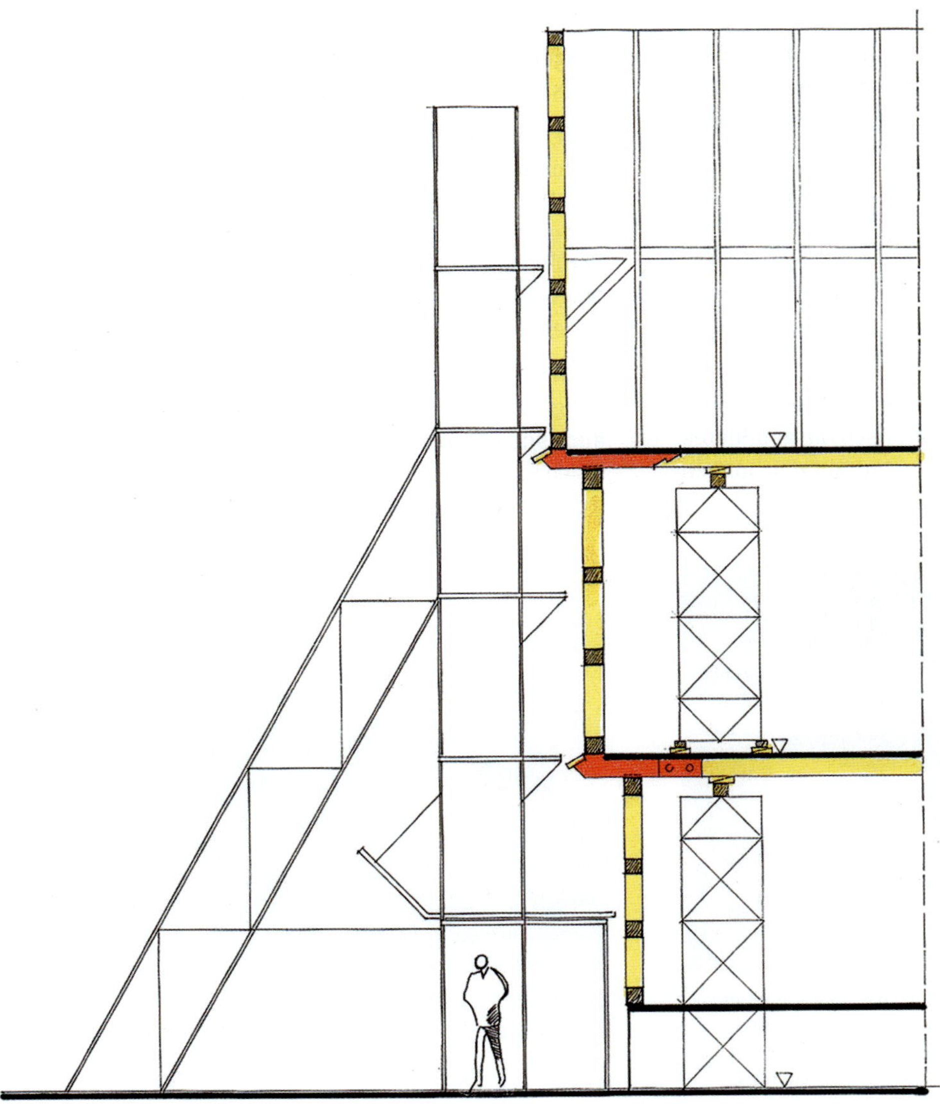

Bild 4.4.1 Zur Instandsetzung mehrgeschossiger Gebäude gehört eine klare Strategie für den Gerüstbau. Einzelheiten wurden im Text bereits behandelt. Das Gerüst muss nach den Sicherheitsvorschriften und der Geometrie des Gebäudes errichtet werden. Auch für den Innenraum sind die notwendigen Aussteifungen so zu planen, dass zügig gearbeitet werden kann. Jeder Deckenbalken ist einzeln mit Doppelkeil unterfüttert.

Bild 4.4.2 Besteht die Möglichkeit, einem desolaten Fachwerkhaus während der Bauzeit ein Schutzdach „überzustülpen“, ist das zur Erhaltung der sensiblen Lehmkonstruktionen von Wand und Decke sehr dienlich. Wuschewier, Oderbruch

4.5 Freilegungsarbeiten

Grundsätzlich ist festzustellen, dass es leider nicht allgemein üblich ist, dass der Ausführungsbetrieb auf der Baustelle die kompletten Zeichnungen, die Baubeschreibung und das ausführliche Leistungsverzeichnis für die Handwerker bereitstellt. Das sollte überwunden werden. Die Kompetenz der Meister und Vorarbeiter ist ein wichtiges Element der effektiven und qualitätsgerechten Baudurchführung.

Freilegen heißt partielles Beschädigen oder Zerstören der vorhandenen Bausubstanz. Der notwendige Umfang des Eingriffs ist durch sorgfältige Voruntersuchungen zu klären. Derartige Arbeiten sind restauratorisch Ausgebildeten zu übertragen. Wer als Bauherr keine Voruntersuchungen veranlasst, handelt fahrlässig.

Um die Instandsetzung von Fachwerkhölzern ausführen zu können, müssen die Gefachfüllungen in bestimmtem Umfang ausgebaut werden. Ein generelles Entkernen ist nicht das Arbeitsziel. Das Gleiche gilt für die Deckenkonstruktionen.

Zur Erhaltung historischer Ausfachungen gibt es, trotz einer Reparatur anliegender Bauteile, verschiedene Möglichkeiten. Durch Aufhängen der Gefachfüllung kann beispielsweise der darunterliegende Riegel gewechselt werden. Wird das darüberliegende Bauteil gewechselt, kann durch Einsetzen langer Holznägel das Gefach erhalten werden. Dieser Fall ist in den Arbeitsblättern (Kapitel 6) dargestellt.

Grundsätzlich ist zu beachten: Jeder Eingriff in ein denkmalgeschütztes Objekt ist genehmigungspflichtig, das gilt auch und ganz besonders für Erkundungen an Tapeten, Anstrichen, Putzen, Verschalungen, Bekleidungen und sonstigen Oberflächen.

Bild 4.5.1 Nehmen Architekt oder Hausforscher an der Bestandsaufnahme teil, können gewonnene Informationen mit leicht abwaschbarer Kreide aufgetragen werden. So sind Zusammenhänge erkennbar.

Bild 4.5.2 Auf Erdreich verlegte Holzfußböden zeigen in der Regel die typischen Schwammschäden – hier Echter Hausschwamm.

Bild 4.5.3 Nach dem Abnehmen einer Giebelschalung an einem Bauernhaus wurde der tatsächliche Umfang des Schadens offenbar.

Bild 4.5.4 Sicherung von Gefachfüllungen durch Aufhängen unter Nutzung von Gerüstbauteilen

Bild 4.5.5 Bei der Arbeit an diesem Gebäude wurde der nach klaren Prinzipien gezimmerte alemannische (süddeutsche) Fachwerkgiebel vorgefunden. Auch einige Gefachausmauerungen stammen wohl noch aus der Erbauungszeit. Ein schwieriger Entscheidungsprozess hat begonnen, denn historischer Befund und geplante Nutzung sollten in Übereinstimmung gebracht werden. Vacha, Thüringen

4.6 Baumaterial

4.6.1 Allgemeingültiges

Es wird mit dem regional typischen Material gearbeitet. Das bedeutet, dass man sich mit dieser Frage zu beschäftigen hat. Aus der Bestandsuntersuchung sind wesentliche Dinge zu entnehmen. Das gilt nicht nur für das Wand- und Deckenmaterial, sondern auch für Sockel, Dachdeckung, Fenster und Türen, kurz für das gesamte Gebäude. Dadurch gibt es auch keine fertige Arbeitsanweisung; diese muss stets vor Ort objektspezifisch erarbeitet werden.

Zur Wiederverwendung von eigenem Altmaterial gibt es grundsätzlich keine Einwände. Dabei wird vorausgesetzt, dass kein Befall vom Echten Hausschwamm vorlag, denn dafür gelten andere Arbeitshinweise. Problematisch kann es sein, Altmaterial von anderen Bau- oder Abrissstellen zu erwerben. Hier müsste gesichert sein, dass es sich um einwandfreies Material (z. B. Holz, Mauersteine, Ausfachungsmaterial) handelt. Ist das nicht eindeutig, muss davon abgeraten werden. Die Absicht, durch die Verwendung von Altholz eine Reparatur „unsichtbar" zu machen, ist keineswegs Prinzip der Denkmalpflege.

Der ökologische Charakter der Fachwerkbauweise ist dadurch gekennzeichnet, dass die unmittelbar vor Ort vorkommenden Materialien zum Einsatz kamen und der Energieverbrauch gering war. Diesem Grundsatz treu zu bleiben, wäre eine große Anerkennung wert. Werden jedoch Feldsteine aus Dänemark, Schnittholz aus Kanada, Reet aus der Türkei oder Lehm aus Holland importiert, ist man auf dem Holzweg, was ökologisches Bauen betrifft.

Eine energetische Betrachtung der ausgewählten Baustoffe kann zu wichtigen Schlussfolgerungen führen.

Ein wesentliches Kriterium bei der Auswahl von Baustoffen ist deshalb der

Erstellungsenergiebedarf in kWh/t:

Lehm	0 bis 2,5
Holz	100 bis 150
Kalksandstein	250
Normalbeton	250 bis 300
Hochlochziegel	450
Dachziegel	550
Porenbeton	750
Zement	1 000
Kalk	1 200
Glas	6 000
Kunststoffe	8 200 bis 20 000
Aluminium	72 000

Quelle: bauen mit holz 12/1996

4.6.2 Bauholz

Wichtigster Baustoff dieser Bauweise ist das Holz in verschiedenem Zuschnitt. Die richtige Auswahl und Bestellung entscheidet über das Gelingen. Bei der Arbeit an historischen Gebäuden ist mit einem Holz zu arbeiten, das dem vorgefundenen entspricht. Die Fachwerkhäuser bestehen nicht, wie oft angenommen, grundsätzlich aus Eichenholz. Es sind entsprechende Kenntnisse vorauszusetzen, denn es kann nicht dem Holzhändler überlassen werden, welche Qualität zu liefern ist.

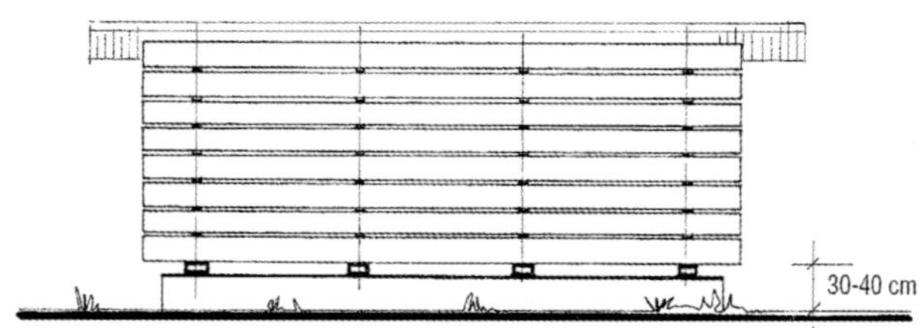

Bild 4.6.2.1 Die richtige Anordnung der Lagerhölzer und der Zwischenhölzer bewahrt die Bauholzqualität.

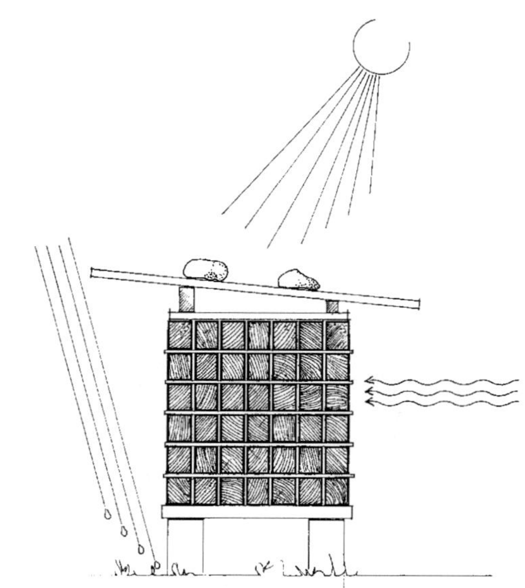

Bild 4.6.2.2 Die fachgerechte Lagerung von Bauholz schützt gegen Verformung, Risse und zu hohe Feuchte.

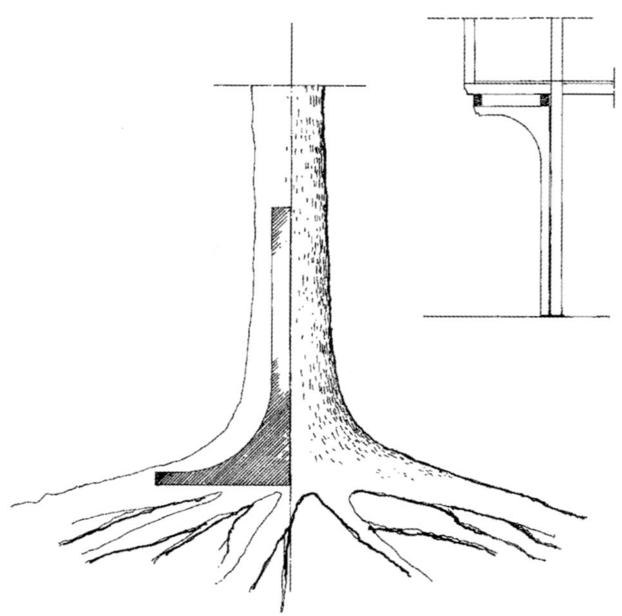

Bild 4.6.2.3 Das Holz wurde bis in den Wurzelbereich ausgenutzt. Hansehäuser in Bergen, Norwegen

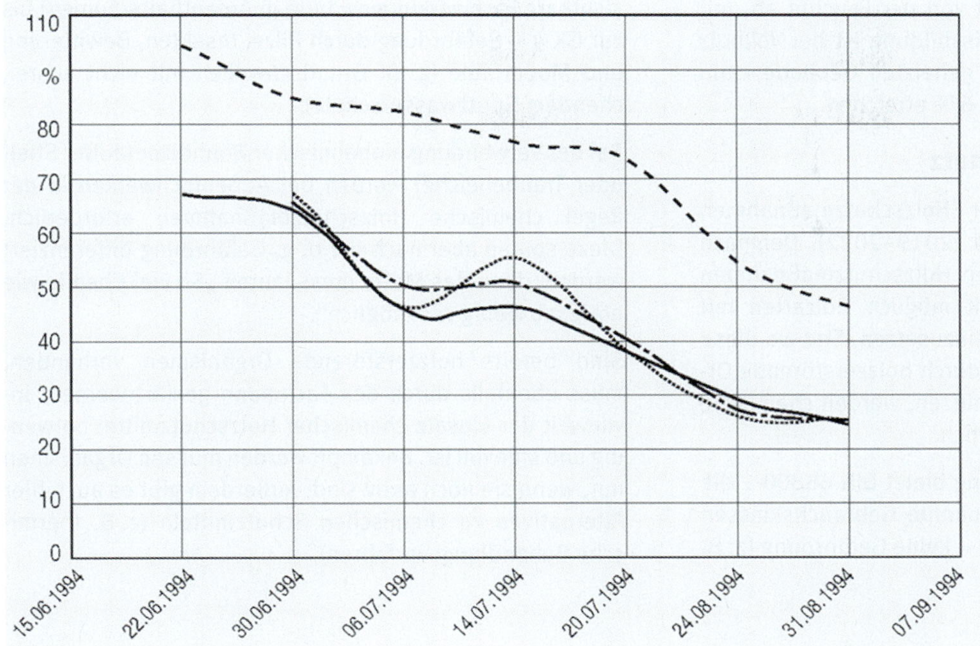

Bild 4.6.2.4 Auf einer Baustelle wurde extrem feuchtes Schnittholz (NH, Fi, 20 cm × 26 cm) angeliefert. Der Bauherr lehnte die vom Architekten vorgeschlagene Zurückweisung ab. Während einer geschützten Lagerung des Holzes vor dem Einbau erfolgten über 10 Wochen Kontrollen mittels Feuchtemessung. Das Ergebnis zeigte, dass im Durchschnitt aller Messpunkte wöchentlich eine Feuchtereduzierung um ca. 5 % eintrat. Die Rissbildung hielt sich in vertretbaren Grenzen.

Folgende Kriterien gehören zu einer Holzbestellung:

- Holzart: Man bestellt nicht Eichenholz, sondern Stiel- oder Traubeneiche, denn Roteichenholz wäre z. B. ungeeignet. Bei Kiefernholz ist über die Zulässigkeit von Bläue zu entscheiden.
- Schnitt: bei Kantholz wichtig, z. B. kerngetrennt oder Kernholz.
- Querschnitte: Es ist eine Holzliste zu fertigen.
- Längen: Verschnitt beachten.
- Güteklasse: wird nach DIN EN 1611-1:2002-11 bzw. DIN EN 975-1:2011-08 bestimmt. Hierbei handelt es sich um das Aussehen des Holzes, nicht um die Tragfähigkeit.
- Sortierklasse: Die Qualität wird über die Sortierklasse (mit Hand oder maschinell) bestimmt, DIN 4074-1 und DIN 4074-5. Vollkantig ist für Fachwerk wichtig!
- Holzfeuchte: Diese soll bei Baukantholz unter 20 % Feuchte liegen, bei Lieferung ist das zu kontrollieren. Muss die Holzfeuchte geringer sein, ist eine technische Trocknung zu veranlassen.
- Oberfläche, z. B. sägerau, gehobelt, gefast.

Die Beachtung der Dauerhaftigkeitsklassen für Bauschnittholz nach DIN EN 350 (2016-12) ist bei der Planung erforderlich, um Haftungsschäden zu vermeiden. Die Problematik Kernholz/Splintholz spielt bei frei bewittertem Holz eine wichtige Rolle. So ist zum Beispiel für Stiel- und Traubeneiche eine bisher nicht übliche Einschränkung zu beachten.

Die Auseinandersetzung mit diesen Einzelheiten ist besonders deshalb wichtig, weil Normen Kriterien festsetzen, die für ein Sichtfachwerk nicht vorteilhaft sind, während sie für eine verdeckte Holzbalkendecke völlig ausreichen. Wenn z. B. Schnittholz an zwei gegenüberliegenden Seiten einen Baumkantenanteil haben darf, so hat die Fachwerkwand eine Baumkante mit Sicherheit an der Ansichtsseite. Deshalb ist die Bestellung von vollkantigem Holz auch gerechtfertigt.

Bild 4.6.2.5 Konstruktionsholz, das sichtbar bleiben soll, ist besonders sorgfältig zu transportieren. Werden Beschädigungen mit Schmieröl oder Fett festgestellt, ist das Holz zurückzuweisen. Derartige Schäden sind mit vertretbaren Mitteln nicht zu beseitigen.

Ähnlich ist es mit der Frage der Bläue. Diese darf in bestimmtem Umfang vorhanden sein, da sie kein Mangel der Tragfähigkeit ist. Im Sichtfachwerk möchte das aber niemand haben.

Ist das Holz bestellungsgerecht auf der Baustelle eingetroffen, muss es zwischengelagert werden. Eine fachgerechte Lagerung ist in den Bildern dargestellt. Eine natürliche Nachtrocknung ohne große Rissgefahr kann bei abgedeckter Lagerung im Freien mit 5 % pro 10 Tage Lagerzeit erreicht werden. Die Einbaufeuchte sollte im ungeheizten Gebäude nicht über 16 % bis 18 % liegen, im geheizten Gebäude bei etwa 12 % bis 14 %.

Eine spätere Rissbildung hängt von der Feuchte ab, mit der das Holz eingebaut wird. Rissbildung ist bei Vollholz grundsätzlich kein Mangel. Im geheizten Gebäude kann die Feuchte der Holzbauteile bis 6 % erreichen.

4.6.3 Chemischer Holzschutz

Die Notwendigkeit chemischer Holzschutzmaßnahmen regelt DIN 68800 Teile 1 bis 4 (2019–2022). Demnach sind zunächst alle konstruktiven Holzschutzmaßnahmen auszuschöpfen und ggf. soweit möglich Holzarten mit ausreichender Dauerhaftigkeit einzusetzen. Erst wo diese Maßnahmen vor Gefährdungen durch holzzerstörende Organismen nicht ausreichend schützen, werden chemische Holzschutzmaßnahmen erforderlich.

Zur Beurteilung dieser Gefährdung bietet DIN 68800-1 die Einteilung der Bauteile in sogenannte Gebrauchsklassen (GK). Diese reichen von der GK 0 – keine Gefährdung (z. B. sichtbare Fachwerkinnenwände in Aufenthaltsräumen) bis zur GK 4 – Gefährdung durch Pilze, Insekten, Bewitterung und Moderfäule (z. B. Grundschwellen mit nicht ausreichendem Spritzwasserschutz).

Bei der Verwendung einheimischer Bauhölzer (außer Stiel- oder Traubeneiche) werden bei Außenfachwerken in der Regel chemische Holzschutzmaßnahmen erforderlich. Diese sollten aber nach der o. g. Gefährdung differenziert werden, denn das Motto muss lauten „So viel Chemie wie nötig, so wenig wie möglich“.

Sind bereits holzzerstörende Organismen vorhanden, muss ebenfalls durch den Fachmann geklärt werden, inwieweit der Einsatz chemischer Holzschutzmittel notwendig und sinnvoll ist. Bekämpft werden müssen Organismen nur, wenn sie noch aktiv sind. Außerdem gibt es auch hier Alternativen zu chemischen Schutzmitteln (z. B. thermische Behandlungsverfahren).

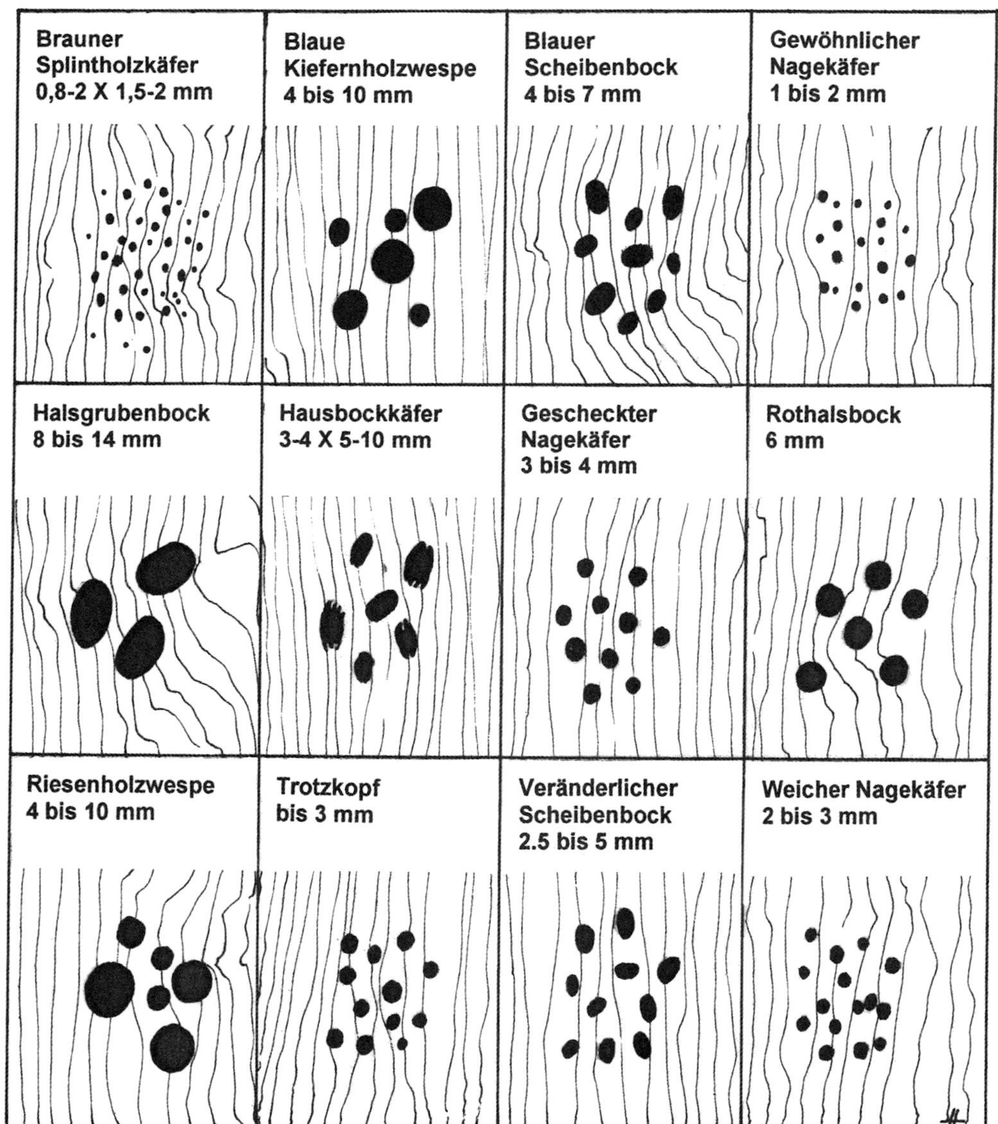

Bild 4.6.3.1 Hilfsmittel für die Beurteilung von tierischem Befall in der Holzkonstruktion. Zu Maßnahmen der Bekämpfung ist ein erfahrener Holzschutzfachmann zu befragen. Nach: KdT-Leitfaden 1987, H. Weidner

Soll aus verschiedenen Gründen von den Vorgaben der Norm abgewichen werden, ist eine schriftliche Vereinbarung zu treffen, in der der Bauherr die Verantwortung übernimmt. Bauaufsichtlich und versicherungstechnisch sollten solche Vereinbarungen sanktioniert sein. Dem muss natürlich eine umfangreiche Beratung durch entsprechende Fachleute vorausgehen.

Sofern chemische Holzschutzmittel eingesetzt werden, müssen diese nach europäischer Biozidverordnung verkehrsfähig sein. Solche Produkte verfügen entweder über eine „Zulassung" nach Biozidrecht oder eine „Notifizierung". Notifizierte Produkte sind Produkte, für die der Hersteller fristgerecht alle Antragsunterlagen zur Zulassung eingereicht hat, jedoch noch nicht endgültig über den Wirkstoff oder das Produkt entschieden ist. Hier wird übergangsweise eine Notifizierung ausgesprochen. Damit ist auch ein solches Produkt verkehrsfähig. An Bauwerken darf ein notifiziertes Produkt nur dann verwendet werden, wenn es zusätzlich über eine bauaufsichtliche Zulassung verfügt (MVV TB bzw. Verwaltungsverordnungen Technische Baubestimmungen der Bundesländer). Für Produkte, die bereits eine Zulassung nach europäischer Biozidproduktеverordnung haben, ersetzt diese die bauaufsichtliche Zulassung (MVV TB). Jedoch muss genau geprüft werden, gegen welchen Zielorganismus das Mittel ausgelobt ist, welche Anwender es verwenden dürfen und ob es Inhaltsstoffe enthält, die nach Gefahrstoffverordnung nicht nur die Fachkunde, sondern die Sachkunde erfordern. Holzschutzmittel für tragende Bauteile sollten immer Produkte sein, die nur von professionellen Anwendern genutzt werden dürfen.

Frei verkäufliche Biozidprodukte sind für tragende Bauteile tabu. Nur zum UV- und Feuchteschutz oder zur Gestaltung der Oberflächen dürfen biozidfreie Produkte auch von Laien verarbeitet werden.

Durch strenge gefahrstoffrechtliche Vorgaben beim Einsatz von Biozidprodukten, zu denen die Holzschutzmittel gehören, ist zu beachten, dass sich Zulassungen und damit auch die Angebotspalette an Produkten ständig ändern. Kritisch ist dabei auch die Verarbeitung beim Handwerker oder gar in Privathand noch vorrätiger Produkte, denn deren Zulassung könnte erloschen sein.

Es ist daher dringend zu empfehlen, sich zu diesen Fragen von einem kompetenten Fachmann aktuell beraten zu lassen.

4.6.4 Geschossdecken

Alle Geschossdecken sind Holzbalkendecken. Man unterscheidet:

- aufgelegte Konstruktion mit dreiseitig voll sichtbaren Deckenbalken
- eingeschobene Konstruktion mit teilweise sichtbaren Deckenbalken
- eingeschobene Konstruktion mit unten überputzten, nicht sichtbaren Deckenbalken

Diese konstruktiven und gestalterischen Varianten sind in unterschiedlichster Detaillierung anzutreffen und bestimmen entscheidend den Raumeindruck. Von der Profilierung und Bemalung des Balkenwerkes bis zur Holz-über-Gefach weiß oder farbig durchgeschlämmten Oberfläche ist alles zu finden. Die originalgetreue Wiederherstellung ist zwar aufwändig, aber in jedem Fall ein großer Gewinn. Die Instandsetzung ist häufig mit der Reparatur von Balkenauflagern (Balkenköpfen) verbunden. Der Verlust großer Teile der Deckenkonstruktion ist dabei oft unvermeidbar.

Die sorgfältige Voruntersuchung mit zerstörungsfreien Methoden ist besonders in der Denkmalpflege geboten, um diese Verluste so gering wie möglich zu halten.

Ein wiederkehrendes Hindernis zur Nutzung alter Fachwerkhäuser ist die niedrige Deckenhöhe in den Wohnräumen. Im Erdgeschoss sollte deshalb das Tieferlegen des Fußbodenniveaus geprüft werden. Eine weitere Möglichkeit ist das Herstellen einer aufgelegten Deckenkonstruktion. Damit wird das Raumgefühl verbessert, auch wenn an der Unterkante der Balken nichts zu ändern ist. Bei der Wahl konstruktiver Lösungen spielt es eine große Rolle, ob im Einfamilienhaus oder im Miethausbau geplant wird. Hier wird auf das Kapitel 3 „Richtig konstruieren" verwiesen.

Bei der Beschäftigung mit historischen Deckenkonstruktionen stößt man auch auf besondere Lösungen wie Kappengewölbe zwischen Holzbalken und Ähnliches. Hier muss in Zusammenarbeit mit dem Statiker besonders sorgfältig geprüft werden, was der Konstruktion noch zugemutet werden kann. Bei der Untersuchung der Deckenbalken ist auf die Kernfäule zu achten, die, von außen unsichtbar, für böse Überraschungen sorgen kann. Die Vorteile dieser Kappengewölbekonstruktion, bezogen auf Brandschutz und Schallschutz, sollten beachtet werden.

4.6.5 Dachdeckungsmaterial

In den Dachtragwerken, die oft nicht als wesentlicher Denkmalbestand erkannt bzw. anerkannt werden, findet man häufig Spuren der Geschichte der Dachdeckung. Im weiten Sparrenabstand erkennt man die ursprüngliche

Bild 4.6.5.1 Die starke Bewegung der Dachfläche ist mit kleinformatigen Dachziegeln gut herstellbar. Das Bild zeigt Biberschwänze als Kronendeckung.

Bild 4.6.5.2 Weit verbreitet ist das Pfannendach. Hier gibt es eine Vielfalt von Formen. Die Lebendigkeit der Oberfläche, wie sie im Kohlebrand erreicht wurde, finden wir mit den heutigen Brennmethoden nicht mehr.

Bild 4.6.5.3 Eine sparsame Deckung war bzw. ist das einfache Biberschwanzdach. In den Fugen liegen Holzspließe, ohne die das Dach nicht dicht ist. Erfordert das Baudenkmal eine solche Deckung, muss man sich mit den alten Techniken wieder vertraut machen. Ein Nachteil ist die Reparaturanfälligkeit.

Bild 4.6.5.4 Ein besonders haltbares Material sind die Natursteinplatten-Deckungen, wie sie im Alpenraum zu sehen sind. Der Nachteil ist ihr großes Gewicht.

Bild 4.6.5.5 Die Erneuerung einer Dachdeckung mit Langstroh oder Reet bzw. Rohr (nicht Schilf) gehört zu den anspruchsvollen Arbeiten. Leistungsstarke und qualifizierte Firmen werden benötigt. Die Neudeckung auf einer verformten Dachfläche verbietet das Spannen von Schnüren. Die gute Arbeit beginnt mit der richtigen Auswahl des Deckungsmaterials. Giebellaubenhaus Pillgram

Bild 4.6.5.6 Die Wiederherstellung einer Biberschwanzdeckung in Mörtelbett gehört zur Erhaltung des Gebäudewertes. Moderne Trockendeckungen sind nicht die Vorzugslösung in der Baudenkmalpflege. Dorfkirche Altbarnim

Bild 4.6.5.7 Bei der Dacheindeckung mit Reet oder Langstroh ist der Ausführung der Firste und Grate besondere Aufmerksamkeit zu widmen. Das dazu verwendete Material ist regional unterschiedlich. Eine rechtzeitige Klärung ist auch mit dem Denkmalamt geboten.

Reet-/Rohrdeckung, in den handgespaltenen Dachlatten die sehr frühe Verwendung gebrannter Steine und im Lattungsabstand kann eine bestimmte Deckungsart erkannt werden. Auch die Sparrenoberseite zeigt mit ihren Nagelspuren verschiedene Bauzustände.

Auf Dachböden findet sich oft der Bauschutt der Jahrhunderte. In Kirchen sind die Gewölbe manchmal tonnenweise voll davon. Abgesehen von der absolut schädlichen Anhäufung, die, meistens durchnässt, jeden Zerstörungsprozess bestens befördert, gibt der beräumte Schutt die Reste der alten Vorgängerdeckungen frei. Bei der Untersuchung dieser Reste kann sich zeigen, dass die Deckungsart in den verschiedenen Epochen sehr variierte, was handwerkliche, finanzielle und modische Gründe gehabt haben wird.

Emotional sprechen Bilder von Dachlandschaften dann besonders an, wenn die Reparaturspuren der Generationen ablesbar sind. Ist ein Dach dicht und trotzdem gut durchlüftet, erfüllt es seine Funktion am besten.

Heutige Reparaturstrategien betonen „dicht", sodass neue Schäden nicht lange auf sich warten lassen. Warum soll eine Dachdeckung, die fast hundert Jahre gut funktioniert hat, grundsätzlich anders werden (Unterspannbahn am Baudenkmal)? Hier ist sorgfältiges Nachfragen erforderlich. Die Vorgehensweise sollte sein: Bei der bisherigen Deckungsart bleiben, Reparaturspuren akzeptieren sowie Kosten und Risiko minimieren.

Schäden aus unterlassener Baupflege können nicht der Konstruktion angelastet werden. Die kleinformatige Deckung mit Ziegeln oder Steinen aller Art ist für das Fachwerkhaus immer das Beste.

Die „Bewegungen" des Hauses muss das Material unbemerkt mitmachen. Ein ästhetischer Verlust ist durch die Änderung der Brenntechnologie der Dachziegel zu verzeichnen. War bei der Kohlebrandtechnik jeder Ziegel ein Unikat, so ist heute ein Ziegel wie der andere, steril und langweilig. Dass nun auch künstlich hergestellte Alterungsspuren angeboten und verwendet werden, ist weniger als ein schwacher Trost.

Will man auf einem alten, teilweise handgespaltenen Dachlattenbestand neu eindecken, wird man feststellen, dass die heutigen, etwa 18 mm langen Ziegelnasen wenig geeignet sind, auf nicht ganz scharfen Kanten Halt zu finden. Hier muss über zusätzliche Befestigungen entschieden werden.

Aus der Konstruktion des Dachtragwerkes sind Forderungen an die Qualität der Dachdeckung abzuleiten. Ältere Dachkonstruktionen haben keine vertikale Verbindung (Abhubsicherung) zum aufgehenden Mauerwerk. Dies bedeutet, dass sie nur durch Eigengewicht in eine statisch stabile Lage kommen. Wird nun ein neues, wesentlich leichteres Deckungsmaterial verwendet, kann diese Stabilität gestört werden. Genaue Betrachtungen sind notwendig.

4.6.6 Anstriche auf Holz

Ohne ausreichende Berufserfahrung sollte niemand Anstriche im Außenbereich ausführen. Wer nach sogenannten „alten Techniken" arbeiten will, sollte sich gründliche

Bild 4.6.6.1 Beispiel einer Farbfassung mit deckenden Farben. Hann. Münden

Bild 4.6.6.2 Beispiel einer lasiert ausgeführten Farbfassung. Goslar

Außenanstriche sollen einen Schutz vor UV-Strahlen bieten, vor eindringendem Regenwasser schützen und die Ansprüche aus gestalterischen Absichten und Forderungen nach repräsentativen Lösungen erfüllen. Geht es nach dem Bauherrn, so soll die Farbfassung ewig in voller Schönheit strahlen – und spätestens jetzt wird klar, dass dies nicht machbar ist.

Bild 4.6.6.3 Dichte Anstriche werden durch Wasserdampfdruck, der in der Wand von innen nach außen verläuft, aufgerissen. Die richtige Wahl und Verarbeitung des Anstrichstoffes ist Voraussetzung für eine angemessene Dauerhaftigkeit.

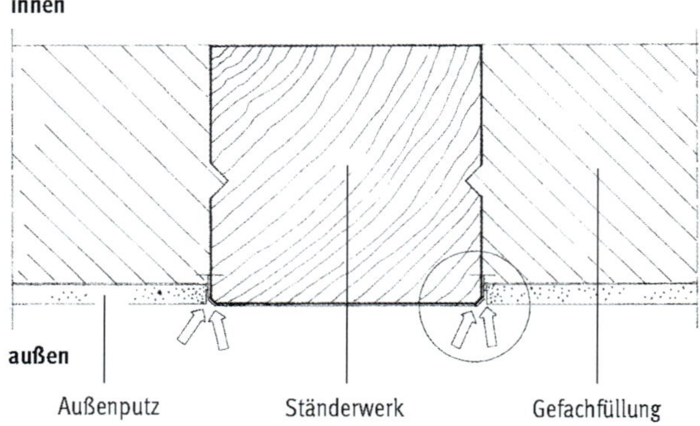

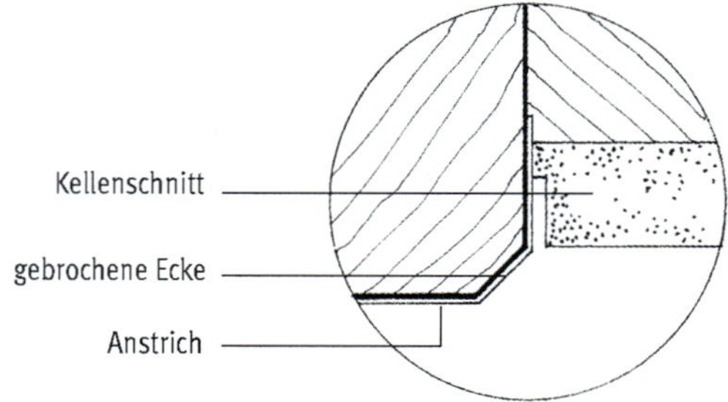

Bild 4.6.6.4 Häufig haben Fachwerkfassaden eine farbige Fassung. Werden Instandsetzungsarbeiten durchgeführt oder neue Konstruktionen errichtet, ist darauf zu achten, dass die Holzoberfläche entsprechend vorzubereiten ist.
Die Darstellung zeigt, dass die Holzkanten gebrochen sein müssen und dass der Farbschichtenaufbau auf die Innenseiten der Ständer herumzuziehen ist. Wird dies vernachlässigt, treten die Schäden zuerst an den Kanten auf.
Die Darstellung zeigt auch den Kellenschnitt im Putz, der Spannungsübertragungen vermeiden soll.

Da es sich um eine Instandsetzung bzw. Erneuerung handelt, muss der Untersuchung und Vorbereitung des Untergrundes volle Aufmerksamkeit geschenkt werden. Ein Anstrich auf Holz im Außenbereich sollte einen maximalen Dampfdiffusionswiderstand s_d von 0,5 m haben. Im Bestand lässt sich das zerstörungsfrei nicht überprüfen und zerstörend im Labor nur grob abschätzen. Deshalb ist es wichtig, dass zu dicke Altbeschichtungen, auch wenn sie für eine Überschichtung tragfähig wären, ausgedünnt oder ganz abgetragen werden müssen. In aktuellen Produktinformationen wird häufig nicht die Diffusionswiderstandszahl μ oder der s_d-Wert, sondern der Wasserdampfdiffusionsstrom V [g/m²d] deklariert. Man kann den s_d-Wert und den V-Wert gegeneinander umrechnen:

$s_d = \mu \times$ Schichtdicke [m]

$21 \div V = s_d$

Bsp.: Klasse V1 = >150 g/m²d entspricht 21 ÷ 150 = 0,14 m s_d-Wert. Eine Diffusionsstromdichte von 42 g/m²d entspricht dem s_d-Wert 0,5 m.

Zur Vorbereitung gehören weiterhin: Untersuchung und gegebenenfalls Instandsetzung defekter Fassadenteile, Schließen von Rissen und Löchern mit Holz, Auswaschen von Harzgallen, Blockieren mobiler Holzinhaltsstoffe zur Vermeidung von Fleckenbildung, Rundung zu scharfer Kanten am Holz usw.

Konstruktive Mängel können durch Anstriche nicht behoben werden. Das richtige Produkt für den Anstrich sollte gemeinsam mit Hersteller, Verarbeiter, Bauherr, Architekt und Restaurator ausgewählt werden, um vorhandene Risiken so gering wie möglich zu halten. Ein deckender An-

Bild 4.6.7.1 Farbige Fassung der geputzten Gefachflächen. Kolding

Bild 4.6.7.2 Sind neue Anstriche auf Gefachen oder Holzbauteilen notwendig, sollten diesen Arbeiten entsprechende Vorbereitungen vorangehen. Anschlüsse zwischen Putz und Holz sind fachgerecht herzustellen. Altanstriche sind vollständig abzunehmen.

Bild 4.6.7.3 Farbfassungen können verschiedenste Ansprüche erfüllen. Das Ergebnis sollte handwerkliche Sorgfalt zeigen.

Bild 4.6.7.6 Die Leichtigkeit und Eigenwilligkeit, die dieses Fachwerk in Le Mans, Frankreich, auszeichnet, ist faszinierend. Die gelungene Gliederung, der liebevolle Schmuck und die überzeugende Farbgestaltung machen es zu einem Blickfang.

Bild 4.6.7.4 Das Konstruktionsholz wird nur in seiner wirklichen Breite farblich behandelt. Die Gefachfläche hat hier einen Begleiter und einen Ritzer.

Bild 4.6.7.5 Durch einen derartigen Farbauftrag wird die Holzbreite idealisiert („schön streichen"). Es wird ein falscher Zustand vorgetäuscht. Diese Technik nennt man auch Beschneiden. Eine dauerhafte Qualität wird so nicht erreicht. Von dieser Technik wird abgeraten.

strich sollte 3 bis 5 Jahre Standzeit haben, je nach örtlicher Situation, Himmelsrichtung und Bauzustand. Die Anfertigung von Probeflächen ist rechtzeitig festzulegen. Es können nur Produkte zur Anwendung kommen, für die der Hersteller/Lieferant den s_d-Wert bezogen auf die Anstrichdicke und die Verbrauchswerte verbindlich benennt.

Die Verwendung von Spachtel-, Füll- und Fugendichtmassen gehört nicht zur fachgerechten Instandsetzung einer Farbfassung.

4.6.7 Anstriche auf Putz

Mit den Putzanstrichen verhält es sich ähnlich wie mit Holzanstrichen. Die Beanspruchungen und Erwartungen sind vergleichbar. Ein dauerhafter Anstrich ist nur auf intaktem Unterbau möglich.

Vorhandene Beschichtungen bedürfen einer gründlichen Untersuchung, bevor eine Restaurierung oder Erneuerung stattfinden kann. Über die notwendige Entfernung bestehender Putze und Anstriche ist zu entscheiden.

Auch die Produktauswahl ist in Übereinstimmung aller Beteiligten zu treffen. Für Schichtdicken und Eigenschaften der Anstriche gilt grundsätzlich das für Holz Gesagte. Der s_D-Wert der Gefache-Farbe sollte jedoch deutlich unter dem der Holzbeschichtung liegen, da damit eine Feuchteabfuhr aus der Konstruktion über die großen Gefache erleichtert wird.

Durch Probeflächen und rechtzeitige Klärung denkmalrechtlicher Belange kann die erforderliche Qualität der Arbeitsvorbereitung gesichert werden. Bei der für den Laien und manchmal auch für den Fachmann fast unübersehbaren Produktpalette ist die Zuordnung von Untergrundeigenschaften zum Beschichtungssystem und den optischen Anforderungen nicht jedem möglich. Ohne kompetente Mitwirkung geschulter Fachleute sollte nichts unternommen werden.

Bild 4.7.1.1 Sind die Holzbauteile, wie hier an der Fachwerkwand einer Bockwindmühle, in hoher Maßhaltigkeit und Oberflächenqualität zu fertigen, kommt der elektrische Handhobel zum Einsatz.

4.7 Handwerkstechniken

4.7.1 Werkzeuge

Die Wiederherstellung eines oder mehrerer verloren gegangener Bauteile ist oft mit der Frage verbunden, ob ein historisch korrekt nachgefertigtes Holzbauteil auch mit historischen Werkzeugen zu bearbeiten ist. Gewiss gehen dazu die Meinungen auseinander. Die Beschäftigung mit diesen Werkzeugen fördert sicher die Achtung vor den überlieferten Handwerksleistungen, macht aber auch deutlich, dass man hier an eine wirtschaftliche Grenze stößt. Wird es im Einzelfall gefordert, mag es recht spannend sein, das Experiment zu begleiten. Historisch korrekt ist aber, dass der Handwerker sein Werkzeug stets weiterentwickelte, was zur Verringerung körperlicher Anstrengungen und zur Erhöhung der Produktivität führte. Und es erscheint absurd, das zu ignorieren.

Wir kennen und unterscheiden die Holzoberflächen bei hauskundlichen Betrachtungen nach der Verarbeitung: gespalten, handbebeilt, handgesägt, gattergesägt, blattgesägt, bandgesägt usw. Das sind Merkmale für die Datierung. Warum soll die von unserer Generation bearbeitete Oberfläche nicht ablesbar sein?

Bild 4.7.2.1 Typisches Schadbild für verloren gegangene Holznägel – hier eine Kiefernholzkonstruktion.

Bild 4.7.2.2 Holzsichtiges Fachwerk mit Backsteinausmauerung in den Gefachen (Dänemark). Die Einrahmung mit einer Läuferschicht betont die Gefachflächen. Die allgemein übliche Vernagelung an den Knotenpunkten fehlt. Das ist sicherlich kein Versäumnis.

Bild 4.7.2.3 Neues Eichenholzfachwerk ohne Einsatz von Holznägeln, Stade. Ob ein späteres Vernageln vorgesehen war, ist nicht bekannt, ist aber keine Notwendigkeit.

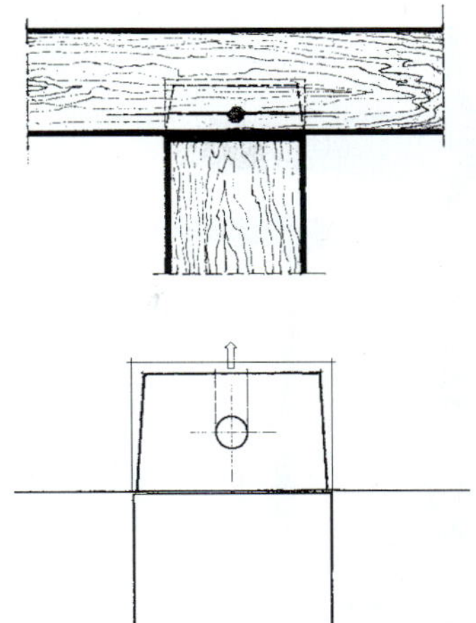

Bild 4.7.2.6 Wird der Holznagel falsch dimensioniert gewaltsam eingetrieben, führt dies zum Aufspalten in Faserrichtung.

Bild 4.7.2.7 Ein verdeckter Schaden entsteht beim Eintreiben von falsch dimensionierten Holznägeln auch, wenn dadurch das Vorholz des Zapfens herausgebrochen wird.

Bild 4.7.2.4 Die Verformung des Gebäudes führte hier dazu, dass das als Druckstab ausgebildete Kopfband Zugkräfte erhält und die Anschlussverbindung beschädigt wird.

Bild 4.7.2.8 Horizontaler Schnitt durch ein Holznagelbohrloch in der Konstruktion von 1730/31. Die konische Form ist deutlich erkennbar.

Bild 4.7.2.5 In Ergänzung zum oberen Bild der ausgescherte Zapfen im Bereich der beiden Holznägel

Bild 4.7.2.9 Der zylindrisch gefertigte Holznagel (parallele Außenflächen) wird im konisch gebohrten Bohrloch keinen Halt finden. Die Verbindung kann nicht stabil sein.

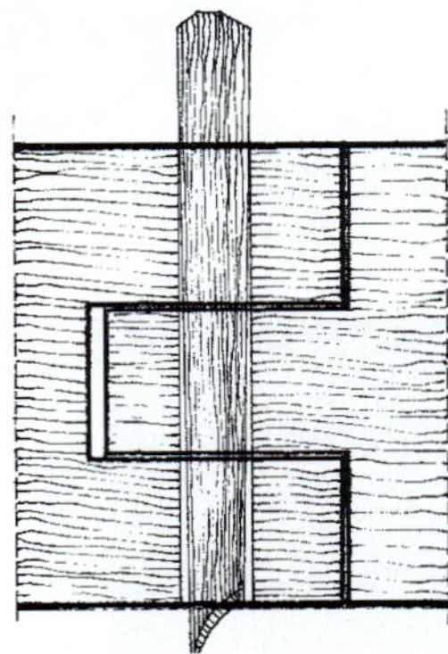

Bild 4.7.2.10 Der konisch gefertigte Holznagel (zugespitzt verlaufende Außenflächen) kann im zylindrisch gebohrten Bohrloch keinen Halt finden. Er wird nur an der Einschlagöffnung fest sitzen. Eine Spaltwirkung tritt ein. Es ist keine stabile Verbindung.

Bild 4.7.2.11 Mit Löffelbohrern wurde noch am Anfang des 20. Jahrhunderts gearbeitet. Eine konische Geometrie der Bohrlöcher ist auch aus diesem Zeitraum nachweisbar. Zur Herstellung einer fachgerechten Holznagelverbindung muss die Geometrie des Bohrloches bekannt sein (konisch oder zylindrisch gebohrt).

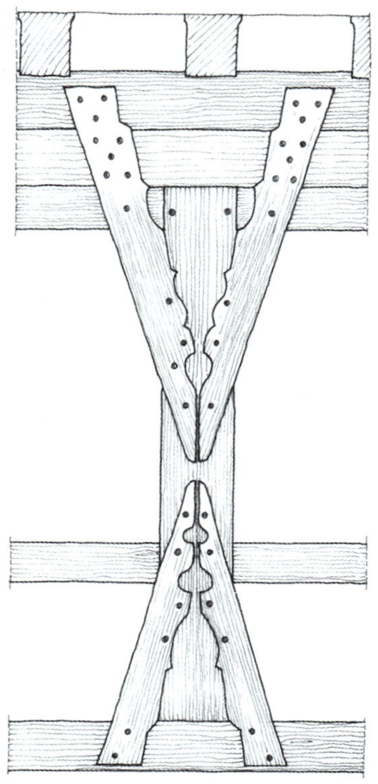

Bild 4.7.2.12 Mannfigur aus Ständer, Fuß- und Kopfstreben mit einem Nagelbild, das Solidität und Liebe zum Detail ausstrahlt. Geißlingen (nach: Phleps, H.)

Bild 4.7.2.13 Die angeformten Nagelköpfe (Diamantschnitt) sind ein hervorstechendes Merkmal in vielen Städten. Stein am Rhein

Bild 4.7.2.14 Detail: hervorstehende Holznägel ohne besonders geformten Kopf

Ein heute handbebeilt eingebautes Holzbauteil kommt einer Verfälschung gleich. Das ist kein Prinzip der Baudenkmalpflege.

Dass heute das Handwerkszeug auf der Baustelle aus den gleichen (natürlich kleineren) Maschinen besteht, wie sie seit über 100 Jahren in den Zimmereien werkstattüblich sind (Hobelmaschine, Bandsäge, Kettenstemmer usw.), ist doch die Grundlage dafür, die Arbeiten in vertretbarem Zeitaufwand zu erledigen. Das heißt keinesfalls, dass Klopfholz und Stecheisen ausgedient haben.

Welche unermessliche Bereicherung allein die Motorkettensäge ist, weiß derjenige, der bei Minusgraden und in 30 Meter Höhe einem verformten Fachwerkkirchturm die Eckständer auf einheitliche Höhe bringen musste.

4.7.2 Holznagelverbindungen

Das Zusammenfügen der Stäbe in dreidimensionalen Holzkonstruktionen hat sich über Jahrhunderte bewährt und erfuhr kaum Veränderungen. Selbst Schiffbau, Flugzeugbau und Fahrzeugbau verwendeten Holznagelverbindungen in ihren Produkten bis in die Mitte des 20. Jahrhunderts.

Im Fachwerkbau führten die Zimmerleute die notwendigen Handgriffe täglich aus, und die gesammelten Erfahrungen wurden von Generation zu Generation weitergegeben. Mit dem Niedergang der Fachwerkbauweise gingen die praktischen Kenntnisse vielerorts verloren. Das Wissen musste neu zusammengetragen werden.

In der Regel haben die Holznägel keine statische Funktion. Für das Aufschlagen (Richten) des Bauwerkes waren sie scheinbar unentbehrlich. Fachwerkkonstruktionen weitestgehend ohne Holznägel auszuführen, schlägt Fritz Kress bereits 1940 vor.

Bei Betrachtung des Baubestandes zeigen sich im Bereich der Bohrlöcher und Nägel häufig erhebliche Schäden. Wasser kann eindringen, das Holz fault im Inneren. Man findet Beispiele, bei denen die Holznägel absichtlich nicht gesetzt wurden.

Es ist also erforderlich, die Holznagelverbindung etwas genauer zu betrachten. Oft sind die Holznägel von Annobien zerstört. Verformungen des Wandgefüges führen zu ausgebrochenem Vorholz am Zapfen.

Für die richtige Wahl und Anfertigung der Holznägel ist die genaue Untersuchung des Bestandes erforderlich.

Wurden die Löcher mit dem Löffelbohrer hergestellt, waren sie leicht konisch. Hier muss auch ein passender konischer Nagel gesetzt werden. Ist das Bohrloch mit dem Spiralbohrer gebohrt, ist es zylindrisch und ein zylindrisch geformter Holznagel muss gefertigt werden.

Als Material für Holznägel kommen viele Holzarten infrage. Es wurde nicht nur Eichenholz verwendet. Die Holzart sollte nach dem Befund entschieden werden.

Ob ein Holznagel nach bestimmter Zeit nachgeschlagen werden muss oder nicht, ist wie folgt zu sehen. Nur der konisch gefertigte Nagel im konischen Bohrloch kann nachgeschlagen werden, wenn das durch Trocknung erforderlich wird. Der zylindrische Nagel kann nur ganz durchgeschlagen werden, fester wird er nicht. Also ist auf den gut vorgetrockneten Nagel Wert zu legen.

Weiterhin ist von Bedeutung, wann das Abnageln der Konstruktion erfolgen sollte. Hier gibt es auch unterschiedliche Auffassungen. Falsch kann es nicht sein, die Nägel einzuschlagen, wenn sich die Konstruktion gesetzt hat, also nach dem Herstellen der Gefachfüllungen. Damit erreicht man, dass auf den Holznagel kaum Scherkräfte wirken.

Die Betrachtungen zu den Holznagelverbindungen dürfen sich nicht auf das Handwerkliche beschränken. Mit den Holznägeln wurde auch Gebäudegestaltung betrieben. Das war den Ausführenden bewusst. Insofern ist es unsere Aufgabe, das Überlieferte zu erhalten.

Zur Fertigung der Holznägel siehe auch Abschnitt 3.12.

4.7.3 Arbeiten im vorhandenen Gefüge

Angenommen, alle Sicherungsarbeiten sowie die Bauteiluntersuchungen sind abgeschlossen, dann kann mit der Instandsetzung begonnen werden.

Entsprechend der Planung wird mit Kreide (keine Ölkreide) die Aufgabe auf die Bauteile übertragen. Das heißt, die zu erneuernden und die zu reparierenden Bauteile werden eindeutig gekennzeichnet. Dazu sind klare Regel und Absprachen zwischen den Beteiligten zu vereinbaren.

Bild 4.7.3.1 Der Turmaufsatz der ehemaligen Komtureikirche Lietzen war schwerst geschädigt und musste erneuert werden. Die Reste der Konstruktion konnten geborgen werden. In einer Werkstatt wurde die Rekonstruktion ausgeführt. Einige Schmuckelemente wie Gesimse und Konsole konnten wieder eingebaut werden. Ursache der Hauptschäden waren Kotablagerungen und Wassereintritt durch das defekte Schindeldach. Alle Holzverbindungen wurden traditionell ausgeführt. Zugverbindungen wurden mit Schraubverbindungen zusätzlich gesichert. Das Bild zeigt den Probehub vor dem Wiederaufbau 1988.

Bild 4.7.3.2 Es ist für alle Beteiligten immer ein stolzer Moment, wenn eine besonders schwierige Arbeit erfolgreich abgeschlossen werden kann. Ehem. Komturei Lietzen 1988.

Eine Gefachfüllung wird nur entfernt, wenn sie angezeichnet ist. Kein Stück Holz wird zertrennt, das nicht markiert ist. Auch der notwendige Ausbau von Deckenbauteilen wird so gehandhabt. Jedes Bauteil aller Flächen bekommt eine Kennzeichnung mit Kreide, so wird Missverständnissen vorgebeugt. Wichtige Arbeitssituationen (verdeckte Schadbilder) werden fotografisch festgehalten. Abweichungen von der Vorgabe sind durch den Bauherrn und das Denkmalamt zu sanktionieren. Außerdem muss der Architekt die Kostenkontrolle ausüben.

Die Instandsetzung eines Fachwerkhauses erfolgt in der Regel von unten nach oben. Auf einem instand gesetzten Fundament bzw. Kellermauerwerk kann mit dem Einbau der neuen Schwellenteile begonnen werden (die Arbeitsrichtung links- oder rechtsherum kann von der Art der Schwellenstöße abgeleitet werden). So arbeitet man sich um das Gebäude herum, wobei die Einbindungen aller Bundwände sorgfältig erfolgt.

Je nach Bauweise des Hauses ist örtlich zu entscheiden, ob in Abschnitten bis zur Traufe gearbeitet wird (es müssen ja auch funktionierende Sparrenfußpunkte hergestellt werden) oder ob geschossweise gearbeitet werden kann. Das liest sich einfach, doch die Kenntnisse und Fertigkeiten des Zimmermanns müssen umfangreich sein, um die geforderten Holzverbindungen ohne Schummeln überall herstellen zu können.

Auch der Holztransport über Gerüste auf engem Raum ist schwierig, die Hinweise im Abschnitt 4.4 Gerüstbau sollten beachtet werden.

Ein wertvolles Hilfsmittel zum Maßnehmen für ein Reparaturholz ist die Anfertigung einer Schablone (Sperrholz) vor Ort. Dadurch kann man sich manchen Weg mit einem schweren Holz ersparen.

In den als Anlage beigefügten Arbeitsblättern (Abschnitt 6) sind Konstruktionsdetails gezeigt, wie sie häufig verwendet werden. Diese Punkte zusammenzutragen, ist für die Rettung manches Hauses und für die Ausbildung der Restauratoren des Handwerks wichtig und lehrreich.

4.7.4 Umgang mit Verformung und Schrägstellung

Die Fähigkeit des Holzfachwerkes, sich zu verformen, zu drehen und zu reißen und trotzdem nutzbar zu sein, macht einen Teil seiner Faszination aus. Bei jeder anderen Konstruktion muss auf Abriss entschieden werden, während das vergleichbare Fachwerkhaus Instandsetzungsfähigkeit bescheinigt bekommt.

Doch die Wahrheit liegt manchmal woanders. Nicht selten wird das ungeliebte, unter Denkmalschutz stehende Fachwerkhaus per Gutachten in einer Weise beurteilt, dass es selbst dem Amtsrichter schwerfällt, den auf Abriss klagenden Investor zu durchschauen.

Fallbeispiel:

Da steht zu einem zweigeschossigen Ackerbürgerhaus von 6 Achsen fett gedruckt im Fachgutachten, dass 40 tragende Bauteile völlig ausgefallen sind, der Giebel 18 cm aus dem Lot steht und akute Einsturzgefahr bestünde. Meine Kontrolle am innerstädtischen Baudenkmal ergab, dass das Gebäude aus etwa 400 tragenden Holzbauteilen besteht (welches Teil ist nicht tragend?). Somit waren 10 % schwer geschädigt, das ist unter wirklichen Fachleuten ein guter Zustand. Das Haus gibt es nicht mehr.

Das Wichtigste ist also schon gesagt. Das Haus kann mit seiner Verformung leben, doch können wir das auch? Die Forderungen nach Richten, Anheben, Geradebiegen, Zurückholen u. Ä. sind mit Vorsicht zu prüfen. Eine Konstruktion mit gestoßenen Deckenbalken wird man schon anheben können, um neue Schwellen unterzusetzen. Haben wir, wie es häufig der Fall ist und durch Untersuchung festgestellt werden muss, durchgehende Deckenbalken, so muss vor einem Geradebiegen gewarnt werden. Diese Verformung ist nicht rückholbar, ohne Schäden zu verursachen, da es im Reparaturfall ja immer um ein gewaltsames Arbeiten geht.

Mit den Schrägstellungen ist es ähnlich. Diese sind aus veränderten Lastfällen infolge des Versagens einzelner Bauteile und Verbindungen entstanden. Die Reparaturen aller Generationen haben diese Verformungen zum Bestandteil des Gebäudes gemacht. Häufig sind auch Fenster und Türen diesen Veränderungen angepasst. Es bedarf also gründlicher Überlegungen, mit welchen Konsequenzen alle Arbeiten verbunden sind.

Im Zusammenhang mit einer Gebäudeinstandsetzung muss die Standsicherheit des Gebäudes als wichtigstes Instandsetzungsziel verfolgt werden. Sind vorhandene Verformungen unter dem statischen Aspekt hinnehmbar, sollten sie belassen und integriert werden. Es gibt auch keinen Grund, diese durch Aufbohlungen, Putzkapriolen oder Bemalungskünste zu kaschieren. Siehe auch Abschnitt 2.10 Statik des Hauses.

4.7.5 Pilzbefall bekämpfen

Eine Bekämpfung der holzzerstörenden Pilze hat das Ziel, die Wiederholung des Befalls möglichst auszuschließen. Ohne die Ursachen zu kennen und auszuschalten, wird das nicht gelingen.

Sicher ist, dass diese Ursachen in den Bereichen Konstruktionsfehler und vernachlässigte Gebäudepflege liegen. In der Regel wurden sie bei der Zustandsanalyse des Gebäudes festgestellt. Natürlich muss auch die Pilzbestimmung durch den Fachmann erfolgen, um optimal vorgehen zu können.

Bekämpfen heißt in erster Linie nicht, mit Gift zu arbeiten, sondern die Wachstumsbedingungen zu beseitigen.

Befall durch den Echten Hausschwamm *(Serpula lacrimans)* ist eine besondere, immer kritische Situation. Um dies vor Ort zuverlässig festzustellen, bedarf es eines Fachmannes. Ob und wieweit befallene Teile zu entfernen sind, kann nur örtlich entschieden werden. Die notwendigen Maßnahmen sind für alle in Mitleidenschaft gezogenen Bauteile festzulegen. Ferndiagnosen sind unseriös. Die Anforderungen an die Entsorgung befallener Restmaterialien sind zu klären. Vom Echten Hausschwamm befallener Bauschutt darf nicht zu einer Verschleppung des Befalls führen. Das Material darf also nicht wiederverwendet werden. Mineralische Baustoffe können normal deponiert oder sogar als Straßenbaumaterial usw. aufbereitet werden. Konstruktionsholz ist entsprechend seiner Kategorie gemäß Altholzverordnung zu entsorgen. Hausschwammbefall an sich begründet keine Einstufung als „gefährlicher Abfall“.

4.7.6 Schadinsekten bekämpfen

Nicht alles, was lebend im Holz gefunden wird, sind Schädlinge. Man unterscheidet holzbewohnende und holzzerstörende Insekten. Die Holzzerstörer, die tätig waren oder sind, kann man an den Fluglöchern, am Nagsel (Auswurf), an toten Tieren, an Geräuschen und an den Schadbildern im Holz erkennen.

Ob lebender Befall im Holz vorhanden ist, muss exakt bewiesen sein, bevor bekämpfend vorgegangen wird.

Die Lebensbedingungen der Schädlinge zu beseitigen ist schwierig, aber machbar. Der Fachmann wird den Bauherrn hier sorgfältig zu beraten haben.

Eine Bekämpfung kann durch eingebrachtes Gift, Begasungsverfahren oder thermische Behandlung wie Heißluft- oder Mikrowellenverfahren erfolgen.

Welche Methode angebracht, also erfolgversprechend ist, wird vom Fachmann vor Ort vorgeschlagen und ist nicht zuletzt von den örtlichen Gegebenheiten abhängig.

Besteht die Auffassung, dass jedes befallene Holzbauteil auszuwechseln sei, sollte man dem energisch widersprechen. Teilweise tragen diese befallenen Bauteile das Gebäude seit Jahrzehnten ohne negativen Einfluss. Jede Generation muss an einem Gebäude Schäden aufspüren und beseitigen. Es gibt keine Instandsetzung für immer.

Siehe auch Abschnitt 4.6.3.

4.7.7 Bebeilen

Das Bebeilen von geschädigten Balken wird damit begründet, dass vermulmtes (durch Schadorganismen angegriffenes) Holz zu beseitigen ist, damit auf den Holzoberflächen Holzschutzmittel wirksam aufgebracht werden kann. Ob es dabei um eine vorbeugende oder um eine bekämpfende Maßnahme geht, ist erst mal nicht entscheidend.

In jedem Fall führt das Bebeilen zu einem ästhetischen Verlust, der in der Arbeit am Baudenkmal zu unterlassen ist. Hier muss sich der Architekt bzw. Ingenieur etwas anderes einfallen lassen.

Ist der Restquerschnitt noch tragfähig, aber ohne lebenden Befall, warum sollte er dann bebeilt werden? Ist der Restquerschnitt nicht mehr tragfähig, muss er sowieso ausgewechselt werden.

Ist das Bauteil noch tragfähig, aber nachweisbar befallen, ist doch wichtig zu wissen, wodurch befallen. Ist es der Hausbockkäfer *(Hylotrupes bajulus)*, so wissen wir, dass er Kernholz ungeschoren lässt. Sicher kann man auch mit dem unbebeilten, aber im Splintholz geschädigten Balken leben.

Außerdem gibt es Möglichkeiten, einzelne Bauteile bekämpfend zu behandeln, z. B. mit Heißluft. Die Geometrie des Balkens bleibt so erhalten.

Hier sollte mit Verstand respektvoll und angemessen am Bauwerk entschieden werden.

5 Fehler und Mängel an historischen Holzkonstruktionen

Bei der Vorbereitung einer Restaurierungs-, Instandsetzungs- oder Rekonstruktionsarbeit ist neben der Bestandsaufnahme, der Schadbildkartierung und der Verformungsmessung auch eine Analyse der Konstruktion nach Fehlern vorzunehmen. Fehler in diesem Sinne sind einige aus Tradition stets wiederholte Konstruktionsprinzipien und Holzverbindungen, die sich über lange Zeiträume als problematisch darstellen.

Ein weiterer kritischer Punkt sind willkürliche Veränderungen, in der Regel ausgebaute Bauteile wie Spannbalken und Balkenschlösser, Verstrebungen in Wand und Dach, Dielungsebenen und anderes. Ebenso kritisch sind ausgeführte Reparaturen und hinzugefügte Sicherungskonstruktionen zu bewerten. Häufig wurde keine dauerhafte Lösung erreicht bzw. angestrebt. Befindet sich eine Konstruktion im denkmalgeschützten Objekt, ist auch hier eine sorgfältige Abstimmung vor der Planung vorzunehmen, um Originalsubstanz zu erhalten, und es kann durchaus sein, dass selbst eine spätere Sicherungskonstruktion zu erhalten ist.

Vorgefundene Fehler und Mängel, die der Konstruktion nachhaltig Schaden zufügen können, müssen besonders bewertet und weitestgehend abgestellt werden.

Nachfolgend ein paar kritische Punkte:

5.1 Ungenügende Gründung

Die Bewertung eingetretener Setzungen ist eine Voraussetzung jeder Planung. Besonders Fachwerkhäuser erhielten oft sehr sparsame Gründungen. Soweit ohne Keller gebaut wurde, lagen die Grundschwellen häufig nur auf großen Steinen, die unter den Schwellenecken, den Wandanschlüssen und den Stößen angeordnet wurden. Die Elastizität der Fachwerkkonstruktion glich die entstehenden Bewegungen aus. Risse und Verformungen galten nicht als Mangel, sondern als konstruktionstypisch. Die Gebäudepflege in Form regelmäßiger Reparaturen und Neuanstriche erledigte der Bewohner als Eigentümer mit Selbstverständlichkeit.

Erst in Konkurrenz zum Massivgebäude führten die negativen Eigenschaften des Fachwerkhauses zur allgemeinen Ablehnung der Konstruktion. Die Errichtung massiver Sockel oder ganzer Sockelgeschosse war eine Lösung. Sind nennenswerte Verformungen und damit verbundene Risssituationen vorgefunden worden, sollte eine Stabilisierung angestrebt werden, eine Rückverformung ist auszuschließen. Die Fundamentsicherung (Tiefergründung) ist in der Regel mit üblichen Handwerkstechniken möglich.

Bei den innen liegenden Wänden kann bei Frostfreiheit eine einfache Gründung in Form eines Unterbetons oder einer Rollschicht ausreichen. Sind durch Setzungen Brüche aufgetreten (Rähme, Pfetten), sind konstruktive Sicherungen vorzunehmen. Diese sollten vorwiegend aus Holzbauteilen bestehen, da Stahl die Eigenschaft der Elastizität mindert.

5.2 Verloren gegangener Spritzwasserschutz

Überall, jedoch besonders in den ländlichen Regionen ist zu beobachten, dass durch Straßenbaumaßnahmen die unerlässlichen Spritzwasserschutzbereiche zwischen Grundschwelle und Erdreich verschwinden. In nicht nachvollziehbarer Rücksichtslosigkeit geschieht das, seit es Straßen- und Wegebau gibt. Obwohl das einer Sachbeschädigung gleichkommt, unterliegen die Hauseigentümer regelmäßig.

Problematisch ist eine Berichtigung der Schwellenhöhe innerhalb geschlossener städtischer Bebauung. Hier ist eine baurechtliche Regulierung für die gesamte Häuserzeile notwendig. Ist eine solche Situation erst einmal eingetreten, wird guter Rat teuer. Oft hilft nur ein massiver Kanal mit einer Dränageleitung, um eine unzulässige Durchfeuchtung zu mindern. Eine nicht vertretbare Lösung ist das Hochlegen der Grundschwelle nach dem Einkürzen der Wandständer. Der damit verbundene Eingriff in die Gebäudeansicht kommt einer Zerstörung der Fassade gleich.

5.3 Mangelhafte Anordnung aussteifender Wandbauteile

Bei der Untersuchung von Ursachen für eingetretene Verformungen ist die Anordnung der aussteifenden Bauteile zu betrachten (das gilt ebenso für Dachtragwerke). Hier kann man feststellen, dass nicht immer nach einem logischen System gearbeitet wurde. So können die Streben alle in einer Richtung verlaufen oder in Wänden völlig fehlen. Besonders bei aufgenagelten Streben in Dachkonstruktionen kann das zur völligen statischen Unwirksamkeit führen.

Die Sicherung ist vielfältig möglich; neben Ergänzungen, die sichtbar sind, kann auch mit verdeckt eingebauten Konstruktionen gearbeitet werden. Da es sich in der Regel um „ungebändigte" Zugkräfte handelt, ist der Einbau sichtbarer Zugseile ein Lösungsansatz, der die geringste Störung in der vorhandenen Bausubstanz darstellen kann. Derartige Denkansätze sind auch für die Aufnahme von Biegekräften denkbar. Diese zusätzlichen Konstruktionen müssen oft die Anforderungen des Brandschutzes erfüllen, was die Materialauswahl mitbestimmt.

5.4 Zu große Spannweiten von Deckenbalken, Dachspannbalken und Stuhlrähmen

Zur Standsicherheit von Holzkonstruktionen gehört das Vermeiden unzulässiger Durchbiegungen. Diese heute allgemeingültige Regel ist im historischen Holzbau nicht immer eingehalten worden. Oft werden mit Holzbauteilen Spannweiten überbrückt, die heute jedem Statiker die Zulassung kosten würden. Dass diese Bauwerke oft Jahrhunderte überdauert haben, ist kein Argument dafür, dies unbesehen zu belassen. Die Erkenntnisse über sicheres

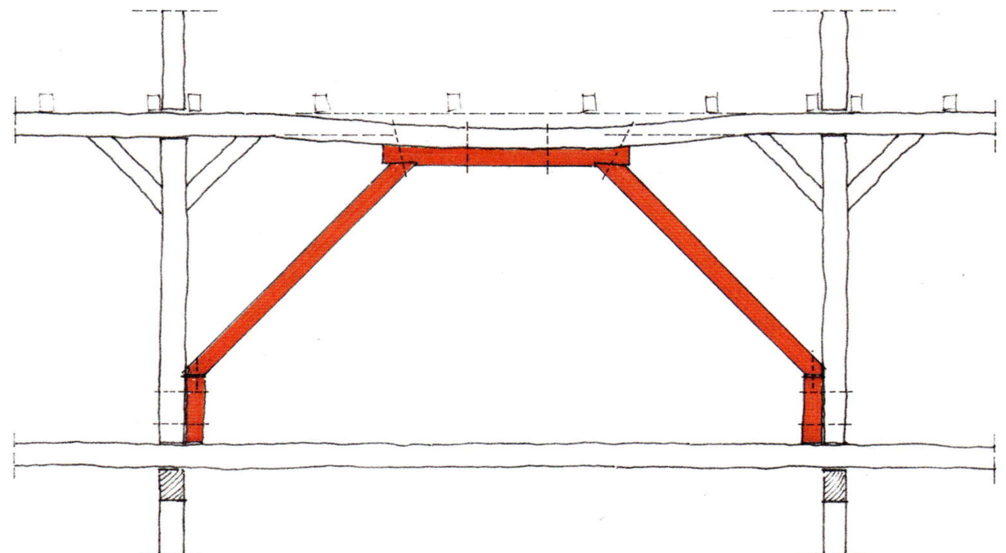

Bild 5.4.1 Statische Sicherung einer Verformung. Rähmquerschnitt und Spannweite sind trotz der beiden Kopfbänder nicht tragfähig. Es wurde eine Zusatzkonstruktion angeordnet, die die Spannweite abmindert. Die historische Konstruktion bleibt, wenn auch mangelhaft erhalten.

Bauen wurden über die Jahrhunderte auch mit katastrophalen Einstürzen von Bauwerken bezahlt. Die Gefahr derartiger Einstürze ist auch heute nicht gebannt. Dies trifft für Fachwerkbauten zwar kaum zu, denn ein Fachwerkhaus kann kaum plötzlich in sich zusammenfallen.

Oft wurde die Stabilität der Gebäude durch starke Überdimensionierung der einzelnen Bauteile erkauft, was auch die Ursache dafür ist, dass bei einem Fachwerkhaus sehr viele Bauteile durch Schädigung ausfallen können, und das Gebäude steht immer noch.

Werden unvertretbare Durchbiegungen festgestellt, muss davon ausgegangen werden, dass durch eine weitere Gebäudealterung (verbunden mit nicht aufzuhaltender Holzschädigung) der Zustand immer kritischer wird. Hier sind Sicherungsüberlegungen anzustellen, die der Situation angemessen sind. Schon eine Minderung von Verkehrslasten kann dauerhaft Abhilfe schaffen. Selbst zur Sicherung bereits eingebaute Überzüge benötigen oft eine eigene Sicherung, da die eingetretene Durchbiegung das erfordert.

Bild 5.4.2 Muss die unzulässige Durchbiegung von Dachstuhlrähmen gegen Brüche gesichert werden, kann eine sichtbare Zusatzkonstruktion angeordnet werden. Das Auswechseln der Rähme ist nicht die Vorzugslösung.

5.5 Ausgebaute Bauteile

Anhand vorgefundener Blattsassen und Zapfenlöcher sind entfernte Bauteile gut zu bestimmen. Diese Erkenntnisse sind in dem Aufmaß mit darzustellen. Die Ursache des Ausbaus wird in der Regel unbekannt bleiben, es sei denn, Fenster oder Türen wurden später eingefügt. Der Wiedereinbau und der Rückbau der Veränderung ist das zweckmäßigste Herangehen, auch wenn eigentlich überholte Verbindungen wie Schwalbenschwanz oder Weichschwanzblatt herzustellen sind. Besonders die Gebäudeansicht wurde häufig durch derartige Eingriffe unzulässig verändert. Soweit ein Ersatz eines ausgebauten Bauteils nicht mehr möglich ist, muss die Stabilität der Konstruktion gewährleistet bleiben, und andere Bauteile müssen die Funktion übernehmen. Aussteifende Streben können z. B. innen eingeblattet werden und in der Innendämmung „verschwinden".

5.6 Bewertung vorgefundener Reparatursituationen

Reparaturen mussten oft mit geringem Aufwand, „das Schlimmste verhindernd", ausgeführt werden; und es war nicht immer der versierte Zimmermann, der beauftragt wurde. Nicht selten war es der Schmied, der an den kritischsten Stellen ein Band umlegte oder einen Anker einbaute. Diese Anker nahmen erst Last auf, wenn die Verformung weiter fortgeschritten war, denn Spannglieder gab es kaum.

Eine Art der „Reparatur" war das Übernageln der faulen Stellen mit Brettern oder Bohlen – die Aufbohlung. Dies ist an den Stahlnägeln und den fehlenden Holznagelbohrungen gut zu erkennen. Hinter diesen Aufbohlungen sammelte sich häufig das Wasser, und der Verfall wurde beschleunigt.

Die erneuerten Bauteile wurden nicht immer mit Zapfen und Vernagelung eingefügt, denn das macht erheblich mehr Arbeit als ein stumpfes Einsetzen mit Stichnagel.

Bild 5.6.1 Hat sich das Gebäude bedenklich in eine Richtung geneigt, wurde in der Vergangenheit zuerst der Schmied gerufen, um schnell eine Sicherung anzubringen. Eine Reparatur vom Zimmermann wäre erheblich teurer, würde sie korrekt ausgeführt. Solche Reparaturen sind an sehr vielen Gebäuden zu sehen. Wir sollten sie dokumentieren, belassen kann man sie häufig nicht.

Bild 5.6.3 Eine fast 300 Jahre alte Eichenschwelle zeigt an der Oberfläche ihr Alter und die Gebrauchsspuren. Da sie voll tragfähig ist, wurde sie belassen.

Bild 5.6.2 Diese Reparaturverbindungen sind in unverantwortlicher Weise „zusammengepfuscht“ worden. Sie wurden auf Kosten des Baubetriebes rückgebaut.

Fallbeispiel:

Eine solche Situation wurde an einer 21 m langen und 3 m hohen, zweifach ausgeriegelten Fachwerkwand vorgefunden, die nur mit Stichnägeln zusammengehalten wurde. Offensichtlich hat das Gewicht der Backsteinausmauerung das Gebilde zusammengehalten. Besteht in solchen Fragen Unsicherheit, so kann mit einem Stahllineal (0,3 mm dick) die Fuge auf Befestigungsmittel kontrolliert werden.

Bild 5.6.4 Typischer Reparaturfehler: Der erneuerte Ständer wird ohne Zapfen angeschlossen. Das Nagelloch des ursprünglichen Zapfens ist noch vorhanden.

5.7 Nachträglich errichtete Sicherungskonstruktionen

Als Sicherungskonstruktion sind solche Bauteile zu bezeichnen, die zur Verhinderung oder Minderung eingetretener erheblicher Verformungen und zum Schutz vor zu erwartenden Brüchen eingebaut wurden. Das heißt, sie dienen der Abwehr der Akutsituation mit partieller Einsturzgefahr. Derartige Konstruktionen können horizontal, vertikal und/oder diagonal angeordnet sein. Das Alter solcher Konstruktionen ist oft erheblich, und es ist nicht selten, dass diese bereits marode sind.

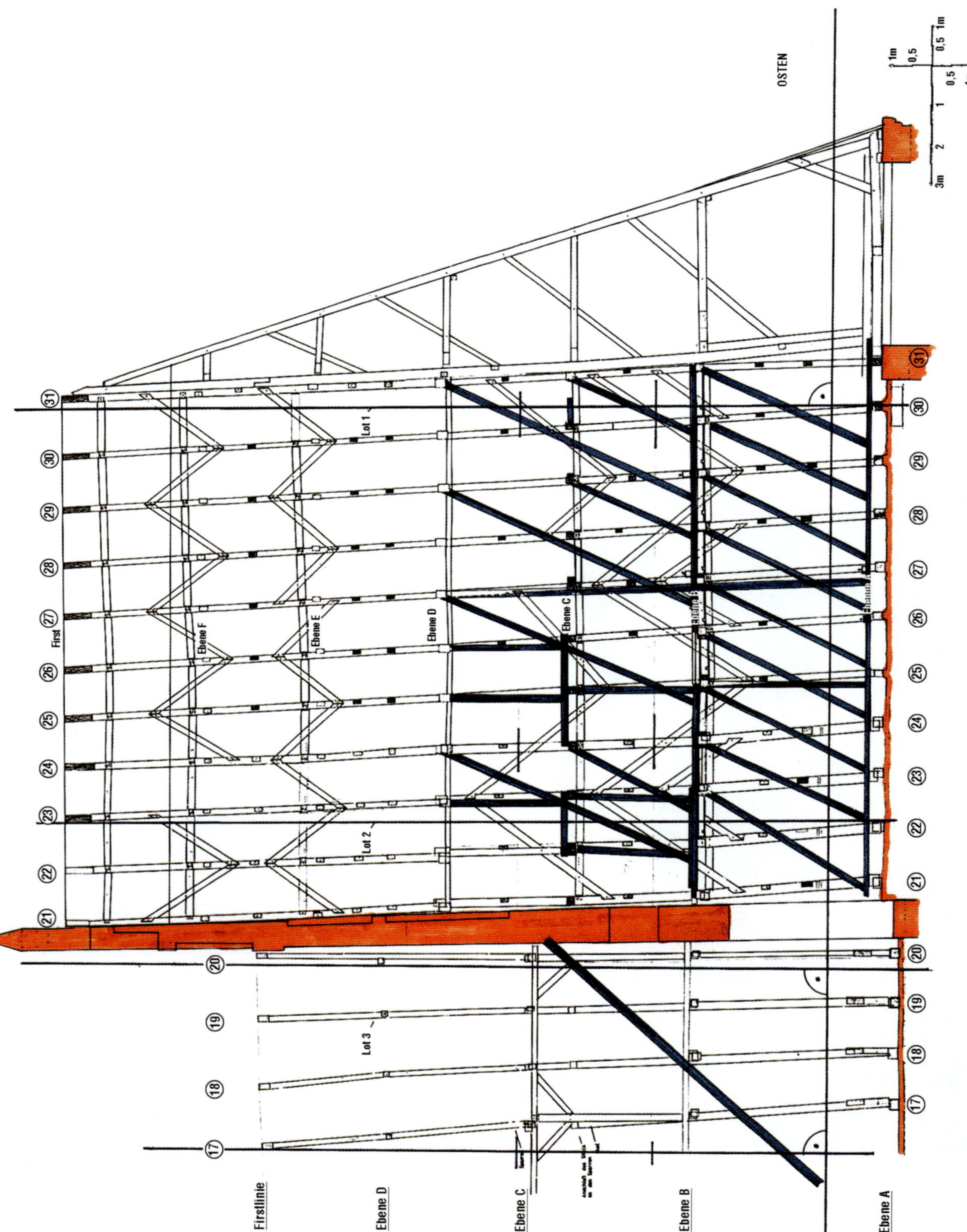

Bild 5.7.1 Ein gotisches Dachtragwerk (14. Jh.) ist instand zu setzen. Starke Verformungen aus Konstruktionsmängeln sowie Substanzverlust infolge schweren Hausschwammbefalls veranlassten den Einbau verschiedener Sicherungen über die Jahrhunderte. Die Tragfähigkeit des Daches sowie der Sicherungskonstruktion waren nicht mehr gegeben. Die Schrägstellung des Trenngiebels war mit 960 mm bedenklich. Zum Ziel der Instandsetzung gehörte der Ausbau der Zusatzkonstruktionen (blau dargestellt).

Fallbeispiel:
In einem gotischen Dachtragwerk, das zu den fachwerktypischen Konstruktionen zählt, von etwa 25 m Höhe wurden in mehreren Ebenen diagonal verlaufende Zugsicherungen mit Stahlseilen vorgefunden, von denen nicht eine auch nur annähernd gespannt war. Die ohne Korrosionsschutz etwa um 1900 eingebauten Stahlseile und die Art der Befestigungspunkte konnten die Anforderungen nicht erfüllen. Spuren einer Wartung waren nicht erkennbar. Dass das Dach trotzdem noch steht, ist der soliden Bauweise zu verdanken, die ausreichende Tragreserven aufweist. Auf solche Umstände kann man sich aber nicht verlassen.

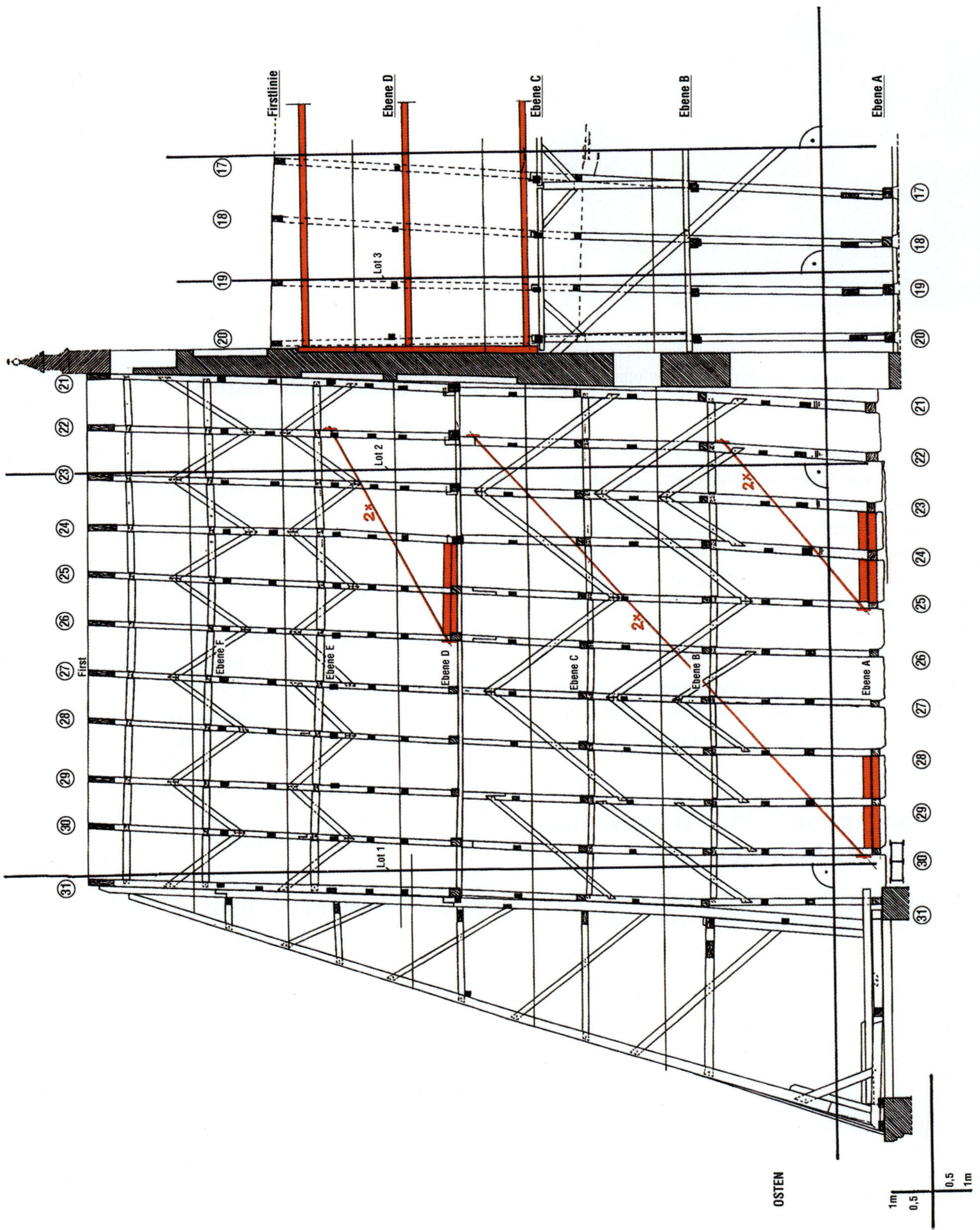

Bild 5.7.2 Nach der Herstellung der Tragfähigkeit der zur ursprünglichen Konstruktion gehörenden Bauteile wurde, unter weitestgehender Belassung der Verformung, eine Sicherungskonstruktion aus 6 Stahlseilpaaren eingebaut und vorgespannt. Der Trenngiebel bekam eine Horizontalabsteifung gegen die im Westen vorhandenen Doppeltürme.

Bild 5.7.3 Die Grundschwelle verfault, das Rähm gibt nach, der Sparren rutscht nach unten, anliegende Holznagelverbindungen werden abgeschert, und das ganze Dach ist auch verformt: kleine Ursache – große Wirkung.

Eine andere Form von Sicherungsabsteifung, die vorwiegend in Dachkonstruktionen angewendet wurde, sind diagonale Rundholzstreben in Treibladen (Arbeitsblatt 2). Nicht selten verlieren diese ihre beabsichtigte Wirkung, wenn z. B. die Deckenbalkendurchbiegung zunimmt und sich die Keile lösen. Wird eine sorgfältige Instandsetzungsarbeit geplant und ausgeführt, sollte im Ergebnis keine Fremdkonstruktion mehr erforderlich sein.

Regelmäßige Kontrolle und Wartung von Gebäuden sollten selbstverständlich sein, sind es aber überhaupt nicht. Derartige Versäumnisse werden stets teuer bezahlt.

5.8 Anordnung von Stößen in horizontal gespannten Bauteilen

Die Anordnung ist damit begründet, dass das Holz nicht beliebig lang ist und zur Verlängerung ein Stoß herzustellen ist. Stöße müssen aber zwingend an der konstruktiv richtigen Stelle liegen und dürfen nicht willkürlich gesetzt werden. Da Stöße auf Zug, Biegung und gegen seitliches Verschieben gesichert sein müssen, gibt es auch konstruktive Anforderungen im Detail (siehe Abschnitt 3.11 Holzverbindungen). Einige in den Arbeitsblättern dargestellte Beispiele zeigen die Gedankenlosigkeit, mit der Balkenstöße angefertigt wurden. Werden solche Fehler unverändert belassen, ist der nächste Schadenfall in Aussicht.

Besteht Denkmalschutz, sollte es das Ziel sein, fehlerhafte Details als wichtiges historisches Dokument zu belassen und mit sichtbar hinzugefügten Sicherungen zu reagieren.

5.9 Absetzen von Einzellasten auf frei gespannten Balken

Es gehörte zu den Selbstverständlichkeiten, dass tragende Ständer mit Decken- und Dachlasten auf einzelne Deckenbalken mittig abgesetzt wurden. Die Folgen konnten nicht unbekannt sein, denn Durchbiegung, Rissbildung, Putz- und Anstrichschäden mussten sich sehr bald einstellen. Regelmäßig wurde dem Übel mit einfach angebolzten Überzügen (Holz oder Stahl) begegnet. Dass man dadurch ein Hindernis auf dem Speicher (Boden) bekam, war anscheinend unerheblich. Da die Böden auch zur Getreidelagerung benutzt wurden, verstärkten diese Lasten die Schäden.

Wird eine solche Situation angetroffen, muss geklärt werden, welche Verkehrslasten zukünftig aufgenommen werden müssen, um eine geeignete Lösung zu suchen. Da technisch fast alles machbar ist, muss das Kriterium der Vertretbarkeit herangezogen werden. Ist bereits ein Bruch eingetreten, muss eine statisch nachgewiesene neue Verbindung hergestellt werden, die möglichst aus dem gleichen Holz wie die Hauptkonstruktion herzustellen ist.

5.10 Deckenbalkenstoß auf Mittelwänden

Die Annahme, „die werden das schon richtig gemacht haben", ist kein akzeptabler Planungsansatz. Spätestens wenn Gebäudeteile bei Handwerksarbeiten geöffnet werden, kann die Überraschung da sein. Ein Beispiel dafür ist die Frage, ob die Deckenbalken auf der Mittelwand (unter der Dielung) einen Stoß haben oder durchgehend eingebaut wurden. Da findet man stumpfe Stöße ohne Verbindungsmittel, Überblattungen, seitliche Nagelungen mit Laschen, von oben eingetriebene Bauklammern, seitlich zusammengenagelte oder gebolzte Deckenbalkenenden und andere Varianten. Für das Tragverhalten einer Fachwerkkonstruktion ist aber davon auszugehen, dass die Deckenkonstruktion eine zug- und druckfeste Scheibe darstellt, was eine entsprechende Stabilität des Balkenstoßes voraussetzt. Diese Verbindungen sind mit einfachen Mitteln gut herstellbar, dürfen aber nicht übersehen werden.

5.11 Verwendung liegender Balkenquerschnitte (Breite › Höhe)

Baukonstruktionen bis in das 18. Jahrhundert (teilweise auch später noch) wurden ohne statische Nachweise geplant und ausgeführt. Dass Deckenbalken mit der breiten Seite aufliegend eingebaut wurden, verwundert den Fachmann heute – weiß man doch, dass der Balken, auf die schmale Seite gestellt, gut das Doppelte tragen könnte. Nun muss man das nicht als Fehler ankreiden, denn ihre Aufgabe erfüllten diese Balken stets. Eine Änderung der Situation wäre demnach unangemessen. Sollte die Durchbiegung jedoch unverantwortlich fortgeschritten sein, muss auch hier Abhilfe geschaffen werden.

5.12 Von außen unterlüftete Holzdielung

Die im Außenputz eingesetzten Lüftungsrahmen in Fußbodenhöhe verraten dem Fachmann die „Holzfußbodenunterlüftung“. Die eigentlich gute Absicht, eingebautes Holz zu belüften, um es vor tierischem und pilzlichem Befall zu bewahren, kann in das Gegenteil umschlagen. Wenn unter dem Fußboden des nicht geheizten Raumes die warme Frühlingsluft streicht, kann es an der Fußbodenunterseite durchaus zu Schwitzwasserbildung kommen. Wer quadratmetergroße Myzelbildungen des Echten Hausschwammes an der Holzunterseite schon gesehen hat, nimmt auch dieses Detail ernst. Der Holzfußboden ist generell mit der Rauminnenluft zu umspülen. Dazu dienen Schlitze in der Scheuerleiste und eine unverbaute Höhe unter den Dielungsbrettern von 3 cm bis 5 cm. (siehe Arbeitsblatt 6.2.4)

5.13 Dränageöffnungen im Holzbau

Der Begriff der Dränage für Zapfenlöcher ist vor etwa 35 Jahren in die Fachsprache aufgenommen worden.

Die Beschäftigung mit den gravierenden Schadbildern an Zapfenanschlüssen führte zu der Erkenntnis, dass das eindringende Wasser umgehend abgeleitet werden muss, um diese großen Schäden zu vermeiden. Inzwischen wird die notwendige Dränage in der Fachliteratur behandelt. In der Praxis muss festgestellt werden, dass die gleichen Fehler landauf, landab immer noch gemacht werden, als gäbe es diese Hinweise nicht. Selbst für alle vorhandenen historischen Zapfenanschlüsse sollte das Bohren von Dränagelöchern nachgeholt werden, das wäre Schadensbegrenzung mit geringstem Aufwand. Spätestens bei Reparaturarbeiten ist darauf zu achten. Das eingedrungene Wasser darf aber nicht auf darunterliegende Holzbauteile abgeleitet werden.

Vorrangig ist eine Konstruktion zu wählen, die einen Wasserstau im Zapfenloch vermeidet. Die folgenden Bilder zeigen ein ausgeführtes Beispiel.

Bild 5.13.1 Typischer Schaden im Grundschwellenbereich. Hätte das Zapfenloch eine Dränagebohrung, gäbe es derartige Schäden nicht. Alle vorhandenen intakten Anschlüsse sollten nachträglich eine Dränagebohrung erhalten.

Bild 5.13.2 Besteht die Forderung/der Auftrag, ein neues Fachwerkhaus zu errichten, ist verbindlich darauf hinzuweisen, dass der Grundanforderung zum Witterungsschutz aus DIN 68800-2 nicht entsprochen werden kann!

Bild 5.13.3 Detail zu Bild 5.13.2

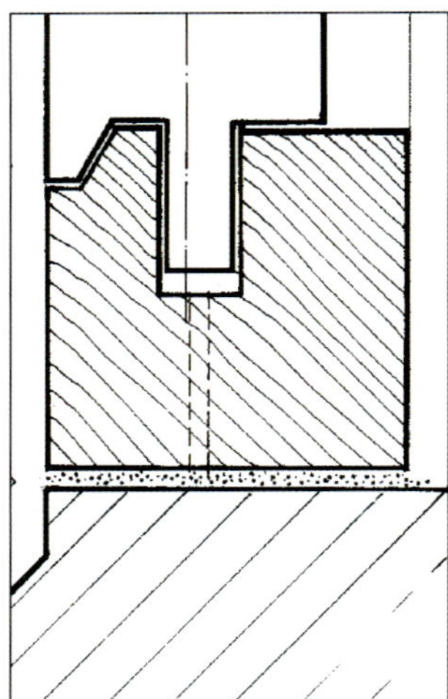

Bild 5.13.4 Diese Ausbildung des Ständers vermeidet die offene Fuge zur Schwelle (vgl. Arbeitsblatt 27). Das Bohrloch im Sockelmauerwerk dient nur der Wasserableitung von der Bodenplatte während der Bauzeit.

5.14 Verwendung unterschiedlicher Bauholzarten

Bei der Ausführung notwendiger Reparaturen ist es auch zum Einsatz ungewöhnlicher Bauhölzer gekommen. Deckenbalken aus Pappelholz, Kastanie, Erle und anderen, eigentlich ungeeigneten Hölzern sind zu verzeichnen. Werden nun Tragfähigkeitsnachweise erforderlich, kann das zur Tücke werden. Besteht also auch nur der geringste Verdacht, sollte ein Forstfachmann zurate gezogen werden, denn das Unterscheiden von Holzarten im eingebauten Zustand ist eine sehr spezielle Leistung.

5.15 Einbau von kerngeschädigtem Holz

Unangenehme Überraschungen besonderer Art sind kerngeschädigte Bauteile. Die Ursache kann bereits im Befall des frisch geschlagenen Holzes durch Blättlinge liegen. Von außen nicht sichtbar werden tiefe Hohlräume in den Balken entdeckt, sobald Gesimsbretter oder Balkenkopfabdeckungen abgenommen werden müssen. Die angenommene Tragfähigkeit wird sofort infrage gestellt, das ganze Baukonzept muss gegebenenfalls überarbeitet werden. Die geschädigten Teile auszuwechseln ist ein erheblicher Aufwand, der nicht zu umgehen ist. Die Baukosten geraten in neue Dimensionen. Diese Situation im Vorfeld zu erkennen, erfordert etwas Erfahrung und Übung.

Bild 5.15.1 Bei der Arbeit des Handwerkers im Bestand werden oft im Kernbereich geschädigte Bauteile vorgefunden. Das sind böse Überraschungen. Der erfahrene Holzschutzfachmann kann mit gründlicher Untersuchung Derartiges rechtzeitig genug feststellen.

Bild 5.15.2 Wuchsfehler im Holz sind zwar seltener, führen aber auch zu Gebäudeschäden. Ein Ersatz des beschädigten Holzes ist rechtzeitig vorzunehmen.

Bild 5.15.3 Die Schäden im Holzbau setzen sich in der Regel aus unzulässiger Verformung, biotischen und abiotischen sowie mechanischen Schädigungen zusammen. Die Ursachen sind einzeln zu ermitteln und abzustellen.

Schlägt man das Holz mit dem Hammer vorsichtig an und vergleicht den Klang mit dem von gesundem Holz, ist eine Möglichkeit aufgezeigt. Eine weitere Möglichkeit ist das Anbohren mit einem Holzbohrer 4 mm bis 6 mm, um anhand der Farbe und des Geruchs der ausgeworfenen Späne eine Schädigung zu erkennen.

Zuverlässig ist die Kontrolle mit der Bohrwiderstandsmessung oder dem Endoskop, die Einblicke in das Holzinnere ermöglichen, aber ausreichend Arbeitserfahrung erfordern.

5.16 Anbauten an Fachwerkgebäuden

Anbauten wie Überdächer für Türen und Treppen, Carport, Schuppen, Müllbox und Ähnliches führen in der Regel zu spritzwassergefährdeten Bereichen an der Fassade.

Vorkehrungen als Schutz gegen Feuchtigkeit werden bei Anbauten kaum getroffen, da die Situation falsch eingeschätzt wird. Die dauerhafte unkontrollierte Durchfeuchtung bringt erhebliche Schäden.

Bild 5.16.2 Schaden durch eine Hofmauer, die das Fachwerkgebäude berührte. Die Schwelle war seit Längerem Totalverlust.

Bild 5.16.1 An dieser Wand war eine kleine Laderampe angebaut. Das Ergebnis ist im Bild zu sehen.

Bild 5.16.3 Zu den bekannten Übeln gehört der Anbau an ein Fachwerkhaus. Das hier gezeigte Überdach bildete einen Spritzwasserbereich am Giebel. Die Schwelle war 100 % geschädigt.

Bild 5.16.4 Der Stahlbalkon am Fachwerkhaus ist gewöhnungsbedürftig. Die Feuchtigkeit zwischen Holz und Stahl ist wohl nicht kontrollierbar. Vielleicht ist das Fachwerk nur eine vorgeblendete Schale und der Balkon ist durchgesteckt. Nachahmung nicht empfohlen. Stade

Bild 5.16.5 Giebelansicht nach der Instandsetzung zu Bild 5.16.3
Ältestes Pfarrhaus im Oderbruch, Altfriedland.

6 Arbeitsblätter

6.1 Vorbemerkungen

Die Arbeitsblätter sind Ergebnisse aus der praktischen Arbeit sowie Vorschläge für Planer und Bauausführende.

Die Arbeitsblätter sind keine maßstabsgerechten Zeichnungen.

In den Reparaturbeispielen ist das Altholz mit einer Längsschraffur versehen.

Um Einzelheiten deutlich zu machen, sind die Verbindungen auch „aufgeschnitten" dargestellt.

Die Anordnung von Holznägeln ist unterschiedlich dargestellt, es sind die regionalen Besonderheiten zu beachten. Verbindungsmittel sind in Zusammenarbeit mit einem Statiker entsprechend dem konkreten Bauvorhaben zu dimensionieren.

Die gezeigten Verbindungen, insbesondere Anschuhungen, sind in der Regel vertikal, horizontal und diagonal anwendbar.

Zur Lösung von konkreten Reparaturaufgaben sind die einzelnen Details auch miteinander zu kombinieren.

Für eine Ausführungsplanung sind diese Detailzeichnungen maßstabsgerecht zu fertigen.

Bei der Beschreibung von Arbeitsschritten wird auf die grundsätzlich erforderliche Sicherungsabsteifung nicht jedes Mal verwiesen.

Die notwendigen bzw. nicht notwendigen Maßnahmen des chemischen Holzschutzes sind fallbezogen mit dem Bauherrn festzulegen.

6.2 Arbeitsblatt-Sammlung 

Die Arbeitsblätter 1 bis 92 befinden sich in der DIN Mediathek unter www.dinmediathek.de.

6.2.1 Absteifungen/Sicherungen
Arbeitsblätter 1 und 2

6.2.2 Holzverbindungen
Arbeitsblätter 3 bis 22

6.2.3 Sockel/Grundschwelle/Stockwerksschwelle
Arbeitsblätter 23 bis 39

6.2.4 Fußböden/Decken
Arbeitsblätter 40 bis 47

6.2.5 Außenwände/Trennwände
Arbeitsblätter 48 bis 70

6.2.6 Verbindungsmittel
Arbeitsblätter 71 bis 73

6.2.7 Dachkonstruktionen/Traufpunkte
Arbeitsblätter 74 bis 82

6.2.8 Gefache
Arbeitsblätter 83 bis 85

6.2.9 Bekleidungen/Schlagregenschutz/Anstriche
Arbeitsblätter 86 bis 90

6.2.10 Fenster/Türen/Treppen
Arbeitsblätter 91 und 92

6.2.1 Absteifungen/Sicherungen

Arbeitsblatt 1

Wandsicherung

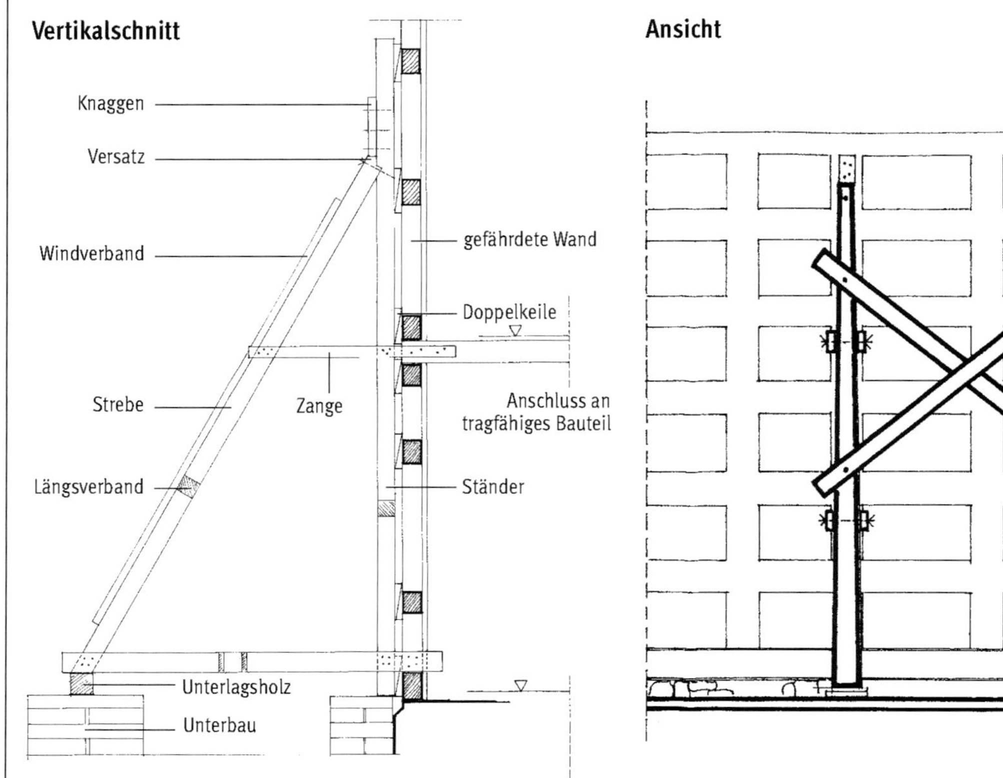

Zur Arbeit an Fachwerkhäusern gehört als fester Bestandteil die Sicherungsabsteifung. Abhängig von der Gebäudegröße und dem statischen Zustand können diese Arbeiten einen großen Umfang einnehmen. Die Mitwirkung eines Statikers ist erforderlich. Absteifungen sind stets als stabile Dreiecksverbände zu errichten. In der Regel wird dafür viel Platz benötigt. Eine Absteifung kann zwar auch in den Innenraum verlegt werden, ist aber beim Arbeiten hinderlich. Die Verbindung der Absteifung mit der Konstruktion ist so zu wählen, dass das Lösen einzelner Konstruktionsteile zur Reparatur sichergestellt ist. Die Lastübertragung unter Verwendung von Doppelkeilen ist zweckmäßig. Die Anordnung der Aussteifung sollte an tragfähige Bauteile des Gebäudes heranführen, um statische Sicherheit zu erlangen. Die Längsaussteifung der Konstruktionen muss ebenfalls erfolgen. Auf leichte Demontierbarkeit ist zu achten. Die Absteifung ist im gesamten Bauablauf auf ihre Wirksamkeit hin sorgfältig zu kontrollieren.

6.2.1 Absteifungen/Sicherungen

Arbeitsblatt 2

Treiblade im Dachraum

Ansicht

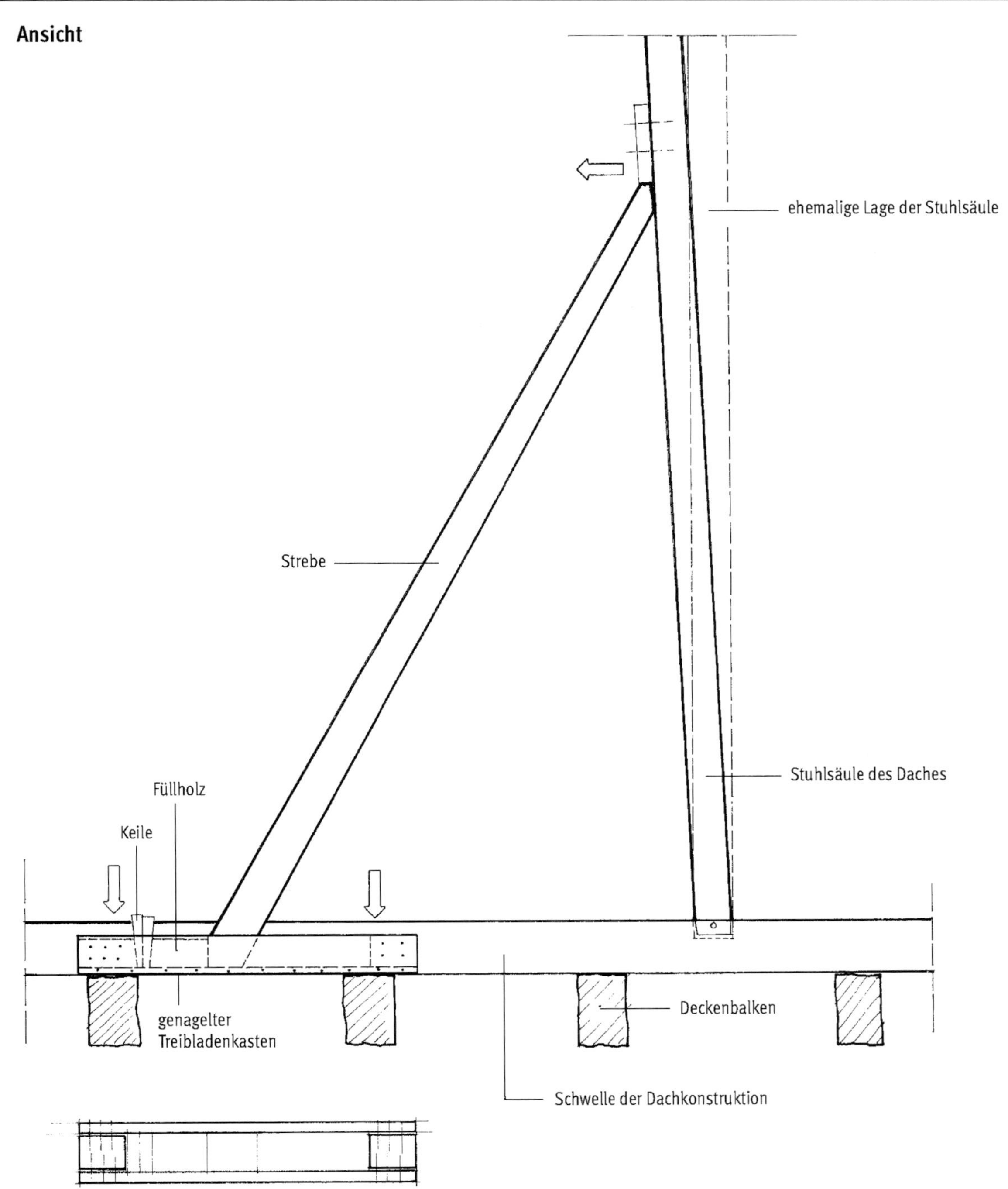

Sicherungsabsteifungen in Dachräumen, die gegen Schrägstellungen angebracht wurden, ruhen oft ohne zusätzliche Unterstützung auf den Deckenbalken. Die Durchbiegung der Deckenbalken macht derartige Absteifungen sofort unwirksam. Die Darstellung zeigt ein solches Beispiel mit einer Treiblade. Die in diese Lade gesetzten Keile müssen kontrolliert und nachgeschlagen werden, um die Absteifung wirksam zu erhalten.

6.2.2 Holzverbindungen

Arbeitsblatt 3

Einfache Blattverbindungen

Seitenansichten

Sicherung gegen Aufspalten

gerades Blatt

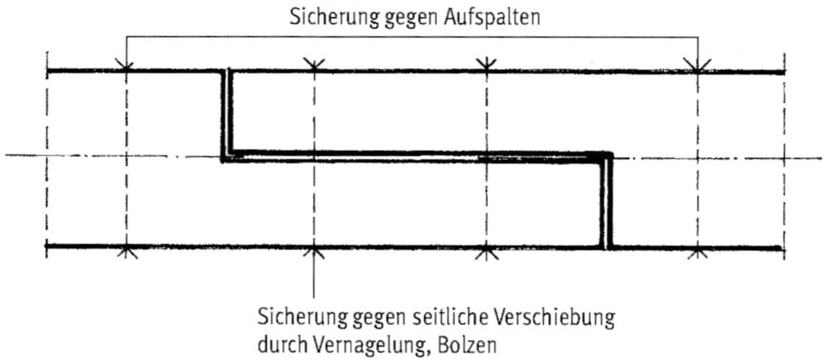

Sicherung gegen seitliche Verschiebung durch Vernagelung, Bolzen

schräges Blatt

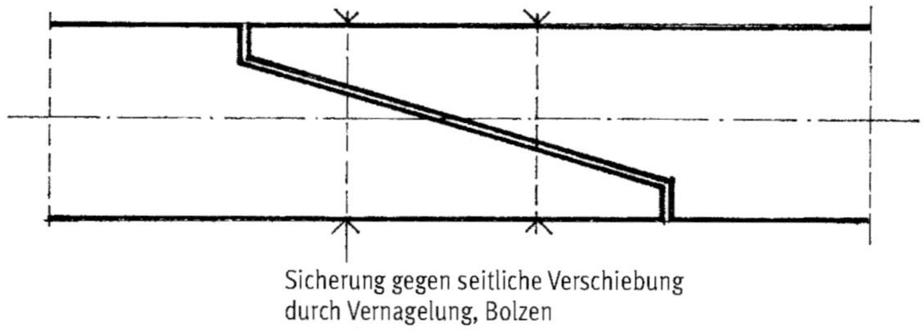

Sicherung gegen seitliche Verschiebung durch Vernagelung, Bolzen

Sicherung gegen seitliche Verschiebung durch Vernagelung, Bolzen

schräges Hakenblatt

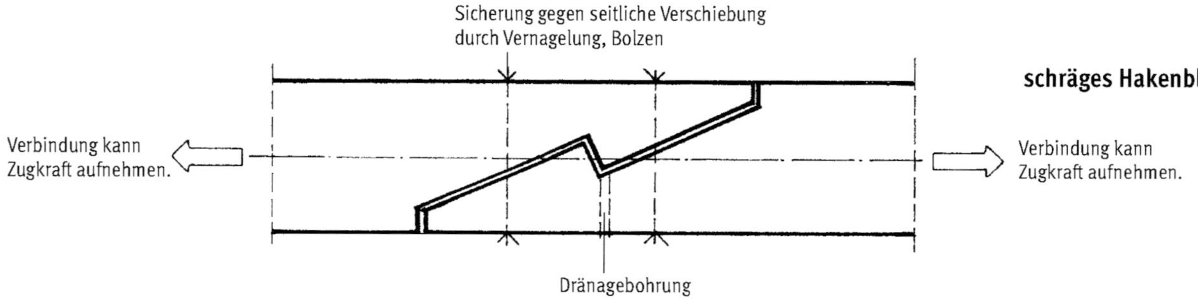

Verbindung kann Zugkraft aufnehmen.

Verbindung kann Zugkraft aufnehmen.

Dränagebohrung

Sicherung gegen Aufspalten

gerades Hakenblatt

Verbindung kann Zugkraft aufnehmen.

Verbindung kann Zugkraft aufnehmen.

Dränagebohrung

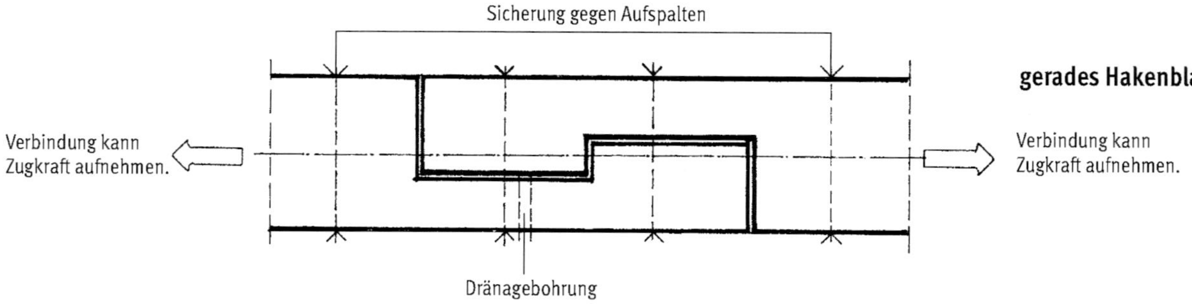

Eine der häufigsten Verbindungen ist das Blatt. Es wird als Bauteilverlängerung verwendet. Es ist reparaturfreundlich, da es seitlich eingeschoben werden kann. Da es aber auch seitlich verschiebbar ist, muss es in der Regel eine konstruktive Sicherung erhalten. Nur als Hakenblatt kann es Zugkräfte aufnehmen. Nachteilig ist die in der Konstruktion stets offene Fuge (fehlende Winddichtigkeit und mangelhafter Schallschutz). Bei Hakenblättern im Außenwandbereich sollte auch eine Dränage angeordnet werden.

6.2.2 Holzverbindungen

Arbeitsblatt 4

Einblattungen

Seitenansichten

Beispiel 1
Schwalbenschwanzblatt, kann Zugkräfte aufnehmen

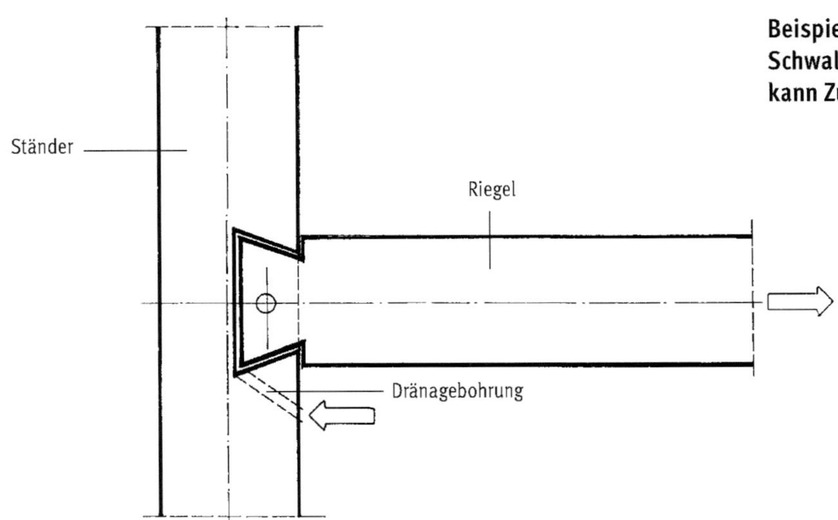

Beispiel 2
Weichschwanzblatt für Schräganschluss, kann Zugkräfte aufnehmen

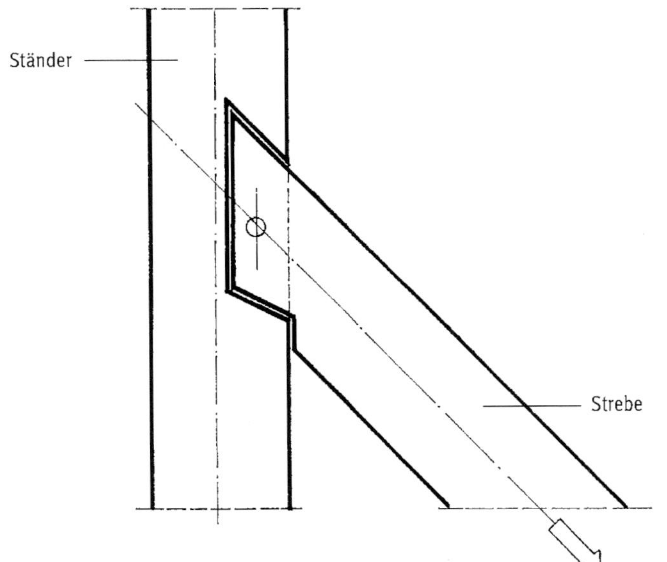

Im historischen Bestand werden das Schwalbenschwanzblatt und das Weichschwanzblatt häufig vorgefunden. Obwohl beide Holzverbindungen bereits im 15. Jahrhundert mit Verbot belegt waren, da ihre Tragfähigkeit angezweifelt wurde, sind sie nachweisbar bis in das 20. Jahrhundert ausgeführt, ja sogar in Lehrbüchern veröffentlicht worden. Sie stellen eine gute Verbindung dar, solange keine Mängel durch pflanzliche oder tierische Schädlinge auftreten. Wichtig ist, dass die Konstruktion so herzustellen ist, dass der Holznagel keine Last bekommt. Bei der Anwendung im Außenwandbereich muss eine Dränage angeordnet werden.

6.2.2 Holzverbindungen

Arbeitsblatt 5

Schwalbenschwanzanschluss des Ständers an der Grundschwelle

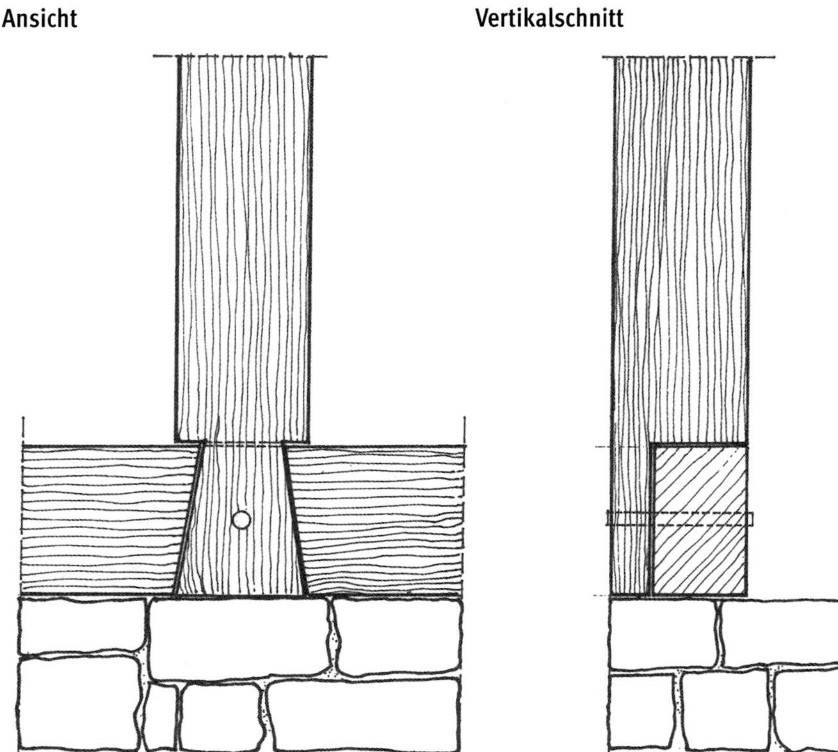

Ein seltener Befund ist ein Schwalbenschwanzblatt eines Ständers an der Grundschwelle. Die Einblattung der Streben in die Schwellen ist für das 13. und 14. Jahrhundert durchaus üblich. Diese Verbindung wurde im späten Mittelalter verboten, da die Stabilität nicht zufriedenstellend war. Werden solche Verbindungen vorgefunden, sind sie als historische Zeugnisse unbedingt zu erhalten. Vorkommende Beispiele, wo in jedes Blatt ein Stahlbolzen „zur Sicherung" eingezogen wurde, sind zu unterlassen. Diese Konstruktion verschließt die offene Fuge gegen Niederschlagswasser. Das ist also eine gute Lösung.

6.2.2 Holzverbindungen

Arbeitsblatt 6

Zapfenverbindungen

Ansichten, aufgeschnitten dargestellt

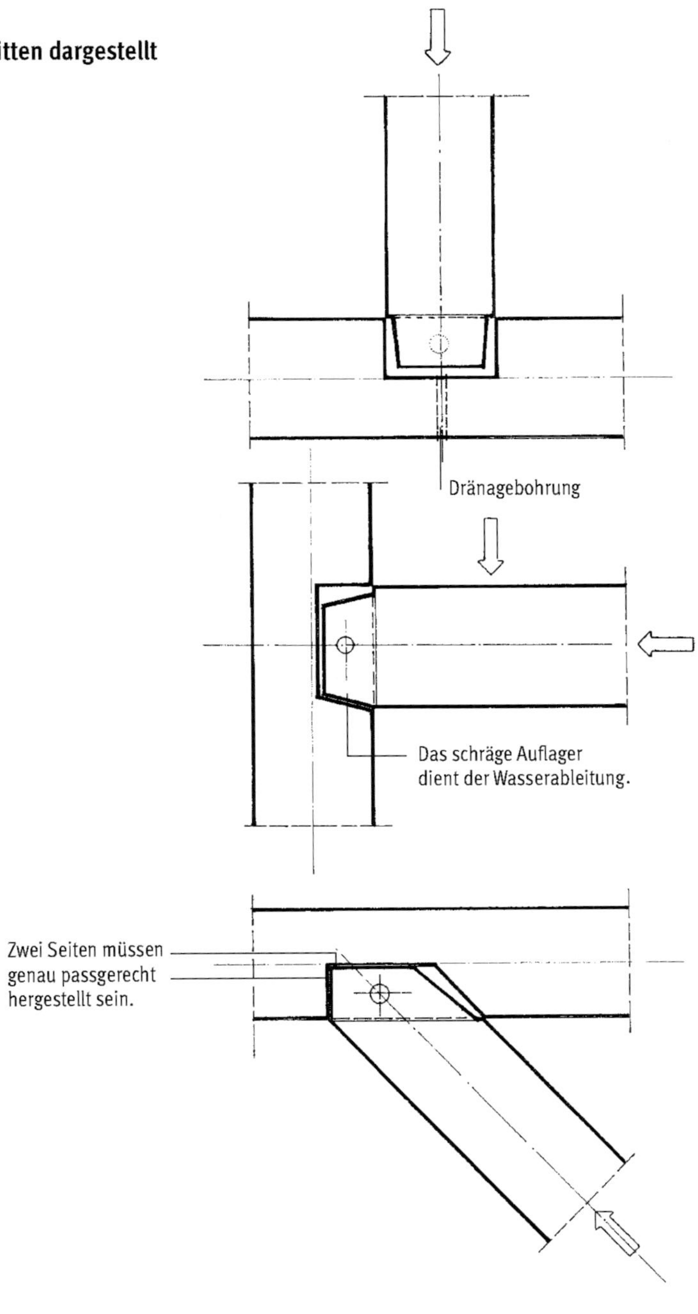

Beispiel 1
Vertikaler Anschluss

Beispiel 2
Horizontaler Anschluss

Beispiel 3
Schräger Anschluss

Werden Zapfenverbindungen neu hergestellt, gilt besondere Aufmerksamkeit den lastübertragenden Flächen.
Beim vertikalen Anschluss kann der Zapfen frei im Zapfenloch schweben. Dies ist für das Aufstellen günstig.
Beim horizontalen Anschluss ist es nur die untere Zapfenseite, die die Last überträgt. Das erfordert ein sehr sorgfältiges Arbeiten.
Wird die Auflagefläche etwas schräg ausgebildet, kann sich kein Wasserstau bilden. Ist der Zapfen an der Strebe anzuarbeiten, übernehmen zwei Flächen die Kraftübertragung, sodass die Anforderungen an die Arbeitsqualität besonders hoch sind, zumal eine optische Kontrolle kaum möglich ist.

6.2.2 Holzverbindungen

Arbeitsblatt 7

Zapfenverbindungen – Riegelanschlüsse

Ansichten, aufgeschnitten dargestellt

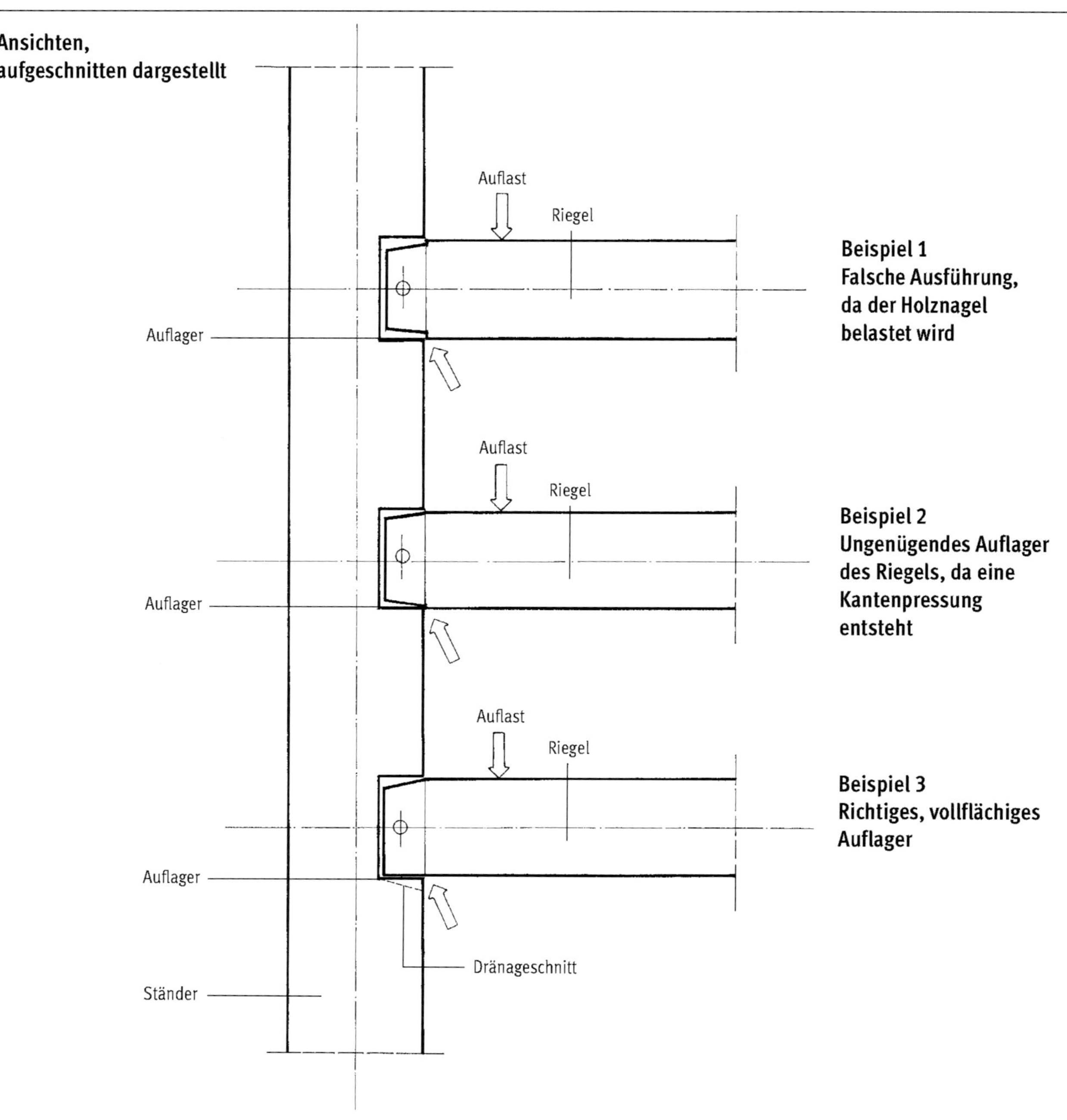

Das Einzapfen horizontal liegender Bauteile in vertikale Bauteile muss mit großer Sorgfalt erfolgen, um die Lasten sicher abtragen zu können.

Im oberen Bild ist ein beidseits schräg angeschnittener Zapfen dargestellt, der sich sicher leicht einbauen lässt, aber die Last muss allein der Holznagel tragen, und das ist unzulässig.

Die mittlere Darstellung zeigt eine ähnliche Ausführung. Hier wird die Last nur auf der vorderen Kante des Zapfenloches übertragen. Das ist keine ordentliche Konstruktion.

Das untere Bild zeigt eine flächige Auflage des eingezapften Holzes, die statisch richtige Lösung. Als Dränage des Zapfenloches wird ein schräg verlaufender Sägeschnitt empfohlen, der äußerlich nicht sichtbar ist.

6.2.2 Holzverbindungen

Arbeitsblatt 8

Zapfenverbindungen – Strebenanschlüsse

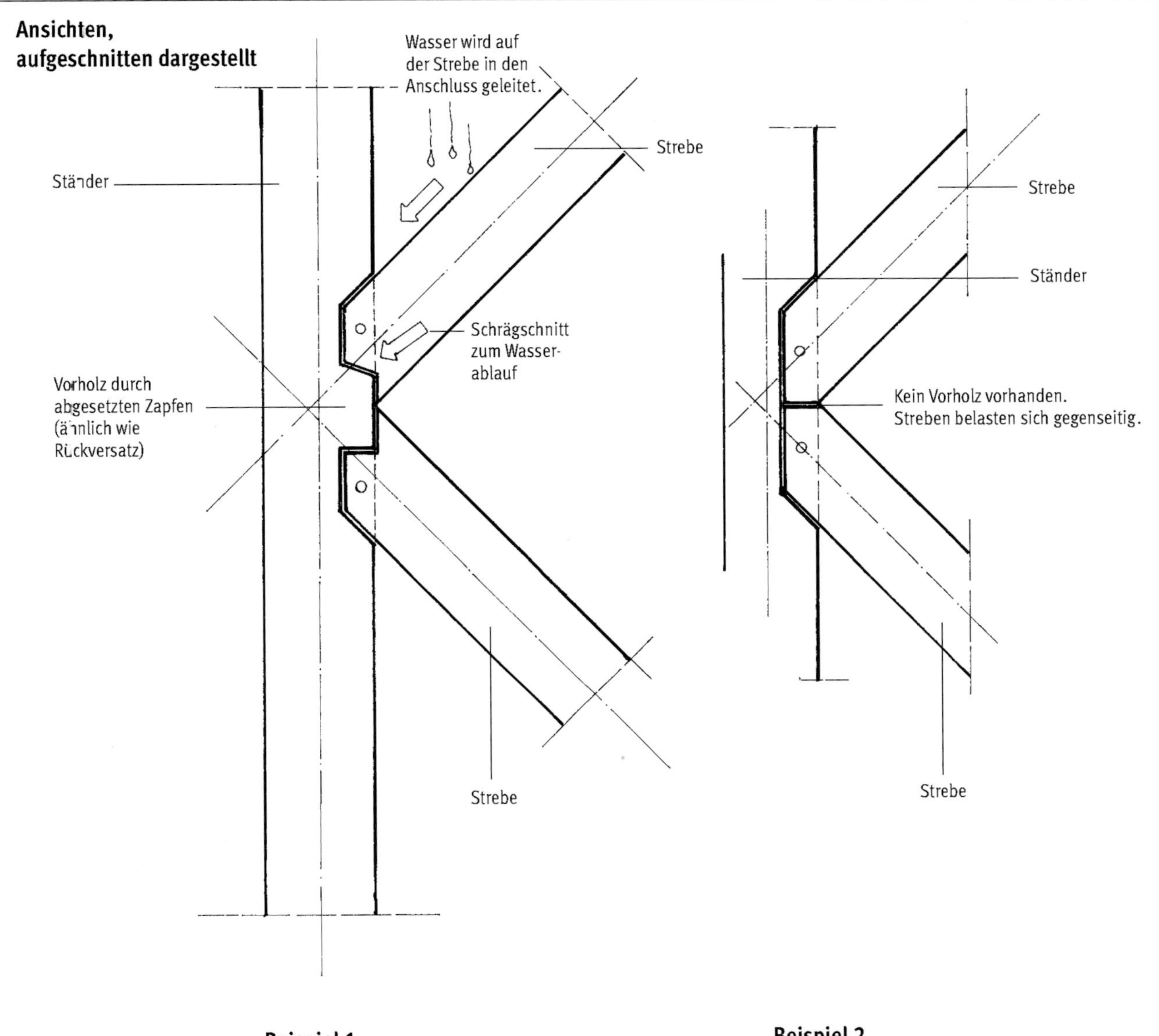

Beispiel 1
Empfohlene Lösung

Beispiel 2
Kritischer Punkt

In der Ansicht von Fachwerkwänden sieht man gelegentlich, dass Streben am Anschlusspunkt direkt zusammenstoßen. Die Stabilität wird dadurch gefährdet, dass ein Strebenkopf durch Beschädigung versagt und der zweite dadurch in eine labile Lage gerät. Mit der links dargestellten Anschlussvariante kann diese Situation entschärft werden. Das schräge Anschneiden der Verbindungsfläche wirkt auch hier einem Wasserstau entgegen. Das ist wichtig, weil die obere schräge Strebe das Wasser direkt in den Zapfenbereich leitet.

6.2.2 Holzverbindungen

Arbeitsblatt 9

Schwelle: Streben- und Eckständeranschluss

Ansichten

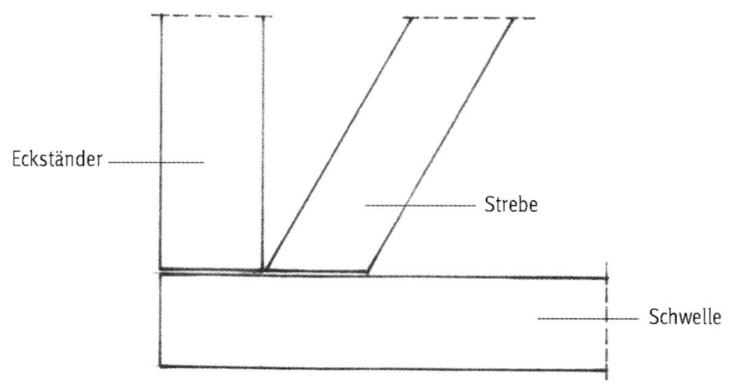

Beispiel 1
Äußeres Bild (Ansicht)

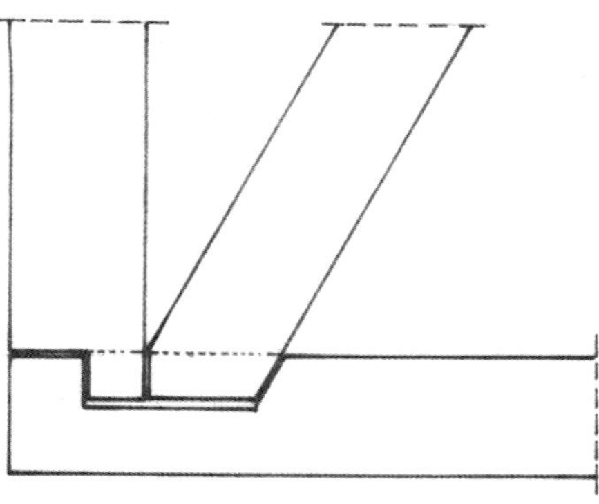

Beispiel 2
„aufgeschnitten“
Die Strebe drückt direkt an den geächselten Zapfen des Eckständers – eine schlechte Lösung

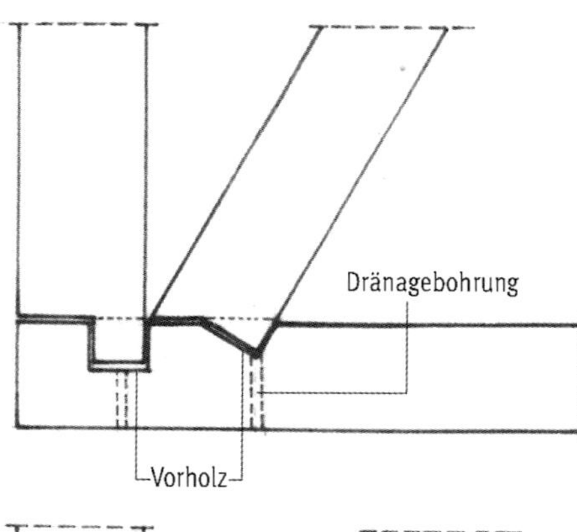

Beispiel 3
Die Strebe erhält einen Fersenversatz und hat so ihr eigenes Vorholz – Dränagebohrungen!

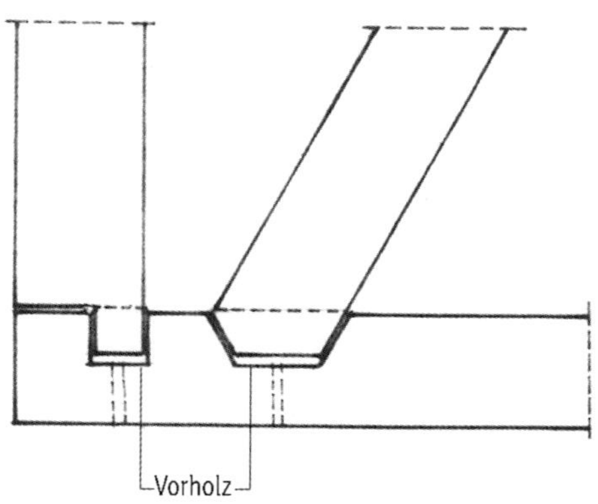

Beispiel 4
Variante für den Strebenzapfen mit eigenem Vorholz – Dränagebohrungen!

6.2.2 Holzverbindungen

Arbeitsblatt 10

Schwellenerneuerung nach Hausschwammbefall

Längsansicht

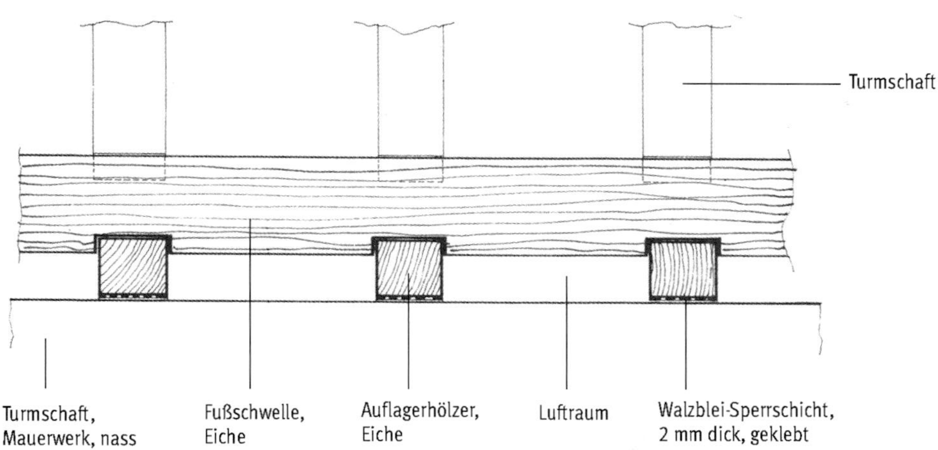

Querschnitt, vertikal

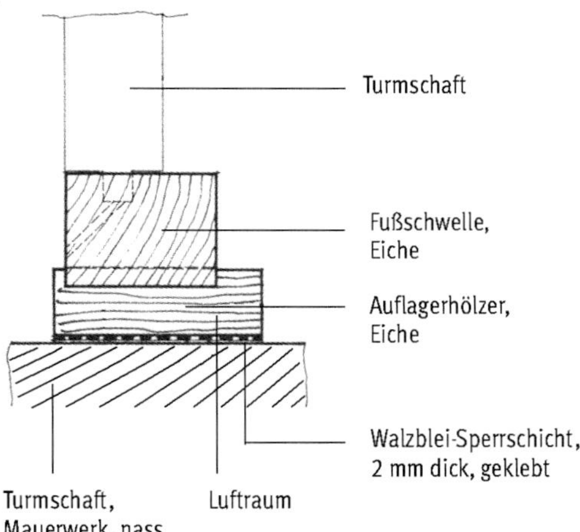

An einem Kirchturm musste der Fuß des Fachwerk-Turmaufsatzes eine Sicherung gegen Befall mit Echtem Hausschwamm erhalten.

Das Mauerwerk wurde in 3 Schichten abgetragen, die Schwelle wurde erneuert und auf kleinen quer liegenden Lagerhölzern aufgesetzt. Die Horizontalsperrschicht besteht aus aufgeklebtem Walzblei, 2 mm dick.

6.2.2 Holzverbindungen

Arbeitsblatt 11

Einfache Kammverbindung, rechtwinklig

Draufsicht

Vertikalschnitt

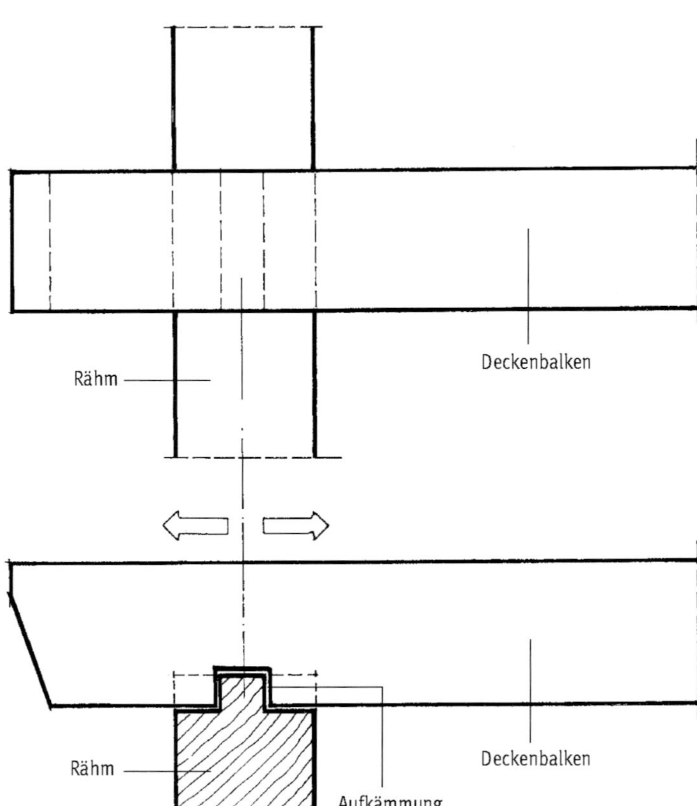

Eine weitere Standardverbindung der klassischen Abbundtechnik ist der Kamm, der ebenfalls in vielfältigen Varianten vozufinden ist.

Mit der ausgewählten Abbildung soll deutlich gemacht werden, dass der Kamm stets eine Zugverbindung ist und vor allem dem Zusammenhalt der Wandkonstruktionen in der Deckenebene dient. Hier sind Passgenauigkeit und entsprechende Holzqualität für die Statik des Hauses von besonderer Bedeutung.

Die Fachliteratur zeigt die Vielfalt der Kammverbindungen.

6.2.2 Holzverbindungen

Arbeitsblatt 12

Kammverbindungen – Auswahl

Isometrien

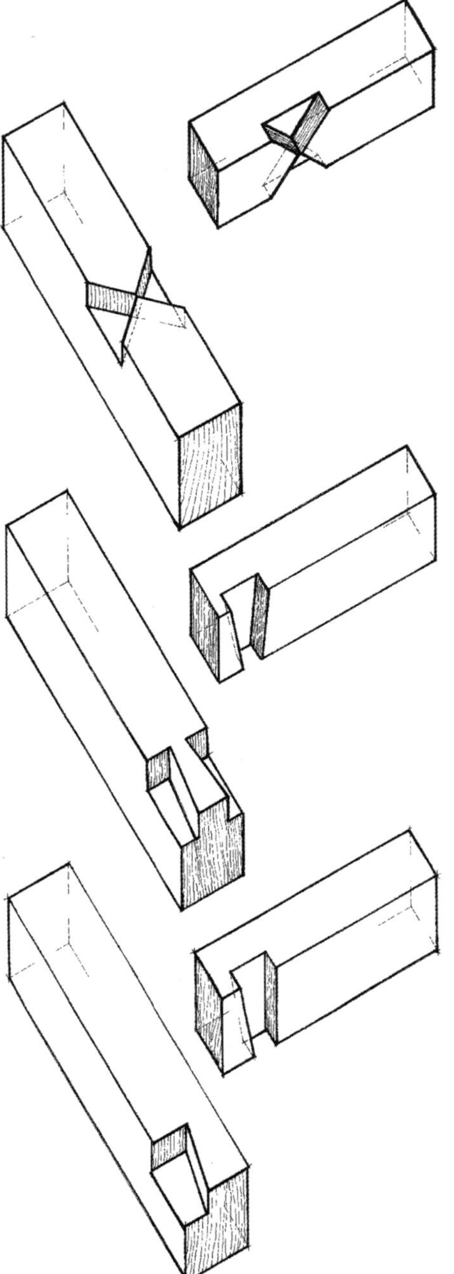

Beispiel 1
Kreuzkamm

Beispiel 2
Schwalbenschwanzkamm

Beispiel 3
Schwalbenschwanzkamm

Zwei Beispiele von Kammverbindungen: oben der Kreuzkamm als rechtwinkliger Anschluss, in der Mitte der Schwalbenschwanzkamm als Eckverbindung. Die gezeigte Ausführung ist jedoch anfällig gegen Abscheren der Ecke. Der Eckkamm sollte wie unten dargestellt ausgeführt werden.

Diese Kammverbindungen benötigen in der Regel keine weiteren Sicherungen durch Vernagelung oder Ähnliches. Im historischen Bestand sind jedoch doppelte Schrägnagelungen durchaus anzutreffen.

6.2.2 Holzverbindungen

Arbeitsblatt 13

Versätze

Ansichten, aufgeschnitten dargestellt

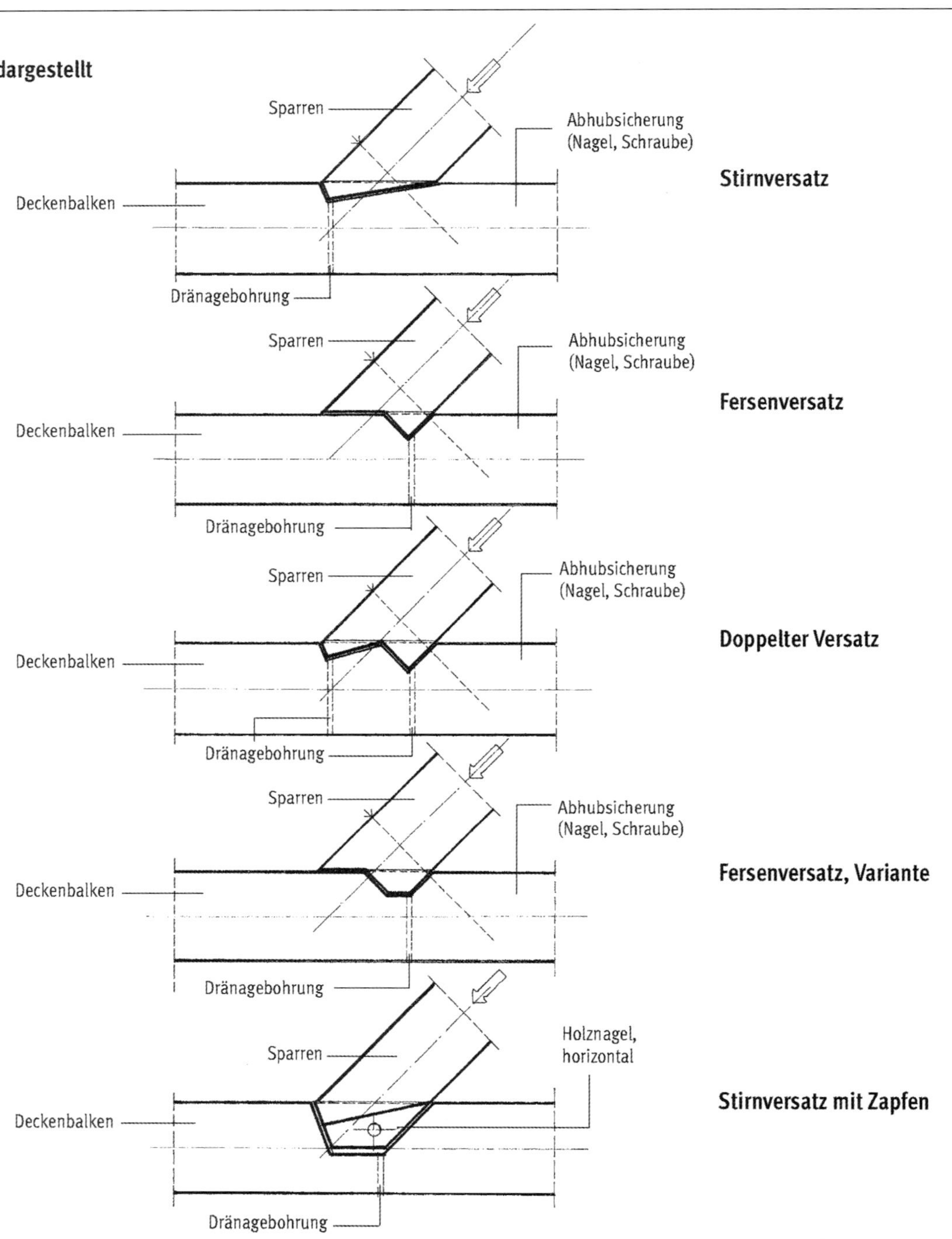

Zu den klassischen Holzverbindungen (Anschlüssen) gehört der Versatz. Aus der außerordentlichen Vielfalt dieses Details sind hier fünf dargestellt.
Für die Konstruktion gibt es maßliche Proportionen, die den Zimmermannslehrbüchern zu entnehmen sind. Das statisch notwendige Vorholz ist stets zu berechnen. Wichtig ist, vorhandene und neue Anschlüsse mit einer Dränage zu versehen. Wird eine Abhubsicherung notwendig, sollte diese als verdeckte Verschraubung erfolgen.
Die Abtragung der Vertikallast sollte im Schnittpunkt der Achsen erfolgen.

6.2.2 Holzverbindungen

Arbeitsblatt 14

Blattverbindungen

Seitenansichten

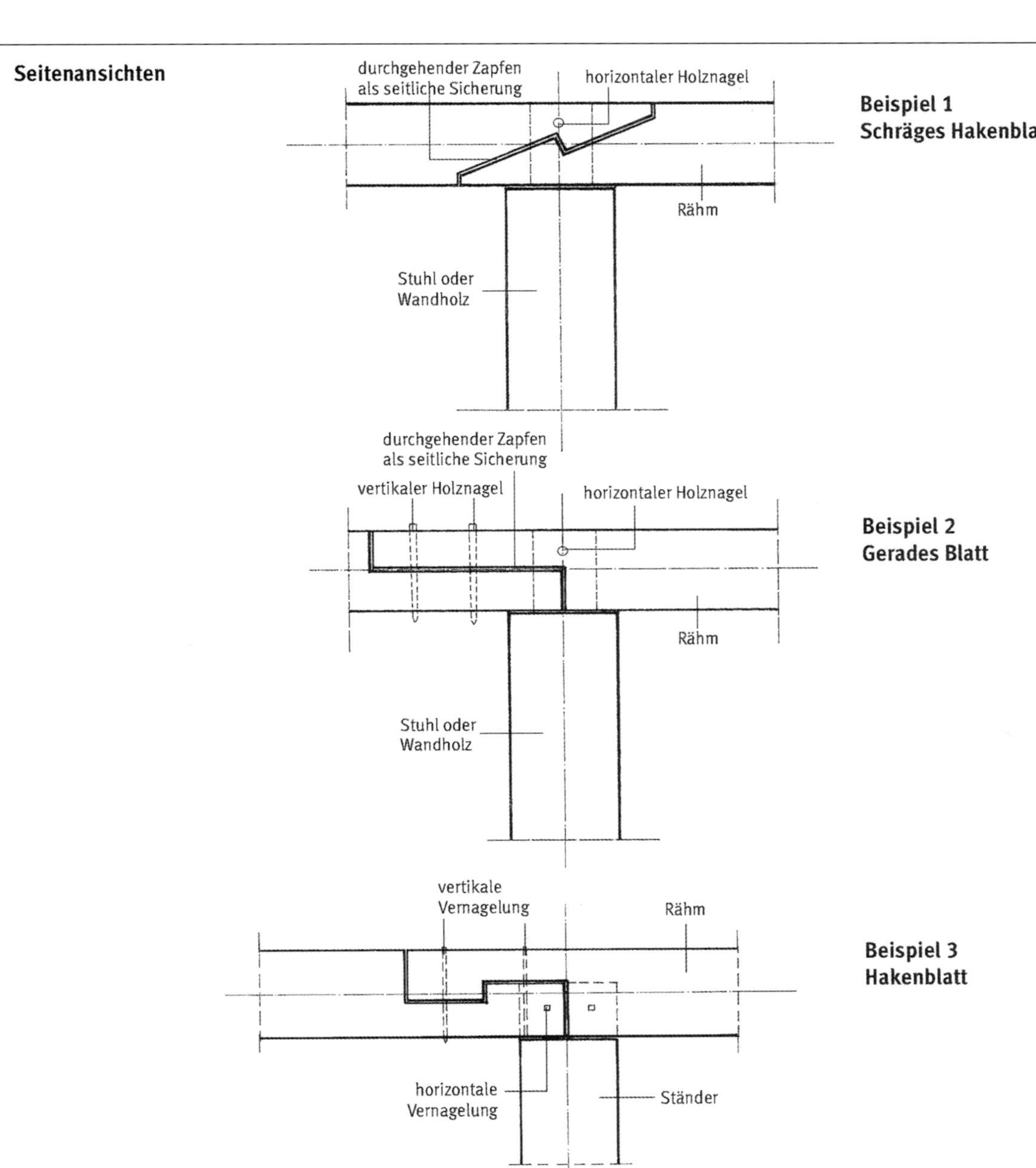

Beispiel 1
Schräges Hakenblatt

Beispiel 2
Gerades Blatt

Beispiel 3
Hakenblatt

Beispiele 1 und 2

Die Ausbildung des Stoßes sollte grundsätzlich auf einem Ständer bzw. Pfosten erfolgen.

Hier zwei Beispiele, wie diese Verbindungen aussehen können: Der Zapfen ist durchgehend ausgebildet und kann, gesichert durch einen Holznagel, die Abhubsicherung übernehmen. Ebenso verhindert der Zapfen das seitliche Verschieben. Bei Durchbiegung besteht nicht die Gefahr des Längsaufspaltens der Rähme.

Beispiel 3

Der Stoß eines Rähms (Dachkonstruktion) muss zweckmäßig auf einem Ständer erfolgen. Hier ein Beispiel aus dem 14. Jahrhundert, das eine vorbildliche Lösung zeigt. Die Holznagelverbindung sichert gegen seitliches Verschieben sowie gegen Abheben.

6.2.2 Holzverbindungen

Arbeitsblatt 15

Bauteilverlängerung – Stumpfer Stoß

Ansicht

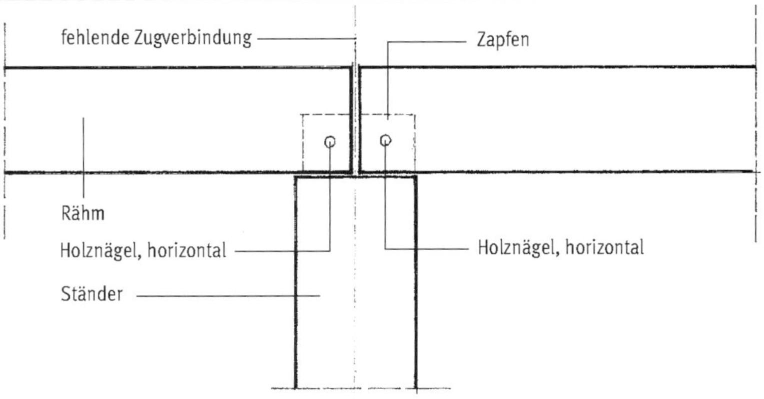

Beispiel 1
Fehlende Zugverbindung

Ansicht

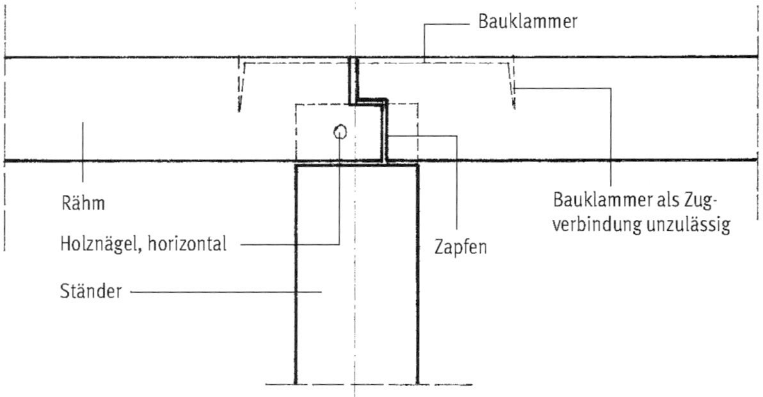

Beispiel 2
Bauklammer als Zugverbindung ist unzulässig – ungenügendes Auflager

Nach DIN 1052-2 Abschnitt 11 sind Bauklammern für untergeordnete Zwecke einsetzbar.

Draufsicht

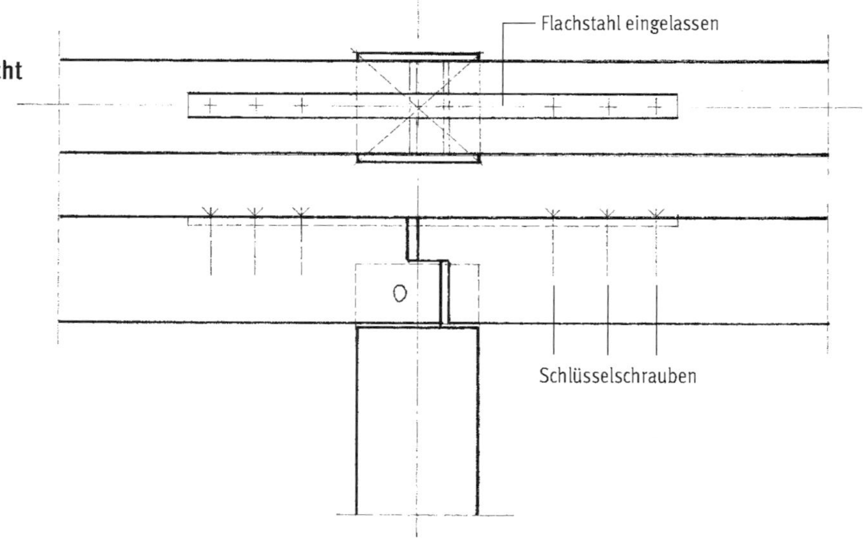

Beispiel 3
Sicherungsvorschlag

Ansicht

Die beiden oben dargestellten Stöße findet man durchaus im Baubestand. Es ist auf den ersten Blick erkennbar, dass sie nicht fachgerecht konstruiert sind. Hier ist mit geeigneten Mitteln Abhilfe zu schaffen. Sind derartige Konstruktionen Bestandteil eines Baudenkmals, so sollten geeignete Sicherungsmaßnahmen gewählt werden. Eine weniger gute Lösung ist das seitliche Aufnageln von Bohlenlaschen. Besser ist es, wie in Beispiel 3 gezeigt, oben einen Flachstahl einzulassen und zu verschrauben.

6.2.2 Holzverbindungen

Arbeitsblatt 16

Bauteilverlängerung, Rähmstoß – Blattverbindungen

Seitenansicht

Draufsicht

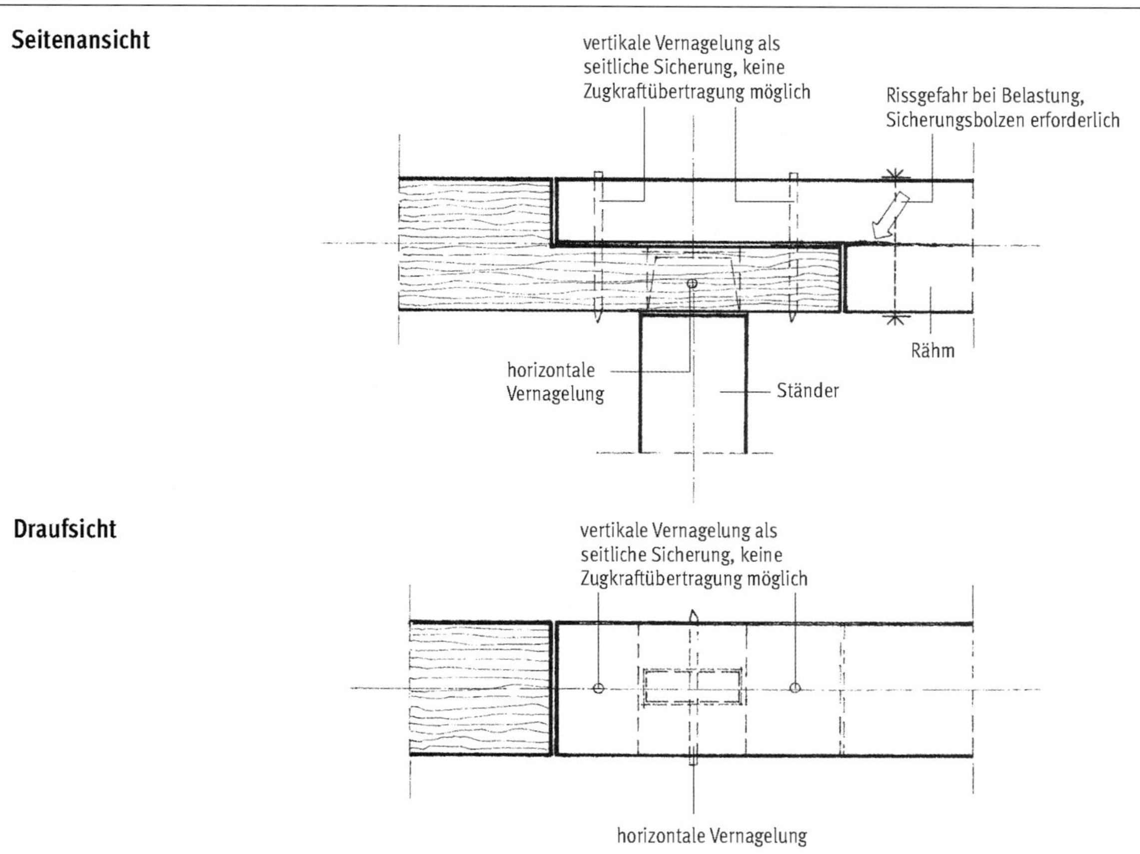

Diese auf den ersten Blick solide Überplattung hat den Mangel, dass ein Aufspalten infolge Durchbiegung auf der rechten Seite zu erwarten ist. Im Vergleich mit Arbeitsblatt 13 wird deutlich, wo der Fehler liegt. Die Stoßfuge soll auf dem Auflager liegen.

Seitenansicht

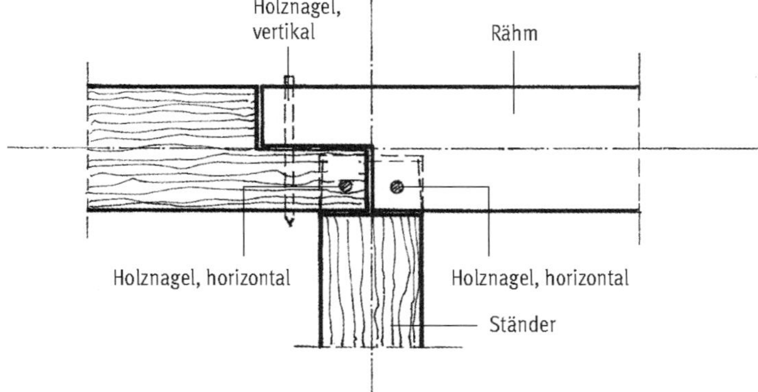

Die Darstellung zeigt eine einfache Überplattung, wohl auf das Mindeste reduziert, aber in Ordnung, wenn die anfallenden Lasten an den Auflagern übertragen werden. Bei kleineren Holzquerschnitten (d. h. weniger als 18 cm Holzbreite) wird das Herstellen einer fachgerechten Holznagelverbindung problematisch. Es sind sorgfältigste Arbeit und geeignetes Material notwendig.

6.2.2 Holzverbindungen

Arbeitsblatt 17

Blattverbindungen – Schwellenanschluss

Isometrien

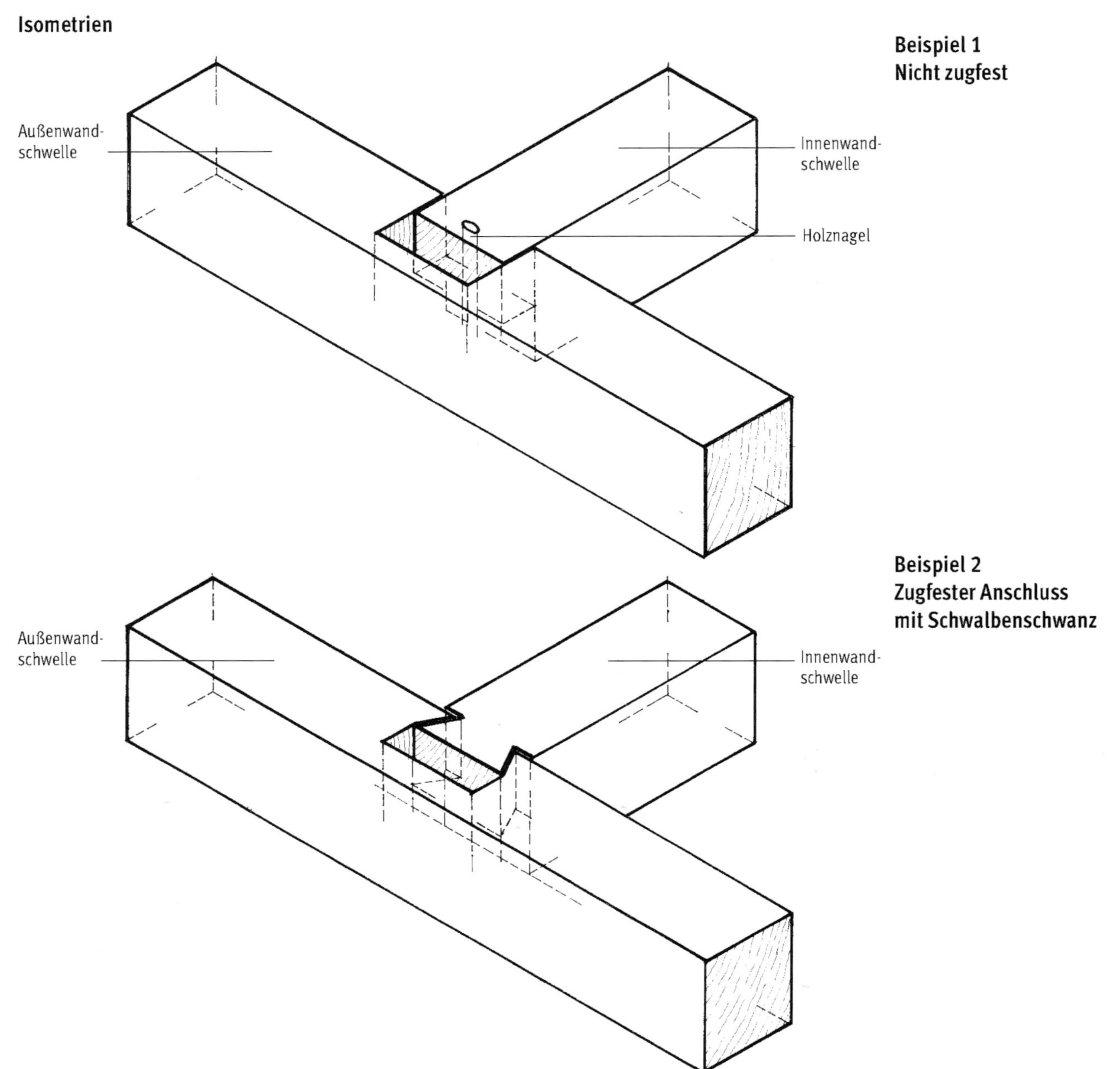

Beispiel 1

Blattverbindungen werden auch an Stößen von Schwellen ausgeführt. Das obere Bild zeigt ein sehr kurzes Blatt mit einem Holznagel als Zugverbindung – eine Konstruktion, die man nicht wählen sollte, da sie den Anforderungen nicht genügt.

Beispiel 2

Das Bild zeigt den gleichen Anschluss mit einem Schwalbenschwanzblatt. Bei korrekter Ausführung genügt diese Ausführung den Anforderungen.

6.2.2 Holzverbindungen

Arbeitsblatt 18

Blattverbindungen – Strebenanschluss

Ansicht **Seitenansicht**

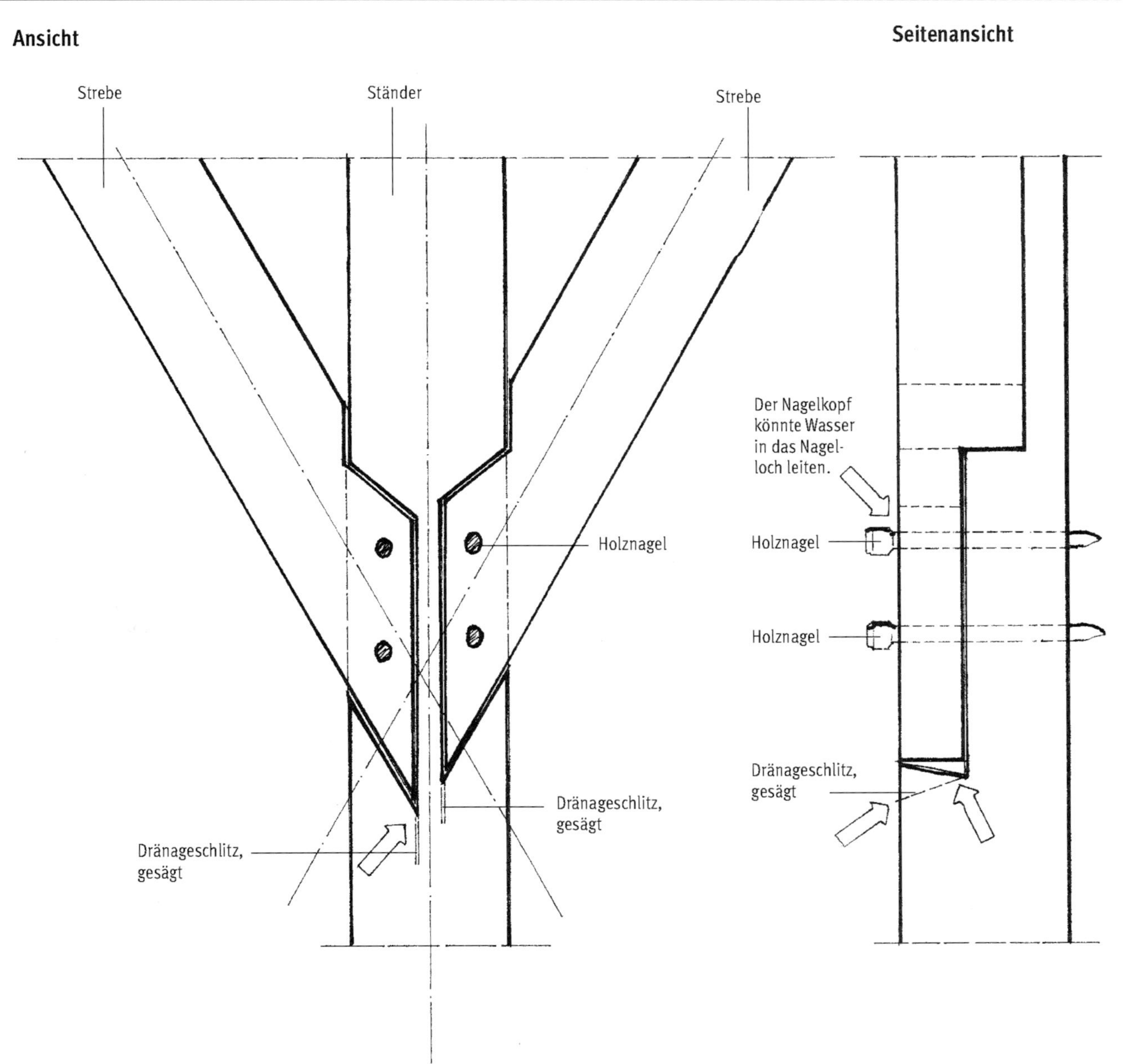

Bei dieser Anordnung der Blätter kann es zu Stauwasser und Fäulnis kommen. Es muss also für eine Wasserableitung gesorgt werden.

Achtung: Holznägel mit vorstehenden profilierten Kopf könnten Niederschlagswasser in das Bohrloch leiten! Dies muss beachtet und kann durch sehr exaktes Arbeiten gemindert werden.

6.2.2 Holzverbindungen

Arbeitsblatt 19

Anschluss Hakenblatt als Erneuerung/Ersatz

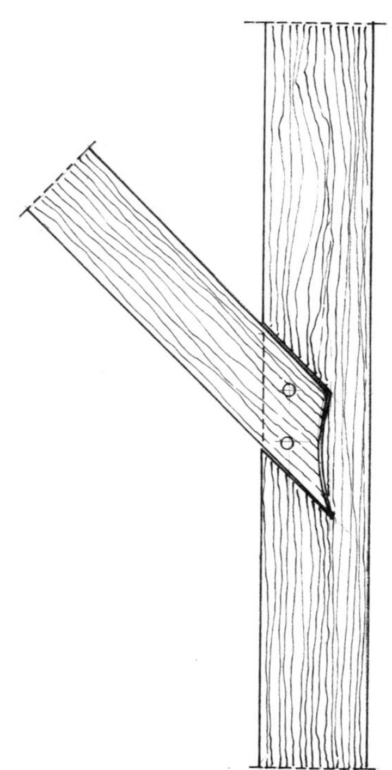

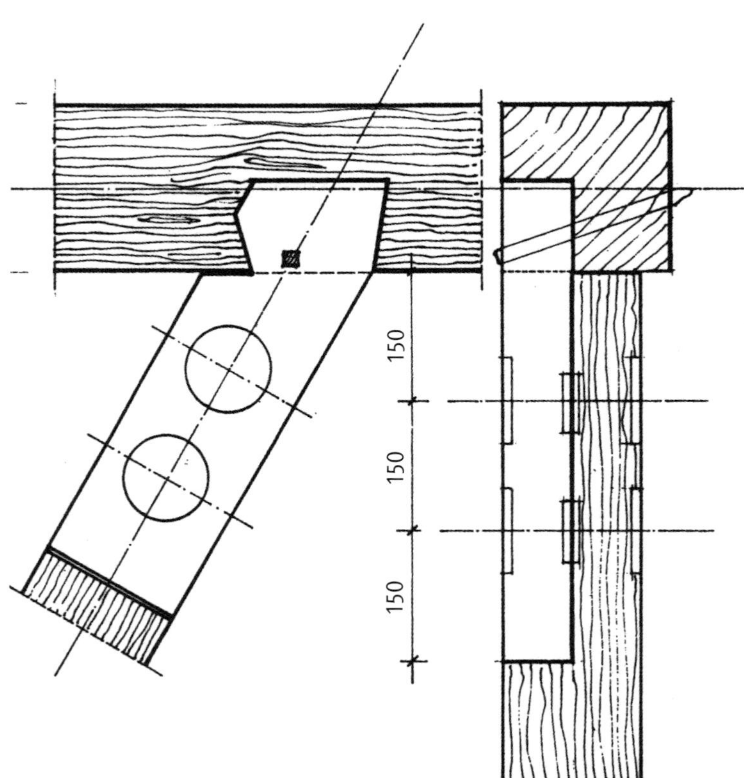

Vorgefundener Strebenanschluss an einem historischen Fachwerkhaus. Zur Aufnahme von Zugkraft ist diese Verbindung nicht geeignet, wird aber entsprechend beansprucht. Als Befund sollte die Verbindung erhalten bleiben. Statisch ist eine verdeckte Lösung erwünscht. Leider gibt es Fälle, wo in derartige Blattverbindungen Stahlbolzen mit Einpressdübel „nachgerüstet" wurden.

Ist ein Hakenblatt, eine Abwandlung des Schwalbenschwanzblattes, verloren gegangen, kann das durch „Anschuhen" gelöst werden. Die Verbindungsmittel sind weitgehend verdeckt anzuordnen.

6.2.2 Holzverbindungen

Arbeitsblatt 20

Querschnittsschwächung

Isometrien

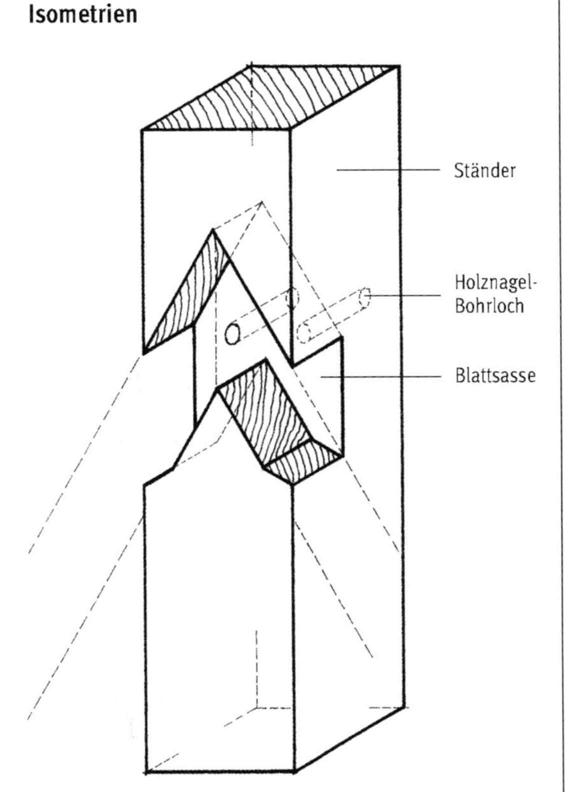

Beurteilung eines Konstruktionsknotens

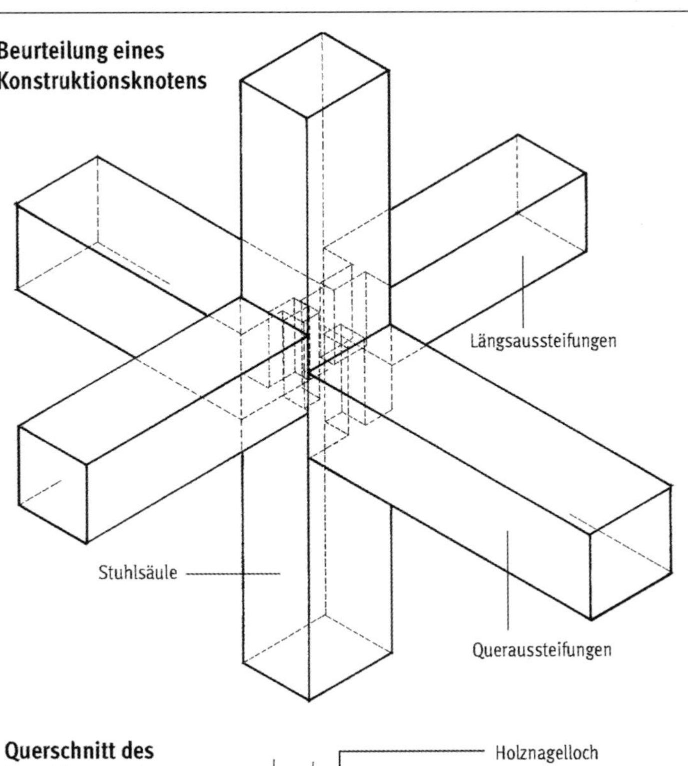

Querschnitt des Anschlusspunktes

Bei der Beurteilung der Tragfähigkeit müssen die aus Holzverbindungen herrührenden Schwächungen beachtet werden. An diesem Beispiel beträgt die Schwächung 60 % des tragenden Querschnitts, d. h., weniger als die Hälfte des eingebauten Holzes kann für die Lastübertragung herangezogen werden. Dies muss man wissen, um bei Reparaturverbindungen die richtigen Rechenansätze zu wählen.

In einem gotischen Dachtragwerk wurde die Situation vorgefunden, dass in die Stuhlsäulen in Längs- und Querrichtung aussteifende Riegel eingezapft wurden. Die Schwächung des Holzes an dieser Stelle betrug über 67 % des tragenden Querschnittes. Das führte zu unzulässiger Verformung der Gesamtkonstruktion. Zusätzliche Sicherungskonstruktionen mussten eingebaut werden. Die Aufmerksamkeit muss stets auf das Gesamtgebäude gelenkt werden.

6.2.2 Holzverbindungen

Arbeitsblatt 21

Blattverbindung – schräges Hakenblatt
Konstruktionsvorschlag: Nut und Feder

Seitenansicht

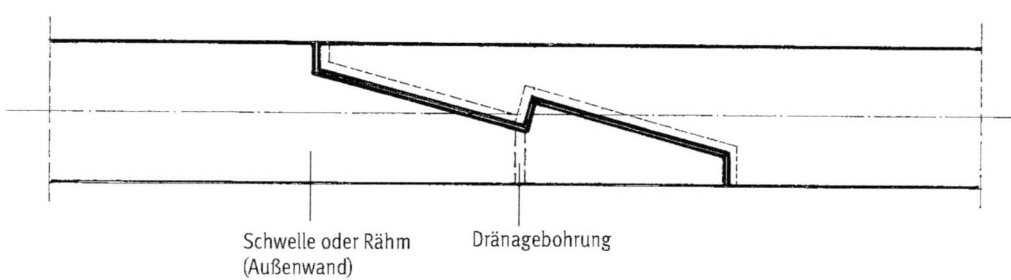

Draufsicht

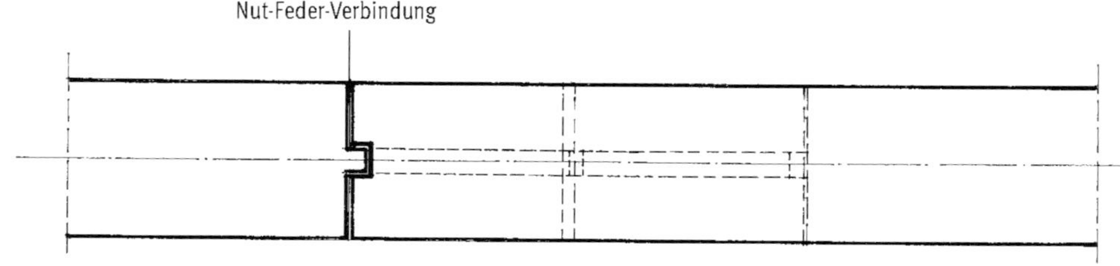

Querschnitt

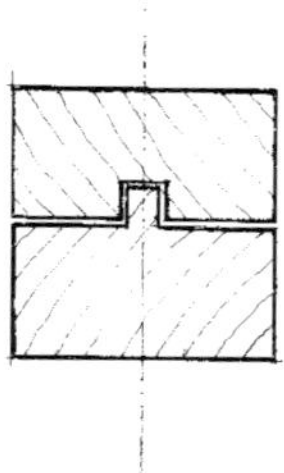

Über den Nachteil der Blattverbindungen wurde bereits gesprochen, nämlich dass sie eine große offene Fuge bilden. Da ein winddichtes Gebäude zu errichten ist, wird hier eine Variante vorgeschlagen, die für alle Blattverbindungen ausführbar ist. Die Dränage darf auch hier nicht vergessen werden. Diese Nut- und Feder-Verbindung ist handwerklich ohne großen zusätzlichen Aufwand herstellbar.

6.2.2 Holzverbindungen

Arbeitsblatt 22

Blattverbindungen – Stoß in der Fußschwelle

Ansichten

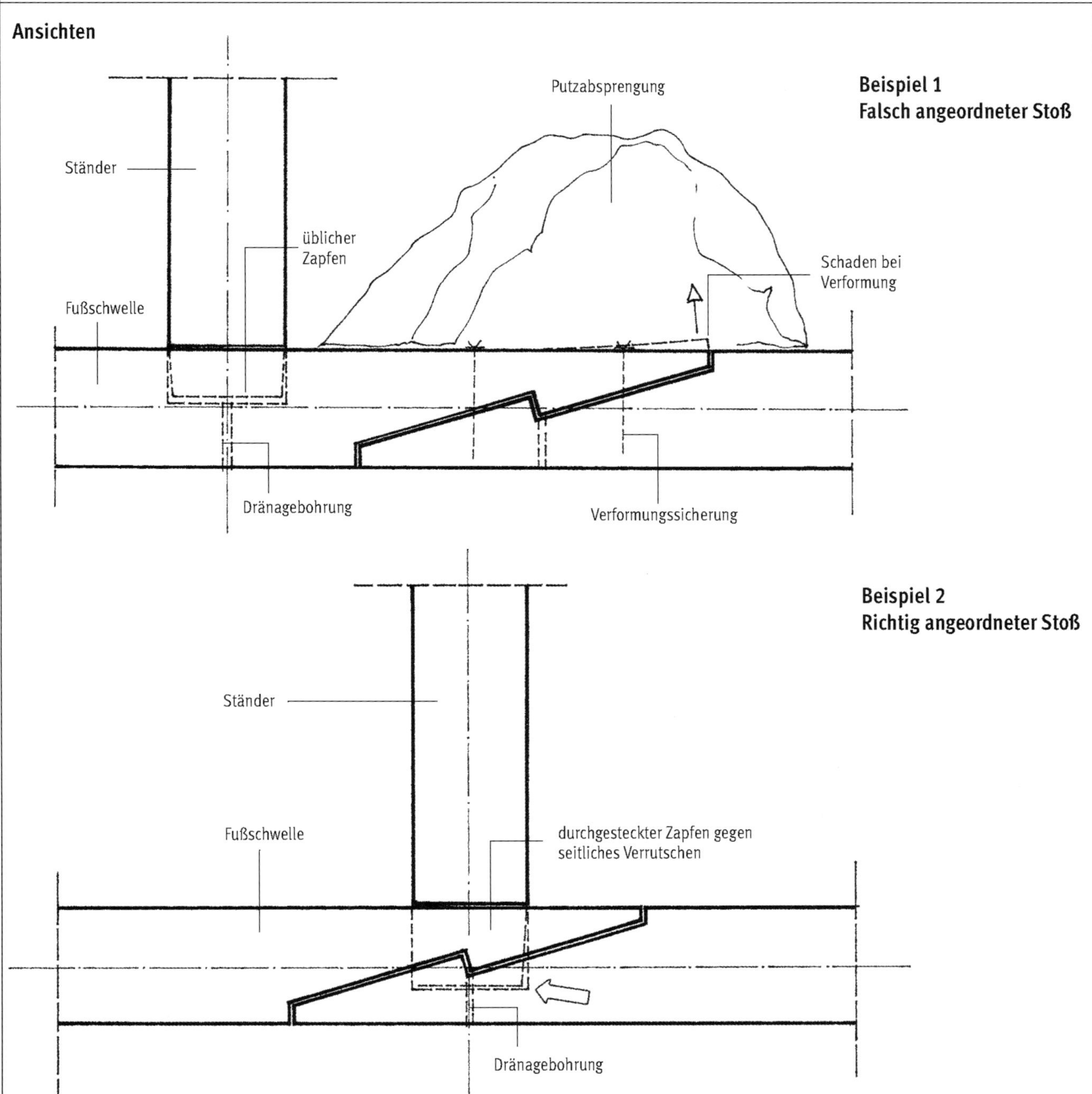

Die Anordnung von Stößen in Grundschwellen und Wandrähmen ist insofern zu bedenken, als Bewegungen des Holzes Schäden im Gefach und am Putz bewirken können. Legt man die Stöße unter oder über Wandständer und führt einen langen Zapfen aus, so hat man den Stoß in beiden Achsen arretiert.

Die Dränage darf wieder nicht vergessen werden.

Bei der Arbeit im Bestand, wo der falsch angeordnete Stoß vorgefunden wird, sollte eine Sicherung durch Verschrauben von oben erfolgen. Holznägel sind wenig geeignet, da sie kaum Scherkräfte aufnehmen.

6.2.3 Sockel/Grundschwelle/Stockwerksschwelle

Arbeitsblatt 23

Grundsätzliche Überlegungen vor einer Instandsetzung

Vertikalschnitte

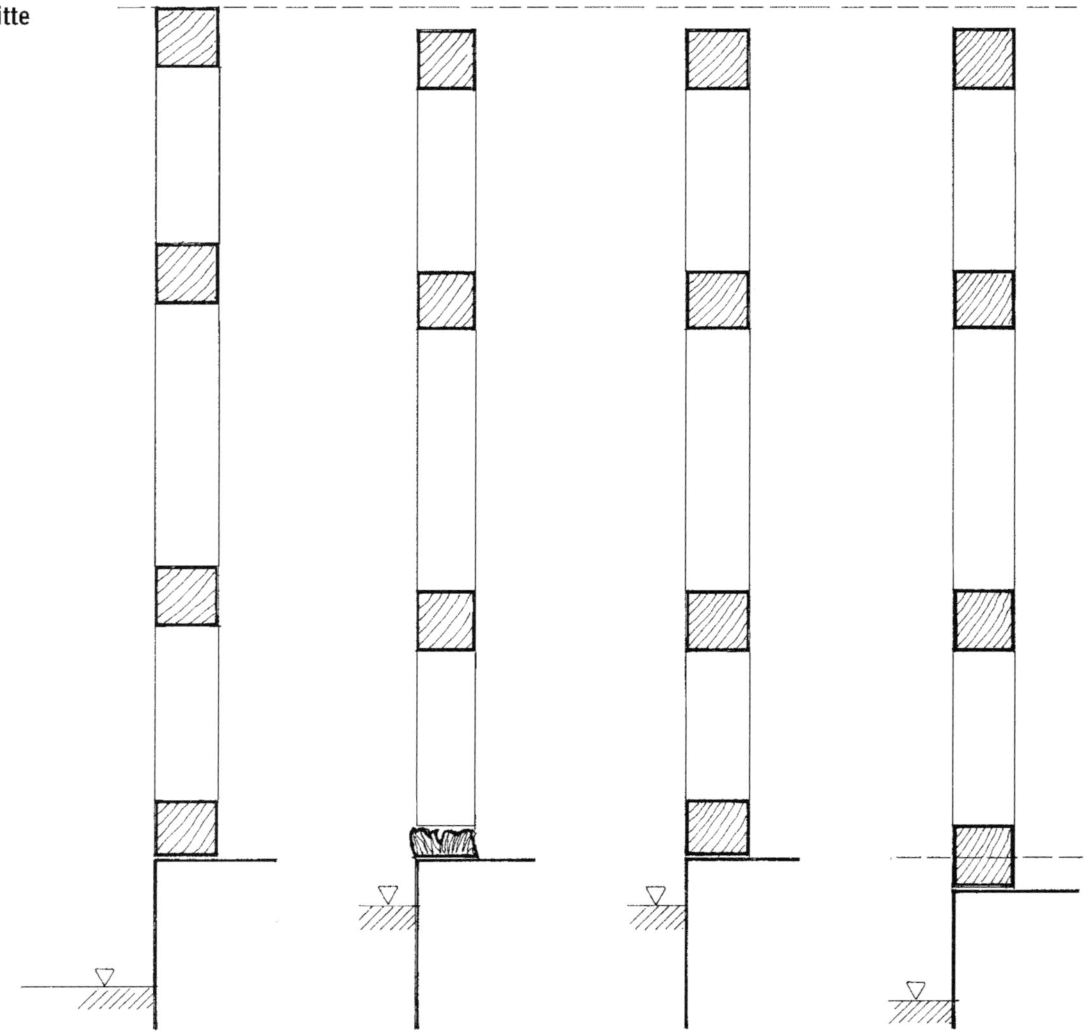

Originalgeometrie

Außenwand sinkt ab, zerstörte Schwelle

Reparatursituation: neue Schwelle, unteres Gefach zu niedrig

Gelände wird wieder abgesenkt, unteres Gefach wird im alten Maß wiederhergestellt, Schwelle liegt tiefer als beim Originalzustand.

Ist an einem Fachwerkgebäude die Grundschwelle zerstört, verändert sich die Geometrie des Gebäudes durch Absenken. Dieses Absenkmaß ist in Abhängigkeit vom Zerstörungsmaß der Schwelle am konkreten Gebäude zu ermitteln, es kann 20 cm und mehr betragen.

In dieser Situation durchgeführte Reparaturen zeigen oft das Bild, dass die Ständer im unteren Gefachfeld gekürzt wurden, um eine neue Schwelle einziehen zu können. Da diese neue Schwelle seitlich eingeschoben wurde, fehlen die Zapfenanschlüsse. Vor Beginn einer Instandsetzung muss also entschieden werden, welche Situation wiederherzustellen ist.

Da ein Anheben des Gebäudes in die ursprüngliche Höhe in der Regel nicht infrage kommt, müssen Korrekturen am Sockel geprüft werden. Die Wiederherstellung der historischen Ansicht in ihrer Geometrie kann das richtige Ziel sein. In den Phasen 1 bis 4 sind die verschiedenen Zustände schematisch dargestellt. Das Anheben des Geländes nahe am Gebäude sollte rückgängig gemacht werden.

6.2.3 Sockel/Grundschwelle/Stockwerksschwelle

Arbeitsblatt 24

Grundschwelle – richtiger Einbau
Grundschwelle – Erneuerung von der Seite

Vertikalschnitte

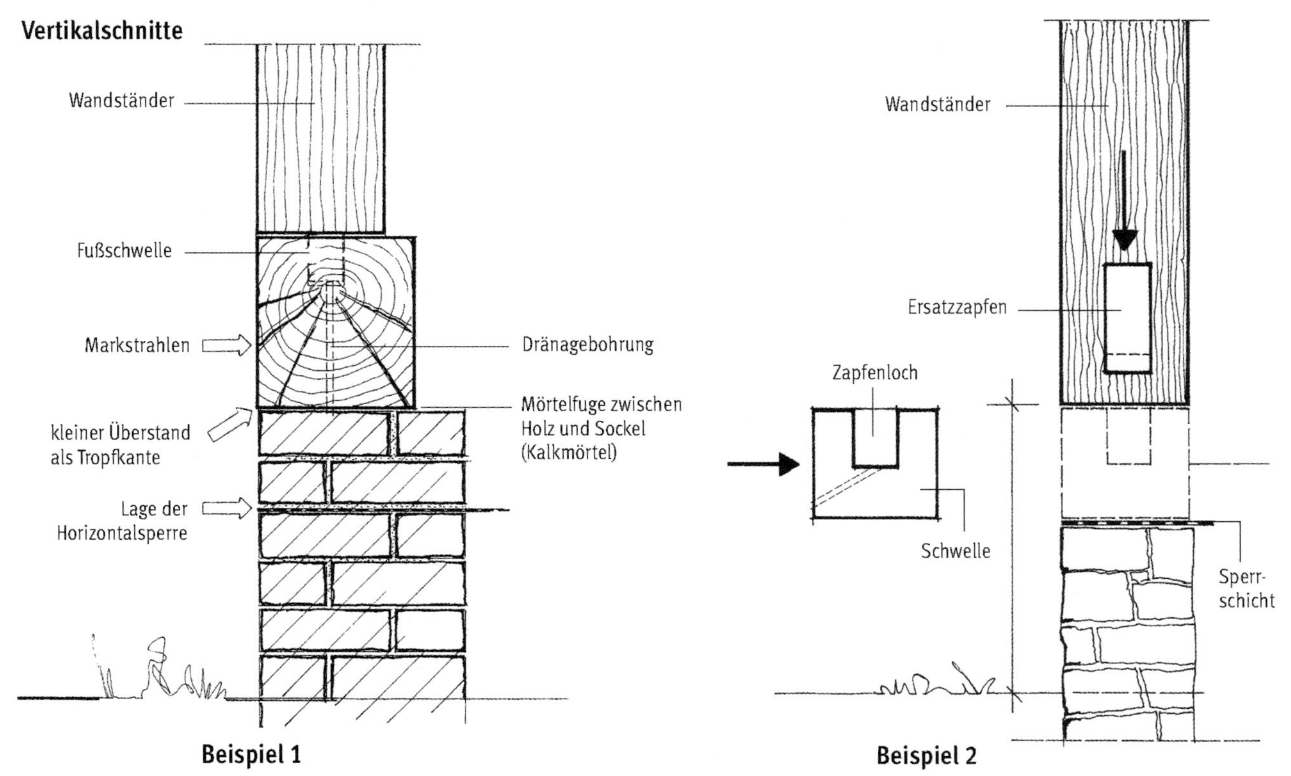

Beispiel 1

Zu den sensibelsten Bereichen des Fachwerkhauses gehört der Übergang von Erdreich und massivem Sockel zur Grundschwelle. Bietet der massive Sockel einen Spritzwasserschutz von etwa 40 cm, ist das eine gute Konstruktion. Die Grundschwelle sollte ein paar Millimeter über dem Sockel vorstehen – natürlich muss sie vollkantig sein –, sodass Wasser abtropfen kann.

Die Schwelle wird so verlegt, dass die Markstrahlen nach unten weisen, so wird das Eindringen von Wasser erschwert. Eine horizontale Abdichtung gehört nicht unmittelbar unter die Schwelle, sondern in das Mauerwerk. Die Schwelle sollte in einem einfachen Kalkmörtelbett oder Kalklehmmörtel auf dem Mauerwerk verlegt werden. Andere Fugendichtungen werden nicht empfohlen.

Die Dränagebohrung aus den Zapfenlöchern kann vertikal nach unten gehen, da das Wasser aufgenommen wird.

Beispiel 2

Das Auswechseln beschädigter Grundschwellen kann von der Seite her erfolgen, wenn die Ständerzapfen bereits verloren gegangen sind. Diese können durch die bereits beschriebenen seitlichen Ersatzzapfen ersetzt werden. Damit wird die notwendige Stabilität erreicht.

Arbeitsschritte:
- Absteifung
- vorhandene Schwelle ausbauen
- Sockelmauerwerk instand setzen
- Sperrschicht einbauen
- neue Schwelle seitlich einschieben
- Mörtelfuge zwischen Holz und Sperrschicht
- Ersatzzapfen einbauen seitlich

6.2.3 Sockel/Grundschwelle/Stockwerksschwelle

Arbeitsblatt 25

Grundschwelle – Einbau von unten

Ständerfuß – Ersatzzapfen unten

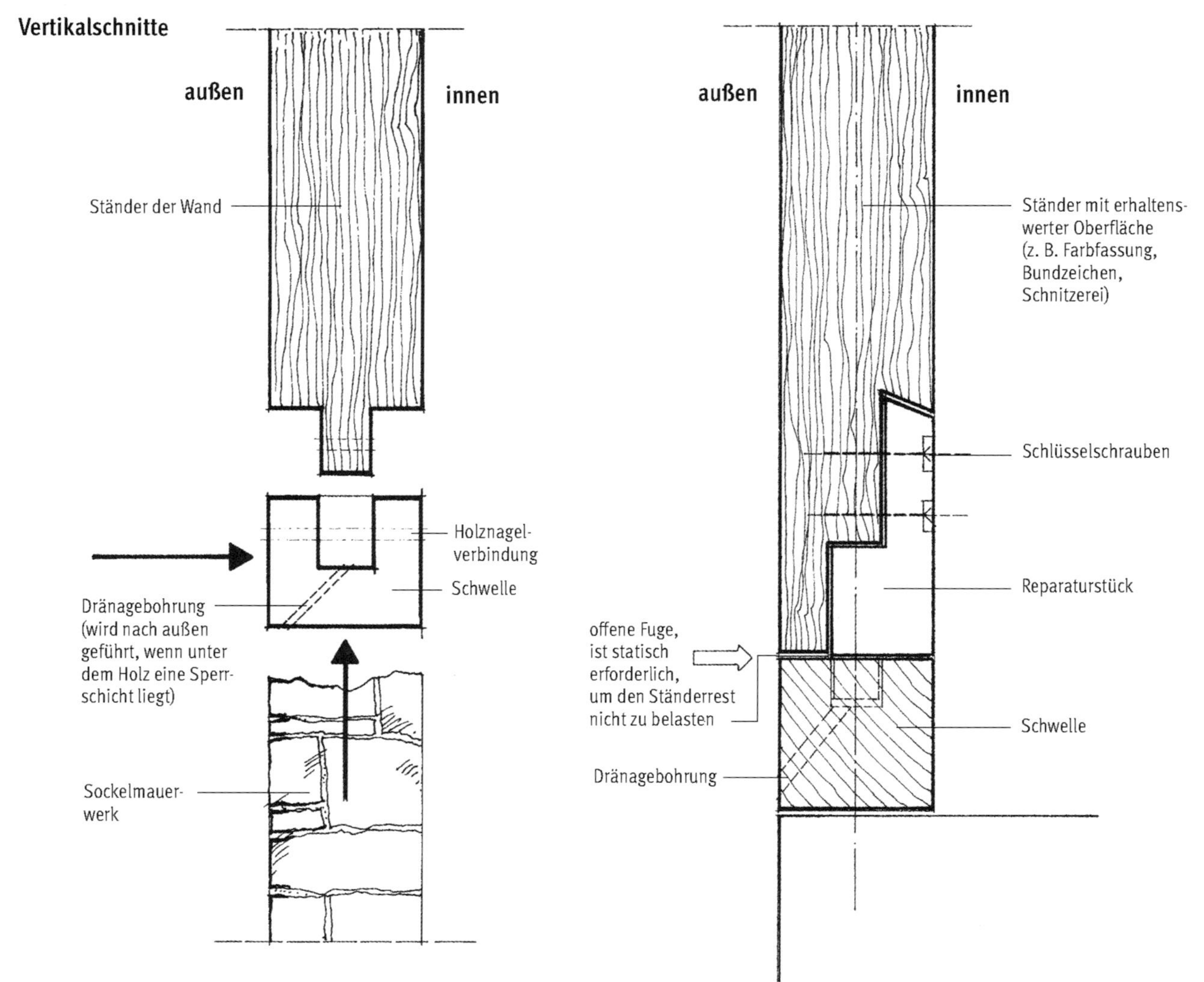

Eine weitere Möglichkeit der Schwellenerneuerung ist der Einbau von unten. Dabei wird davon ausgegangen, dass die Zapfen im Wesentlichen vorhanden sind und das unvermeidliche Abtragen eines Teils des Sockelmauerwerks auch aus denkmalrechtlicher Sicht möglich ist. Bei dieser Lösung kann die horizontale Sperrschicht im Mauerwerk verlegt werden. Inwieweit eine Vernagelung erfolgt, ist von den örtlichen Gegebenheiten abhängig.

Arbeitsschritte:
- Sicherungsabsteifung
- Rückbau des Sockels
- Ablassen und Ausbau der geschädigten Schwelle
- neue Schwelle von unten einfügen
- Vernagelung, nur wenn es ortsüblich ist
- Aufmauern des Sockels (Verkeilen unter der Schwelle)
- Sperrschicht an geeigneter Stelle vorsehen (siehe auch Abschnitt 3.3.1)

Kann ein neuer Zapfen, wie mehrfach beschrieben, so eingefügt werden, dass die Ansichtsfläche des Fachwerkholzes erhalten bleibt, wäre das die Vorzugslösung. Die Anschlussschnitte mit offenen Fugen (innen oder außen) sind stets geneigt anzuordnen, damit kein Wasser eindringen kann.

6.2.3 Sockel/Grundschwelle/Stockwerksschwelle

Arbeitsblatt 26

Ständerfuß – Ersatzzapfen unten

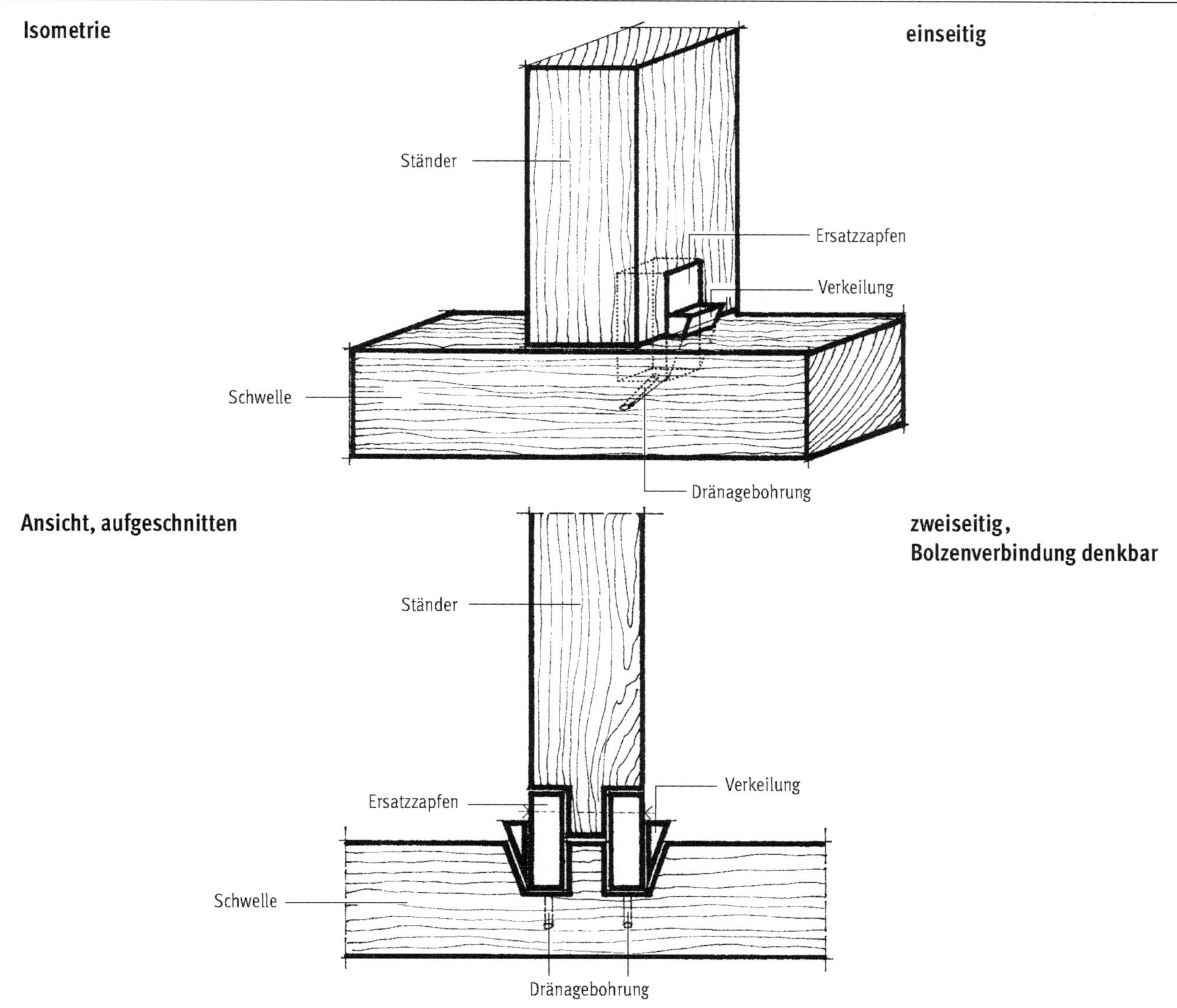

Ein vielfältiges Thema in der Fachwerkinstandsetzung ist der Ersatz von nicht mehr vorhandenen Zapfen. Die Anwendungsfälle können am vertikalen Holzbauteil oben und unten sein sowie am horizontalen Element links oder rechts. Analog ist das für Streben, Knaggen, Winkelhölzer und andere Holzbauteile zu sehen.

Je nach Zerstörungsgrad, Lastanfall und sonstigen Anforderungen sind die Lösungen zu suchen. Sind die Zapfen in Verbindung mit einer Sanierung abgeschnitten worden, zeigt die Abbildung den Ersatz durch seitlich eingestemmte Verbindungshölzer, die mit Keilen gesichert werden. Eine zusätzliche Bolzenverbindung ist denkbar, aber nicht zwingend erforderlich.

Eine Dränage sollte in jedem Fall angeordnet werden. Nachteil dieser Variante ist das Vorhandensein eines offenen Fugenanteils.

Arbeitsschritte:

- Ersatzzapfenhölzer (etwa 60 mm × 60 mm) einpassen
- seitlich verkeilen
- mit Schlüsselschrauben seitlich verbinden
- Dränagebohrung herstellen

6.2.3 Sockel/Grundschwelle/Stockwerksschwelle

Arbeitsblatt 27

Ständerschale

Sicherer Ständeranschluss zur Schwelle

Isometrie

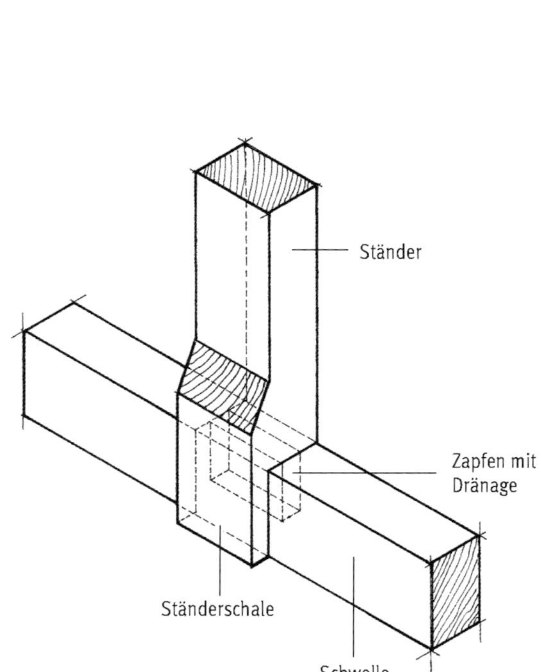

Vertikalschnitt

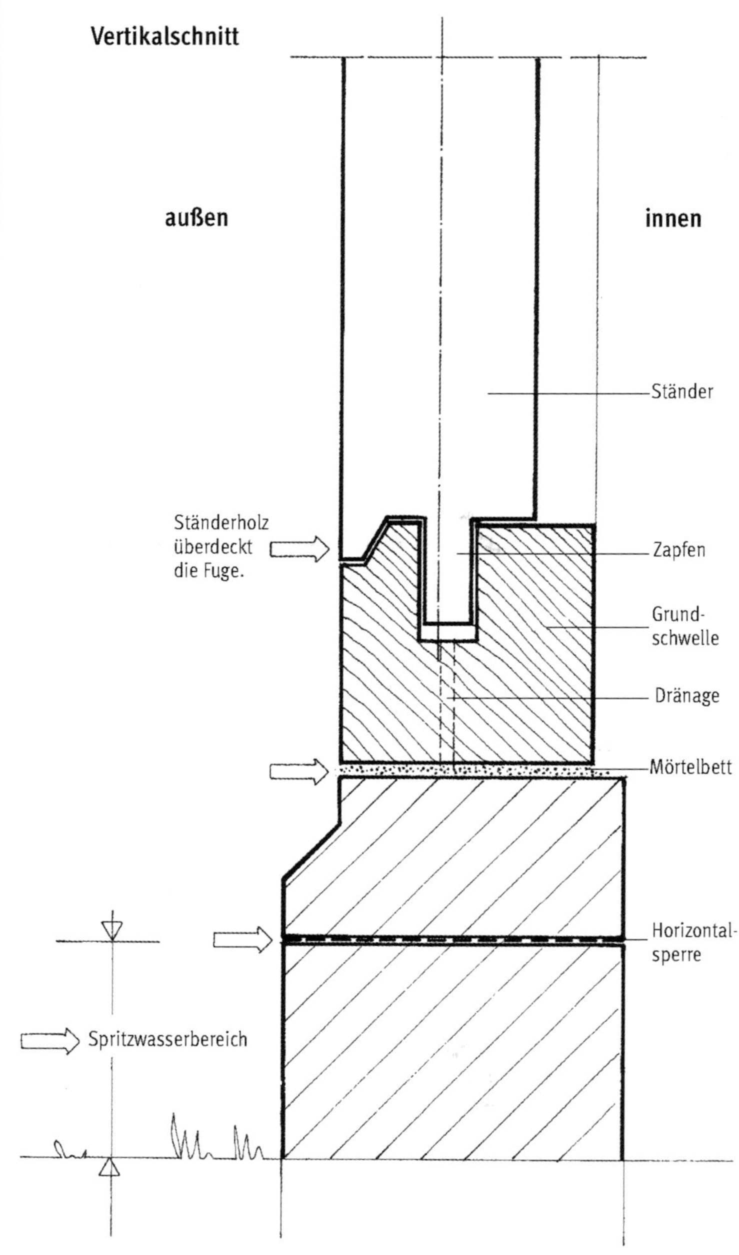

Für die Schwellen war die im 13. Jahrhundert bereits verwendete Ständerschale ein Schutz gegen die in das Zapfenloch eindringende Feuchtigkeit. Eine ähnliche Anschlussverbindung findet man im Schweizer Fachwerk.

An Objekten der Baudenkmalpflege sind diese Details natürlich nicht schematisch zu übernehmen, aber im Neubaubereich sind derartige Überlegungen angebracht.

Bei Fachwerkneubau kann der konstruktive Holzschutz im Anschlussbereich Ständer–Schwelle nach dieser Darstellung erfolgen. Das an der Fassade ablaufende Niederschlagswasser kann am Fuß des Ständers nicht in das Zapfenloch eindringen. Die Fuge zum Mauerwerk unter der Schwelle sollte ein Kalkmörtelbett sein. Die horizontale Feuchtigkeitssperre liegt im Mauerwerk. Darunter befindet sich die Spritzwasserzone.

6.2.3 Sockel/Grundschwelle/Stockwerksschwelle

Arbeitsblatt 28

Einzapfung des Ständers bei Baumkante

Ansicht

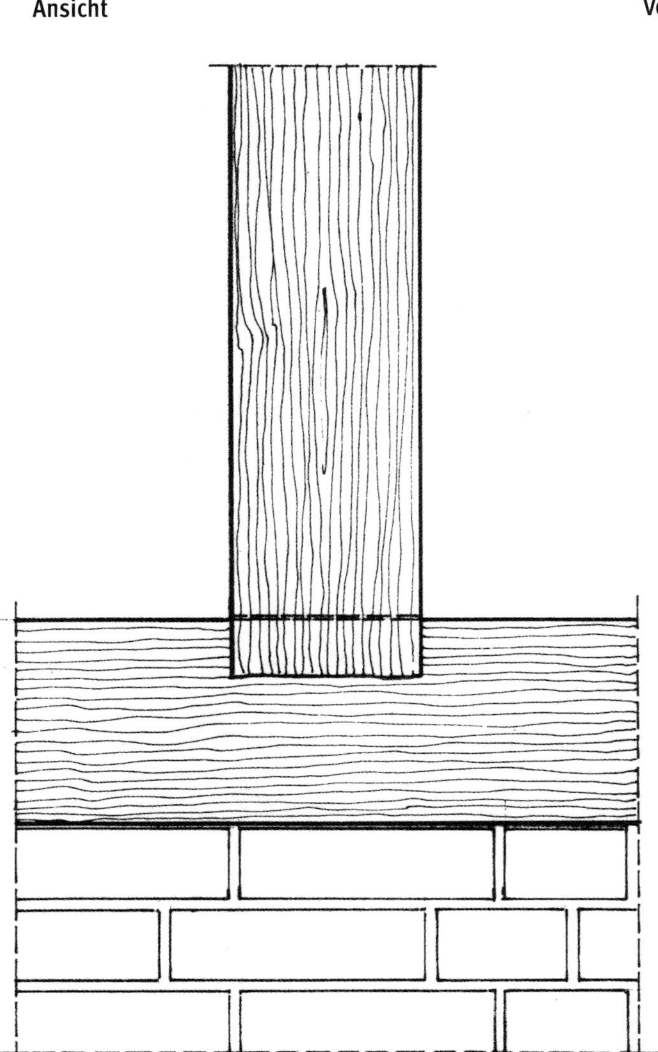

Vertikalschnitt

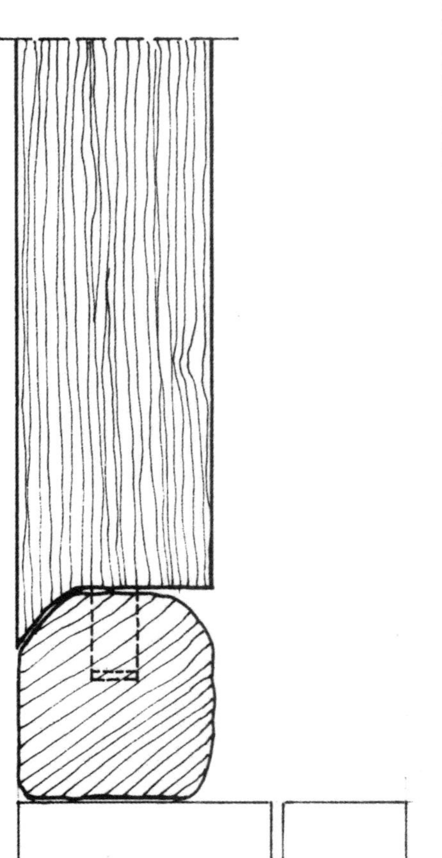

Ein eher seltener Befund. Ist die Schwelle mit erheblicher Baumkante verlegt worden, muss der Ständerfuß angearbeitet werden. Dadurch entsteht ein Überstand, der die Zapfenfuge verdeckt und damit gegen Regen schützt. Ein kaum geplanter Vorteil.

6.2.3 Sockel/Grundschwelle/Stockwerksschwelle

Arbeitsblatt 29

Grundschwelle – Eckverbindung

Isometrien

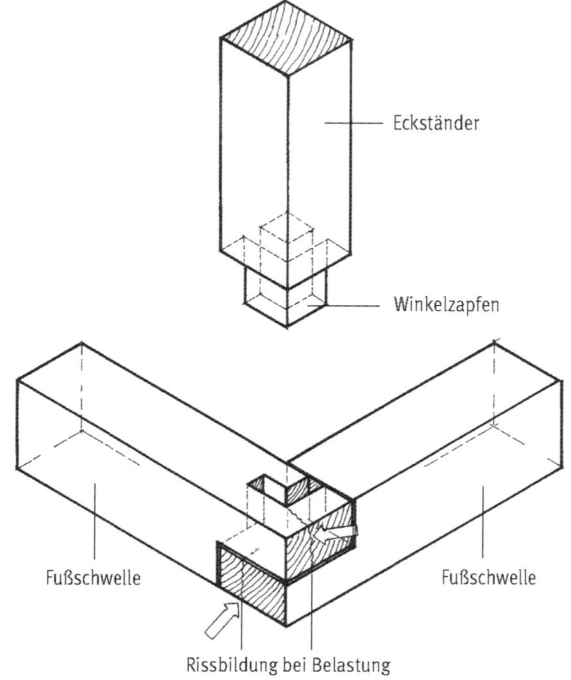

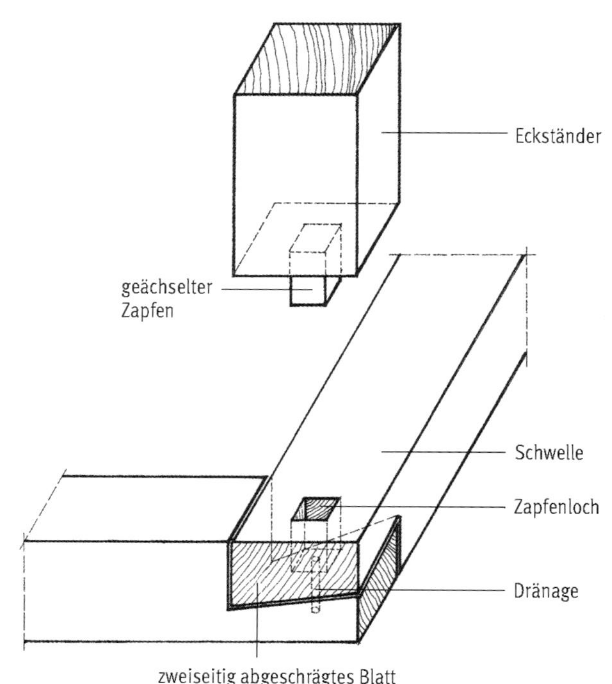

Eine klassische Holzverbindung ist das Verzapfen.

Dargestellt ist ein Schwelleneckblatt mit eingezapftem Eckständer. Handwerklich anspruchsvoll ist der Winkelzapfen, aber das Ausbrechen des Vorholzes in den Schwellenköpfen ist kaum auszuschließen. Diese Konstruktion ist daher keine Vorzugslösung.

Die Zeichnung zeigt eine allgemein übliche Eckverbindung mit zweiseitig schrägem Blatt und durchgestecktem geächseltem Zapfen. Diese Verbindung ist gegen seitliches Verschieben gesichert. Die Anfälligkeit gegen eindringende Feuchtigkeit und folgende Fäuleschäden ist jedoch sehr groß, sodass die Verbindung als schlecht zu bewerten ist.

6.2.3 Sockel/Grundschwelle/Stockwerksschwelle

Arbeitsblatt 30

Eckständerschale

Grundschwelle – Eckverbindung, Ausführungsvorschlag

Isometrien

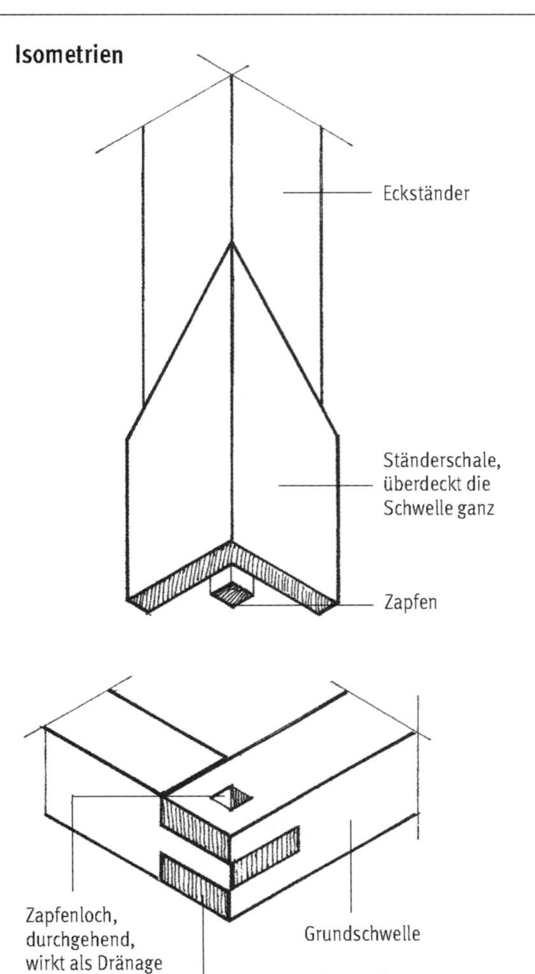

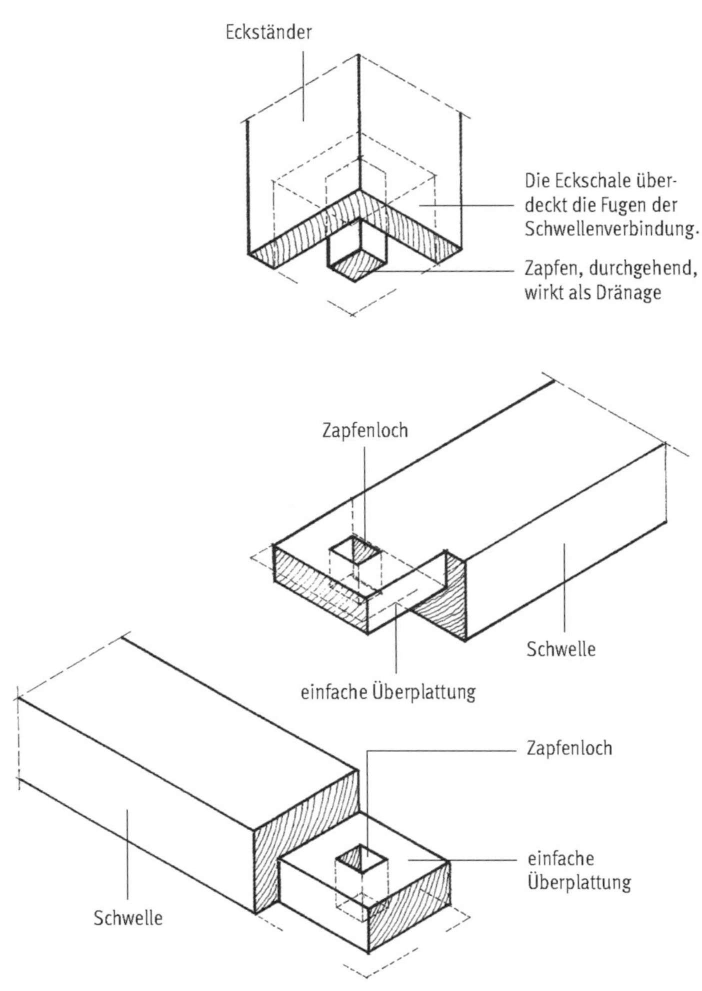

Eine bereits im 13. Jahrhundert entwickelte Holzverbindung für den Anschluss von Eckständern ist im Laufe der Zeit in der Bauausführung verloren gegangen. Die sogenannte Eckständerschale ist ein herausragendes Beispiel des konstruktiven Holzschutzes. Dass der Eckständer relativ aufwändig hergestellt werden muss, steht in keinem Verhältnis zu dem Aufwand, einen Eckständer zu reparieren oder auszuwechseln.

Fasst man, so wie hier, die Aussagen der Arbeitsblätter 25 bis 27 zusammen, könnte eine verbesserte Eckverbindung, wie hier dargestellt, aussehen.

Das Zapfenloch selbst dient als Dränage, denn Feuchtigkeit kann über die seitlichen Fugen trotzdem eindringen.

Diese Variante ist im Fachwerkneubau ausführbar, wenn keine denkmalpflegerischen Bedenken entgegenstehen.

6.2.3 Sockel/Grundschwelle/Stockwerksschwelle

Arbeitsblatt 31

Laubengalerie – Ständer auf Schwelle

Laubengalerie – Ständer auf Schwelle – Reparatursituation

Isometrie

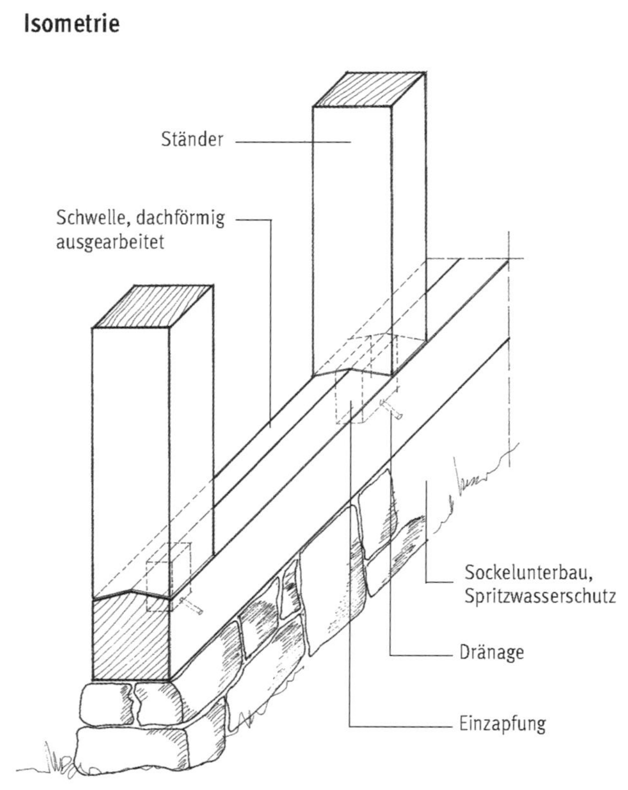

Zu den Fachwerkhaustypen gehören auch Gebäude mit Laubengalerien, deren Ständer der freien Bewitterung ausgesetzt sind und eine sorgfältig konstruierte Aufstandsfläche benötigen. Ist eine Auflagerschwelle angeordnet, kann eine abgeschrägte Oberfläche Wasser abführen.

Die Zapfen sollten mit wirksamer Dränage angeordnet sein. Für die Schwelle selbst sollte eine resistente Holzart gewählt werden (siehe auch Arbeitsblatt 29: Ständer ohne Schwelle).

Frei stehende Holzständer an Lauben und Galerien sind mitunter auf frei liegende Grundschwellen aufgesetzt. Durch die freie Bewitterung sind diese Grundschwellen starken Verwitterungen ausgesetzt und müssen relativ häufig erneuert werden. Im dargestellten Beispiel musste die Schwelle neu eingebaut werden, da die ursprüngliche Schwelle einschließlich der Ständerfüße und Ständerzapfen völlig verloren gegangen war. Ursache hierfür war das erhebliche Anheben der Verkehrsfläche des Hofes.

Vertikalschnitt

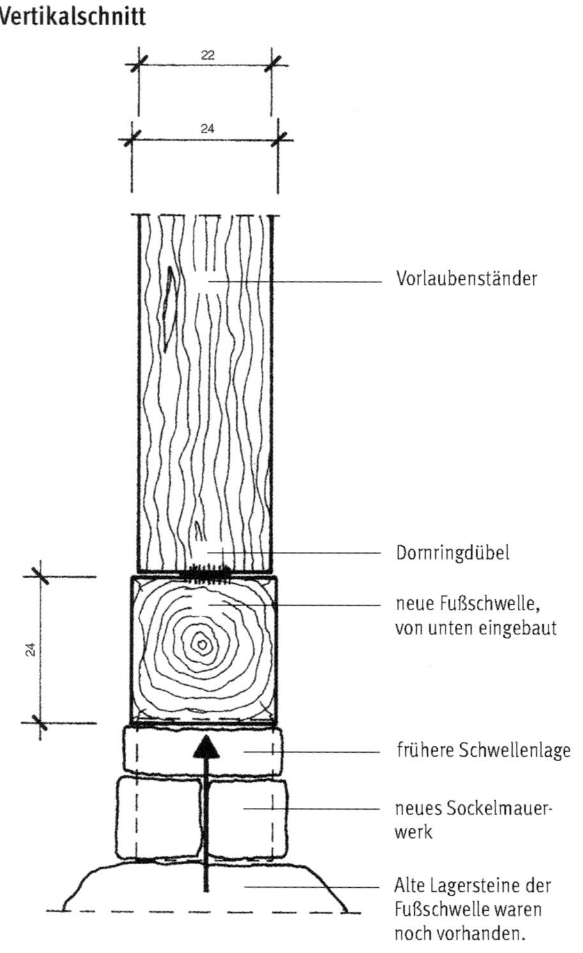

Um die Ständer durch das erneute Anarbeiten von Zapfen nicht weiter zu kürzen, wurde als Horizontalsicherung ein zweiseitiger Dornringdübel beim Zusammenbau eingelegt. Dies ist nur möglich, wenn das Kernholz des Ständers nicht geschädigt ist. Nach dem Einbau der neuen Schwelle erfolgt die Herstellung des darunterliegenden Sockelmauerwerkes.

6.2.3 Sockel/Grundschwelle/Stockwerksschwelle

Arbeitsblatt 32

Laubengalerie – Ständer ohne Schwelle

Vertikalschnitte

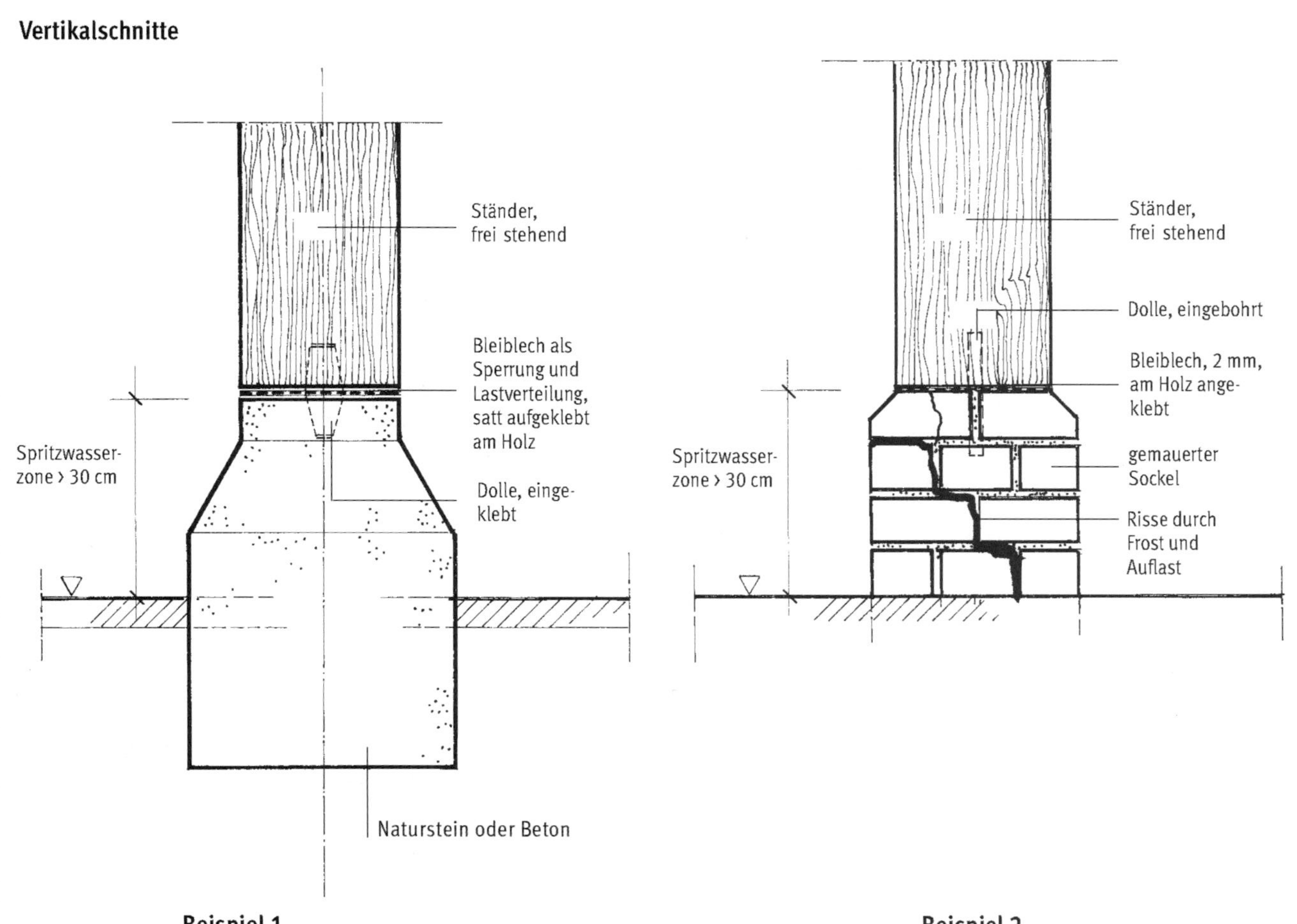

Muss ein Ständer auf einem massiven Sockelelement aufgesetzt werden, gibt es im Wesentlichen zwei Möglichkeiten: Die eine ist der aus Naturstein oder Beton im Ganzen gefertigte Fundamentkörper, die zweite Möglichkeit ist das aus Naturstein oder Ziegel gemauerte Bauteil. In jedem Fall muss eine Dolle zur Sicherung gegen Horizontalkräfte eingebaut werden. Eine Sperrschicht gegen aufsteigende Feuchtigkeit ist vorzusehen. Dass diese nur zwischen Holz- und Massivbauteil liegen kann, ist logisch, aber nicht ideal. Gemauerte Baukörper sind empfindlicher gegen Wasser- und Frostschäden. Um die Last in der Anschlussfuge gleichmäßig übertragen zu können, ist das Aufkleben einer Bleiblechplatte vorteilhaft. Diese bildet auch die Sperrschicht. Der Ständerfuß sollte einen chemischen Holzschutz durch Einstelltränkung erhalten (Iv, P, W).

6.2.3 Sockel/Grundschwelle/Stockwerksschwelle

Arbeitsblatt 33

Verformung

Ansichten

Beispiel 1
Schräges Hakenblatt

Beispiel 2
Schräges Blatt

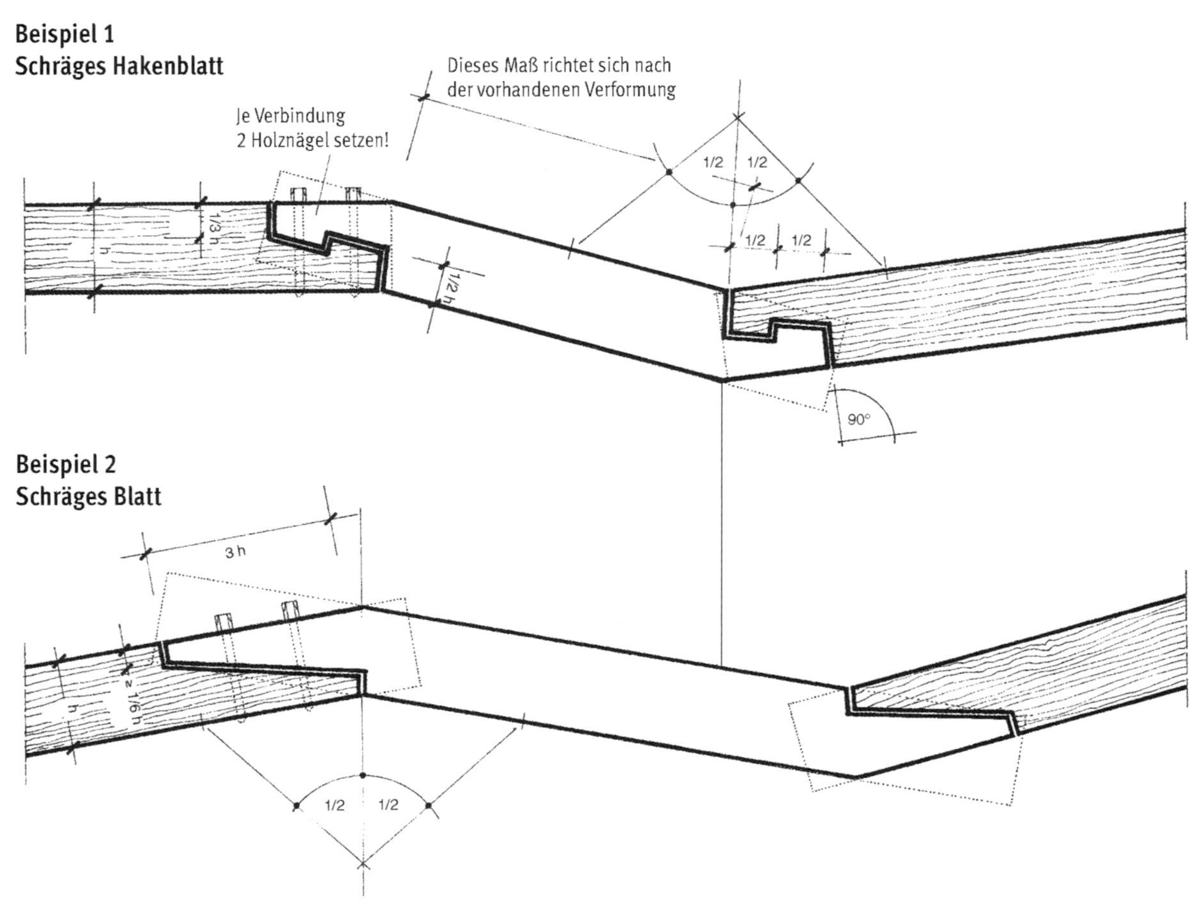

Die Erneuerung verloren gegangener Grundschwellen ist in der Regel die erste Arbeit bei einer Fassadenreparatur. Häufig sind die Grundschwellen sowie das Sockelmauerwerk verformt, d. h., sie liegen nicht mehr waage- und fluchtgerecht.

Da diese Verformung im Allgemeinen bis in die Wandabschlussrähme und in die darüberliegenden Stockwerke übertragen wurde, ist es sinnvoll, die Grundschwelle verformungsgerecht zu reparieren. Eine Begradigung im Sockelbereich würde der Ansicht der Fassade abträglich sein.

Die Zeichnung zeigt die handwerkliche Möglichkeit des verformungsgerechten Einbaus einer Schwelle. Die Verformung der Grundschwelle ist überhöht dargestellt, um das Prinzip deutlich zu machen.

Die Anfertigung von Schablonen für das Ausmessen einzelner Bauteile vor Ort ist hilfreich.

Arbeitsschritte:
- Absteifung
- Demontage
- Anpassen des neuen Schwellenholzes
- Horizontalsperre
- seitlicher Einbau
- Belasten
- Vernagelung
- Sockelmauerwerk

6.2.3 Sockel/Grundschwelle/Stockwerksschwelle

Arbeitsblatt 34

Reparaturen an einer Grundschwelle

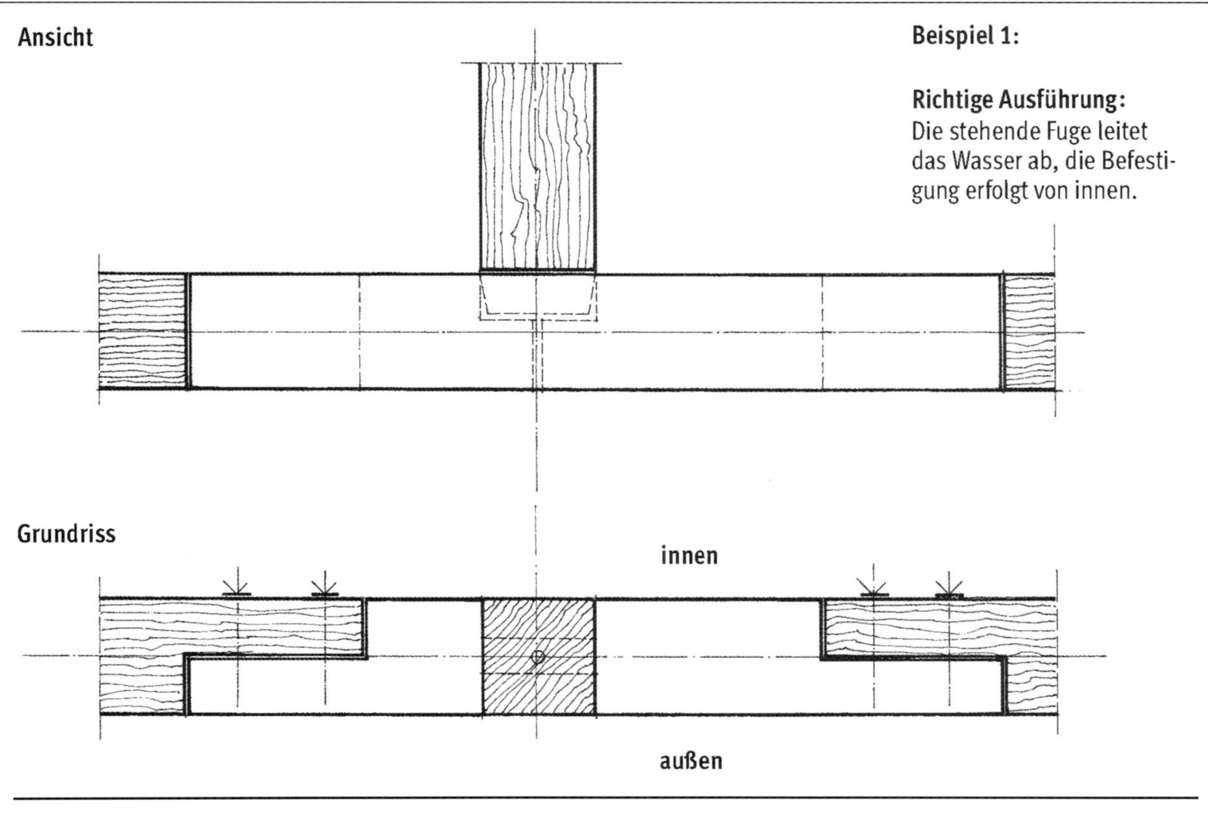

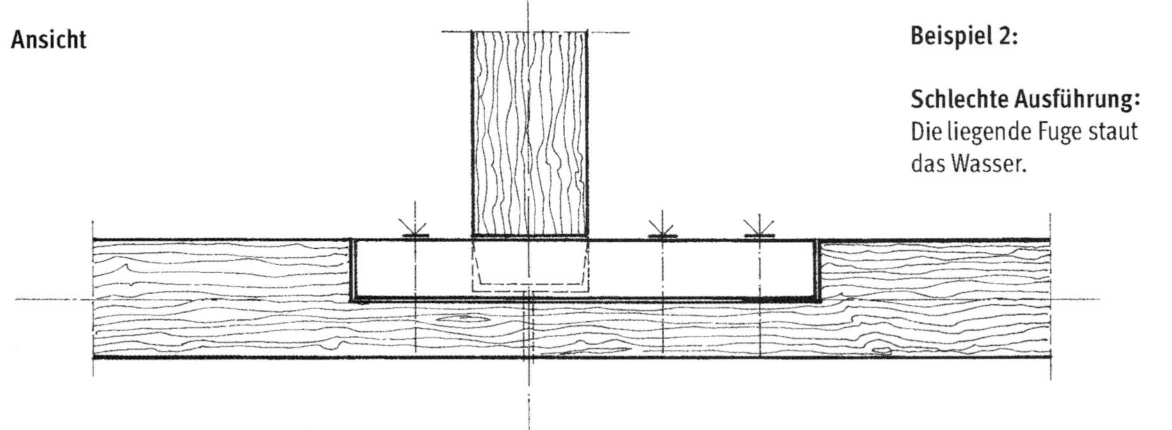

Beispiel 1

Bei der partiellen Erneuerung von Grundschwellen sollte vorzugsweise mit stehenden Fugen gearbeitet werden, um dem Wasserstau vorzubeugen.

In der mittleren Abbildung (Grundriss) ist die Fugenführung dargestellt.

Beispiel 2 zeigt eine Reparatur mit liegender Fuge, die zwar einen geringeren Aufwand erfordert, aber so nicht zu empfehlen ist.

6.2.3 Sockel/Grundschwelle/Stockwerksschwelle

Arbeitsblatt 35

Reparatur an einer Stockwerksschwelle

Isometrie

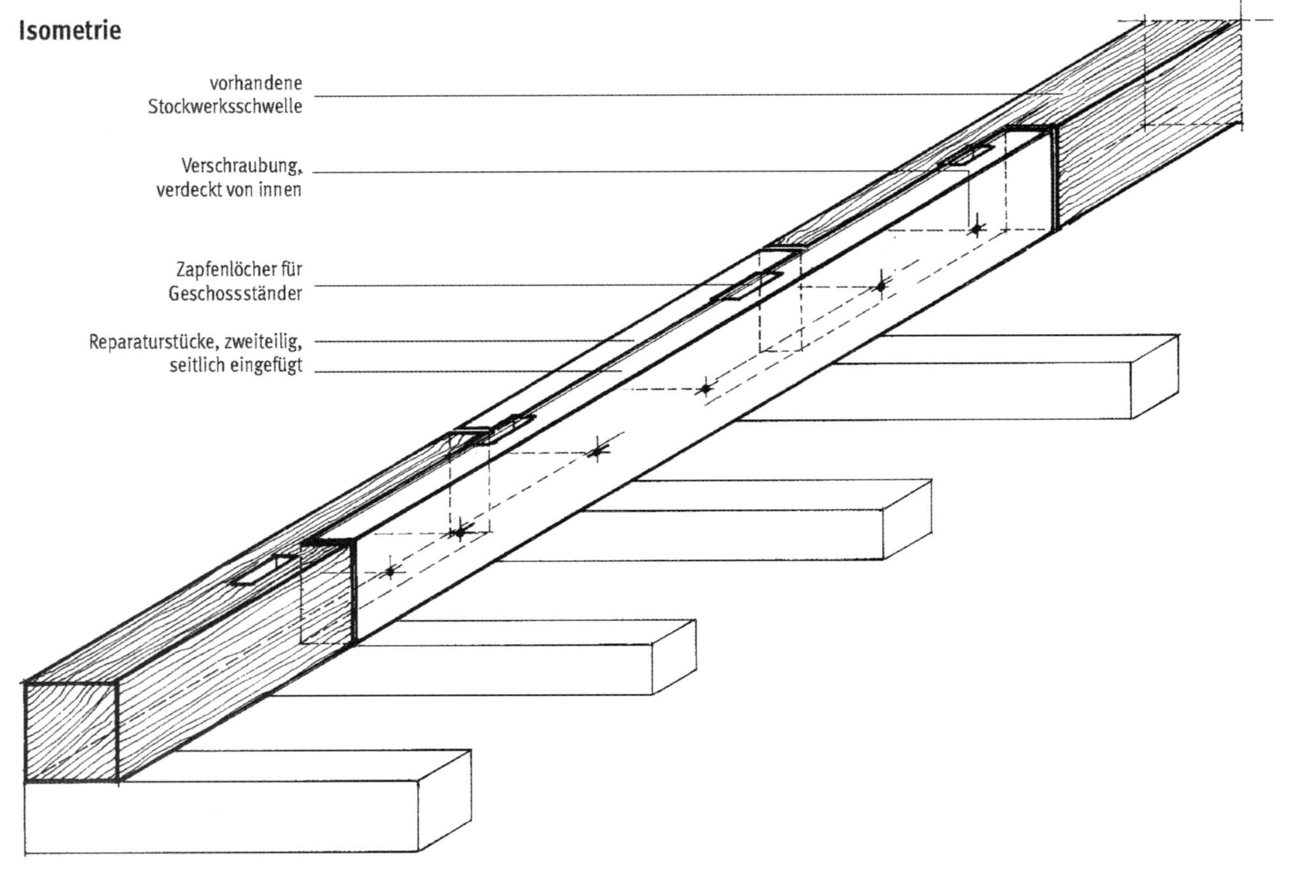

Besonders kompliziert gestaltet sich die Erneuerung im Bereich der Stockwerksschwelle. Nach oben und nach unten eingekämmt, ist der handwerkliche Spielraum begrenzt. Da die darüberliegenden Gebäudeteile in der Regel nicht angehoben werden können, ist der zweiteilige, seitliche Einbau zu empfehlen.

Dank der stehenden Fuge ist der Abfluss eindringenden Wassers gewährleistet. Die Verbindung der Bauteile kann verdeckt von innen ausgeführt werden. In der Zeichnung sind die Verkämmungen nicht dargestellt.

6.2.3 Sockel/Grundschwelle/Stockwerksschwelle

Arbeitsblatt 36

Reparatur an einer Stockwerksschwelle

Beispiel 1

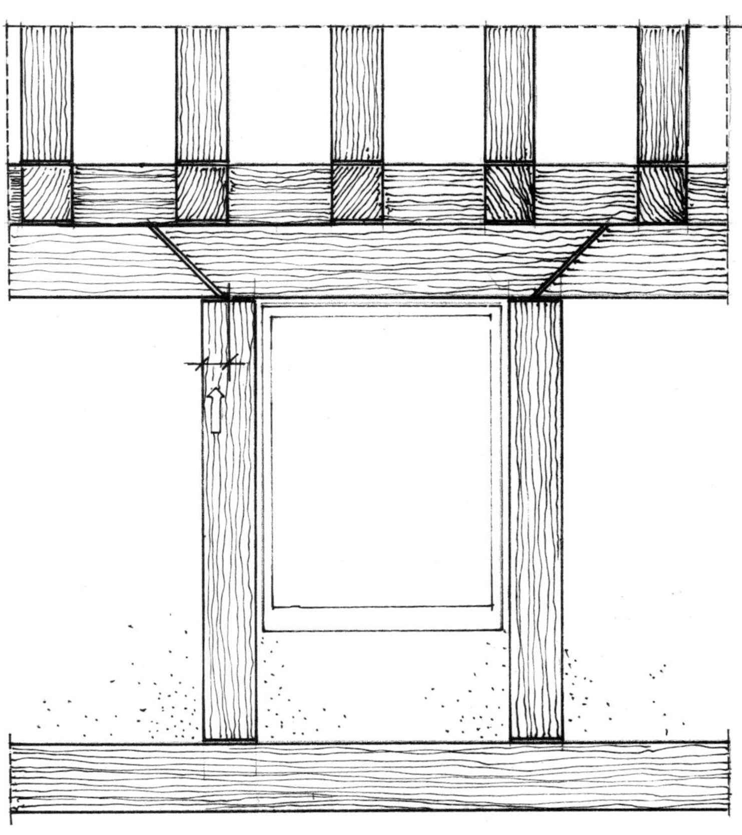

Beispiel 1

Ansicht einer Fachwerkwand aus England. Ob es der Originalzustand ist oder das Ergebnis einer Reparatur konnte nicht festgestellt werden. Die Auflagersituation ist ungenügend. Ob das Sturzholz zugfeste Anschlussverbindungen hat und ob eine Sicherung gegen seitliches Verschieben besteht, ist ebenfalls nicht erkennbar. Eine derartige Verbindung ist (offensichtlich) nicht zu empfehlen.

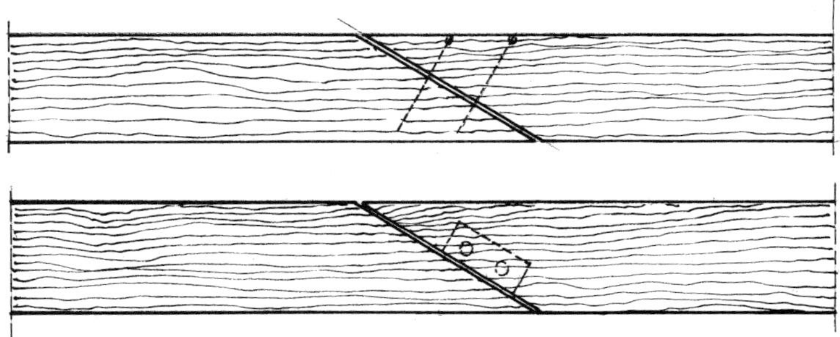

Beispiel 2

Schrägverschraubung

Zapfen, 2 Holznägel von innen, einschnittig

Beispiel 2

Die Zeichnung zeigt einen vorgefundenen Schrägschnitt in einer Schwellenverbindung, England. Auch hier ist eine zugfeste und seitlich nicht verschiebbare Konstruktion erforderlich. Im Bestand kann die Lösung eine nachträgliche Verschraubung sein (obere Zeichnung). Als Neuabbund sollte eine Zapfenverbindung (nach oben gerichtet) gewählt werden (untere Zeichnung).

6.2.3 Sockel/Grundschwelle/Stockwerksschwelle

Arbeitsblatt 37

Grundschwellenkreuzung

Isometrien

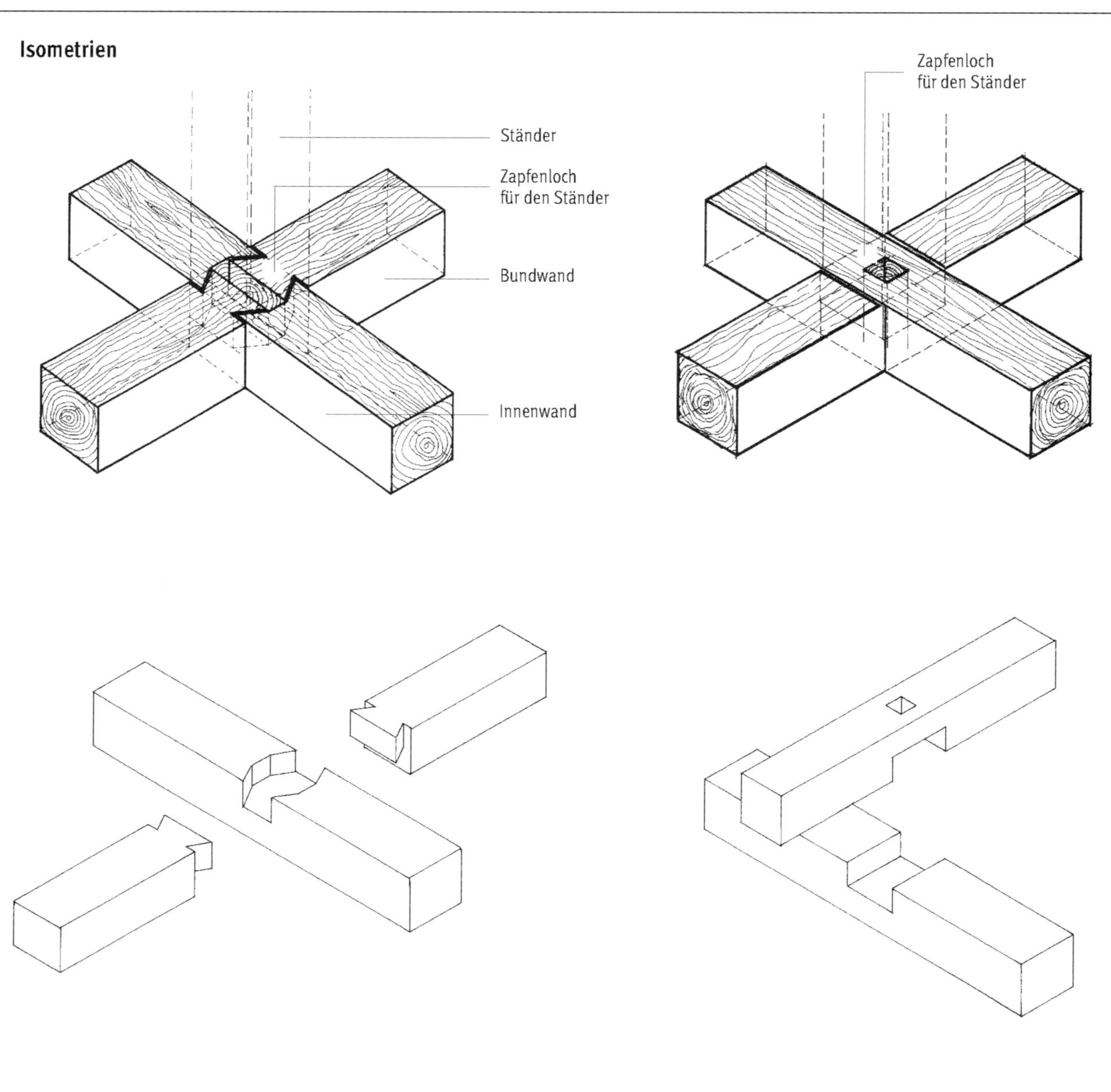

Beispiel 1

Beispiel 2

Die Kreuzungen und einseitigen Anschlüsse in Grundschwellen sind ebenso sorgfältig auszuführen wie die Verbindungen in den Ebenen der Geschossdecken. Beispiel 1 zeigt eine Kreuzung mit Schwalbenschwanzblatt.

Der Platz für einen Vollzapfen des darauf stehenden Ständers ist vorhanden. Eine etwas einfachere Variante ist das Überblatten wie im Beispiel 2 dargestellt. Die Entscheidung muss anhand der konkreten Situation gefällt werden. Ein Dränageloch ist im Innenwandbereich nicht zwingend erforderlich.

6.2.3 Sockel/Grundschwelle/Stockwerksschwelle

Arbeitsblatt 38

Spritzwasserschutz im Sockelbereich

Vertikalschnitt

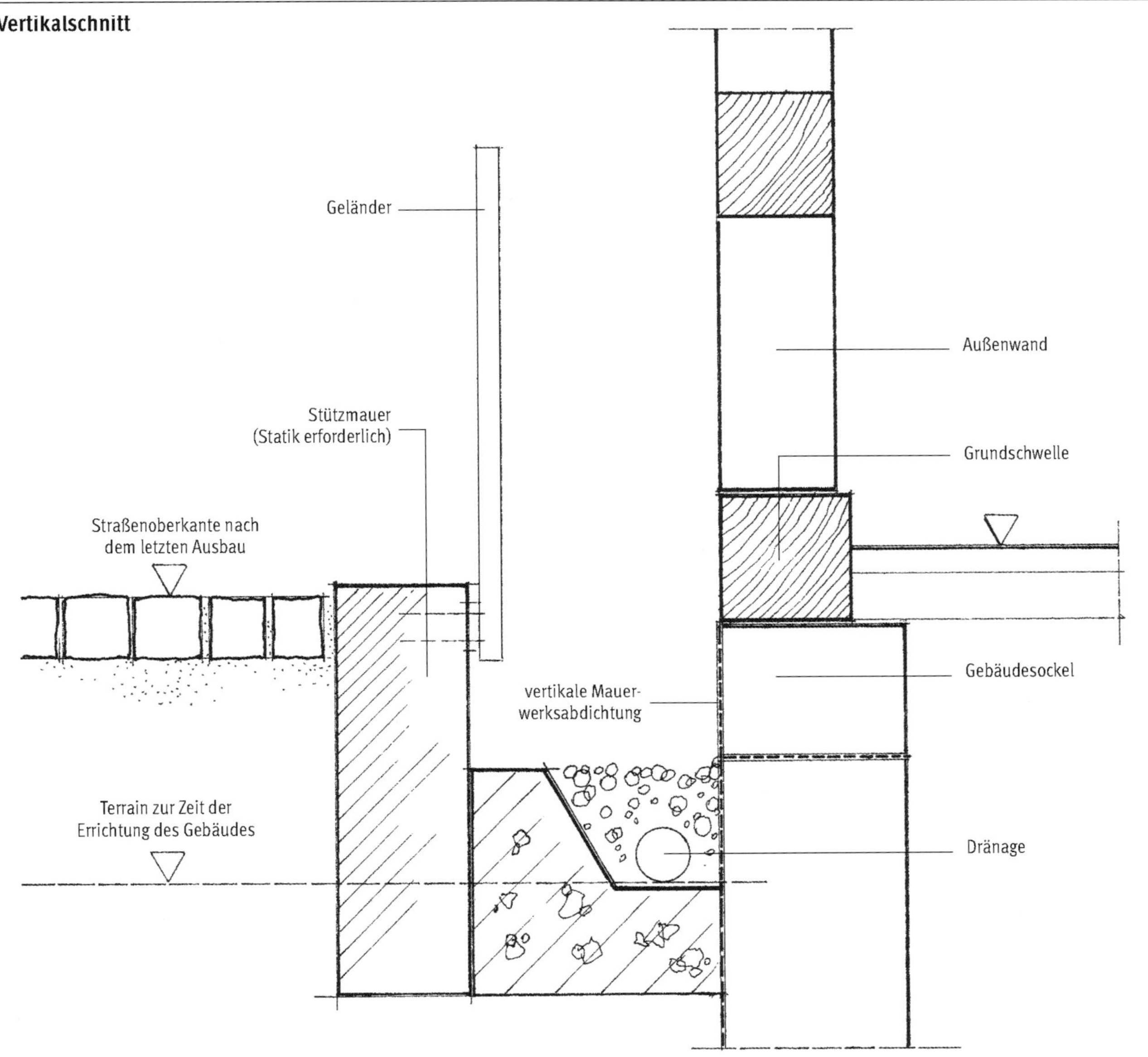

Die Situation, dass durch Straßen- und Gehwegbau die Spritzwasserschutzbereiche von Fachwerkhäusern stark beeinträchtigt sein können, wurde bereits beschrieben. Eine Möglichkeit, das Gebäude vor erheblichen Schäden zu bewahren, ist die Freilegung und Herstellung eines offenen Bereichs zwischen Verkehrsweg und Haus mit einer Absperrung als Sicherung. Für diese Lösung ist eine funktionierende Dränage unverzichtbar. Die Sperrschichten, die zur Gebäudekonstruktion gehören, müssen wirksam sein. Eine optische Kontrolle der Gebäudekonstruktion ist so stets möglich.

Siehe: DIN 4095, Dränung zum Schutz baulicher Anlagen.

6.2.3 Sockel/Grundschwelle/Stockwerksschwelle

Arbeitsblatt 39

Spritzwasserschutz im Sockelbereich

Vertikalschnitt

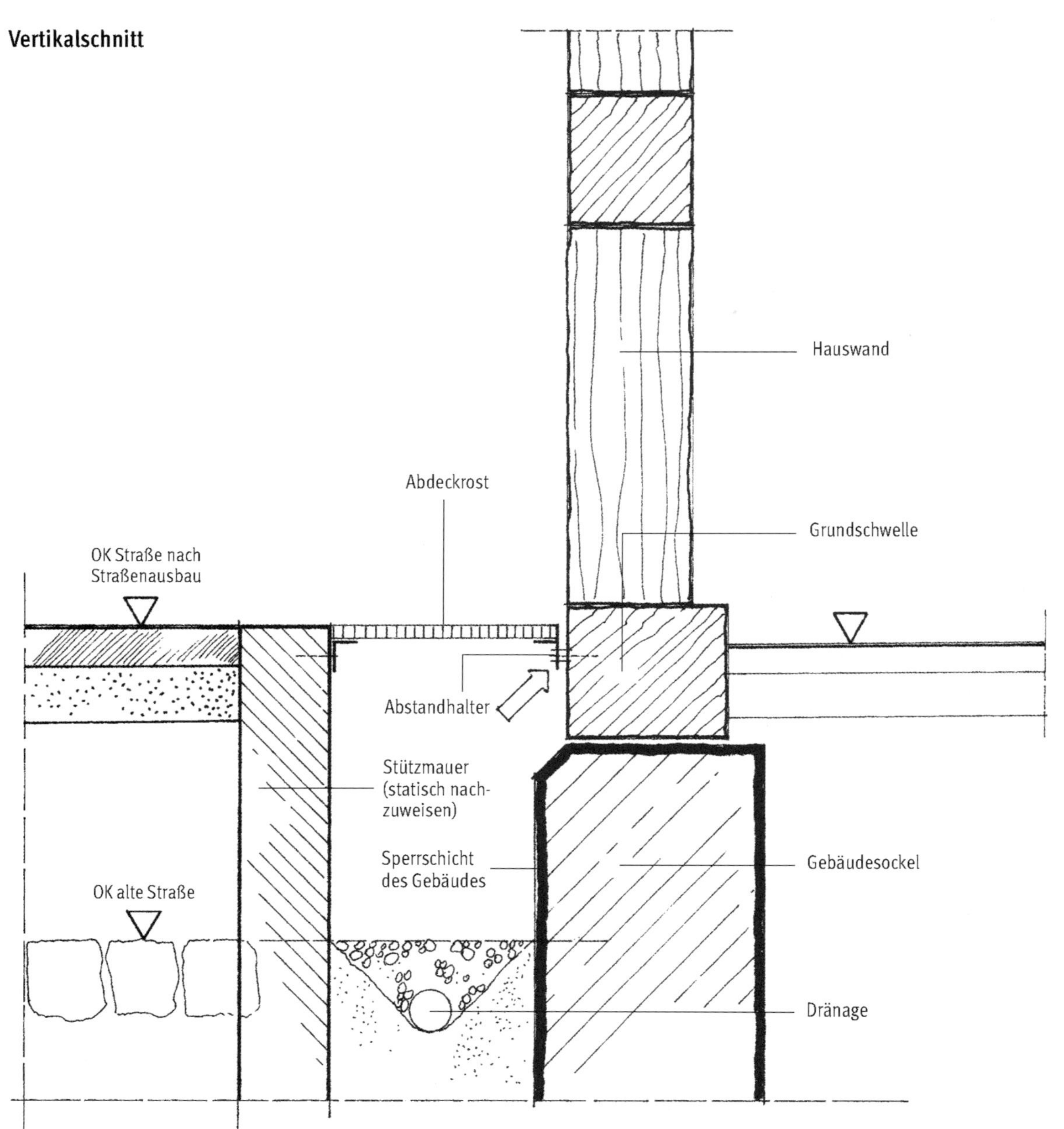

Bei diesem Beispiel geht es ebenfalls um den Schutz des Gebäudes vor Spritzwasser. Ist der Platz für eine Lösung gemäß Arbeitsblatt 34 nicht gegeben, kann ein überdeckter Schutzraum geschaffen werden. Die Abdeckung kann ein Rost sein. Eine gute Durchlüftung ist notwendig. Der Anschluss am Holz darf nur punktuell erfolgen. Das Oberflächenwasser ist sicher abzuleiten. Die visuelle Kontrolle des Gebäudesockels ist bei dieser Lösung eingeschränkt.

6.2.4 Fußböden/Decken

Arbeitsblatt 40

Historischer Fußbodenaufbau, nicht unterkellert

Vertikalschnitt

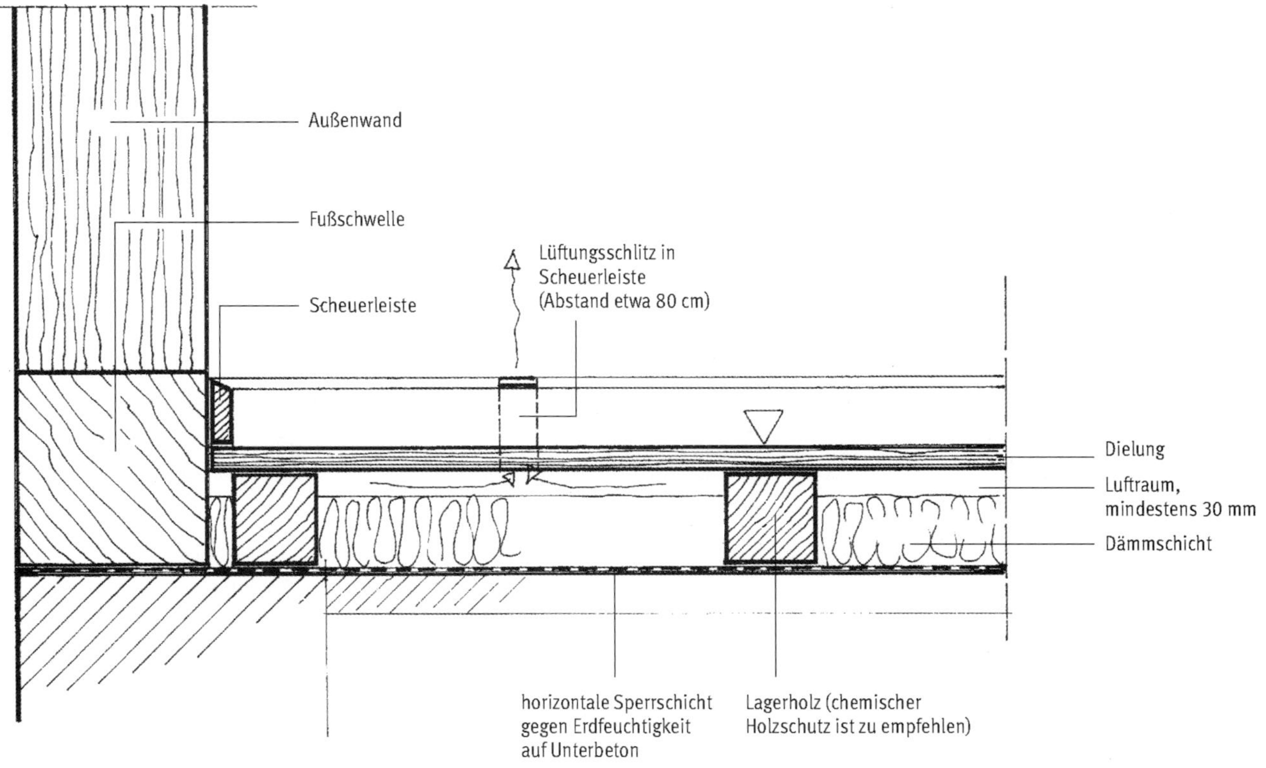

Die auf Erdreich verlegte Holzdielung ohne Unterkellerung ist durchaus häufig anzutreffen. Die fehlende Horizontalsperre führt in der Regel zu erheblichen Schäden.

Auch die von außen unterlüftete Holzdielung findet sich hier. Im Reparaturfall kann auf eine durchgehende horizontale Sperre nicht verzichtet werden. Eine ausreichende Dämmung zwischen den Lagerhölzern gehört dazu. Diese Lagerhölzer sollten die Wandbereiche nicht berühren. Eine Unterlüftung der Dielung mit Raumluft über entsprechende Öffnungen im Wandbereich muss gesichert sein.

6.2.4 Fußböden/Decken

Arbeitsblatt 41

Holzbalkendecken, Bauweisen

Vertikalschnitte

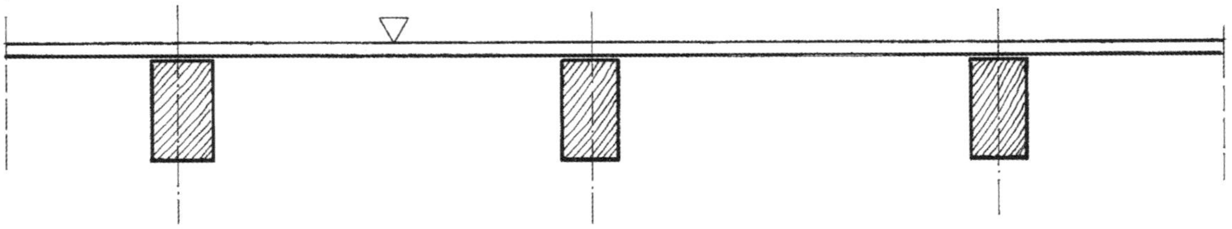

Beispiel 1:

Zeitgemäße, statisch optimierte Konstruktion

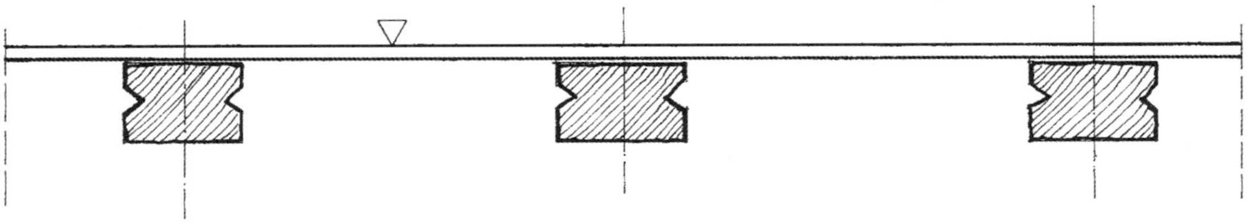

Beispiel 2:

Historische Konstruktion mit liegenden Querschnitten

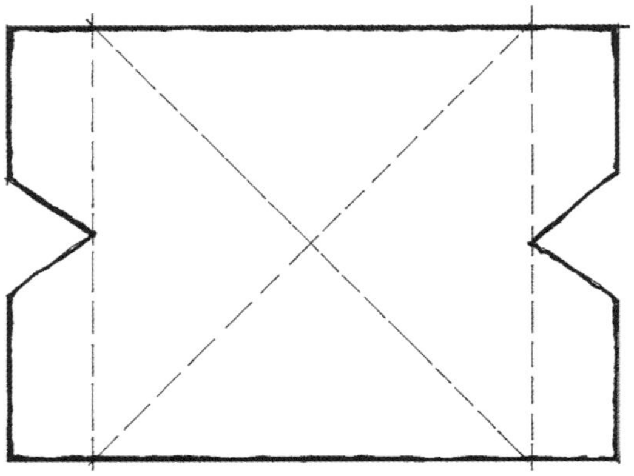

Rechnet man die Einkerbungen der Balken für die Lehmstakenhölzer vom Querschnitt ab, ergibt sich ein etwa quadratischer Balken.

Statische Berechnungen, besonders für Holzbalkendecken, gibt es etwa seit dem 18. Jahrhundert, aber lange nicht für alle Bauvorhaben. Während heute die Balkenlagen nach einer optimierten Berechnung angeordnet werden (siehe oberes Beispiel), wurden in den vergangenen Jahrhunderten die Balkenlagen empirisch nach Handwerkertradition angeordnet. Dabei ist festzustellen, dass die Deckenbalken häufig „liegende Querschnitte" haben. Sind beiderseits Nuten eingeschlagen, um eine Deckenfüllung einzubauen, kann man feststellen, dass der tragende Querschnitt gar nicht so falsch gewählt ist. Solange derartige Konstruktionen funktionieren, sollten sie belassen werden. Besonders im Denkmalschutz hat die Bestandserhaltung Vorrang.

6.2.4 Fußböden/Decken

Arbeitsblatt 42

Ertüchtigung von Holzbalkendecken

Vertikalschnitte

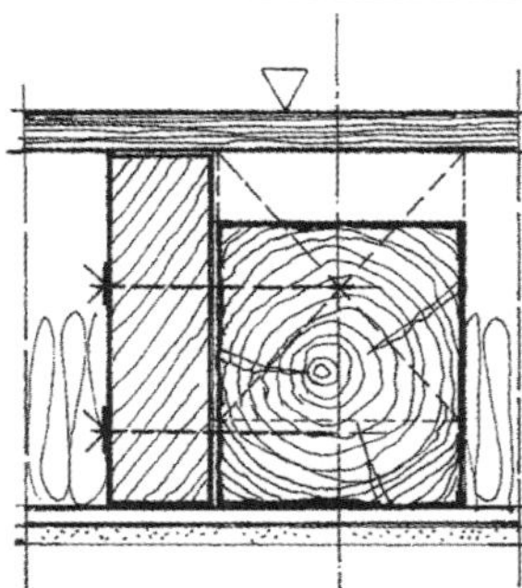

Beispiel 1:
Geschlossene Konstruktion

Einseitige Bohle zum Höhenausgleich für die Egalisierung der Fußbodenebene sowie zur Verbesserung der Tragfähigkeit

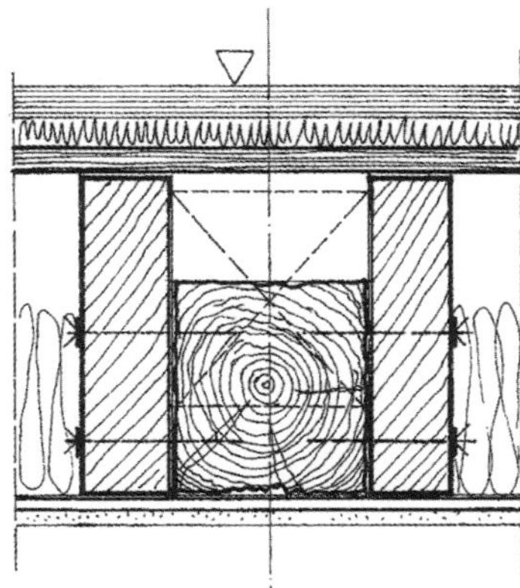

Beispiel 2:
Geschlossene Konstruktion

Die beiderseits angebrachten Bohlen übernehmen die anfallenden Lasten. Sie sind ggf. an die vorhandene Durchbiegung anzugleichen.

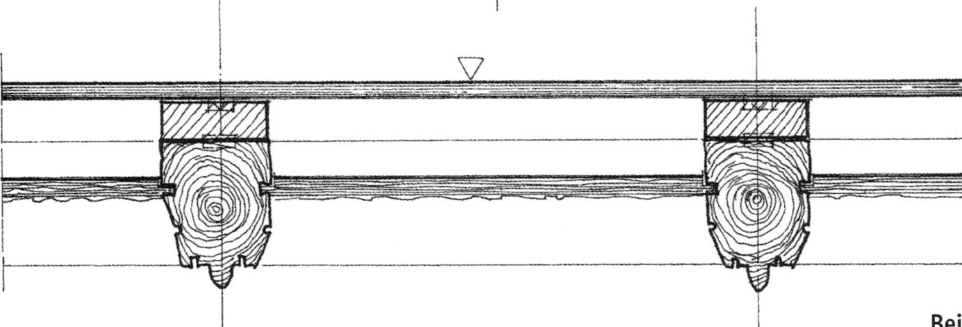

Beispiel 3:
Holzsichtige Decke

Aufgedübelte Kanthölzer erhöhen die Tragfähigkeit der Konstruktion. Die Veränderung der Fußbodenhöhe muss möglich sein. Treppen, Türöffnungen und Brüstungshöhen bestimmen die Möglichkeiten mit.

Die im Laufe der Gebäudealterung eingetretenen Schäden an den Geschossdecken bedürfen sorgfältiger Prüfung und Instandsetzung. Abgesehen von zerstörten Balkenteilen bestehen die Mängel häufig in der zu starken Durchbiegung.

Je nach Konstruktionsprinzip (Deckenbalken voll eingebaut, Deckenbalken nur Unterseite sichtbar, Deckenbalken teilweise sichtbar usw.) ist bei den Überlegungen vorzugehen.

Beispiel 1 zeigt die seitlich befestigte Bohle, um einen Höhenausgleich für den Fußboden zu erhalten.

In Beispiel 2 wird die statische Ertüchtigung mit beiderseitigen Verstärkungen gezeigt.

Beispiel 3 deutet eine außerordentlich erhaltenswerte Deckenansicht an, sodass eine aufliegende Verstärkung (verdübelt) angebracht erscheint. Von Nachteil ist hier die Veränderung der Fußbodenhöhe, die für das gesamte Nutzungskonzept des Hauses zu prüfen ist.

6.2.4 Fußböden/Decken

Arbeitsblatt 43

Holzbalkendecken – Entlastung der Deckenbalken

Vertikalschnitt

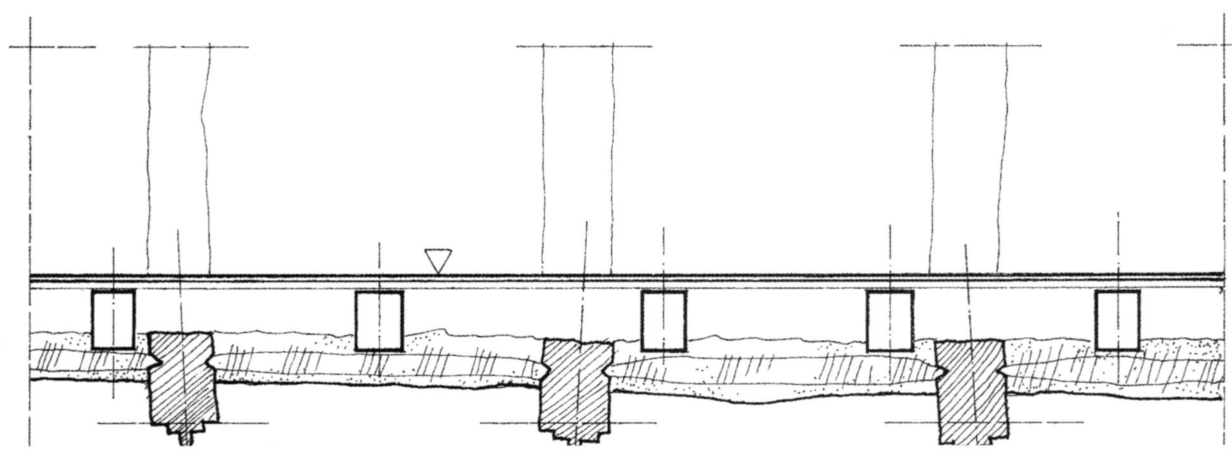

Beispiel:
Profilierte Deckenbalken
geputzte Spiegel

Zur völligen Entlastung der vorhandenen Konstruktion können Zwischenbalken gelegt werden, die alle Lasten aufnehmen.
Die Veränderung der Fußbodenhöhe muss beachtet werden.

Ist die Tragfähigkeit einer erhaltenswerten Deckenkonstruktion nicht mehr gegeben, kann der Einbau einer unabhängigen, neuen, darüberliegenden Decke eine Lösung sein. Die Höhenveränderung des Fußbodens muss möglich sein. Auch die Veränderung des Nutzungskonzeptes kann geringere Lasten ergeben und den Erhalt einer besonders wertvollen Decke ermöglichen.

6.2.4 Fußböden/Decken

Arbeitsblatt 44

Aufhängung einer nicht mehr tragfähigen Decke

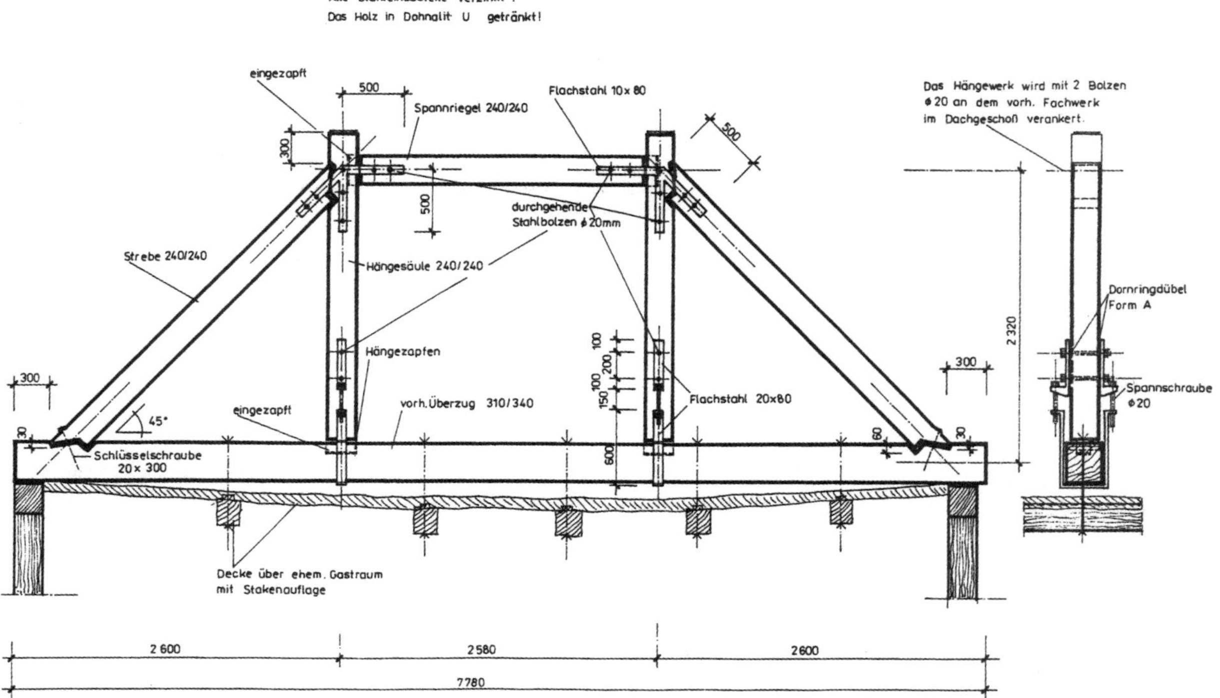

Die Nutzung eines alten Bauwerkes wird oft ermöglicht, wenn man die ursprünglichen Nutzlasten (Verkehrslasten) vernachlässigen kann. Deutlich wird das am Beispiel von Lager- und Speichergebäuden. Ist eine Decke an ihrer „Lebensgrenze“ angekommen, aber immer noch original erhalten, kann man sich zu einer Sicherung durch Aufhängen entschließen. Hier das Beispiel eines historischen Gastraumes im Giebellaubenhaus Pillgram. Es wurde eine klassische Holzkonstruktion gewählt, diese kann kleinteilig vorbereitet und mit Handtransport eingebaut werden. Im Dachraum sind keine Schweißarbeiten erforderlich. Die Befestigungen an den Deckenbalken sind verdeckt zu gestalten. Im vorgestellten Fall war bereits zu früherer Zeit ein Überzug zusätzlich eingebaut worden. Dieser musste nun selbst stabilisiert werden.

6.2.4 Fußböden/Decken

Arbeitsblatt 45

Kellerdecke/Geschossdecke
Kappengewölbe zwischen Holzbalken

Vertikalschnitt **Beispiel 1**

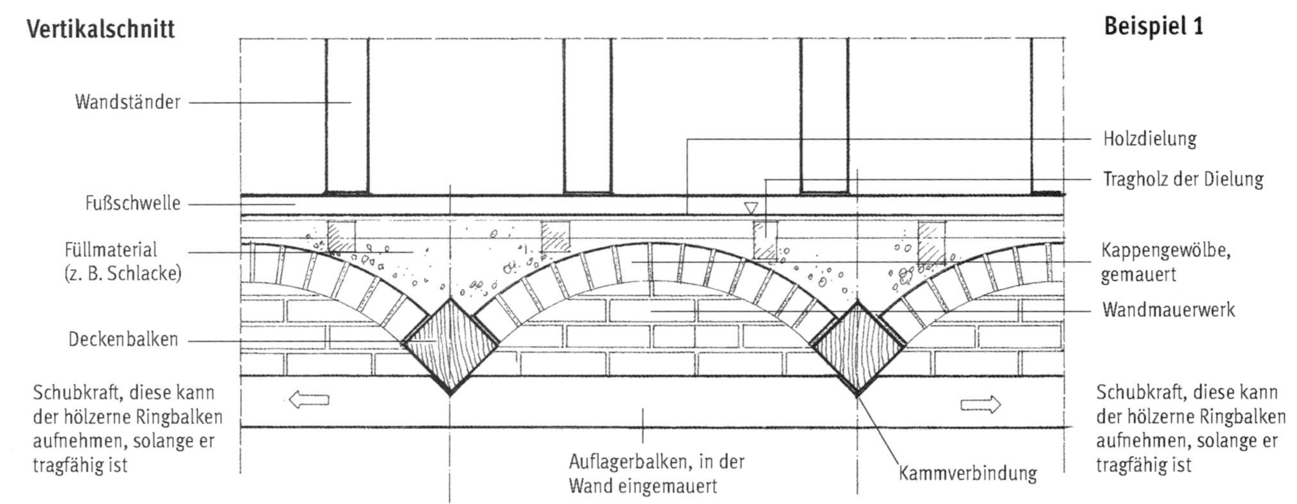

Vertikalschnitt **Beispiel 2**

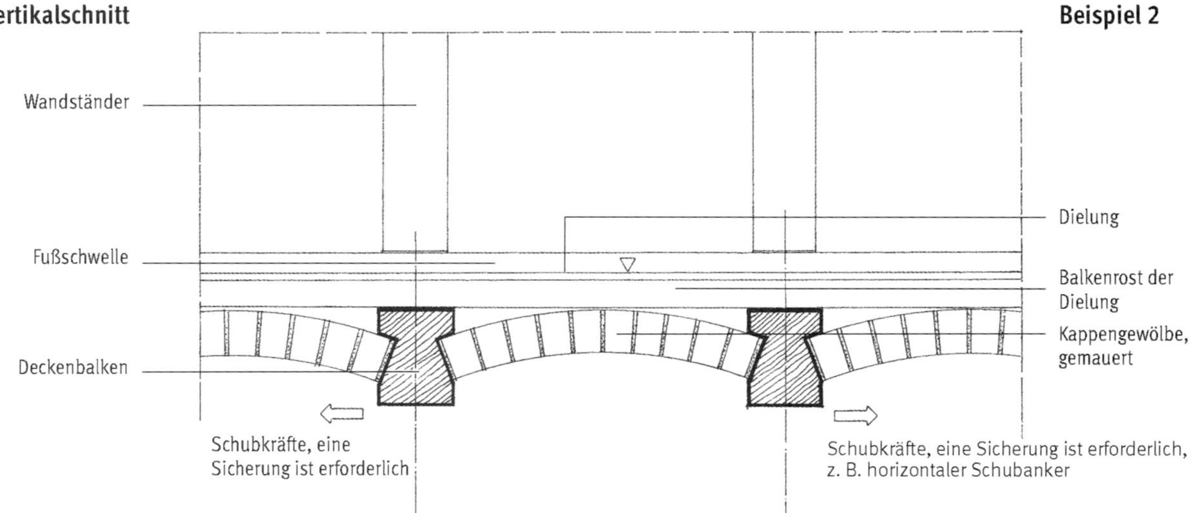

Beispiel 1

Bei der Begegnung mit historischen Gebäuden sind Konstruktionen zu entdecken, die mit den heutigen Baukonstruktionsregeln nicht vergleichbar sind. Das Herstellen der Kappen zwischen Holzbalken gehört dazu. Wenn eine derartige Konstruktion keine beeinträchtigenden Schäden zeigt, sollte man versuchen, diese zu erhalten und zu nutzen.

Diese Konstruktion hat gute Werte im Schallschutz, im Brandschutz und in der Wärmedämmung. Zusammen mit der darüberliegenden Füllung einschließlich der Holzdielung ist es eine gute Konstruktion, die jedoch vor Feuchtigkeit geschützt werden muss. Eine Voraussetzung ist also eine ausreichende Lüftung im darunterliegenden Raum und der Verzicht auf den nachträglichen Einbau von Dampfsperren. Diese Konstruktion muss dampfdiffusionsoffen sein. Bereits das Verlegen eines Kunststoff-Fußbodenbelages auf der Dielung kann schlimme Folgen haben.

Auf die statische Wirksamkeit der Auflagerbalken ist zu achten, da diese die horizontalen Zugkräfte aufnehmen müssen.

Beispiel 2

Die Abbildung zeigt eine sehr ähnliche Konstruktion wie oben, nur dass hier in die Holzbalken das Kappenauflager eingeschnitten ist. Die Holzbalken sind in der Regel in der Außenwand eingemauert, sodass die Außenwand die Horizontalkräfte aufnehmen muss. Das funktioniert im Bereich des Gebäudegiebels nicht mehr. Hier sind wirksame Zugsicherungen vorzusehen. Ansonsten gilt das oben Gesagte.

6.2.4 Fußböden/Decken

Arbeitsblatt 46

Deckenbalkenauflager/Deckenbalkenstoß
Stoß eines Stuhlrähms

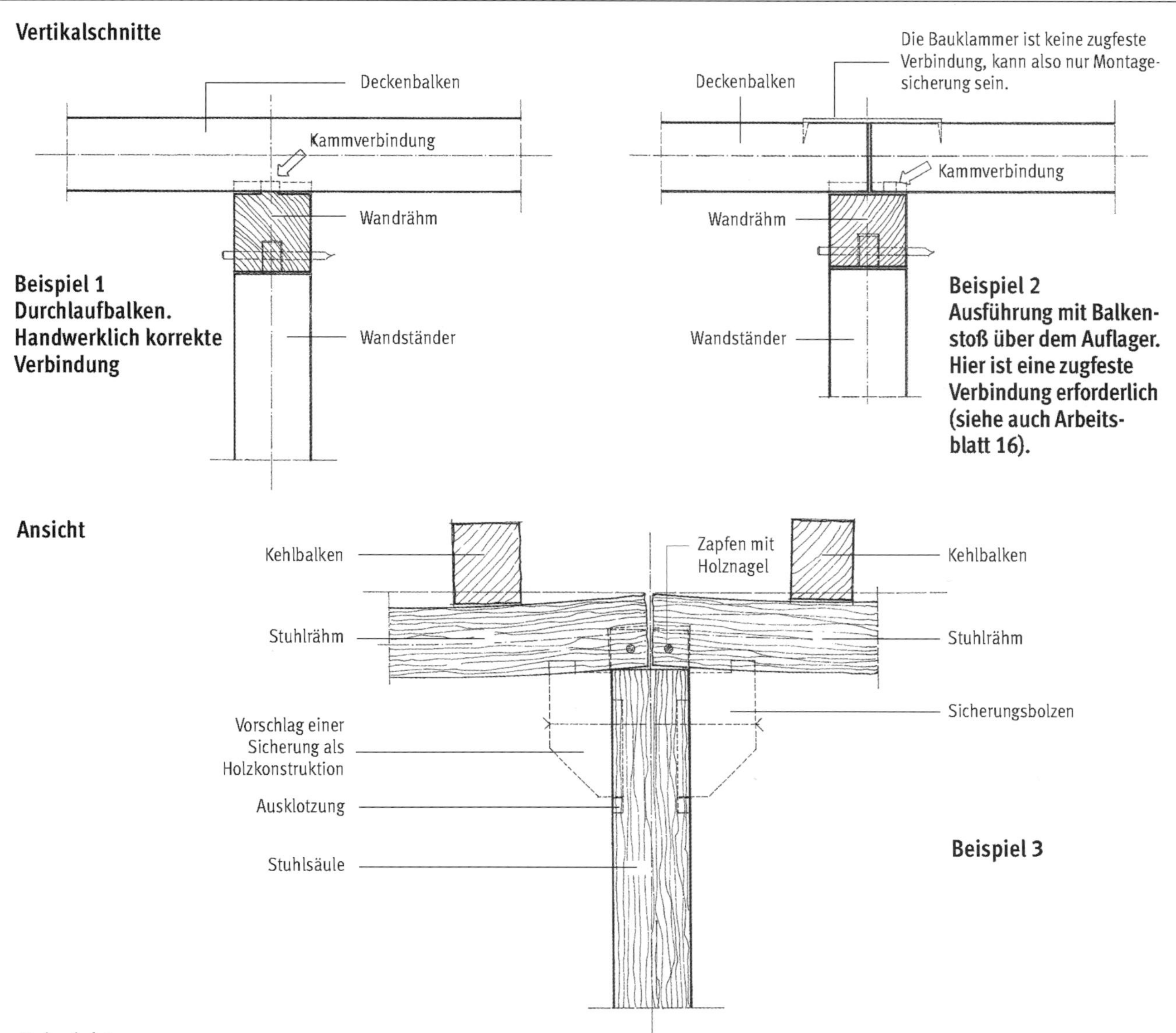

Beispiel 1

Holzbalkendecken werden in der Regel über Trennwände geführt und ggf. dort auch gestoßen. Der durchgehende Deckenbalken kann mit einem Kamm fachgerecht angeschlossen werden.

Beispiel 2

Das Bild zeigt, dass es problematisch ist, einen stumpfen Deckenbalkenstoßauf einem Wandrähm auszubilden. Ein Kamm ist fachgerecht nicht machbar, es müssen andere Verbindungsmittel gewählt werden. Die von oben eingeschlagene Bauklammer mag als Abbundhilfsmittel geeignet sein, zur Übertragung von Zugspannungen darf sie nicht allein eingesetzt werden.

Beispiel 3

Im dargestellten Beispiel geht es um den Stoß eines Rähms auf einer Stuhlsäule. Das Rähm ist, wie so oft, zu gering dimensioniert. Die Durchbiegung bringt nicht aufnehmbare Spannungen auf die Holznagelsicherung. Auch unter den Bedingungen des Denkmalschutzes muss eine statische Sicherung erreicht werden. Dafür gibt es viele Möglichkeiten. Eine ist hier nur angedeutet. Über diese Punkte kann man nicht hinwegsehen.

6.2.4 Fußböden/Decken

Arbeitsblatt 47

Geschossdecke mit Auskragung
Balkenkopfreparatur

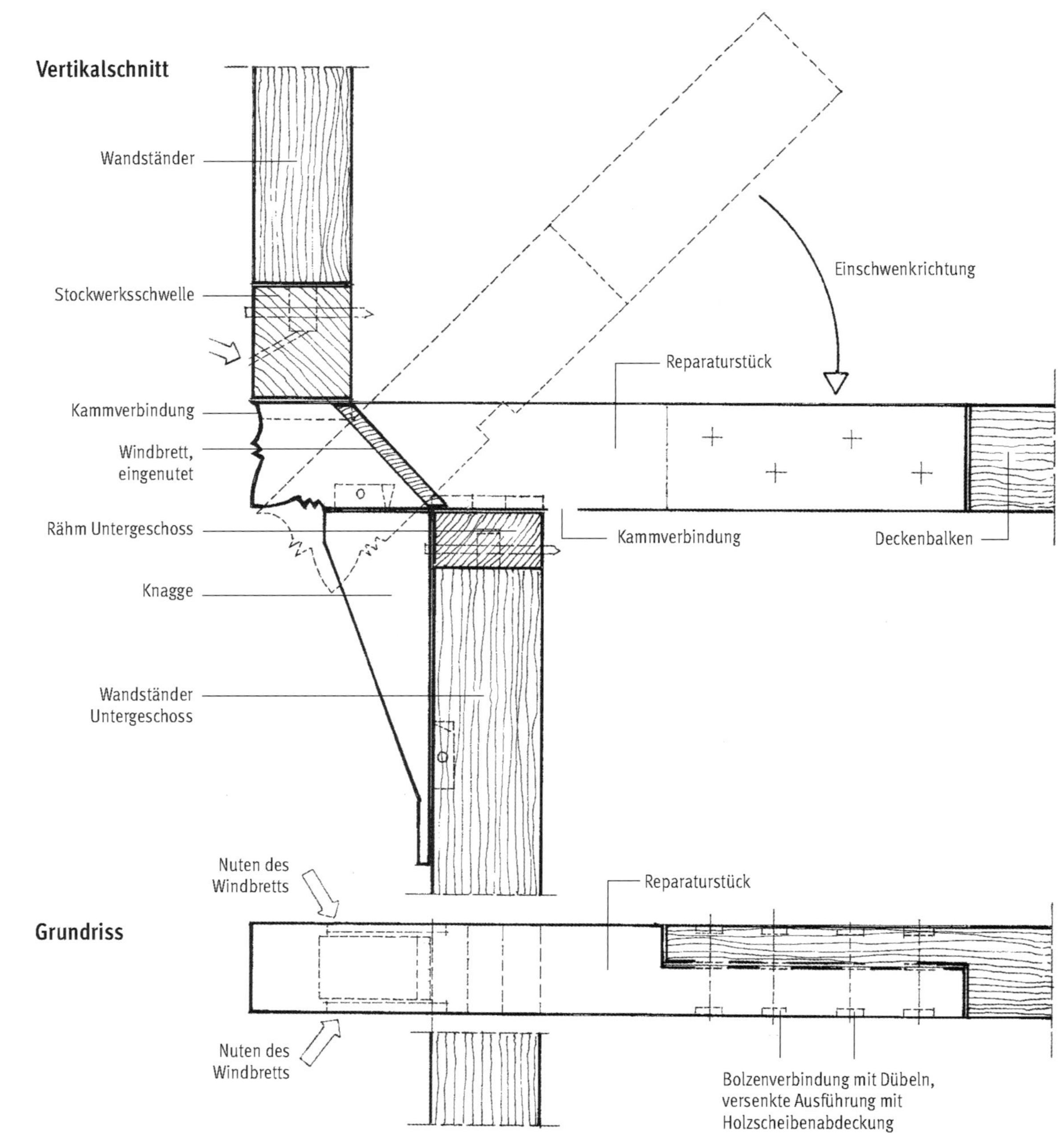

Besondere Geschicklichkeit erfordert die Erneuerung von Deckenbalkenköpfen oder Stichbalken im Bereich der Auskragung (Überbau) im Geschossdeckenbereich. Hier muss mit erfahrenen und geduldigen Fachleuten gearbeitet werden. Jegliche Gewaltanwendung muss unterbleiben. Derartige Arbeiten sind aufwändig. Die Substanzverluste im Bereich Decke, Deckeneinbau und Fußbodenaufbau sind erheblich, aber nicht vermeidbar.

Bei der Erarbeitung einer Technologie sollte auch hier mit Probestücken und Schablonen gearbeitet werden, um das Machbare zu erkunden. Die fachgerechte Herstellung aller Holzverbindungen ist Voraussetzung für eine statische Sicherung. Auch die Herstellung der Winddichtigkeit durch entsprechende Passgenauigkeit muss beachtet werden.

6.2.5 Außenwände/Trennwände

Arbeitsblatt 48

Partielle Reparatur

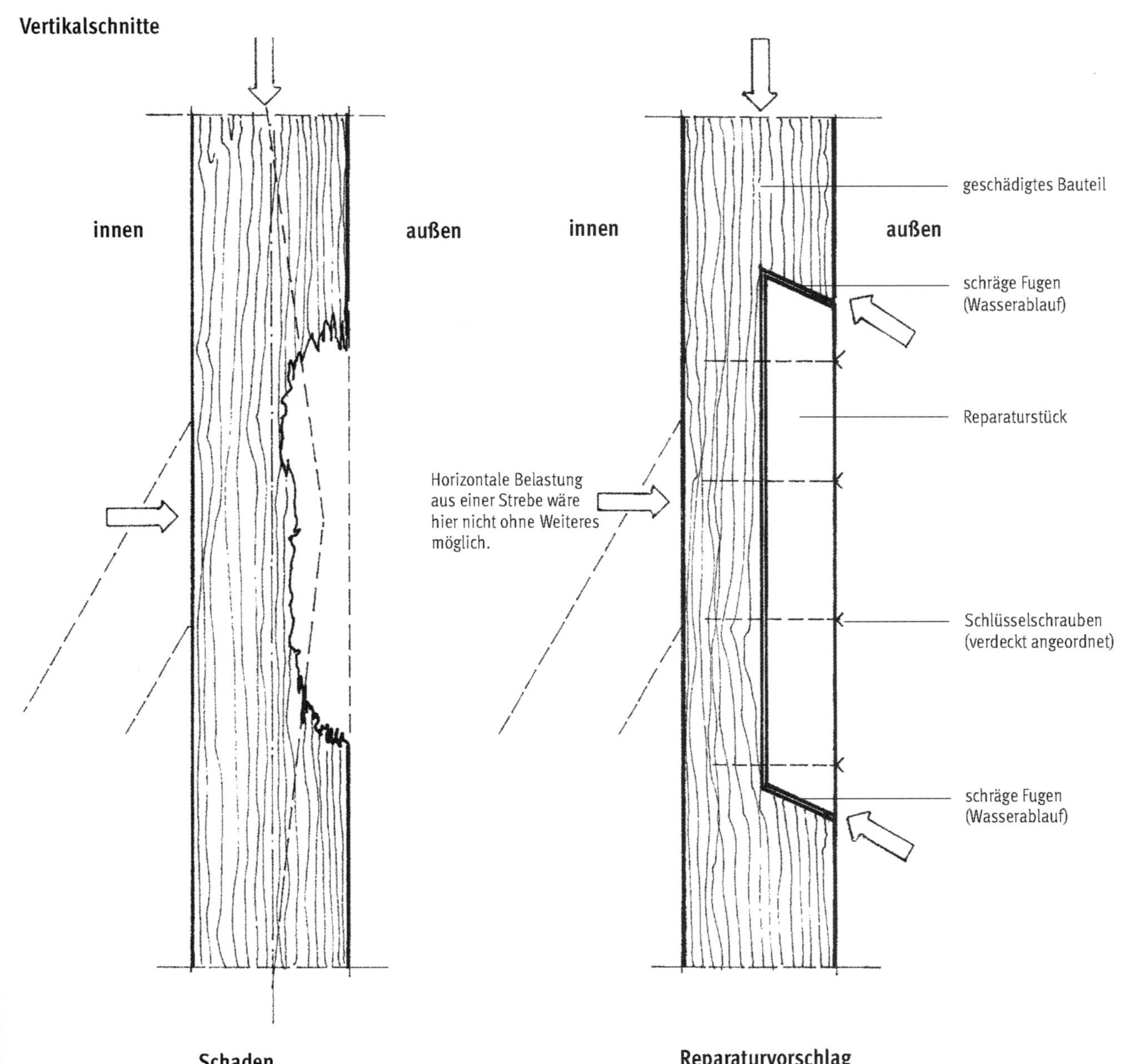

Werden in Holzbauteilen Schadstellen partiell repariert, ist zu beachten, dass selbst bei sorgfältiger Ausführung (ohne Verleimen) eine Schwachstelle entstanden ist. Das Bauteil ist zur Aufnahme von Druck- und Biegespannungen erheblich geschwächt. Das ist bei der statischen Beurteilung zu beachten. Die Verschraubung von innen ist vorteilhaft.

6.2.5 Außenwände/Trennwände

Arbeitsblatt 49

Ertüchtigung von Holznagelverbindungen, einseitig

Ansicht

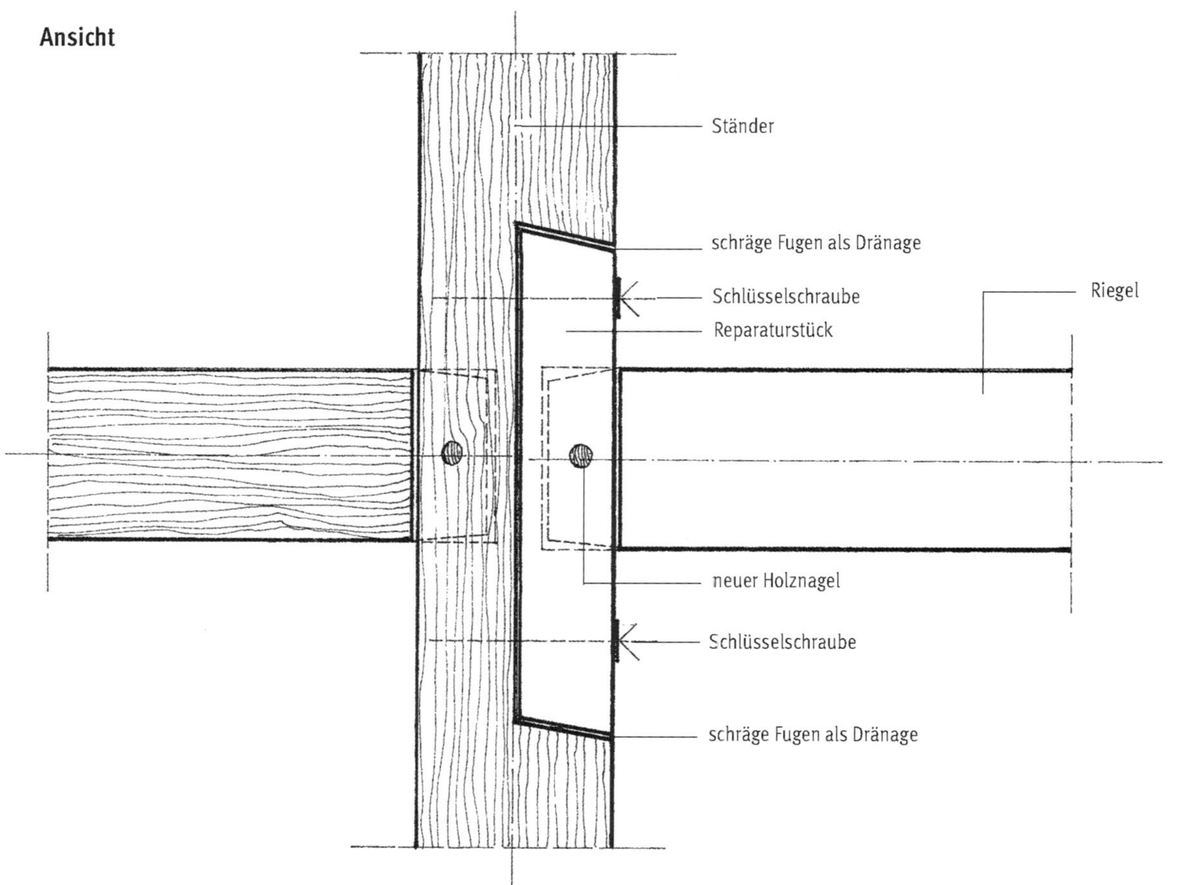

Grundriss

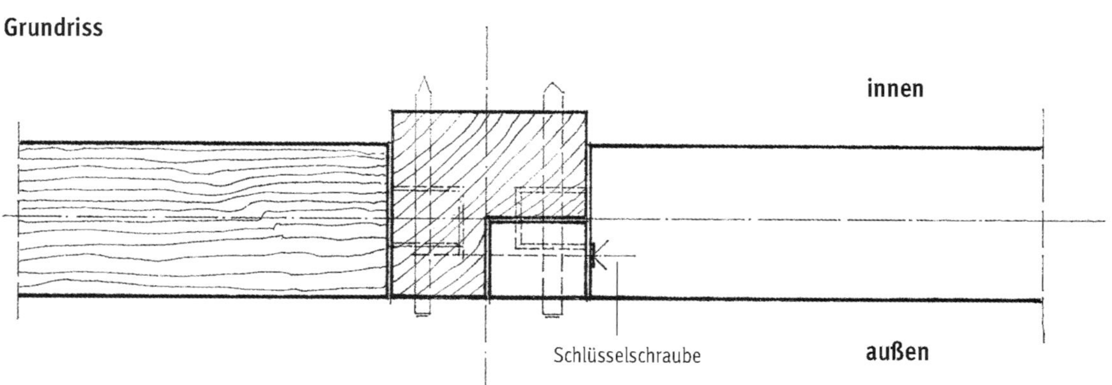

Sind die Holzquerschnitte ausreichend, kann ein Reparaturstück auch von der Gefachseite ausgehend befestigt werden. Verwendet werden Schlüsselschrauben, die durch die Gefachfüllung verdeckt sind und daher nicht versenkt zu werden brauchen.

Der untere Schrägschnitt ist wiederum gegen Wasserstau angeordnet.

6.2.5 Außenwände/Trennwände

Arbeitsblatt 50

Ertüchtigung von Holznagelverbindungen, zweiseitig

Grundriss

Innenwandriegel, neu

innen

Reparaturstück

Reparaturstück

Riegel

Ständer

außen

Innenansicht

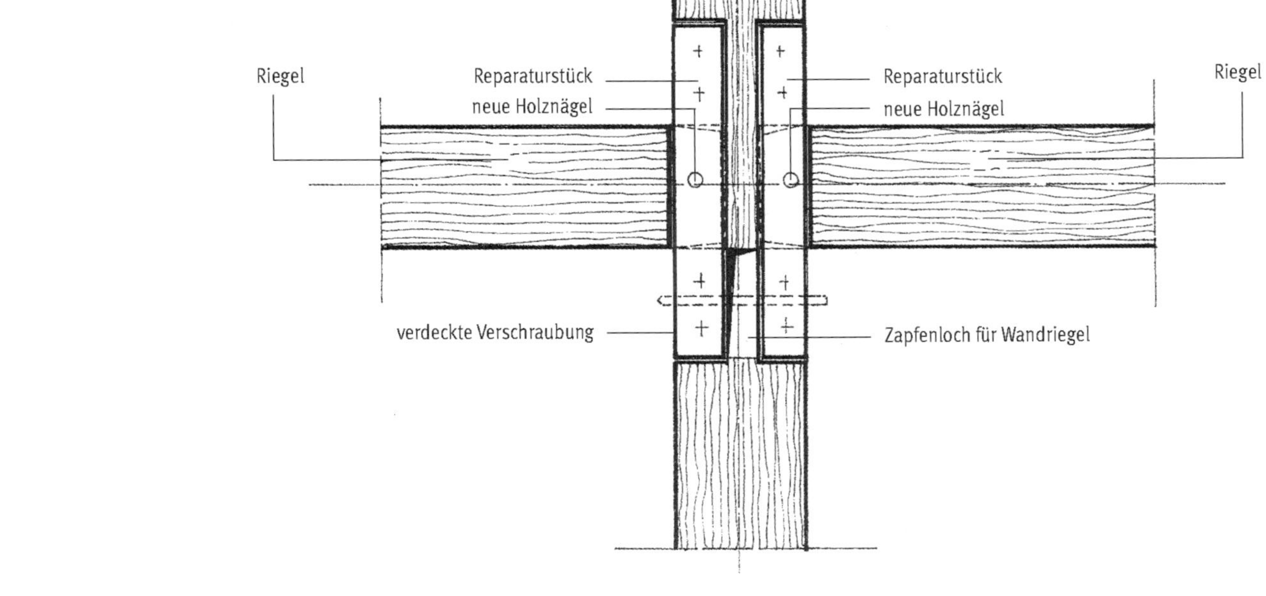

Bohrlöcher für Holznägel stellen einen Angriffspunkt für Feuchtigkeit mit nachfolgender Holzschädigung dar. Oft sind diese Bereiche partiell nicht mehr tragfähig, während das Bauteil selbst, besonders bei Holz mit hohem Kernholzanteil, tragfähig bleibt. So kann durchaus mit kleinen Reparaturstücken gearbeitet werden, um die Anschlüsse zu ertüchtigen. Je nachdem, ob sie im Innen- oder Außenbereich der Wand liegen, kann eine verdeckte Verschraubung erfolgen.

6.2.5 Außenwände/Trennwände

Arbeitsblatt 51

Anschuhen einer Strebe

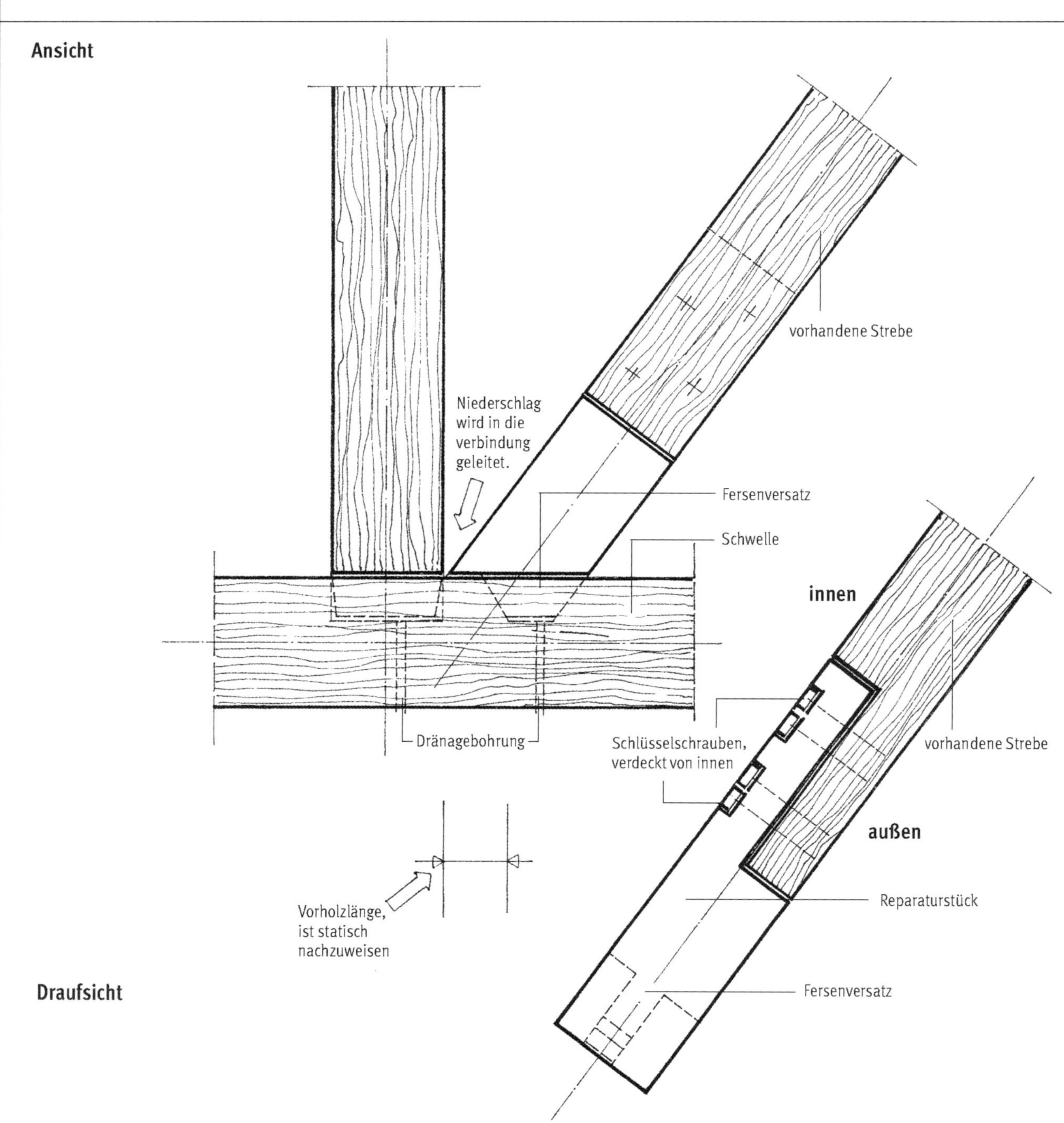

Streben im Fachwerkbau sind oft so angeordnet, dass sie punktgenau auf den benachbarten Ständerfuß laufen. Es ist äußerlich nicht sichtbar, wie die Anschlüsse hergestellt sind. Drückt der Zapfen der Strebe auf den Zapfen des Ständers, ist das für die Gebäudestabilität ungünstig.

Besteht die Möglichkeit, ein entsprechendes Vorholz in der Schwelle zu belassen, sollte das wie dargestellt ausgeführt werden (Fersenversatz). Die Dränage für beide Zapfenlöcher ist deshalb besonders wichtig, weil die Strebe verstärkt Niederschlagswasser in diesen Bereich leitet.

6.2.5 Außenwände/Trennwände

Arbeitsblatt 52

Partielle Reparatur am Eckständer

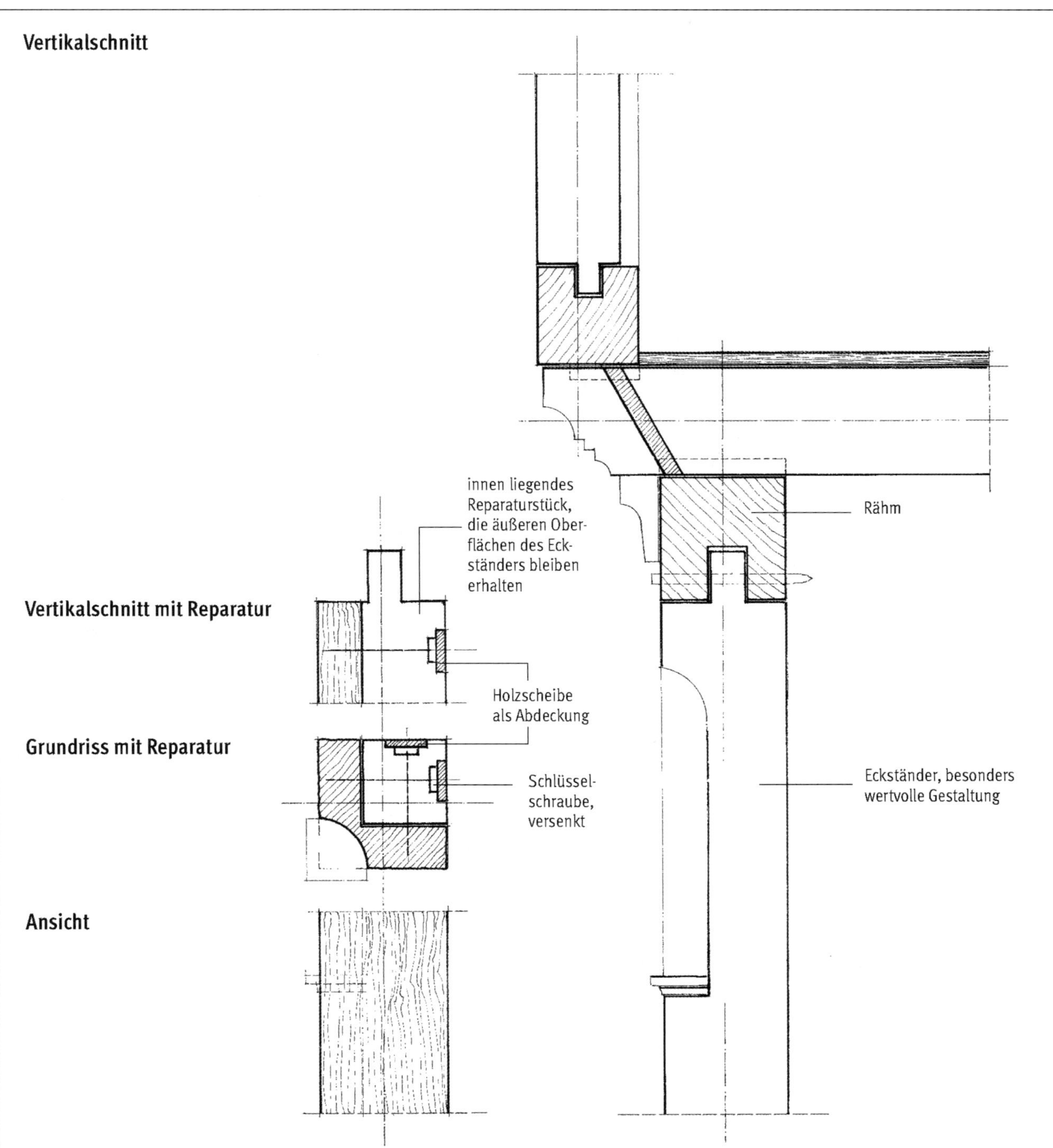

Eckständer können durch Schnitzwerk bis hin zu figürlichen Darstellungen besonders wertvoll sein, und es bedarf größter Sorgfalt, entstandene Schäden zu beseitigen. Die Zeichnung zeigt eine Situation, in der der Innenbereich des Ständers zu erneuern ist. Die handwerkliche Ausarbeitung ist anspruchsvoll, aber möglich.

Die Tragfähigkeit kann wiederhergestellt werden.

6.2.5 Außenwände/Trennwände

Arbeitsblatt 53

Auswechseln eines Winkelholzes (Fußwinkelholz/Kopfwinkelholz)

Ansicht

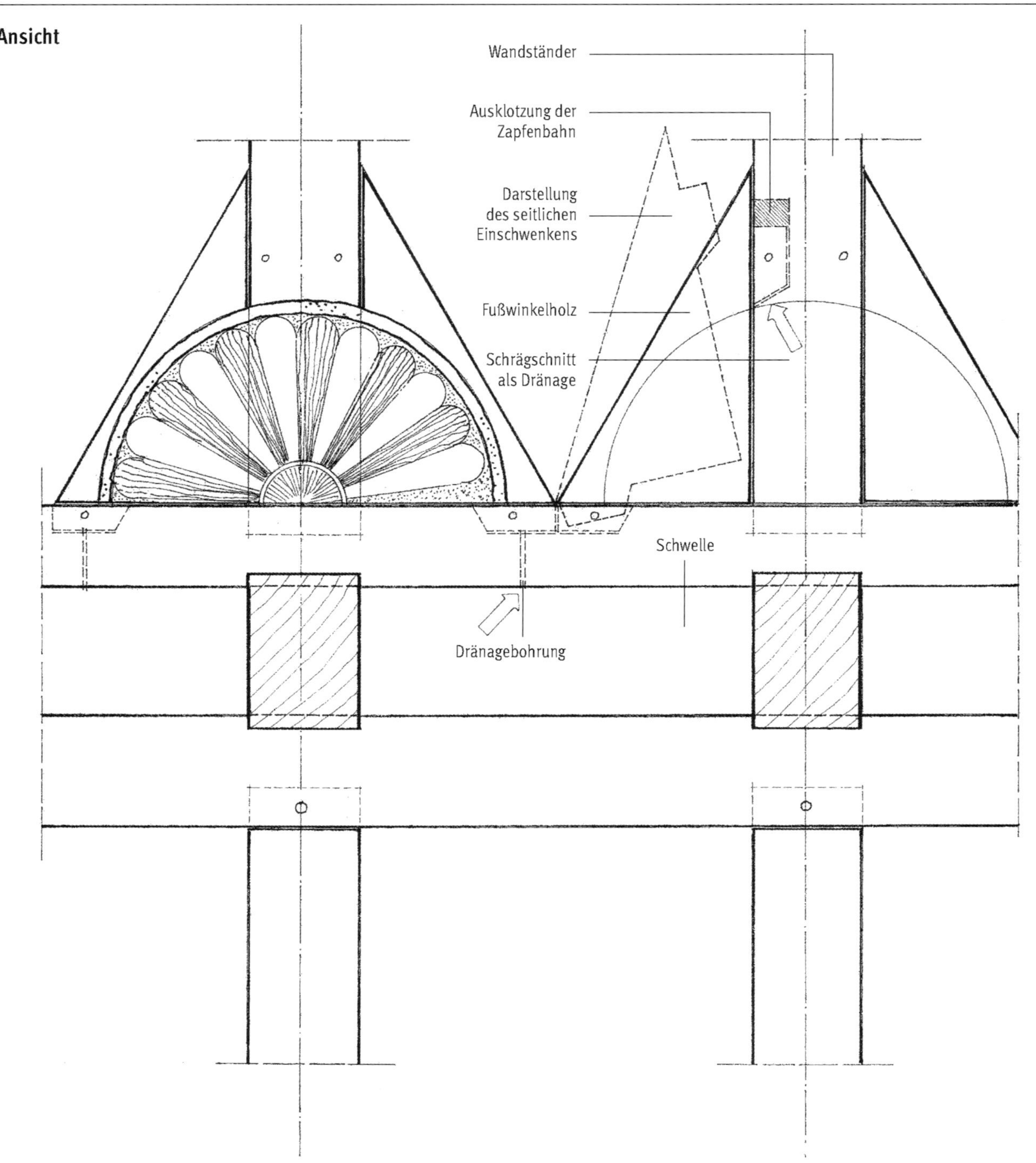

Sind Fuß- oder Kopfwinkelhölzer im Bestand zu erneuern, müssen die Zapfenlöcher entsprechend vergrößert werden, um die Hölzer einschwenken zu können. Die Zapfenlöcher brauchen sorgfältig angeordnete Entwässerungsmöglichkeiten.

Die Wasserableitung darf nicht auf darunterliegende Bauteile erfolgen.

6.2.5 Außenwände/Trennwände

Arbeitsblatt 54

Instandsetzung der Ständer

Vertikalschnitte

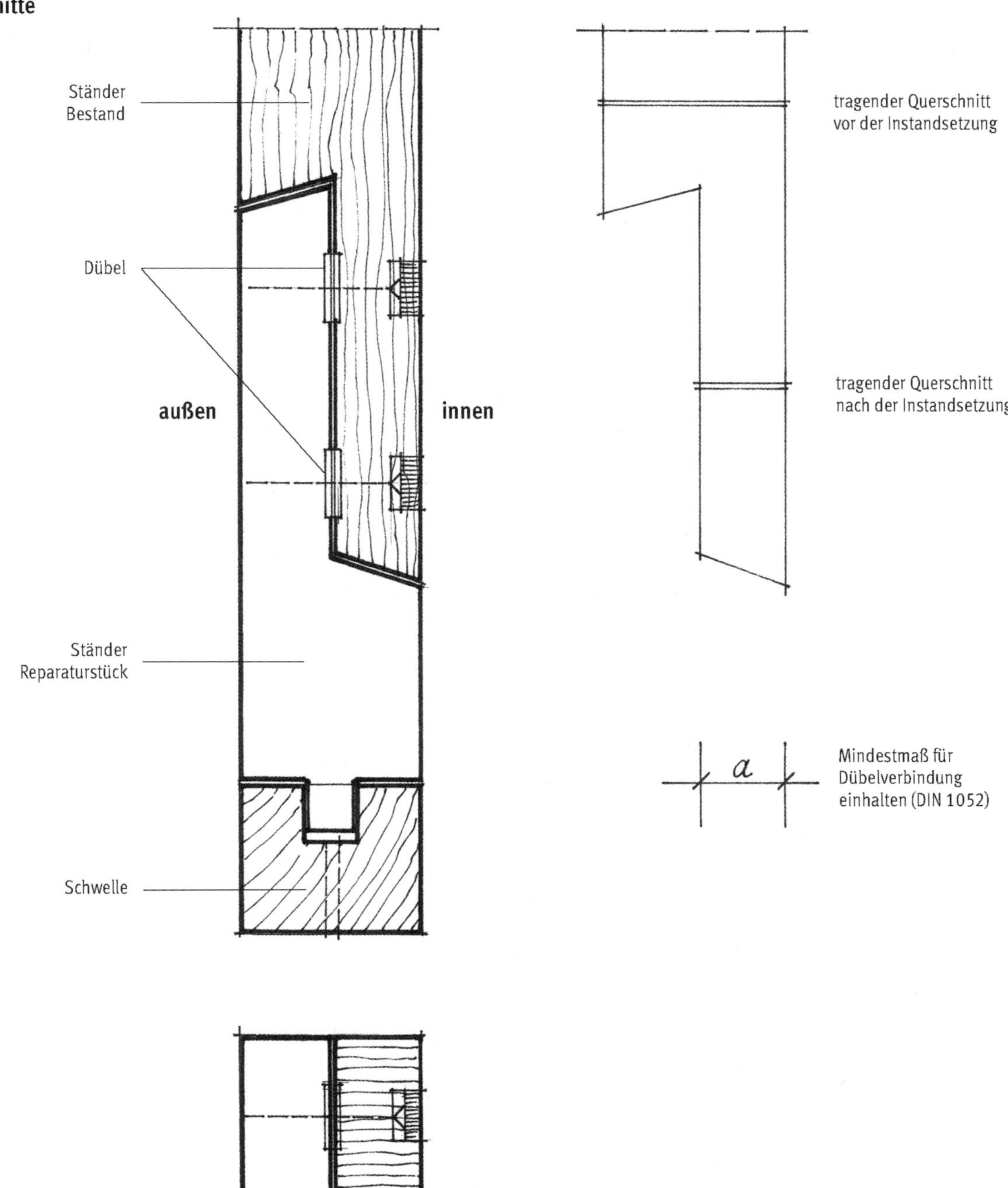

Die oft unten stark geschädigten Ständer können mit einem Reparaturstück ergänzt werden. Die Vorgaben sind mit einem Statiker abzustimmen.

6.2.5 Außenwände/Trennwände

Arbeitsblatt 55

Verlängerung eines Ständers/Eckständers, unten
Wiederherstellen der ursprünglichen Länge

Isometrien

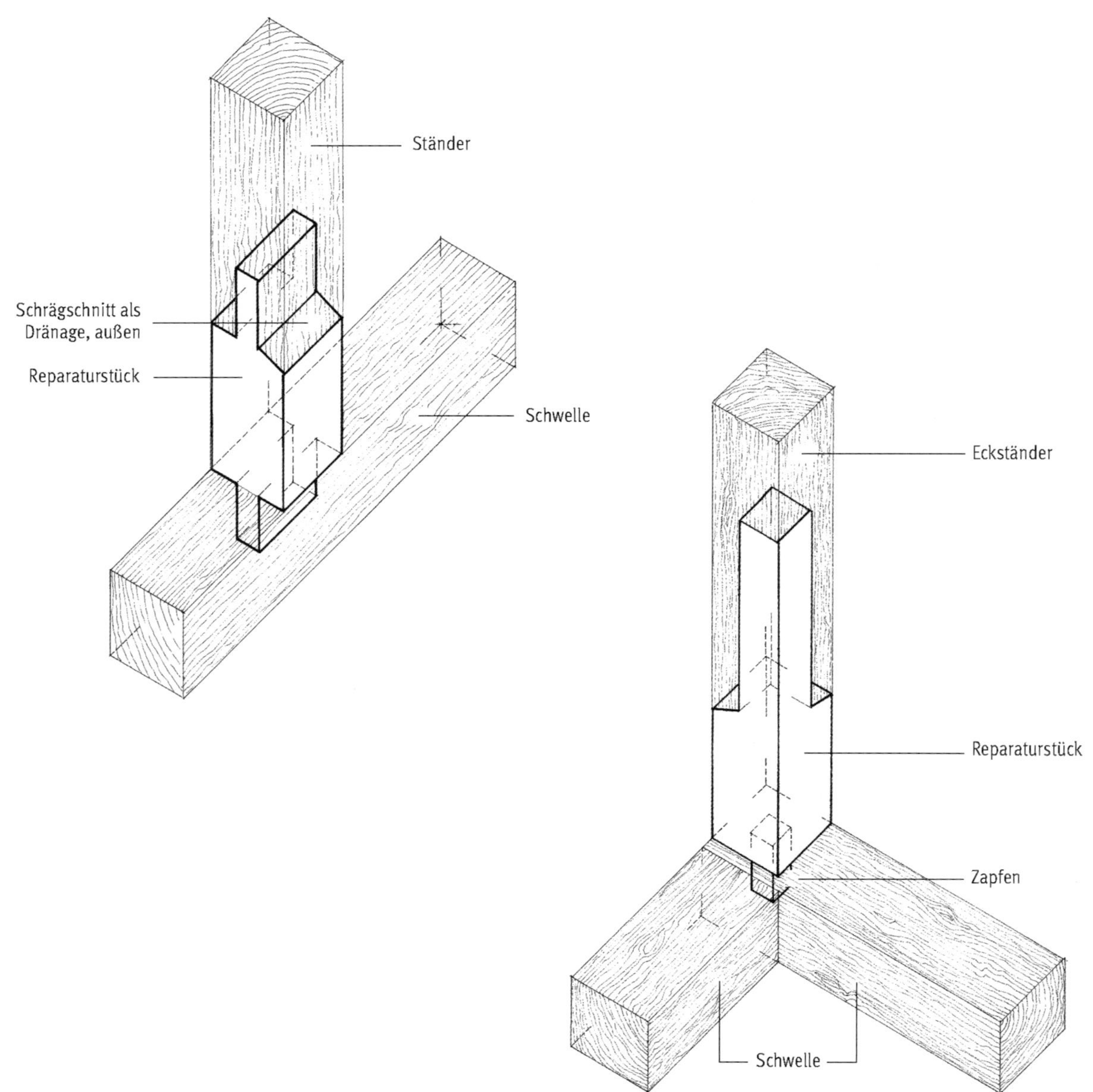

Müssen geschädigte Fachwerkständer in ihrem Anschluss an die Grundschwelle im ganzen Querschnitt repariert werden, kann ein beidseitig mit Zapfen versehenes Reparaturstück eingesetzt werden. Die Befestigung ist verdeckt mit Schlüsselschrauben, aber auch mit Holznägeln möglich. Die Montage kann durch seitliches Einschwenken oder durch seitliches Einschieben erfolgen. Hier ist das Geschick des Zimmermanns gefragt.

Reparaturarbeiten an Eckständern sind in der Regel schwierig, da die Verbindungen in zwei Ebenen herzustellen sind. Das untere Beispiel zeigt eine Ständerfußreparatur, bei der beide äußeren Oberflächen weitestgehend erhalten bleiben können.

6.2.5 Außenwände/Trennwände

Arbeitsblatt 56

Außenwand mit Wetterschale
Verstärkung des Tragwerks

Horizontalschnitt

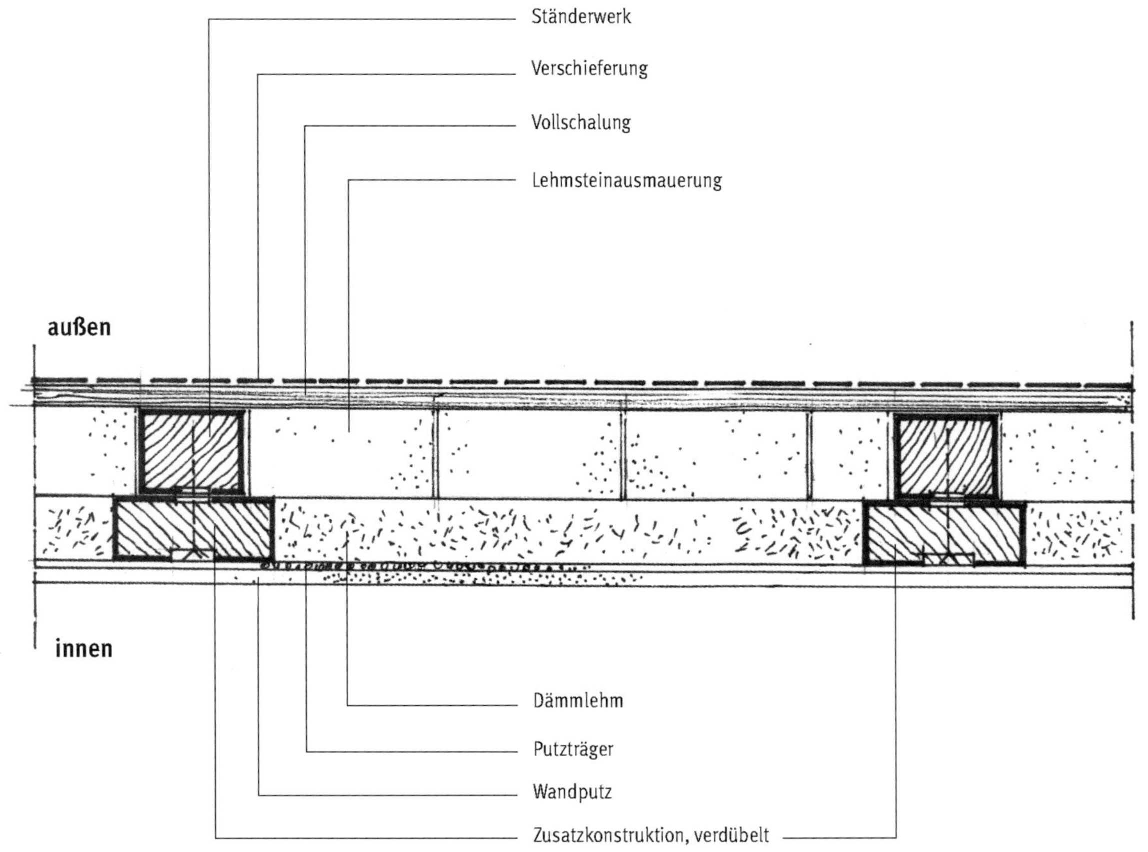

Die Anbringung einer Innendämmung mit Leichtlehm bedeutet stets eine Zusatzlast. Die Verstärkung der Ständer wird empfohlen.

6.2.5 Außenwände/Trennwände

Arbeitsblatt 57

Ausspänen und Auskeilen

Holznagelverbindungen – Auskeilen, Ausfüttern

Ansicht

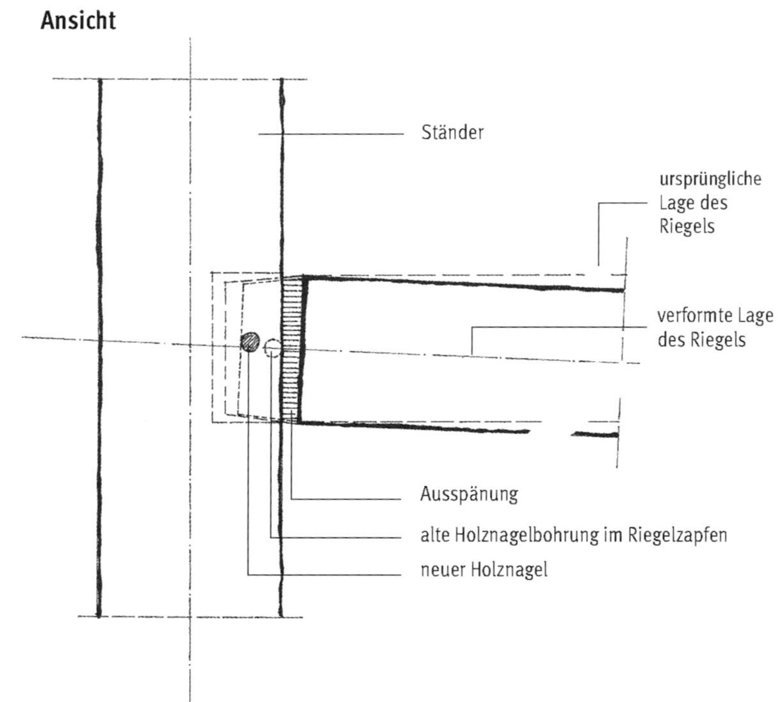

Ansicht, aufgeschnitten dargestellt

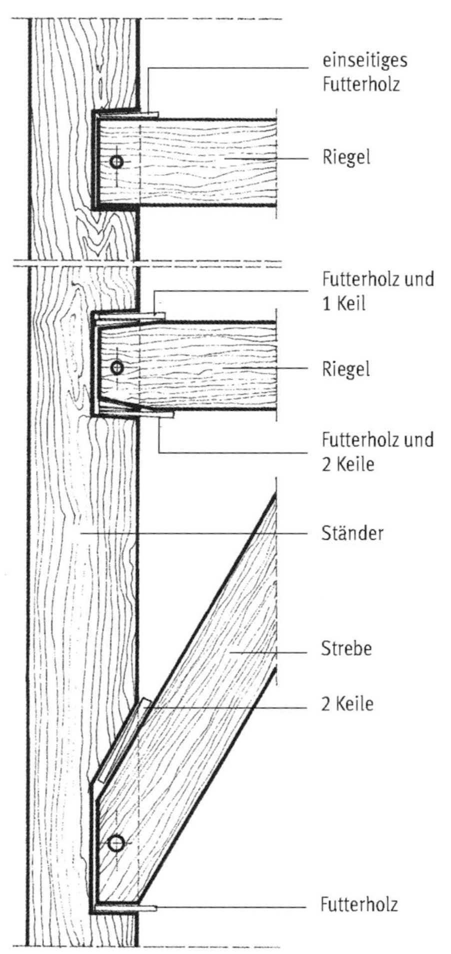

Die über Jahrzehnte eingetretenen Verformungen an einer Fachwerkkonstruktion sind zum Bestandteil des Gebäudes geworden und lassen sich nicht einfach rückgängig machen. Zu den eingetretenen Schäden gehören herausgezogene Zapfen und gebrochene Holznägel. Solange das Holz nicht zu sehr geschädigt ist, kann ein neuer Holznagel gebohrt und eingeschlagen werden. Der Holzverlust am Riegel wird durch Einpassen eines materialgerechten Holzes geschlossen. Diese Arbeit bezeichnet man auch als Ausspänen. Die einzusetzenden Holzteile müssen gut vorgetrocknet sein.

Ist das Holzskelett eines Fachwerkes so weit freigelegt, dass die Anschlüsse auf ihre Tragfähigkeit geprüft werden können, ergibt sich häufig die Notwendigkeit, mit Futterhölzern und Keilen zu arbeiten. Dabei ist es wichtig, dass im Auflagerbereich die volle Tragfähigkeit hergestellt ist und keine Scherkräfte auf die Holznägel wirken. Das Arbeitsblatt zeigt verschiedene Situationen.

6.2.5 Außenwände/Trennwände

Arbeitsblatt 58

Ersatzzapfen am Riegel

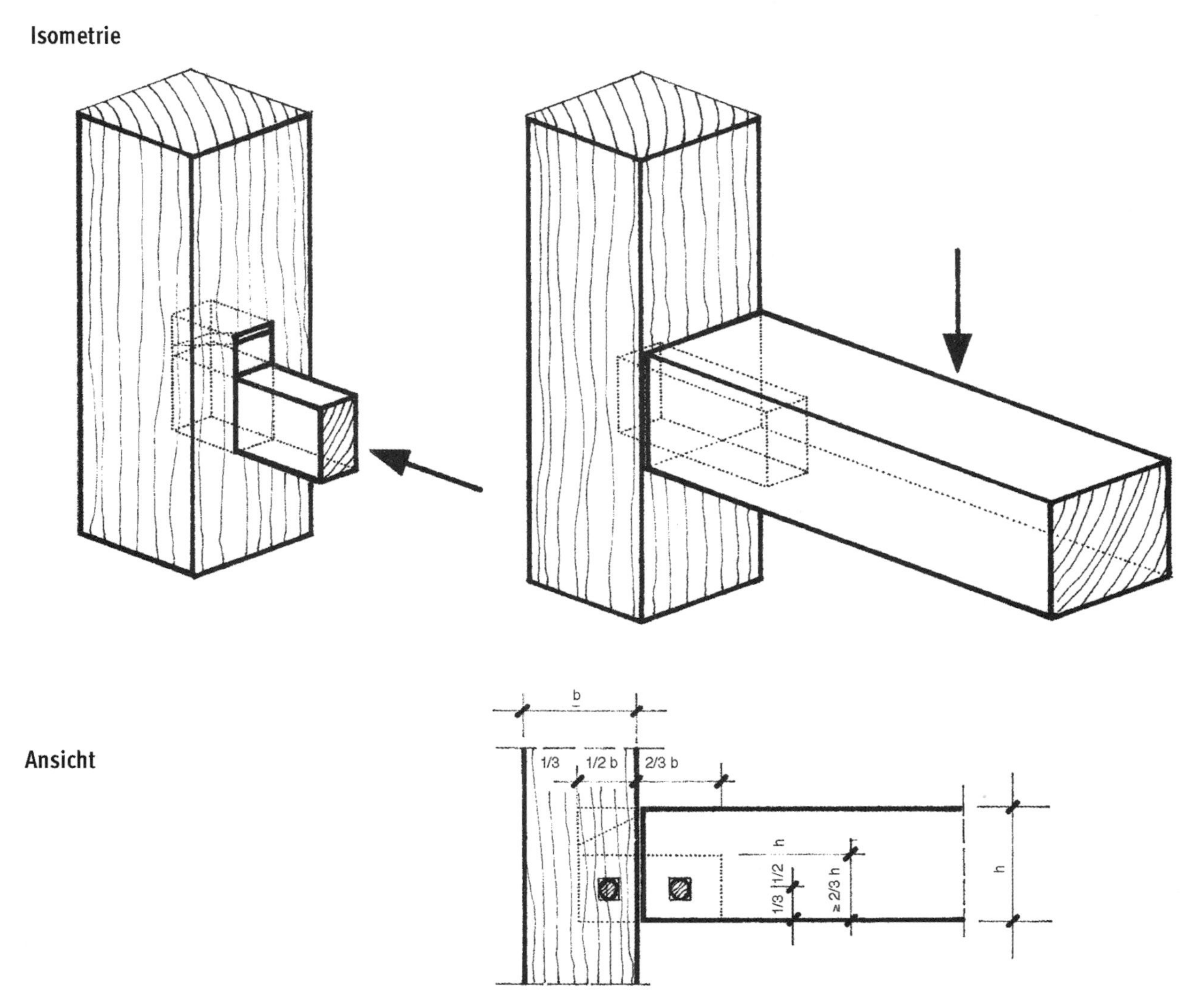

Für die Erneuerung eines Riegels ist der Einbau mit Ersatzzapfen eine brauchbare Lösung. Das Beispiel zeigt eine asymmetrische Zapfenanordnung. Der Riegel wird von oben eingeschoben und vernagelt. Die Reste des Zapfenloches im Ständer werden durch Verkeilung geschlossen. An der Anordnung der Vernagelung ist die Reparatur zu erkennen. Hier sind weitere Varianten denkbar.

Arbeitsschritte:
- Ausbau der anliegenden Gefache
- Einbau eines separaten Zapfenholzes und Schließen des restlichen Zapfenloches mit Keilen oder Klotz
- Einpassen des neuen Riegels
- Einstemmen der Zapfenlöcher
- Aufstecken des Riegels
- Bohren und Setzen der Holznägel

6.2.5 Außenwände/Trennwände

Arbeitsblatt 59

Spannschlösser in der Außenwand
Sicherungsabdeckung

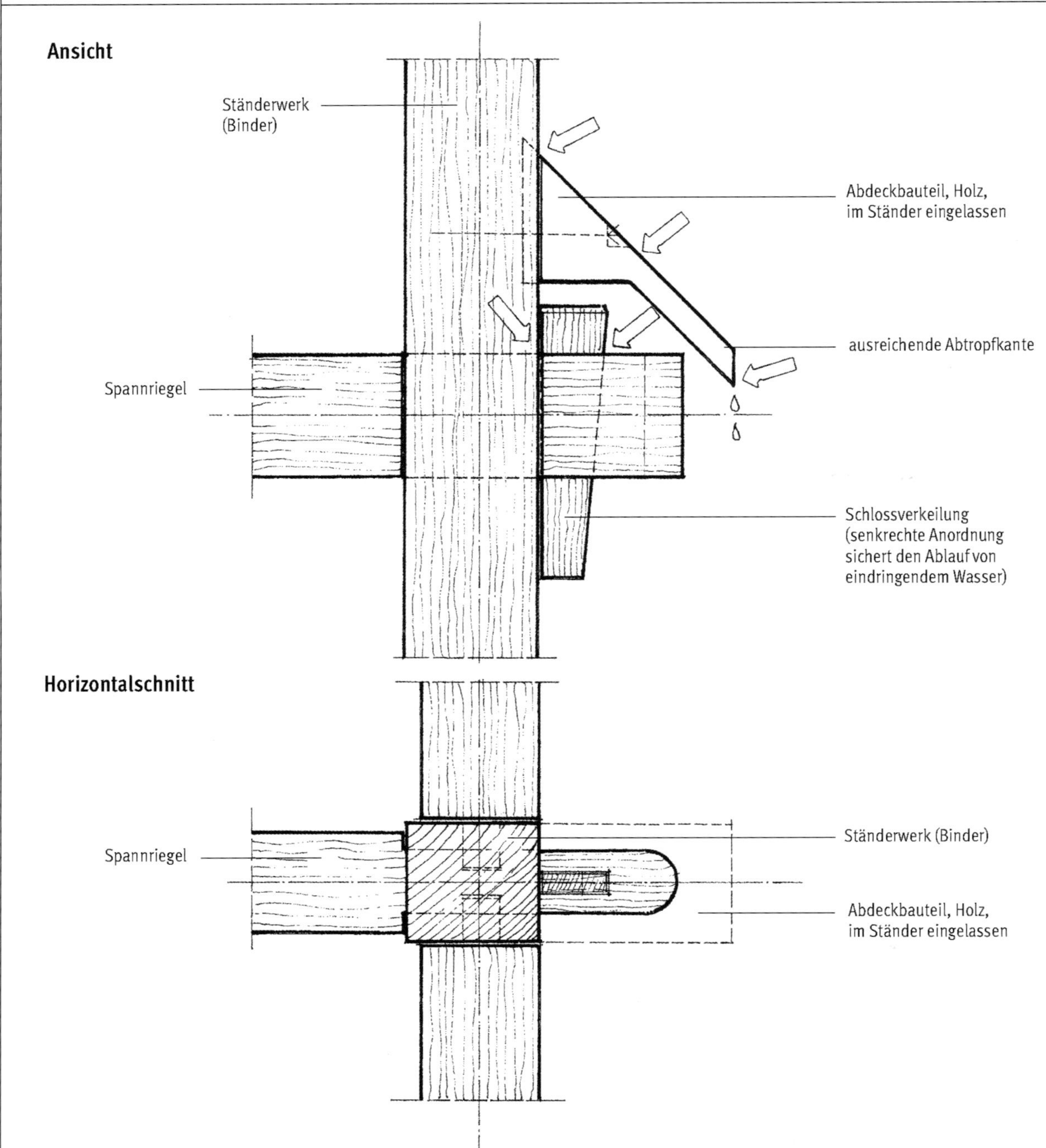

In vielen historischen Gebäuden gibt es sogenannte Spann- oder Ankerbalken, deren Schloss an der Außenseite der Fassade liegt. In der Regel haben diese keinen Witterungsschutz, sind aber für die statische Sicherheit des Gebäudes von großer Bedeutung.

Die Abbildung zeigt einen Vorschlag eines Witterungsschutzes als Holzbauteil, das hinzugefügt wird. Am Denkmalobjekt erfordert das eine vorherige Klärung.

6.2.5 Außenwände/Trennwände

Arbeitsblatt 60

Auswechseln einer Strebe im Bestand

Ansicht

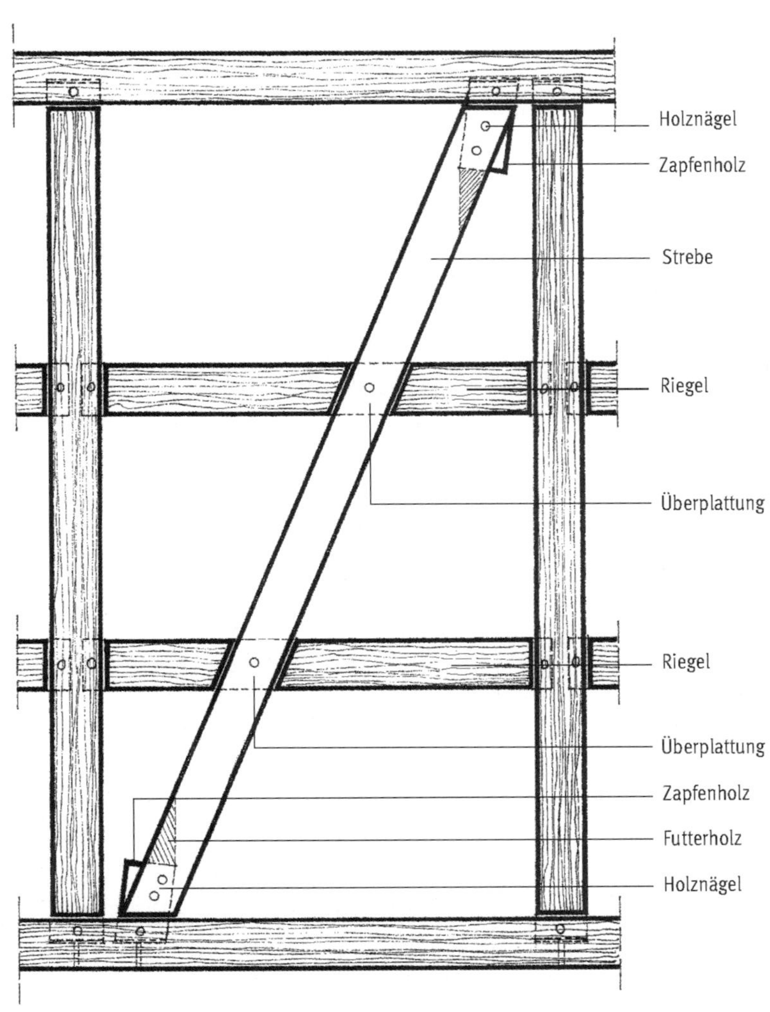

Vertikalschnitt

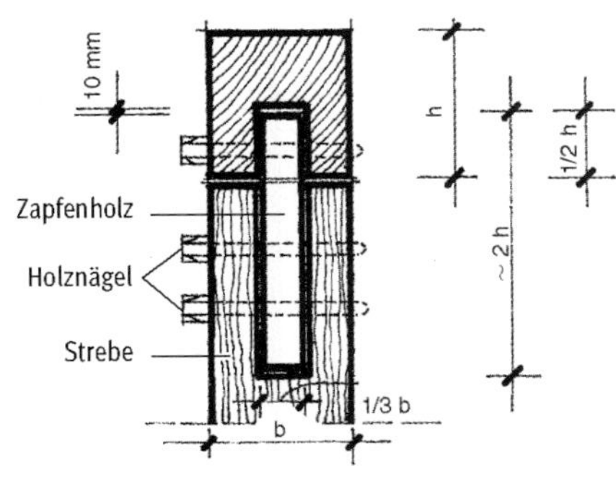

Das Zapfenholz (4, Ersatzzapfen) ist genau passgerecht einzubauen und darf keine Spaltwirkung erzeugen.

Ist eine Strebe im Ganzen auszuwechseln, kann der Aufwand sehr gering gehalten werden, wenn mit zwei Ersatzzapfen gearbeitet wird. Sind die Zapfenlöcher hergestellt, wird das Strebenholz beidseitig mittig geschlitzt und eingefügt. Als Nächstes werden die Zapfenhölzer eingebaut. Danach erfolgt die Vernagelung bzw. das verdeckte Schrauben von innen. Vorteil ist hier, dass Gefachfüllungen erhalten bleiben können.

Arbeitsschitte:

- Demontage
- Zapfenhölzer einpassen
- Strebe anfertigen und einschlitzen
- Strebe mit Überplattungen einbauen
- Zapfenhölzer einschlagen
- Bohren und Holznägel setzen
- Dränage bohren
- Futterhölzer einbauen

6.2.5 Außenwände/Trennwände

Arbeitsblatt 61

Auswechseln eines Ständers im Bestand

Ansicht

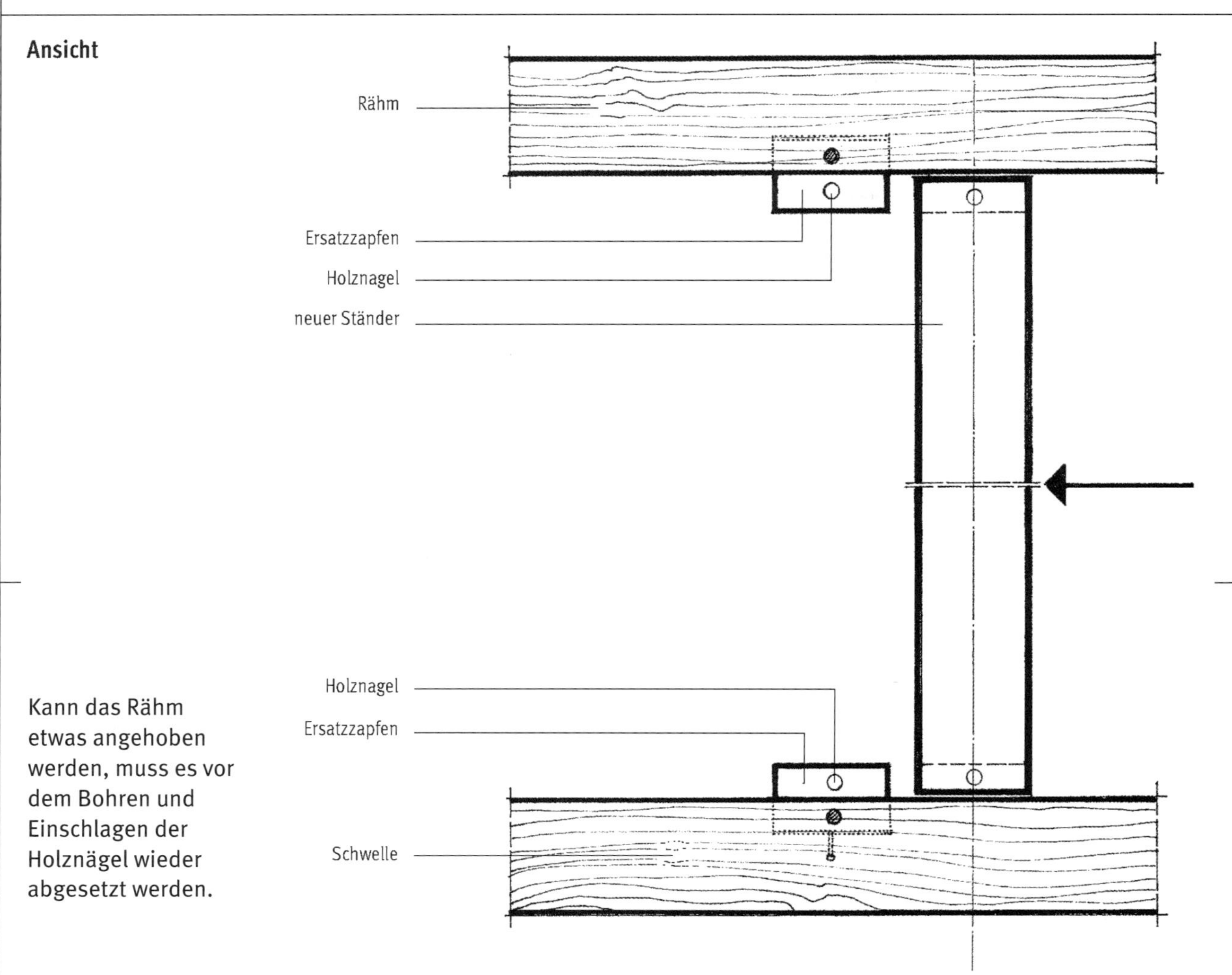

Kann das Rähm etwas angehoben werden, muss es vor dem Bohren und Einschlagen der Holznägel wieder abgesetzt werden.

Ist ein Ständer auszuwechseln, so ist das mit beidseitig angeordneten Ersatzzapfen möglich.

Der neue Ständer wird entsprechend eingeschlitzt und vertikal in seine Position gebracht. Wird mit sichtbarem Holznagel arretiert, ist die Reparatur auch daran erkennbar. Eine verdeckte Befestigung von innen ist ebenfalls möglich. Bei derartigen Reparaturen ist zu beachten, dass das Vernageln bei voller Last erfolgen muss. Der Vorteil dieser Lösung liegt darin, dass die Gefachfüllungen nur einseitig entfernt werden müssen.

Arbeitsschritte:
- Absteifung
- Demontage
- Einpassen und Vernageln der Zapfenhölzer (Ersatzzapfen)
- Einpassen des neuen Ständers
- Vernageln unter Last
- Dränagebohrung herstellen

6.2.5 Außenwände/Trennwände

Arbeitsblatt 62

Auswechseln eines Ständers mit zweiseitigem Jagdzapfen

Ansicht

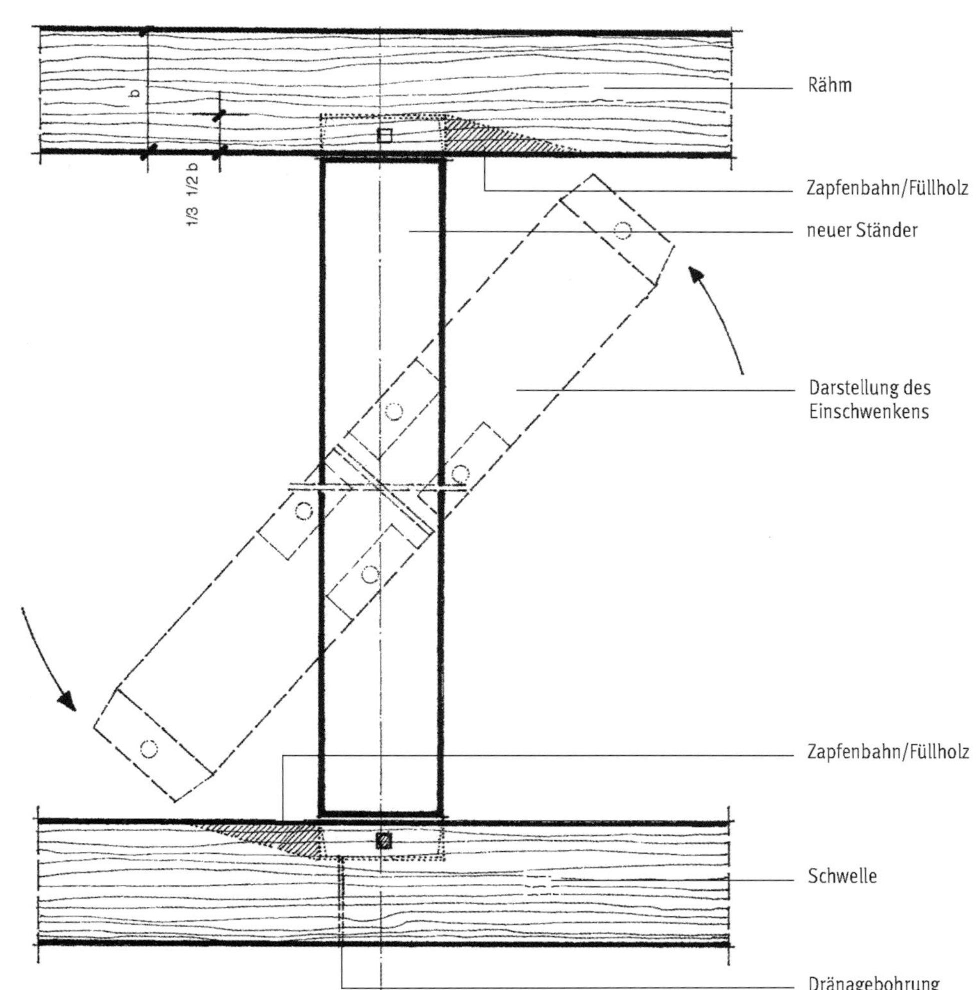

Die Zapfenlöcher der Riegel sind schon vorbereitet. Die Zapfenbahn wird mit einem Füllholz verschlossen.

Ein Wandständer kann durch ein eingeschwenktes Ersatzbauteil erneuert werden. Dafür muss die Zapfenbahn ausgestemmt werden. Diese Schlitze werden mit einem Füllholz geschlossen. Vernagelung und Dränage sind herzustellen wie bereits beschrieben. Der Nachteil dieser Arbeitsweise besteht darin, dass beidseitig Gefachfüllungen ausgebaut werden müssen.

Arbeitsschritte:
- Absteifung
- Demontage
- Anfertigung des neuen Ständers
- Stemmen der Zapfenbahn
- Einbau des neuen Ständers
- Bohren und Vernageln unter Last

6.2.5 Außenwände/Trennwände

Arbeitsblatt 63

Auswechseln eines Riegels mit zweiseitigem Jagdzapfen

Ansicht

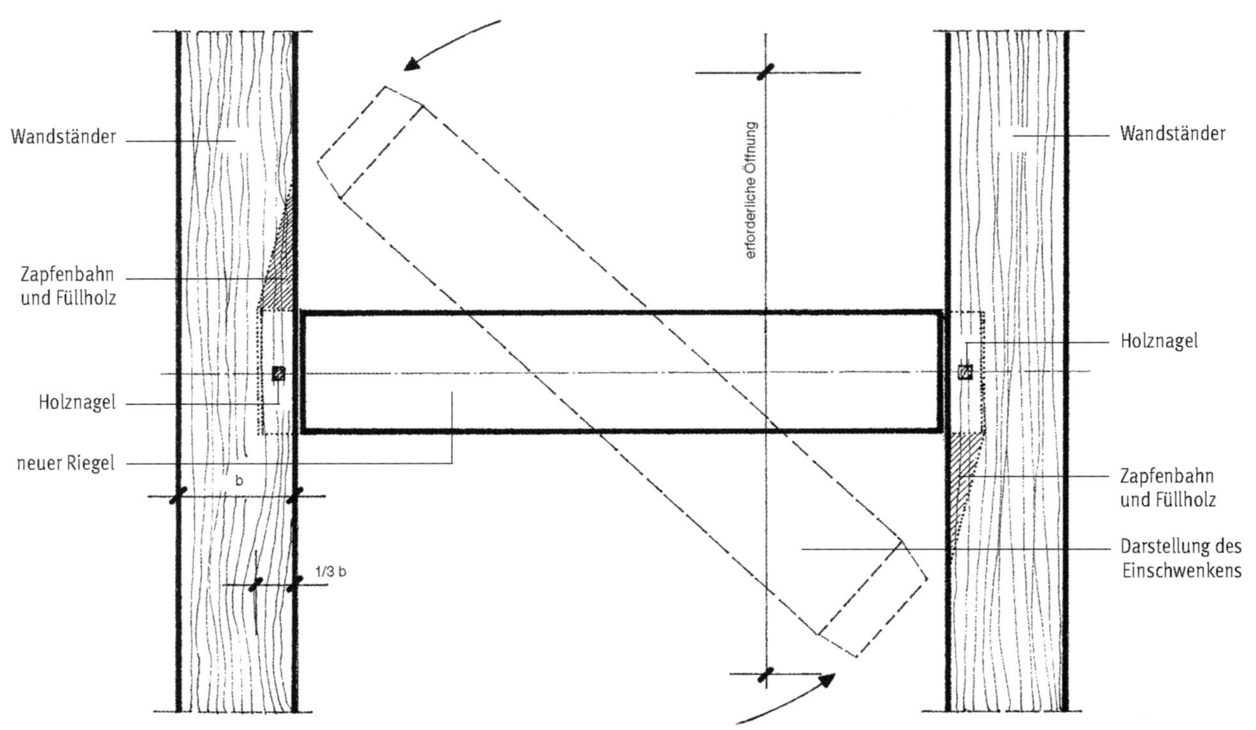

Grundriss

Jedoch müssen zwei Gefachfüllungen vorher entfernt werden.

Arbeitsschritte:

- Ausbau der Gefache
- Anfertigung des neuen Riegels
- Stemmen der Zapfenbahnen (die Ausführung mit einer Zapfenbahn ist auch möglich)
- Einbau des Riegels
- Bohren und Setzen der Holznägel
- Einbau der Füllhölzer

6.2.5 Außenwände/Trennwände

Arbeitsblatt 64

Auswechseln eines Riegels mit einseitigem Jagdzapfen

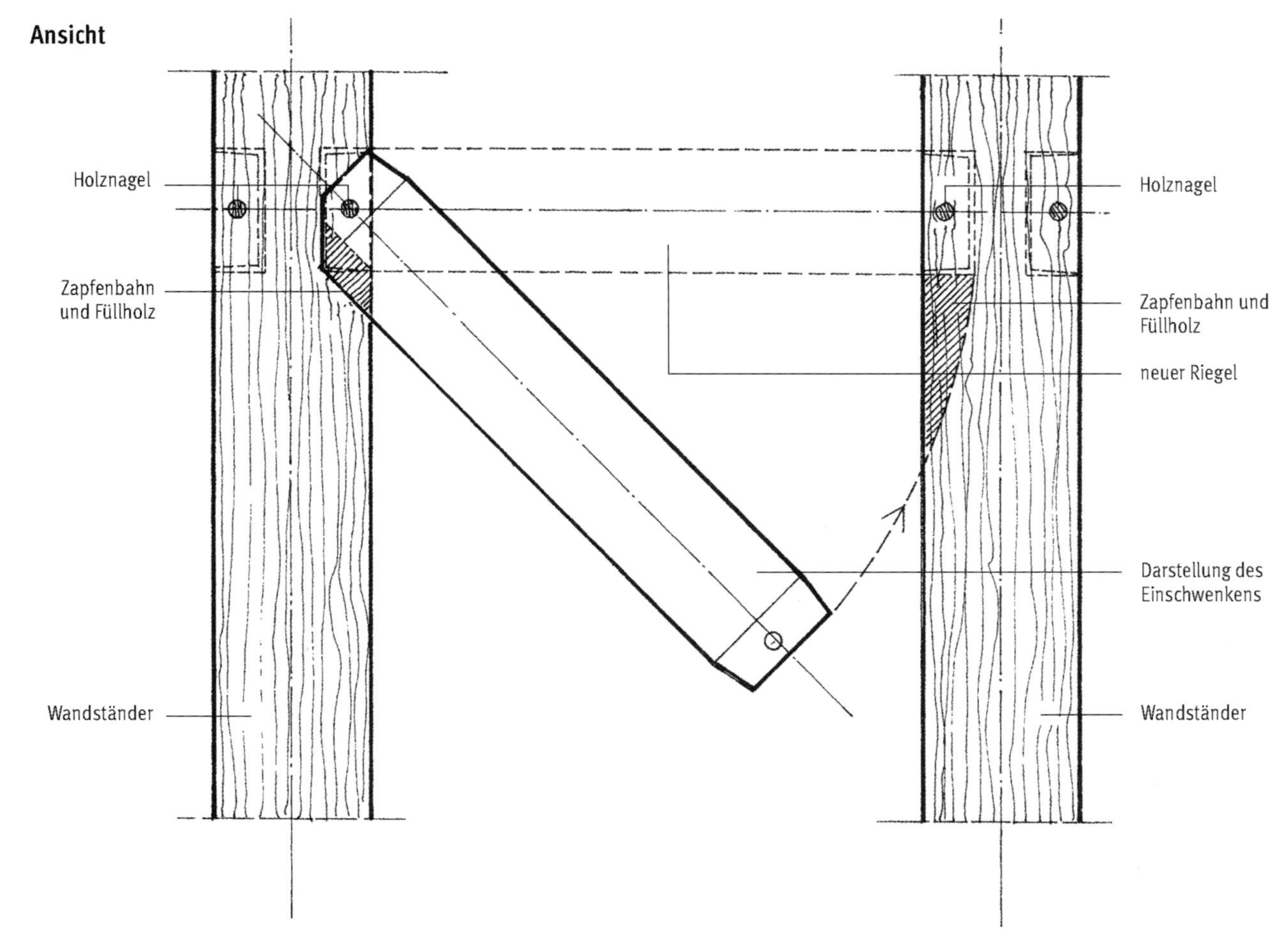

Die Möglichkeit, einen Riegel zu erneuern, wobei nur eine Gefachfüllung entfernt werden muss, zeigt diese Zeichnung. Die über dem Riegel liegende Gefachfüllung muss gesichert werden, um sie zu erhalten (siehe hierzu Arbeitsblatt 76). Die schraffiert dargestellten Flächen sind mit Futterhölzern zu schließen.

Arbeitsschritte:

- Ausbau der Gefachfüllung
- Anfertigung des neuen Riegels
- Stemmen der Zapfenbahnen (die Ausführung mit einer Zapfenbahn ist auch möglich)
- Einbau des Riegels
- Bohren und Setzen der Holznägel
- Einbau der Füllhölzer

6.2.5 Außenwände/Trennwände

Arbeitsblatt 65

Ersatzzapfen am Ständer, oben

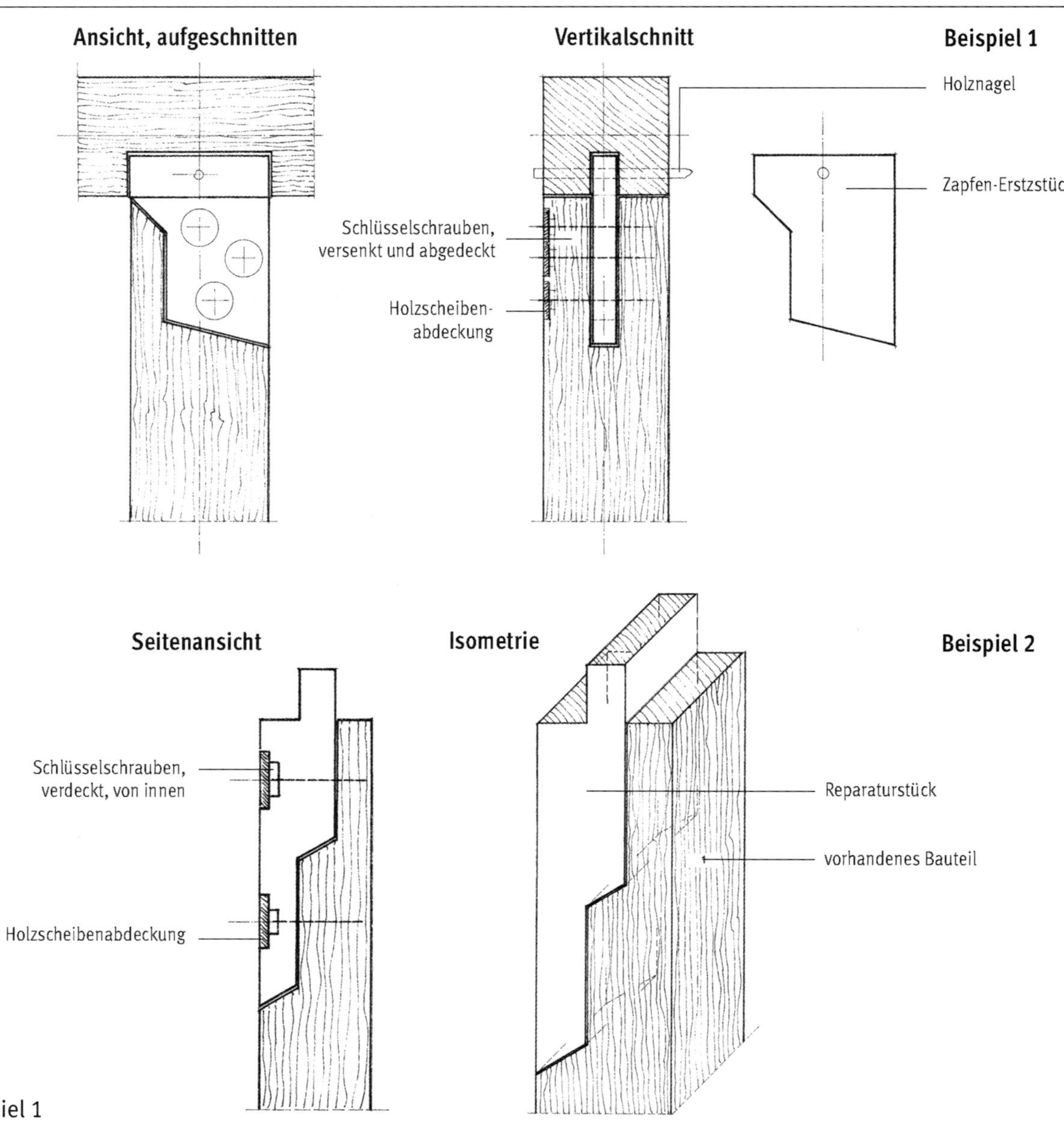

Beispiel 1

Zur Vermeidung einer offenen Fuge infolge der Reparatur wird in dieser Abbildung eine Lösung vorgestellt. Die Befestigung des Ersatzzapfens erfolgt mit Schlüsselschrauben, die materialgerecht mit Holzscheiben abgedeckt werden. Die untere Fuge wird schräg gestellt, um Wasserstau zu vermeiden. Dieses Detail ist, wie bereits beschrieben, auch als unterer oder seitlicher Reparaturanschluss einsetzbar.

Beispiel 2

Die Forderung an jede Reparaturlösung besteht darin, die Originalsubstanz zu schonen, wertvolle Oberflächen zu erhalten und statisch wirksam zu sein.

Im Arbeitsblatt wird eine Variante vorgestellt, bei der eine größere Schädigung eines Balkenkopfes zu beheben ist, die Oberfläche aber dennoch erhalten bleiben kann.

Das Anschuhen erfolgt von der Innenseite. Für Befestigungen werden Schlüsselschrauben mit Holzscheibenabdeckung benutzt. Die Vernagelung mit Holznägeln ist entsprechend dem Befund am Gebäude vorzunehmen.

6.2.5 Außenwände/Trennwände

Arbeitsblatt 66

Ersatzzapfen am Ständer, oben

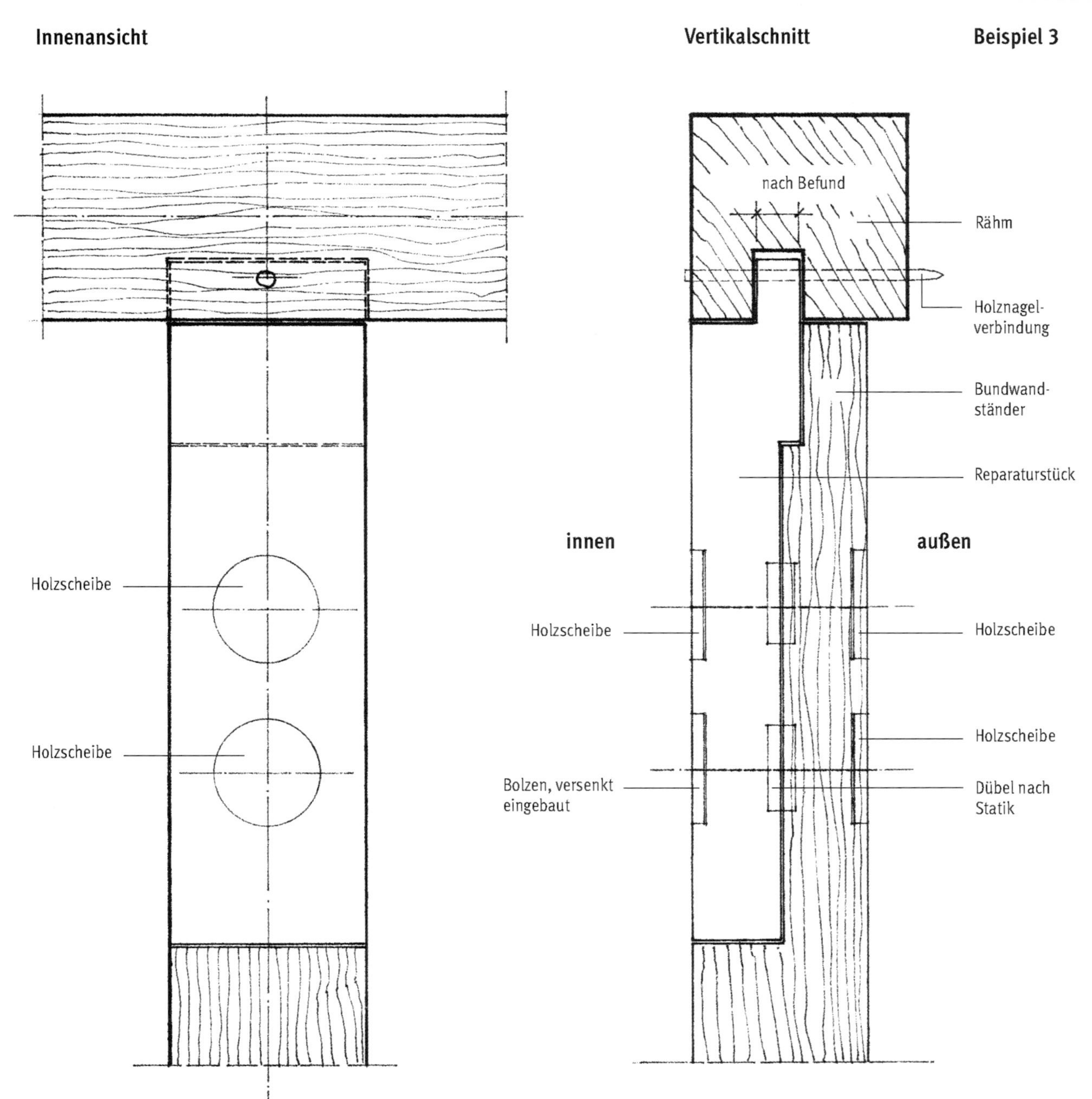

Beispiel 3

In diesem Beispiel wird eine Situation dargestellt, wo größere Kräfte zu übertragen sind – wobei die Verbindungsmittel entsprechend dem statischen Nachweis und nicht der unmittelbare Schaden die Größe der Reparatur bestimmen.

Bei derartigen Reparaturen ist darauf zu achten, dass das verwendete Reparaturmaterial mit der Materialqualität des Bestandes vergleichbar ist. Es ist wichtig, dass niemals Reparaturholz mit hohem Splintholzanteil an Bauteilen aus Kernholz mit Dübeln befestigt wird.

6.2.5 Außenwände/Trennwände

Arbeitsblatt 67

Ersatzzapfen am Ständer, oben

Draufsicht

Beispiel 4

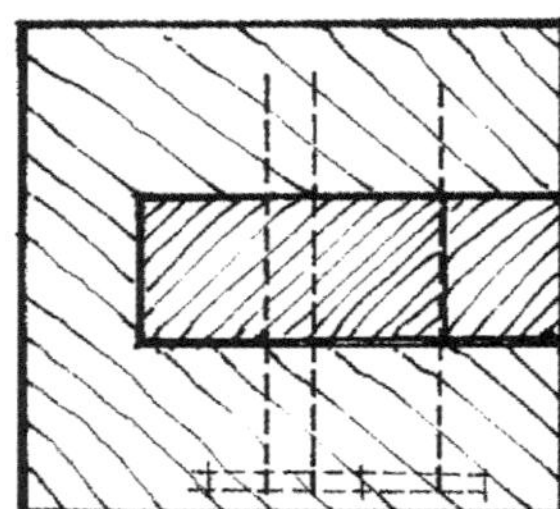

Ansicht

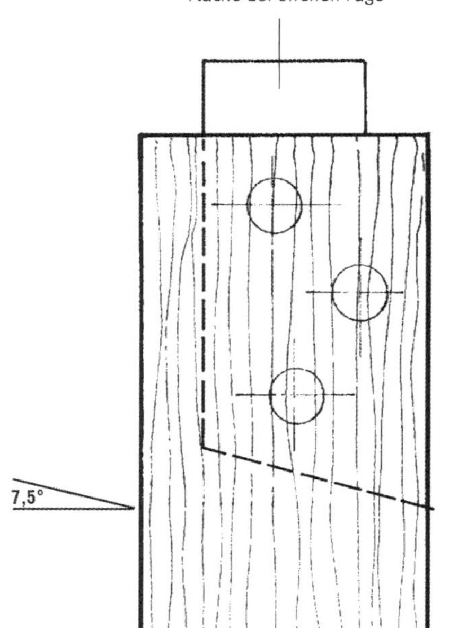

Vertikalschnitt

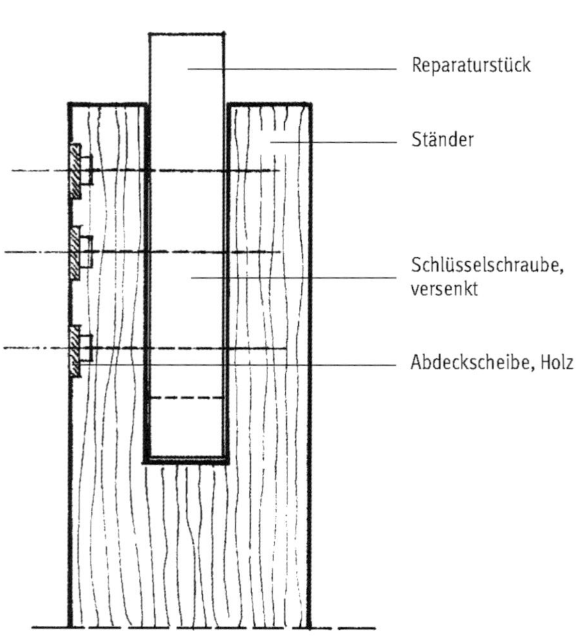

Beispiel 4

Die Zeichnung zeigt einen verdeckten Anschluss mit einem neuen Ersatzzapfen nach oben. Schlüsselschrauben und hölzerne Abdeckscheiben dienen der Befestigung des Zapfens.

Der Zapfen ist dem vorhandenen Zapfenloch angepasst. Nachteilig ist hier der Anteil offener Fugen an der Konstruktion.

Diese Konstruktion ist auch für horizontale sowie untere Anschlüsse geeignet.

6.2.5 Außenwände/Trennwände

Arbeitsblatt 68

Geschossdeckenauflager

Ansicht

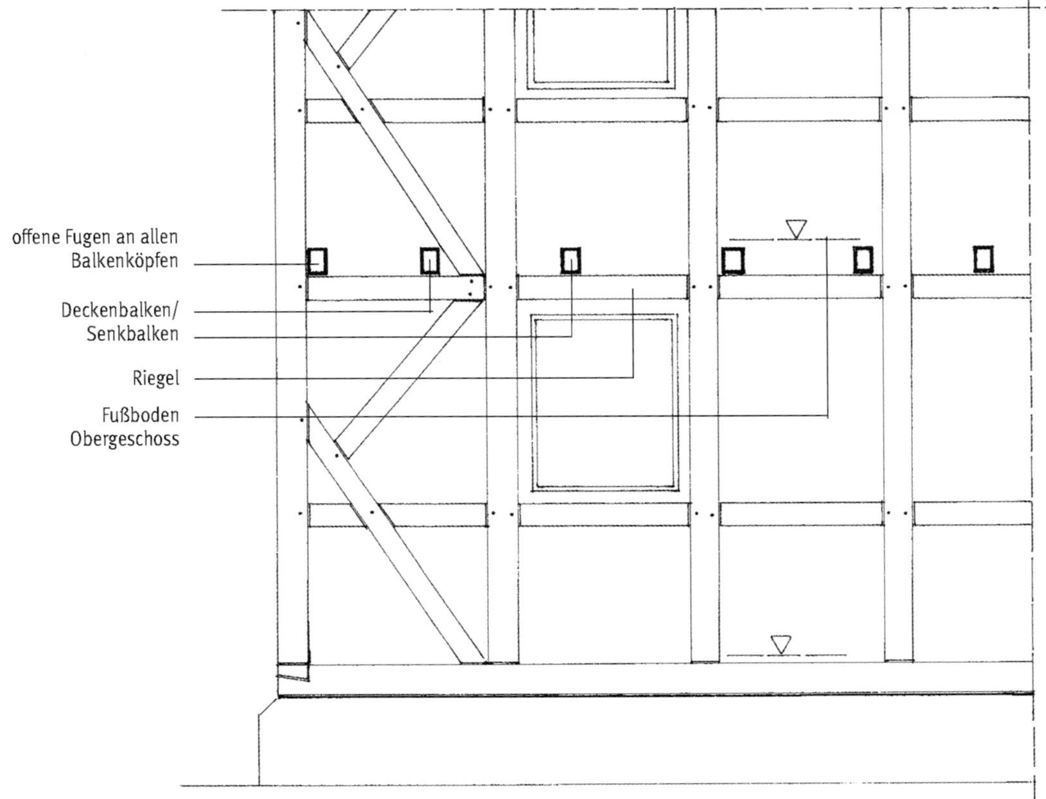

Grundriss
Vorschlag zur Vermeidung offener Fugen am Balkenkopf

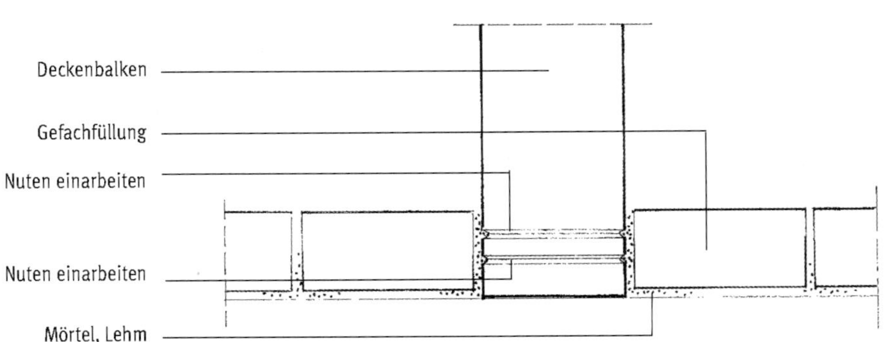

Eine besonders sparsame Bauweise war es, die Deckenbalken auf den Riegeln der Außenwand aufzulegen. Wird eine solche Konstruktion vorgefunden, muss die sorgfältige Einzapfung der Riegel gewährleistet sein. Das Einmauern der Balkenköpfe sollte auch hier nur mit weich gebrannten Steinen und einem Kalkmörtel erfolgen, um den Feuchteaustausch zwischen Holz und Mauerwerk zu ermöglichen. Sehr nachteilig für den Wärmehaushalt und den Schallschutz ist eine offene Fuge.

6.2.5 Außenwände/Trennwände

Arbeitsblatt 69

Frei liegender Spannriegel

Vertikalschnitt

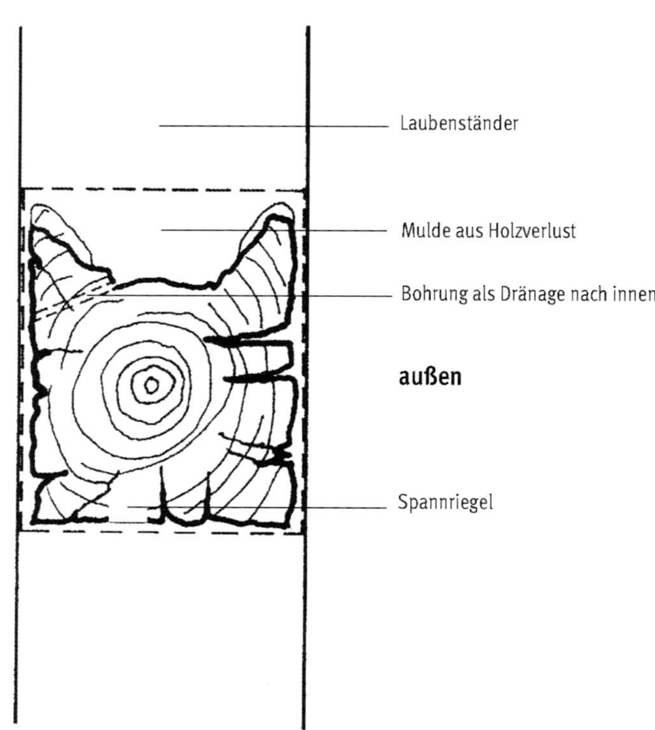

In den Wandkonstruktionen der Fachwerkhäuser mit vorgesetzter Laube gibt es in der Regel einen frei bewitterten Spannriegel in jedem Feld. Besonders im Bereich der Oberfläche gibt es größere Schäden. Ist die Tragfähigkeit noch gewährleistet und kann das originale Teil erhalten werden, sollte das vermulmte Holz aus dem Oberflächenbereich entfernt werden. An den tiefen Stellen werden Bohrungen so ausgeführt, dass Oberflächenwasser ablaufen kann. Die Behandlung mit einem Holzschutzmittel, das auch in die entstandenen Risse eindringen kann, ist nicht falsch. Ein wirksamer chemischer Holzschutz wäre jedoch nur mit einer nachträglichen Kesseldruckimprägnierung der Wirksamkeit P, Iv, Ib und E erreichbar.

6.2.5 Außenwände/Trennwände

Arbeitsblatt 70

Abdeckung eines Brüstungsgeländers als Opferkonstruktion

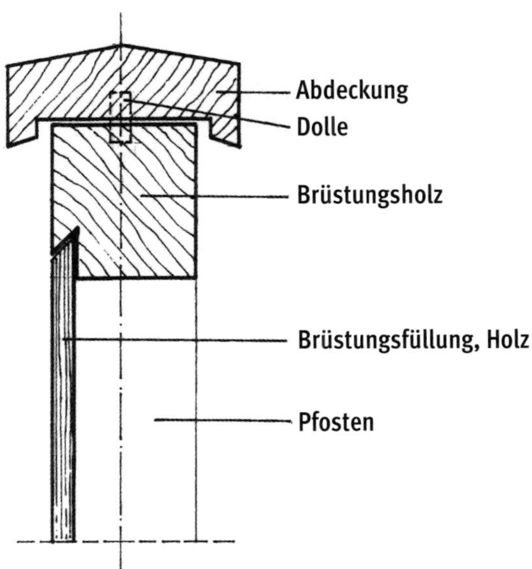

Balkone mit Holzgeländer sind nicht selten. Brüstungskonstruktionen müssen konkreten statischen Anforderungen genügen. Eine Schädigung des Brüstungsholzes durch Feuchtigkeit wird zur Unfallgefahr. Eine Abdeckung, wie dargestellt, ist ein wirksamer Schutz und eine Opferkonstruktion. Diese ist auswechselbar. Den Stößen und Eckverbindungen ist besondere Aufmerksamkeit zu schenken. Ein Fugenverschluss mit Dichtmasse ist keine Lösung. Wo Wasser hinläuft, muss es ungehindert wieder herauslaufen können. Eine Blechabdeckung ist eine Alternative, aber nicht jedermanns Geschmack.

6.2.6 Verbindungsmittel

Arbeitsblatt 71

Anfertigung von Holznägeln

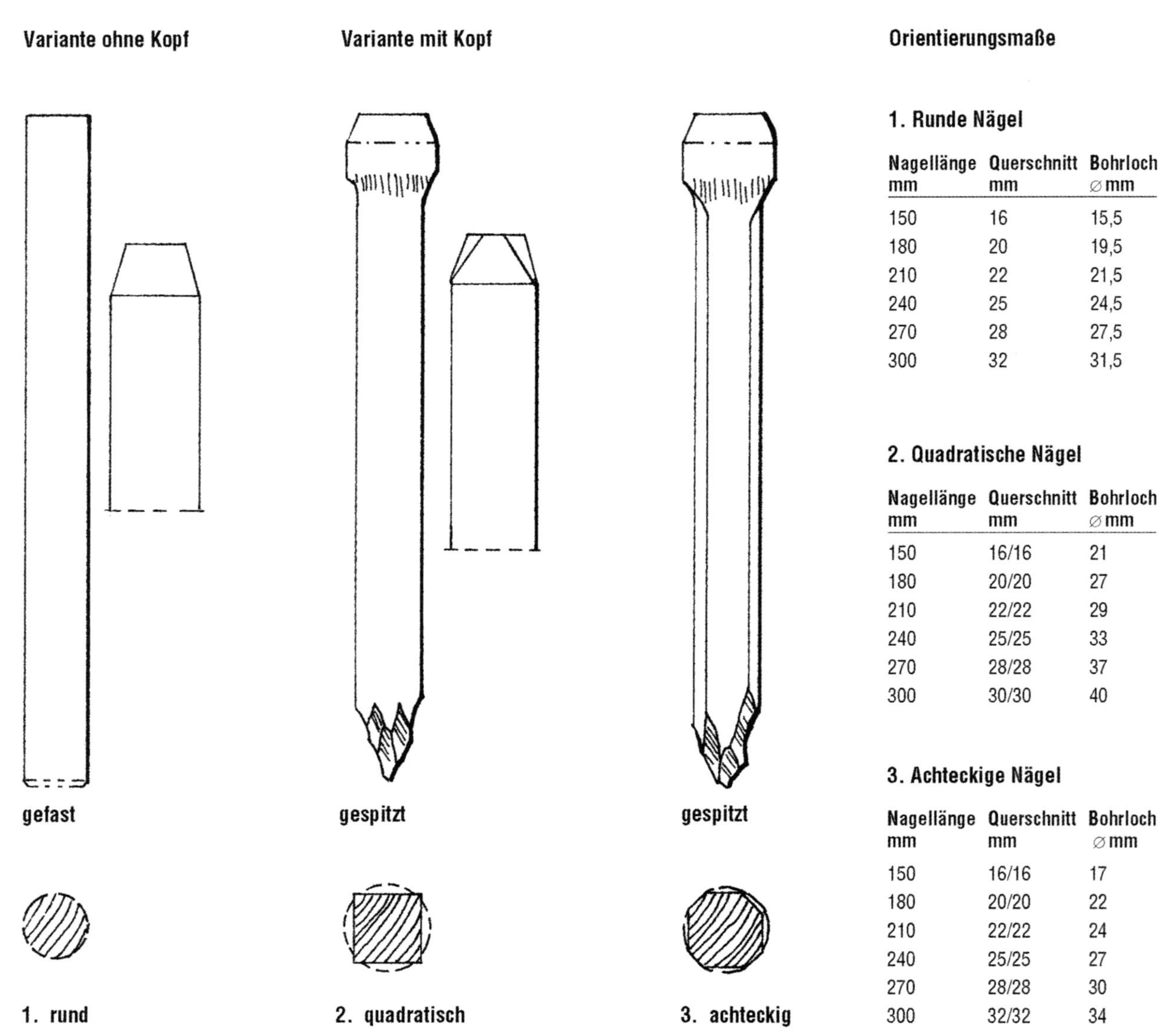

Orientierungsmaße

1. Runde Nägel

Nagellänge mm	Querschnitt mm	Bohrloch ∅ mm
150	16	15,5
180	20	19,5
210	22	21,5
240	25	24,5
270	28	27,5
300	32	31,5

2. Quadratische Nägel

Nagellänge mm	Querschnitt mm	Bohrloch ∅ mm
150	16/16	21
180	20/20	27
210	22/22	29
240	25/25	33
270	28/28	37
300	30/30	40

3. Achteckige Nägel

Nagellänge mm	Querschnitt mm	Bohrloch ∅ mm
150	16/16	17
180	20/20	22
210	22/22	24
240	25/25	27
270	28/28	30
300	32/32	34

Sind für Reparatur oder Neubau Holznägel herzustellen, so sollte das von einem erfahrenen Handwerker gemacht werden.

Bei der Instandsetzung orientiert man sich am historischen Befund, wenn Materialart und Geometrie des Nagelkopfes zu bestimmen sind.

Der Nagel ist aus trockenem (Holzfeuchte unter 16 %), gerade gewachsenem, gesundem Kernholz mit Hand zu spalten. Beim Herstellen mit einer Säge könnten die Fasern schräg angeschnitten werden, Beschädigungen des Nagels sind dadurch möglich.

Obwohl in der Praxis sowohl runde als auch quadratische Nägel anzutreffen sind, sollten grundsätzlich achteckige Nägel hergestellt und verwendet werden. Diese passen sich dem Bohrloch auch bei Arbeiten im Bestand am besten an.

Von der Verwendung runder Holznägel wird abgeraten, da die Passgenauigkeit im Baustellenbetrieb nicht sichergestellt werden kann. Die Fertigungsmaße sind den Tabellen zu entnehmen.

6.2.6 Verbindungsmittel

Arbeitsblatt 72

Stahlbolzen mit Einpressdübel, verdeckt eingebaut

Ansicht

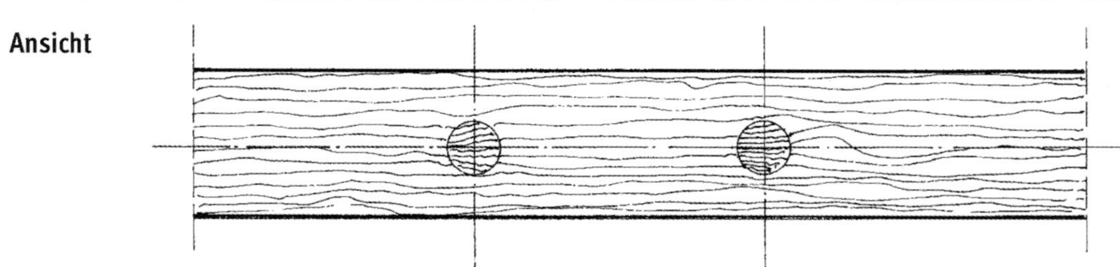

Draufsicht

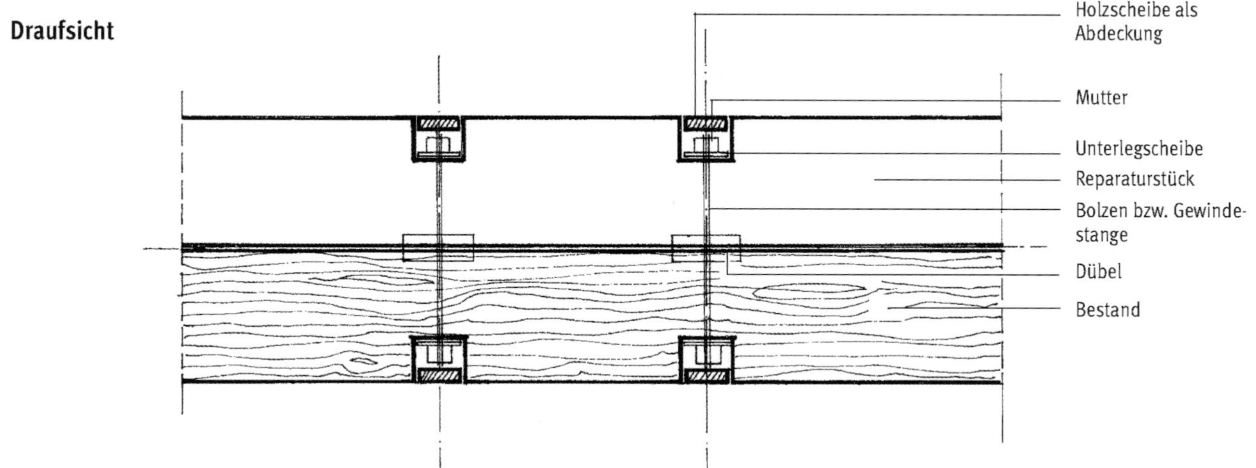

Ist die Verbindung zwischen vorhandenem und neuem Holz herzustellen, sind in der Regel Dübel erforderlich, deren Anzahl, Größe und Lage nach statischen Gesichtspunkten zu bestimmen sind.

Diese Verbindungsstellen sind oberflächenbündig mit einer Holzscheibe abzudecken.

Diese Konstruktion ist auch aus der Sicht des Brandschutzes günstiger als offen liegende Stahlverbindungen.

Reichen die Holzquerschnitte für eine solche Lösung nicht aus, da sie nicht beliebig verändert werden können, sollte nach der Anleitung im Arbeitsblatt 67 verfahren werden.

6.2.6 Verbindungsmittel

Arbeitsblatt 73

Stahlbolzen mit Einpressdübel und Gewindescheibe, verdeckt eingebaut

Vertikalschnitte

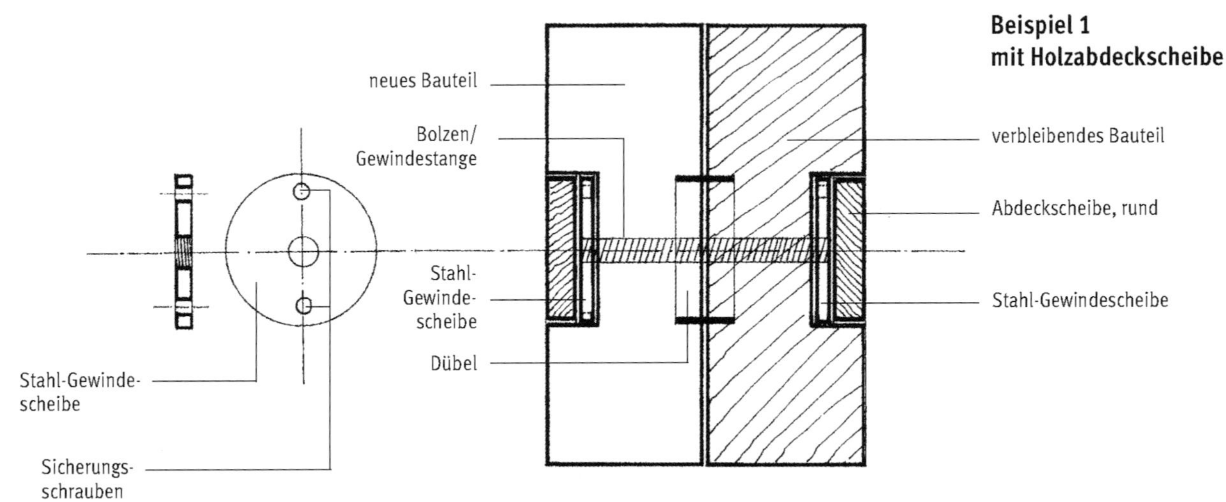

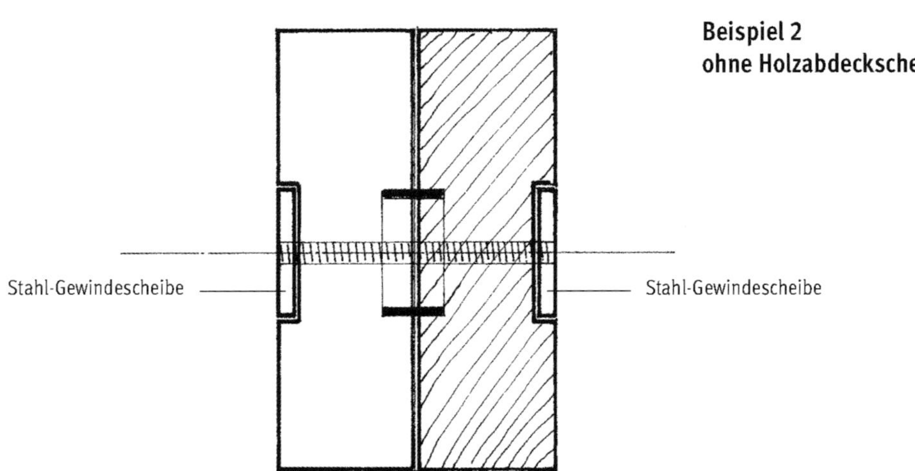

Muss ein schlankes, tragendes Holzbauteil angeschuht werden, kann dies zu geometrischen Problemen führen. Für eine Konstruktion mit Bolzen, Dübel, Scheiben, Muttern und hölzernen Abdeckplatten muss ein statisch nachgewiesener Mindestquerschnitt vorhanden sein. Hierfür wurde eine Gewindescheibe entwickelt, die Scheibe und Mutter zusammenfasst, wie in den beiden Abbildungen dargestellt.

In Beispiel 1 ist der Holzquerschnitt ausreichend, um eine hölzerne Abdeckscheibe einzusetzen.

Im Beispiel 2 wird nur die Gewindescheibe eingefräst und mit zwei Schrauben arretiert. Bei beiden Beispielen sind die Reparaturen zwar sichtbar, aber nicht störend.

6.2.7 Dachkonstruktionen/Traufpunkte

Arbeitsblatt 74

Mängel an historischen Baukonstruktionen

Schnitt

Die Verformung der Deckenbalken führt zur Verformung der Dachflächen und somit zu weiteren Folgeschäden.

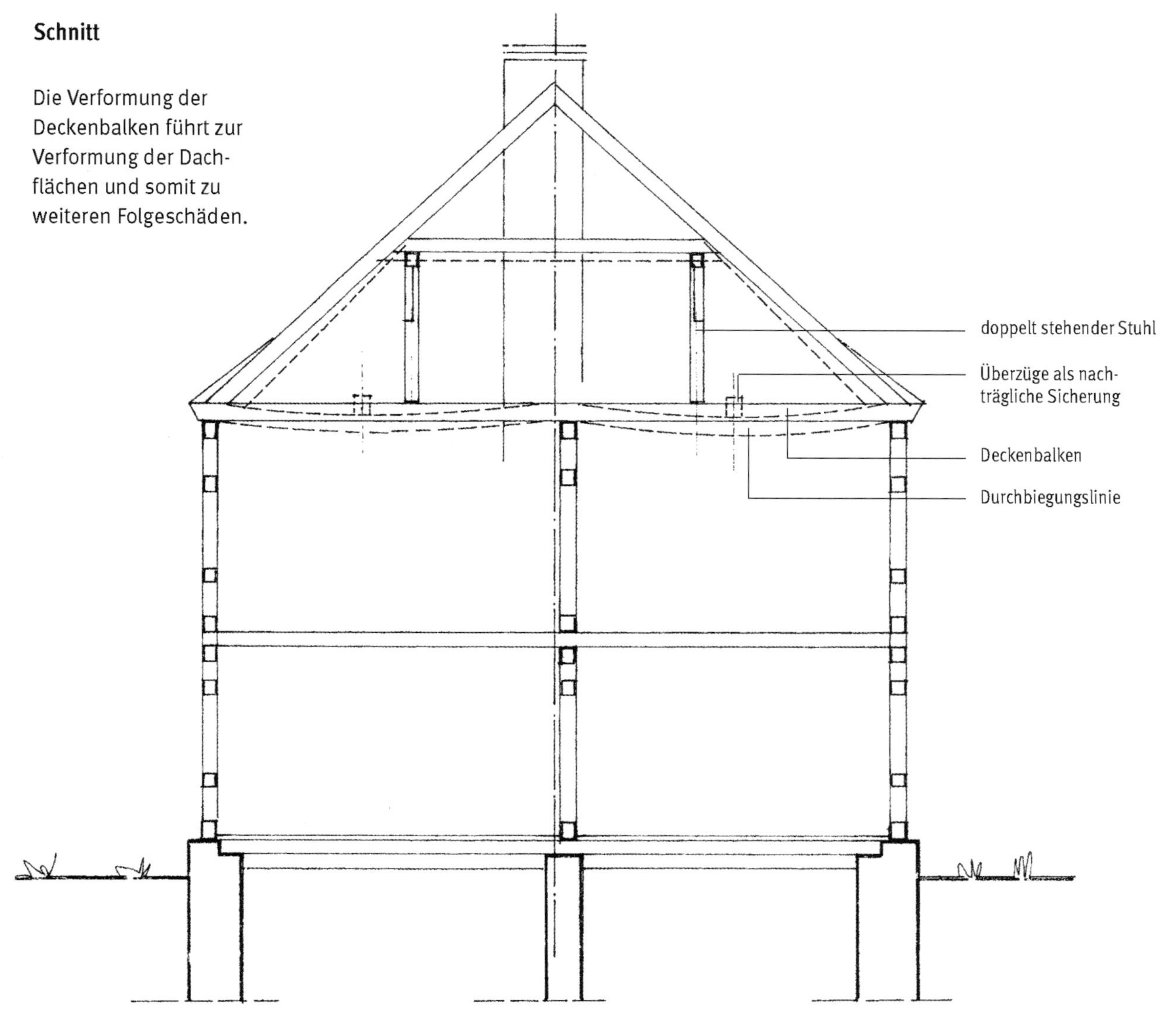

Der Querschnitt eines 2-geschossigen Fachwerkbaues zeigt eine allgemein übliche Dachkonstruktion mit doppelt stehendem Stuhl. Die Stuhlsäulen stehen fast in der Mitte der Deckenbalkenfelder – statisch die schlechteste Lösung. Den liegenden Stuhl, der das Problem gelöst hätte, gibt es seit dem 13. Jahrhundert. Er war wohl in Vergessenheit geraten. Nach kurzer Zeit gab es Schäden an diesen Decken, zumal der Raum als Speicher für Nahrungsmittel genutzt wurde. Eine Rettung wurde im Verlegen von Überzügen mit entsprechender Verbolzung gesucht. In diesem Zustand werden die Dachräume heute noch vorgefunden. In der Regel ist eine Grundinstandsetzung der gesamten Decke mit entsprechenden statischen Nachweisen erforderlich.

6.2.7 Dachkonstruktionen/Traufpunkte

Arbeitsblatt 75

Dachlattung/Dachdeckung

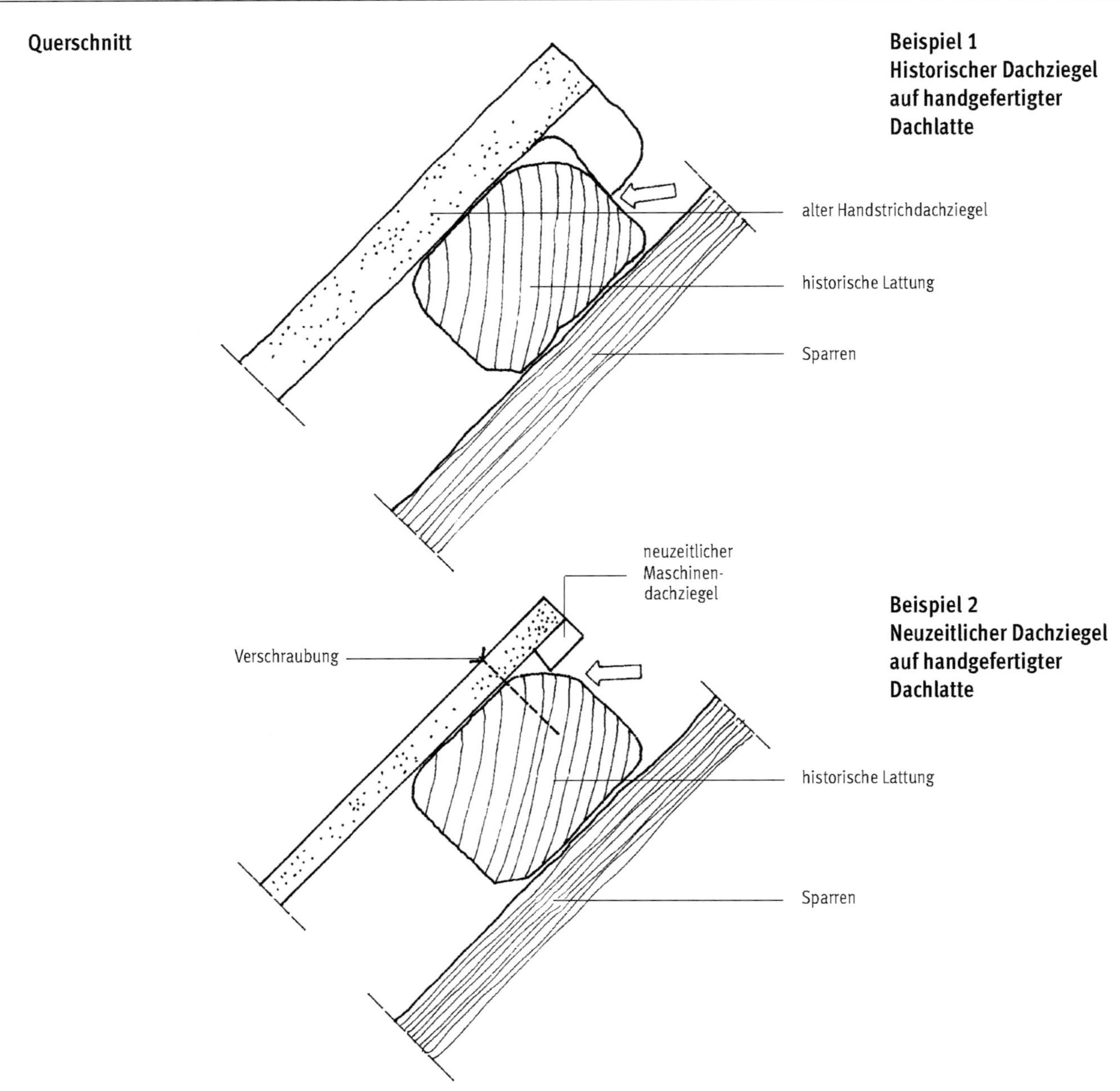

Ist eine neue Dachdeckung vorgesehen, so kann es auf einer historischen Dachkonstruktion zu Problemen kommen. Die aufgenagelten Dachlatten sind manchmal noch handgespalten oder sehr grob gesägt und zeigen Baumkanten. Die handgestrichenen, damals auf der Baustelle hergestellten Dachziegel (Feldbrand) hatten entsprechend tiefe Nasen (bis 40 mm), die diesem Umstand Rechnung trugen. Soll mit einem industriell gefertigten Dachziegel gearbeitet werden, ist die Nase kaum 15 mm tief. Trotz einer Mörteldeckung wäre keine ausreichende Stabilität vorhanden, sodass eine zusätzliche Verschraubung infrage kommt. So etwas muss mit dem Dachziegelhersteller rechtzeitig abgestimmt werden.

6.2.7 Dachkonstruktionen/Traufpunkte

Arbeitsblatt 76

Reparatur des Deckenbalkenkopfes im Traufbereich

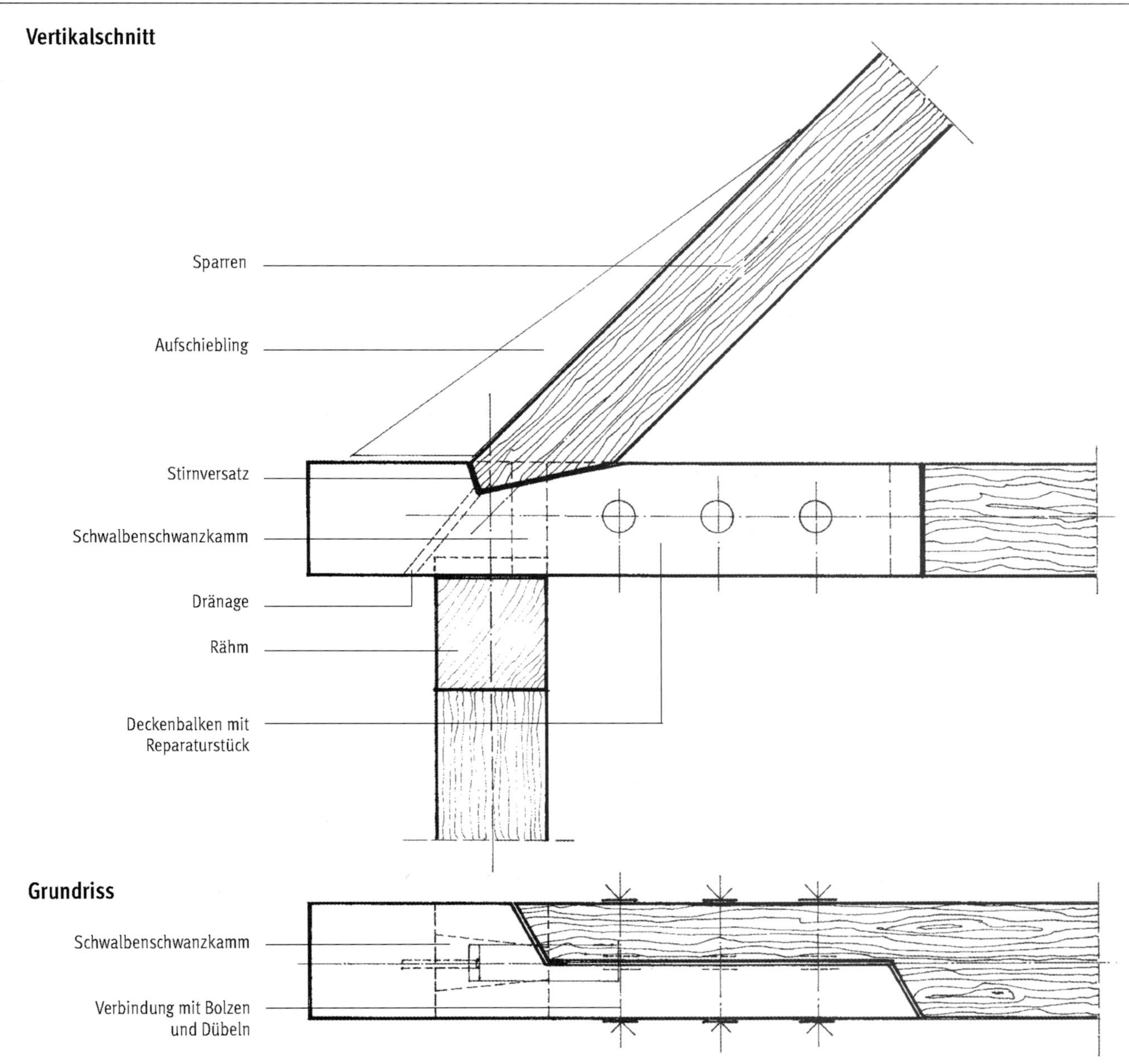

Mit der Instandsetzung der Fachwerkwände ist die Reparatur des Traufpunktes verbunden. Erst wenn hier eine kraftschlüssige Verbindung mit Decke und Dach hergestellt ist, können weitere Verformungen aus Schädigungen ausgeschlossen werden. Die Zeichnung zeigt das Anschuhen eines Deckenbalkens mit gleichwertigem Holz. Der Sparren kann mit Stirnversatz wieder angeschlossen werden. Der Wasserablauf aus dem Stirnversatz ist nicht zu vergessen. Die Verbindung von Deckenbalken und Wand erfolgt hier mit Schwalbenschwanzkamm.

6.2.7 Dachkonstruktionen/Traufpunkte

Arbeitsblatt 77

Traufpunkt – Bewertung einer Bestandsaufnahme

Vertikalschnitt

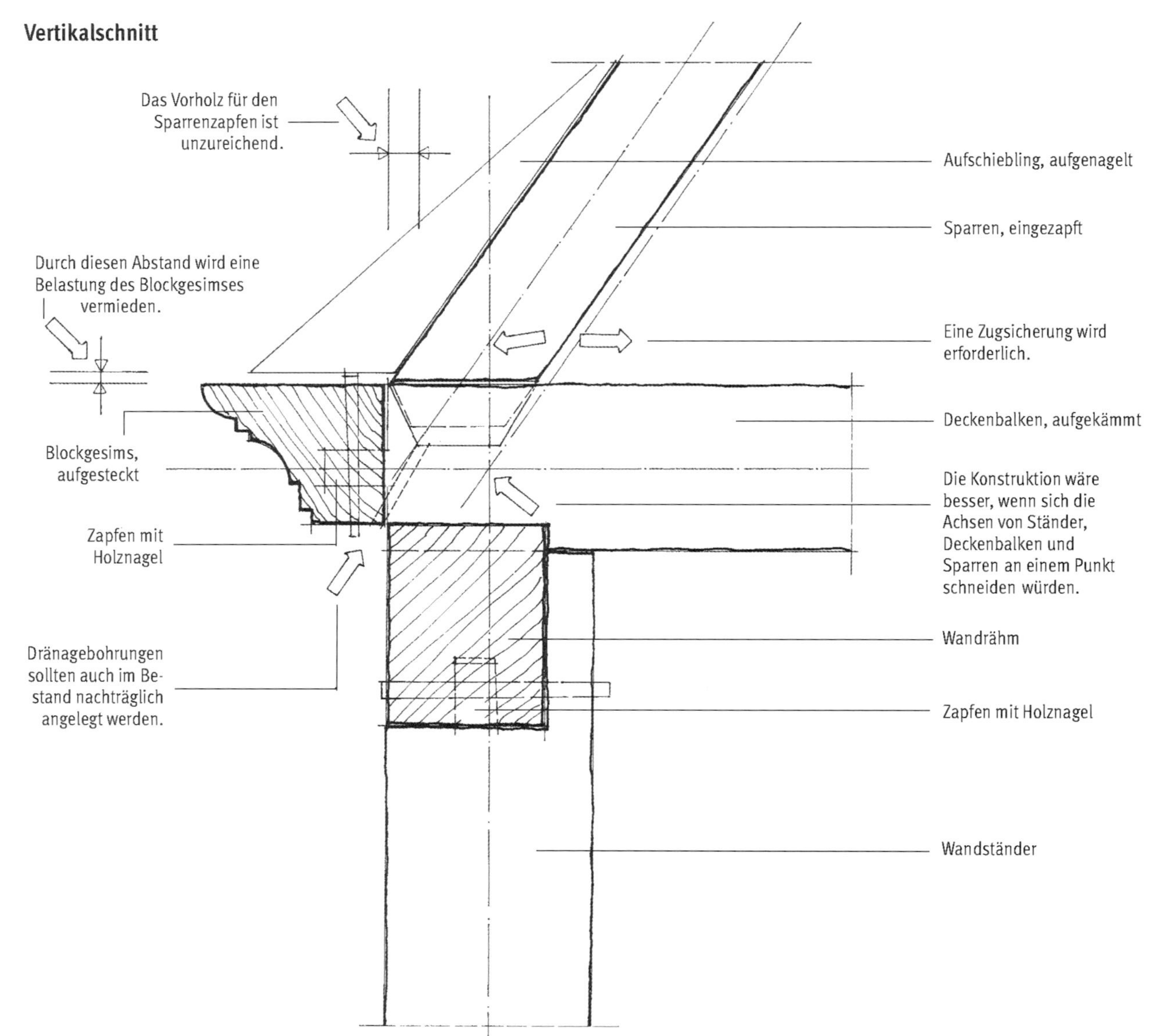

Ist eine vorhandene Baukonstruktion ausreichend genau aufgemessen und gezeichnet, werden Details deutlich, die zu beachten sind. Im dargestellten Beispiel ist das Vorholz im Deckenbalken für den Sparren sehr dürftig. Da sich in diesen Zapfenlöchern oft Wasser befand, gibt es hier sehr große Schäden. Eine Rückverankerung der Sparren muss also geklärt werden.

Die bessere Baukonstruktion wäre gewesen, wenn sich die Achsen aus Wand, Decke und Sparren an einem Punkt geschnitten hätten.

Eine Dränage vorhandener Zapfenlöcher sollte nachträglich eingearbeitet werden. Ein weiterer kritischer Punkt ist die Befestigung des Aufschieblings. Dieser darf das aufgesteckte Blockgesims nicht belasten.

Zu prüfen ist auch die Wirksamkeit der Zugverbindung zwischen Deckenbalken und Wandrähm, im Beispiel als Schwalbenschwanzkamm dargestellt.

Hinweis: Das dargestellte Detail stammt aus einer Planung aus dem Jahre 1987 für Brandenburger Baudenkmale.

6.2.7 Dachkonstruktionen/Traufpunkte

Arbeitsblatt 78

Historische Zugverbindung ohne Stahlverbindungsmittel

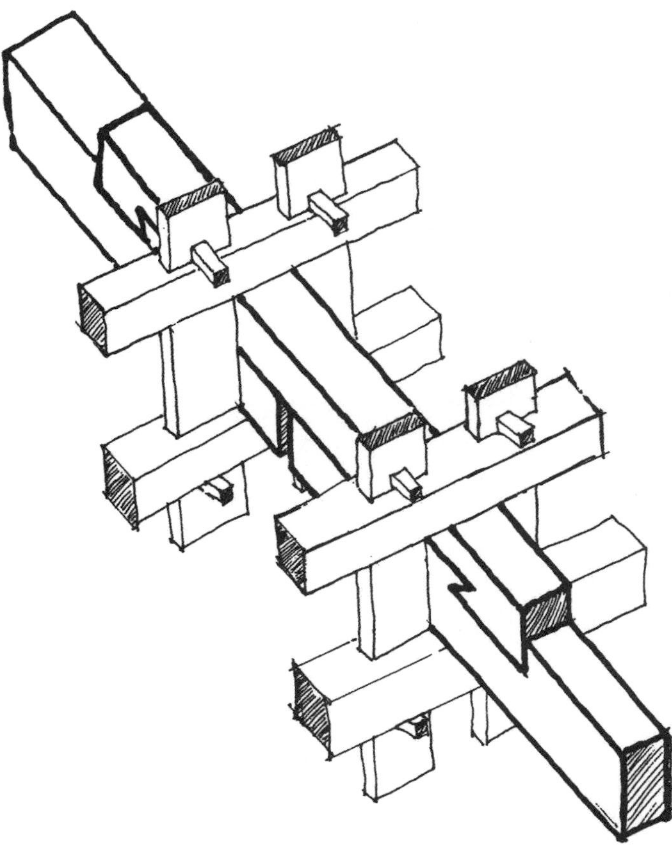

Vorrangig in Dachtragwerken können ausgeklügelte Zugverbindungen als reine Holzkonstruktionen vorgefunden werden. Wird ein statischer Nachweis erforderlich, kann diese Verbindung mit aktuellen Festigkeitsanforderungen sicher nicht mithalten.

Die Erhaltung dieses wertvollen Befundes zeichnet die Planer erst aus. Die Aufgabe heißt: Eine notwendige statische Sicherung erfolgt unter Beibehaltung derartiger Details.

6.2.7 Dachkonstruktionen/Traufpunkte

Arbeitsblatt 79

Ertüchtigung des Sparrenfußes – Praxisbeispiel

Vertikalschnitt

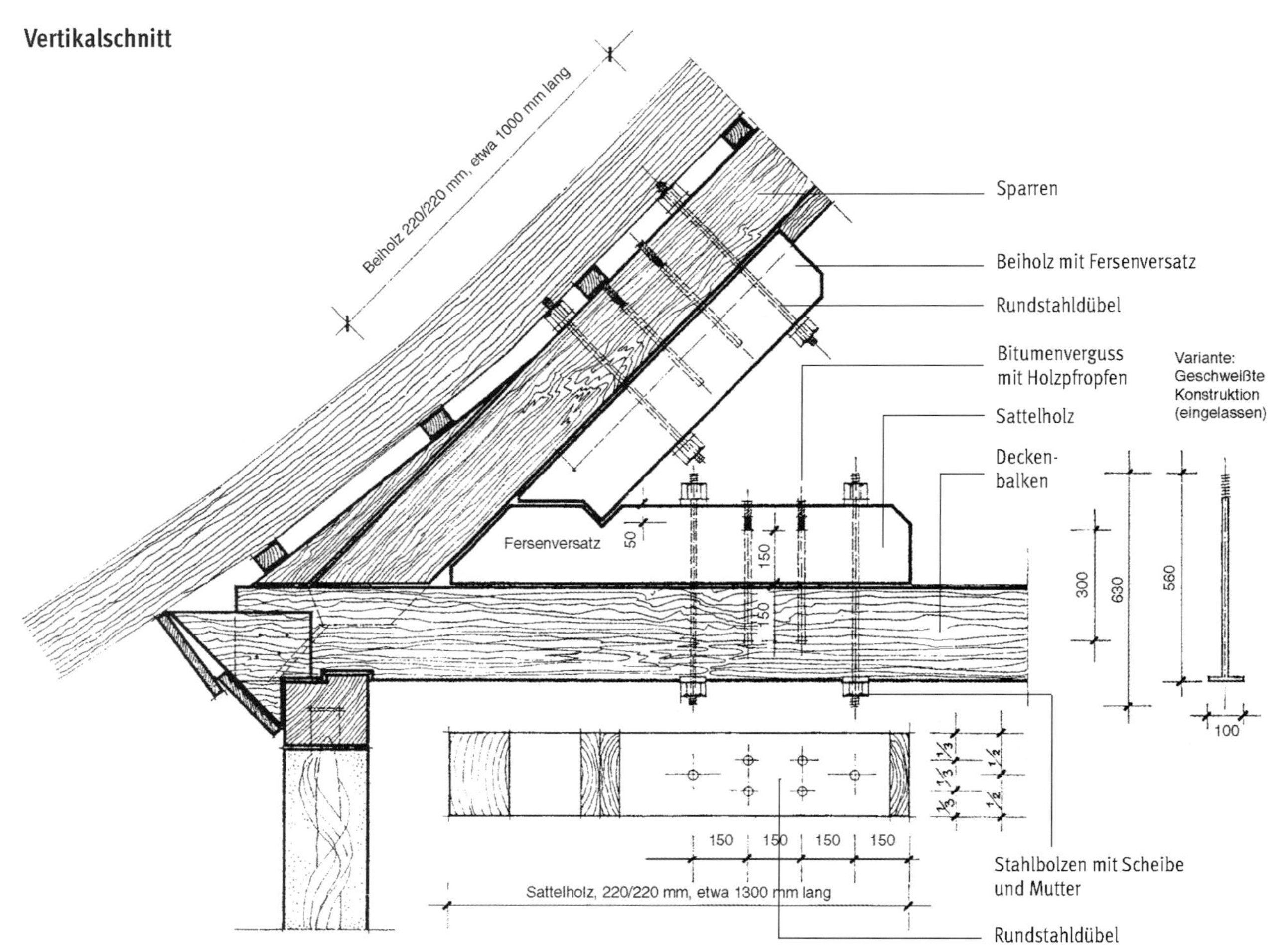

Hier ist eine Reparaturmöglichkeit dargestellt für den Fall, dass der Sparrenfuß geschädigt ist und im Deckenbalken keinen Halt mehr findet. Die Anordnung der beiden Sattelhölzer gewährleistet die Lastübertragung und den vollen Erhalt der Originalsubstanz. Das Schwächen des Deckenbalkens durch direktes Aufsetzen des Beiholzes mit Fersenversatz ist nicht zu empfehlen.

Für jeden Fußpunkt werden die Sicherungshölzer einzeln angepasst.

Hinweis: Das dargestellte Detail stammt aus einer Planung aus dem Jahre 1987 für Brandenburger Baudenkmale.

6.2.7 Dachkonstruktionen/Traufpunkte

Arbeitsblatt 80

Reparatur von Deckenbalkenkopf und Sparrenfuß – Praxisbeispiel

Vertikalschnitt

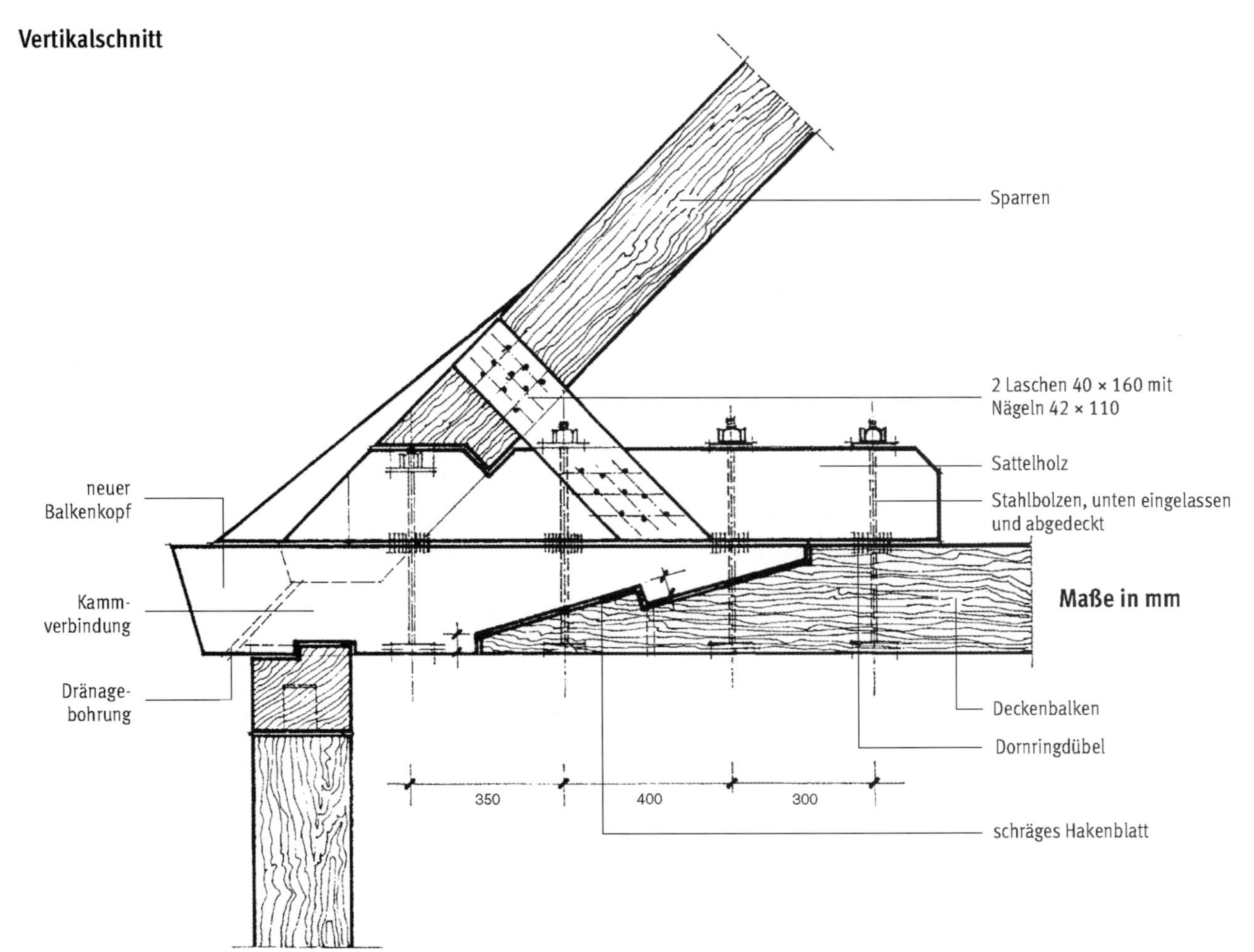

Ein häufiger Schadensfall ist die Schädigung von Deckenbalkenkopf und Sparrenkopf. Es wird im Beispiel gezeigt, wie die Instandsetzung aussehen kann. Die Bauteile sind seitlich einbaubar. Das Bohren für die Stahlverbindungsmittel muss von unten erfolgen. Das aufgesetzte Sattelholz ersetzt den gekürzten Sparrenfuß. Eine weitere Möglichkeit ist, den defekten Sparren anzuschuhen. Die genagelten Laschen wurden nicht ausgeführt.

Hinweis: Das dargestellte Detail stammt aus einer Planung aus dem Jahre 1987 für Brandenburger Baudenkmale.

6.2.7 Dachkonstruktionen/Traufpunkte

Arbeitsblatt 81

Historisches Gesimsdetail (Zeichnung 1) und Instandsetzungsplanung (Zeichnung 2)

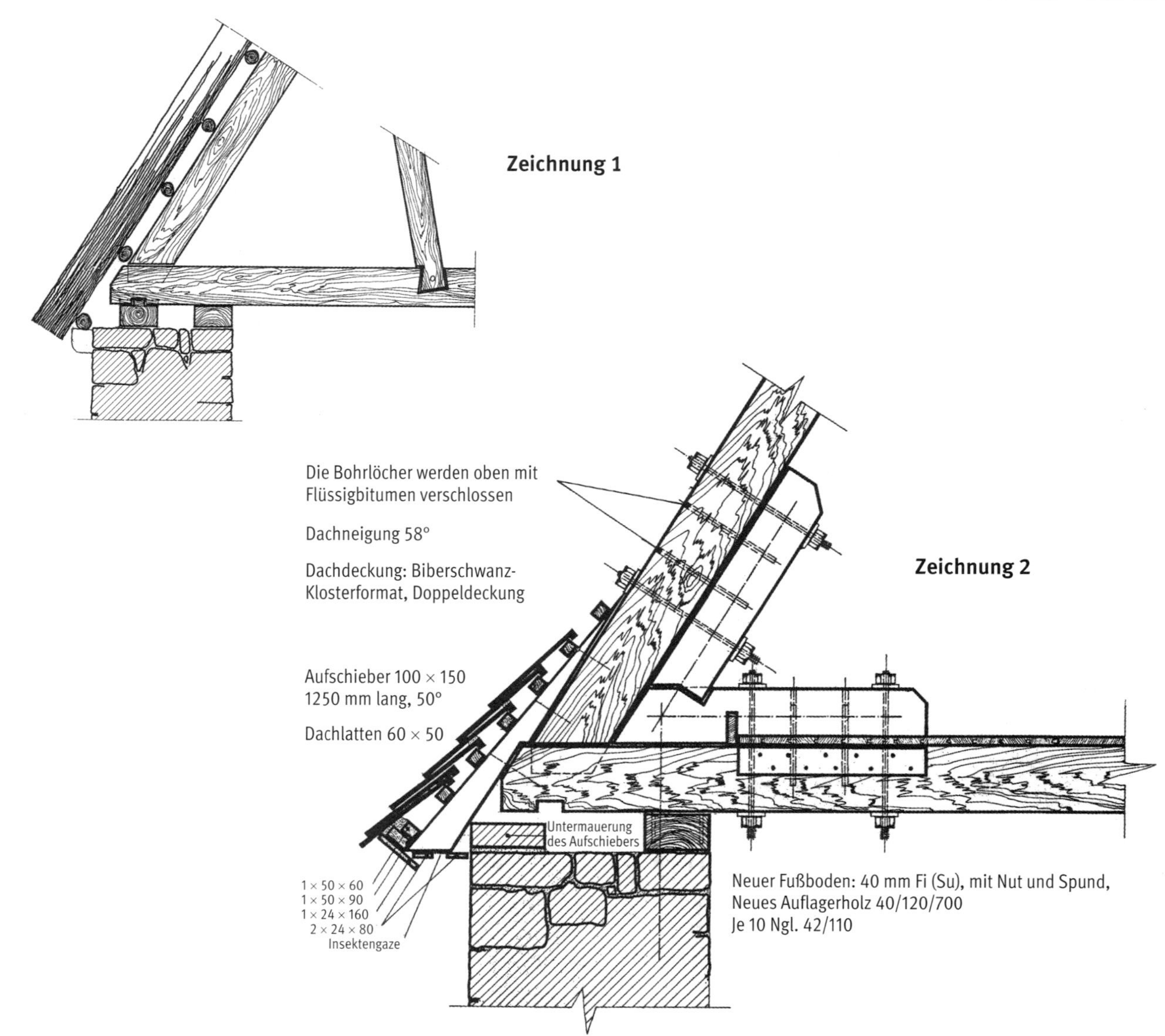

Am mittelalterlichen Speicher (Siehe Bilder 1.1.2, 1.1.3 und 1.1.4) wurden in tagelanger Arbeit Unmengen durchfeuchteter Bauschutt aus den Gesimsbereichen von innen aufgenommen und entsorgt. Die Schwellen sowie die Fußpunkte der Spannbalken und Sparrenfüße waren ernsthaft geschädigt. Es bestand akute partielle Einsturzgefahr für das Dach aus dem Mittelalter. Im Rahmen der Arbeitsvorbereitung wurde der ursprüngliche Baugedanke entdeckt. Hätten die Handwerker (Dachdecker) und der Nutzer (Kornspeicher) über die Jahrhunderte nicht diese Schuttberge angehäuft (mit nassem Getreide angereichert), gäbe es nicht diese Schäden. Auf einer Doppelschwelle lagen die Deckenbalken (Spannbalken), ein Dachüberstand sicherte Trockenheit und Durchlüftung, eine eigentlich unverwüstliche Konstruktion.

Zeichnung 2:

Für die Instandsetzung wurde eine Lösung entwickelt, die der Realisierungsmöglichkeit der Zeit entsprach (1986). Ein Aufschieber wurde hinzugefügt, um das Mauern eines Gesimses weglassen zu können. Eine gute Belüftung wurde so erreicht. Die Dachlast wurde auf die innen liegende Schwelle umgeleitet. Die geschädigten Balkenköpfe und ihre Verbindungen konnten wesentlich entlastet und im Original erhalten werden. Konstruktion: W. Mönck/E. Hähnel

Hinweis: Das dargestellte Detail stammt aus einer Planung aus dem Jahre 1987 für Brandenburger Baudenkmale.

6.2.7 Dachkonstruktionen/Traufpunkte

Arbeitsblatt 82

Ergänzung einer Längsaussteifung – Praxisbeispiel/Grundriss und Details

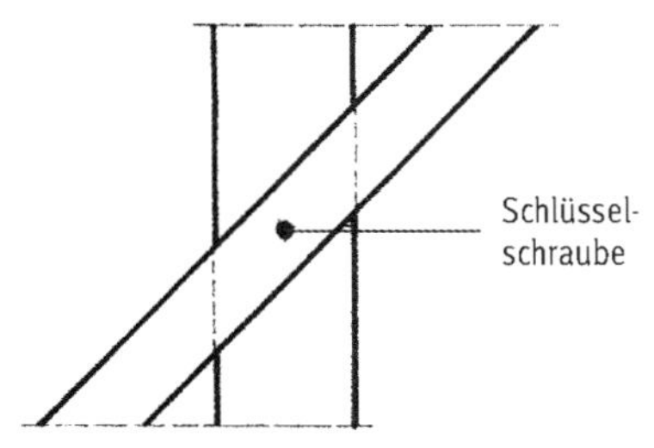

Vorhandene Verbindungen

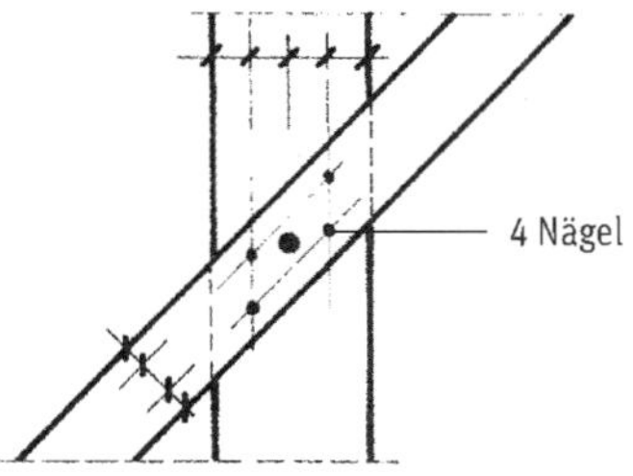

Nachgebesserte Verbindungen

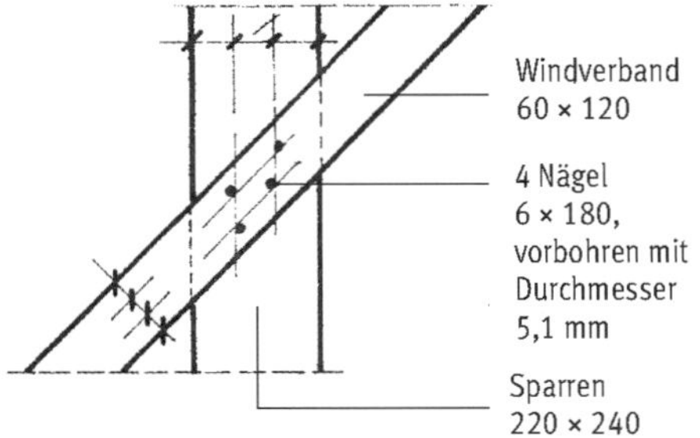

Neue Verbindungen

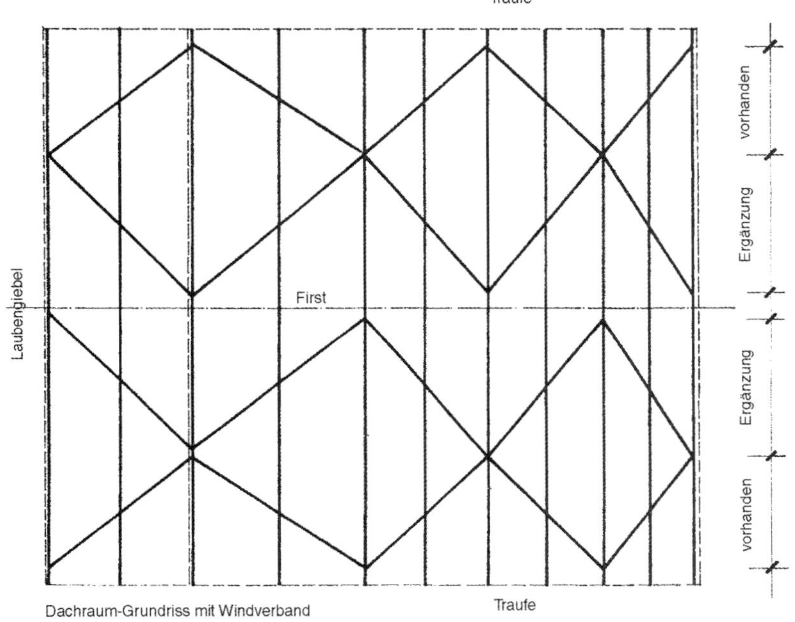

Dachraum-Grundriss mit Windverband

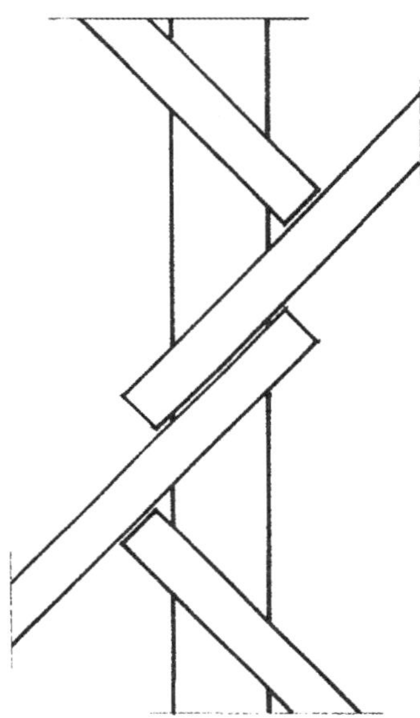

Ausbildung der Knotenpunkte

In Dachtragwerken ist nach statischen Gesichtspunkten oft die Windaussteifung zu ergänzen. Unter Mitwirkung eines Statikers ist das vorhandene System zu prüfen. Es sind angemessene Holzquerschnitte zu wählen. Die Verbindungsmittel müssen dem Anspruch einer korrekten Handwerksarbeit entsprechen.

Im dargestellten Beispiel wurde versucht, diese Anforderungen umzusetzen.

6.2.8 Gefache

Arbeitsblatt 83

Erhaltung von Gefachfüllungen
Nachträgliche Sicherung einer Backsteinausmauerung

Horizontalschnitt am Ständer

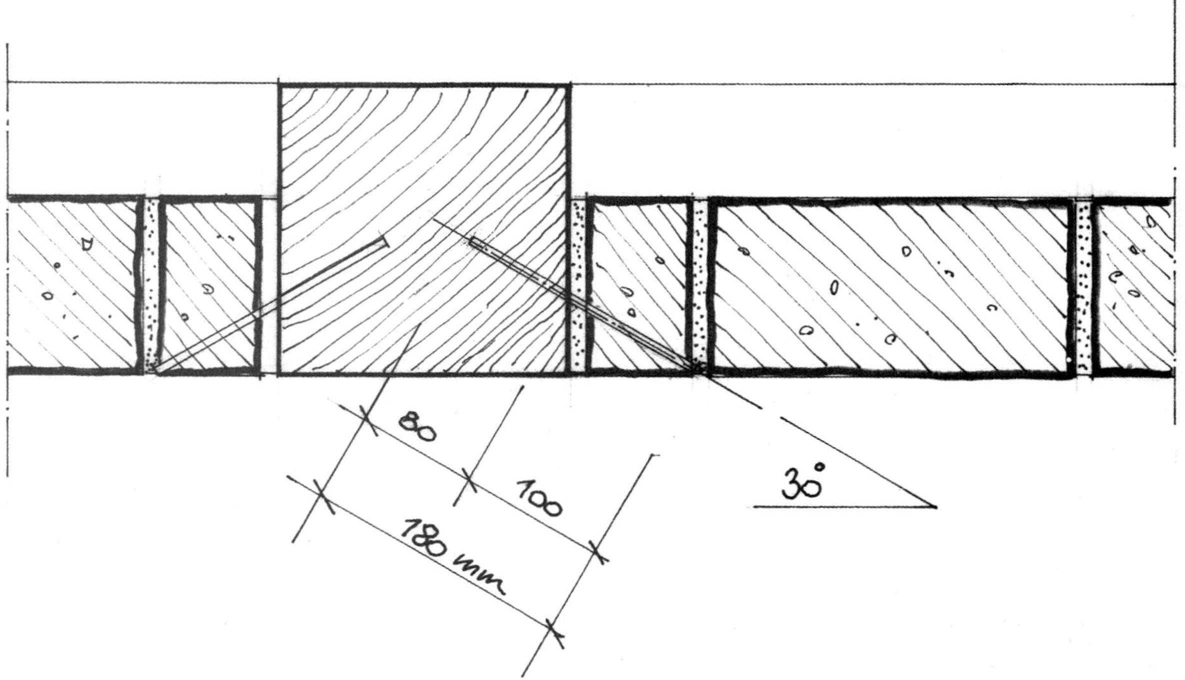

Bei der Gebäudeuntersuchung werden nicht gesicherte Ausmauerungen der Gefache festgestellt. Das Beispiel zeigt einen Lösungsvorschlag:

Seitlich angeordnete Edelstahlnadeln ∅ 6 mm bis ∅ 8 mm setzen,
Abstand: 4 Stück je Normalfeld, je Seite 2,
größere Felder mind. 6 Stück, je Seite 3,
Bohrstelle mit Mörtel MG II unsichtbar verstreichen!
Passgerecht bohren – keine Sprengwirkung!

Zum Bohren 30°-Schablone verwenden,
beim Bohren Fugen mit 2 Keilen stabilisieren.

6.2.8 Gefache

Arbeitsblatt 84

Erhaltung von Gefachfüllungen

Ansichten

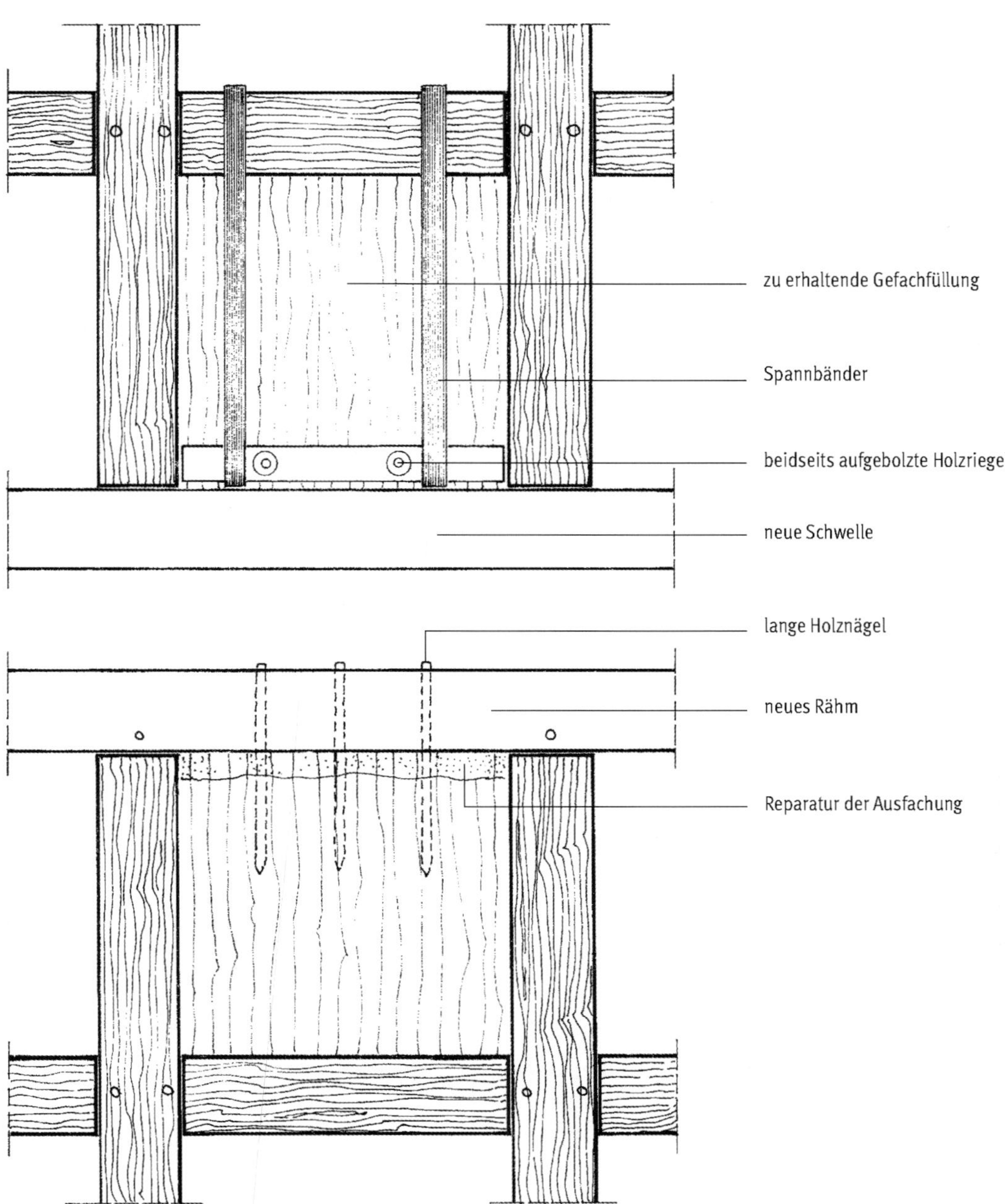

Bei der Fachwerkinstandsetzung führt das sogenannte Entkernen, so wird das völlige Ausräumen aller Gefachfüllungen genannt, oft zu großen Substanzverlusten. Was für ein konkretes Gebäude notwendig ist, kann nur vor Ort entschieden werden. Die Zeichnung zeigt am Beispiel, dass man eine erhaltenswerte Gefachfüllung aufhängen kann (beidseits angebolzte Bohlenstücke, zwei Haltegurte). Dies ermöglicht das Auswechseln anliegender Holzbauteile ohne größeren Substanzverlust. Die untere Darstellung zeigt eine Situation, wo das Rähm erneuert wurde und die erhalten gebliebene Ausfachung wieder zu befestigen war. Mit langen eingebohrten Holznägeln und dem beidseitigen Fugenverstrich ist diese Aufgabe lösbar.

6.2.8 Gefache

Arbeitsblatt 85

Gefachausmauerung mit Sichtbacksteinen

Holzschalung als Gefachfüllung

Vertikalschnitte

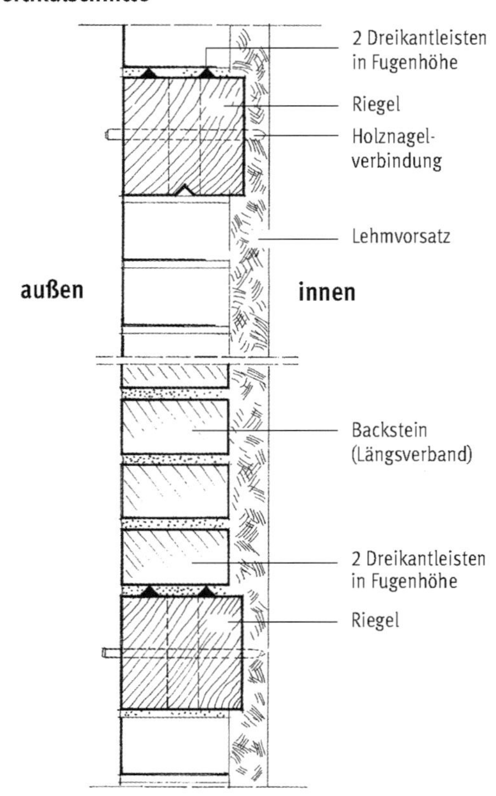

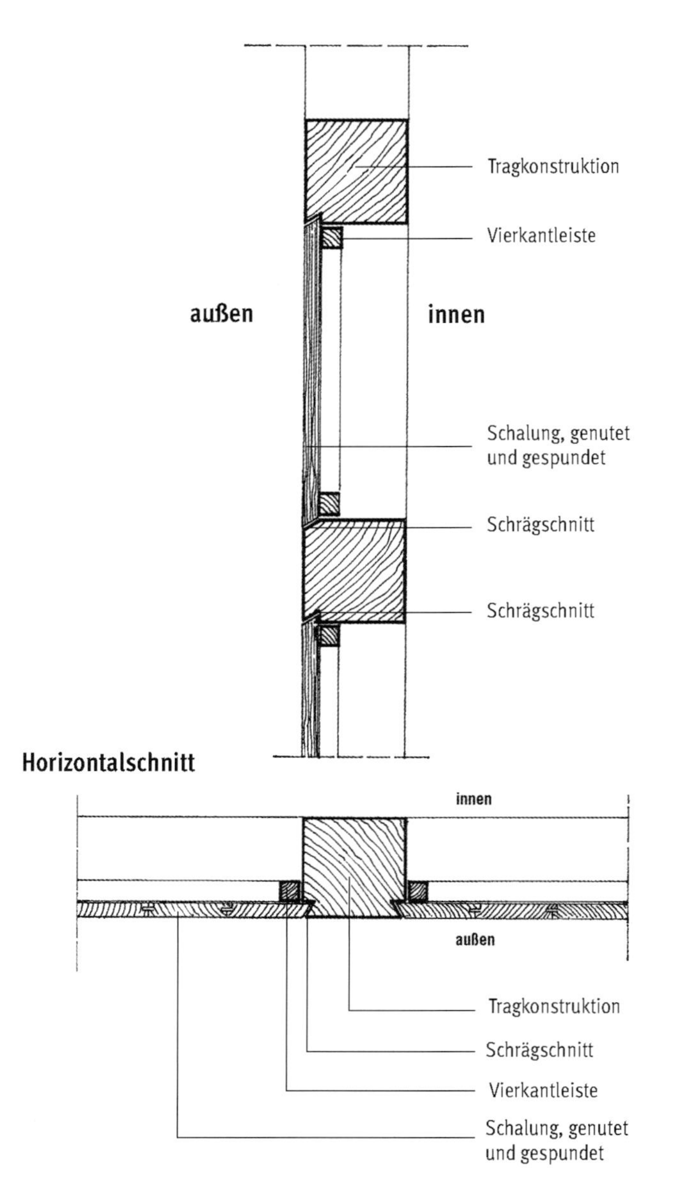

Sind die Gefache der Fachwerkkonstruktion auszumauern, ergeben sich bei Sichtmauerwerk entsprechende Qualitätsanforderungen an die Fugen. Das Ansichtsbild ergibt sich aus der Anzahl der Fugen und Schichten, aufgeteilt auf das Höhenmaß. Bereits die erste Fuge muss genau sitzen – das ist schwierig, wenn mittig eine Dreikantleiste aufgenagelt ist. Zwei Dreikantleisten im entsprechenden Höhenmaß sind sicher ein gutes Hilfsmittel. Seitlich und oben sollte mit einer Nut im Konstruktionsholz gearbeitet werden, um die Gefachfüllung zu arretieren und die durchgehende Fuge zu verhindern.

Im klassischen Fachwerkbau ist die Innenfläche häufig mit einer durchgehenden Leichtlehmdämmschicht versehen. Die Holznägel sind innen so zu kürzen, dass sie in der Dämmschicht enden.

Untergeordnete Fachwerkgebäude können als Gefachfüllung eine einfache Schalung haben, zweckmäßigerweise außen bündig mit dem Fachwerkholz. Die Anordnung der Fugen erfolgt so, dass kein Wasserstau entstehen kann. Hier sind weitere Varianten denkbar.

6.2.9 Bekleidungen/Schlagregenschutz/Anstriche

Arbeitsblatt 86

Wandbekleidungen als Schlagregenschutz

Vertikalschnitt

Ansichten

Beispiel 1: Horizontalschnitt Holzwandschalung, senkrecht, farbig abgesetzt

Die Vorsatzschale am Fachwerkhaus ist häufig eine Holzverschalung, die nicht selten farbig gestaltet ist.

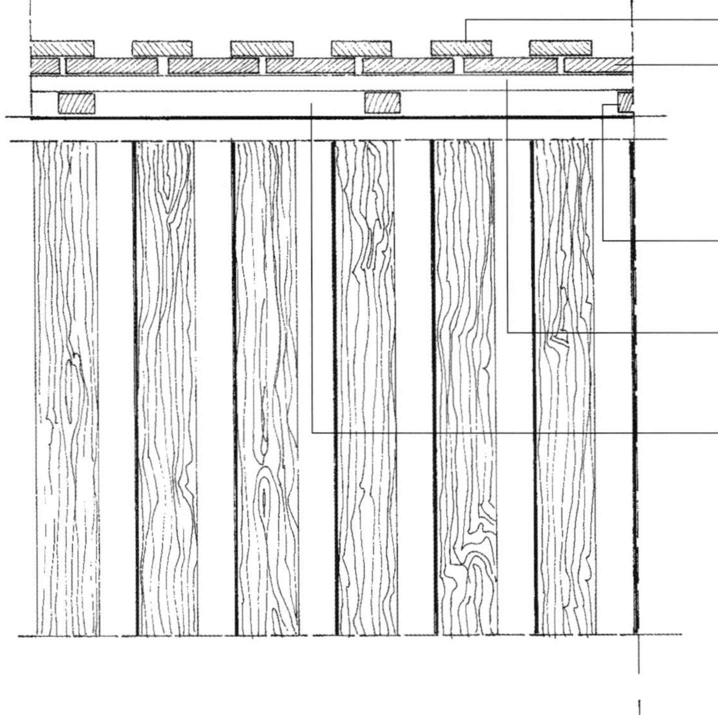

Beispiel 2: Schieferbekleidung, Wabenmuster

Kleinformatige Bekleidungselemente können aus Schiefer, Blech, Kunststoff oder anderen Materialien bestehen.

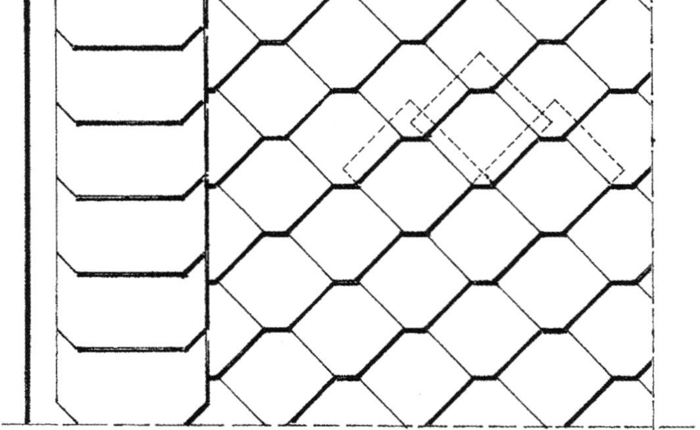

Arbeitsblätter 78 bis 82 (Beispiele 1 bis 9)

Schon immer wird der Schutz des Fachwerkhauses an den stark bewitterten Außenwänden durch eine zusätzliche Bekleidung hergestellt. Für diese Wetterhaut werden verschiedene Materialien verwendet.

Die Beispiele zeigen Holzverschalung, Verschieferung (hier wird auch mit Blech oder Faserzement gearbeitet), Verschindelung (die es in außerordentlich reicher Formgebung gibt) sowie einen Dachziegelbehang, der je nach regionalem Ziegeltyp hergestellt wird.

Entscheidend ist bei jeder Bekleidung, dass die davorgesetzte Schale hinterlüftet und trotzdem stabil befestigt ist und dass eine Sturmsicherung vorhanden ist (geschraubt oder genagelt). Die Überdeckung kann etwas sparsamer als bei einer Dachdeckung ausfallen – hier muss der Fachmann mitwirken.

6.2.9 Bekleidungen/Schlagregenschutz/Anstriche

Arbeitsblatt 87

Wandbekleidungen als Schlagregenschutz

Ansichten

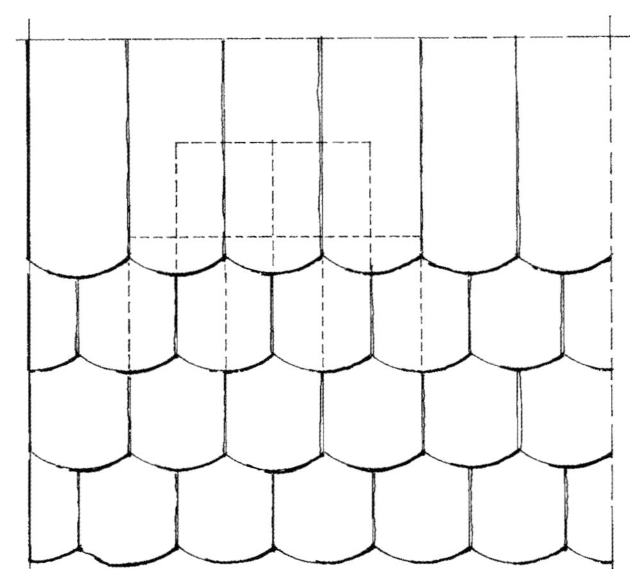

Beispiel 3:
Dachziegelbelag, Biberschwanz, Segmentschnitt, Doppeldeckung

Ein Wandbehang aus Biberschwänzen in Doppeldeckung ist besonders stabil und dauerhaft.

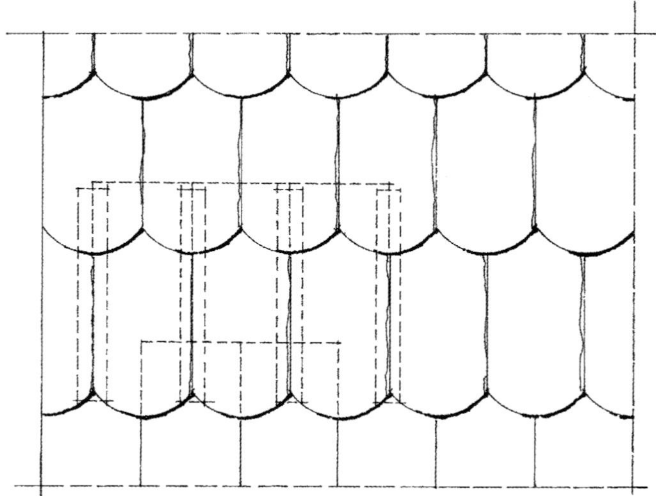

Beispiel 4:
Biberschwanz-Segmentschnitt, Einfachdeckung mit Holzspließen

Die Abbildung zeigt eine Vorsatzschale, die sehr empfindlich ist, da die untergelegten Holzspließe nur eingeklemmt sind und leicht rausrutschen.
Ist diese Konstruktion im Rahmen eines Denkmalpflegeauftrages zu reparieren, erfordert die Ausführung Erfahrung und Geschick.

6.2.9 Bekleidungen/Schlagregenschutz/Anstriche

Arbeitsblatt 88

Wandbekleidungen als Schlagregenschutz

Ansichten

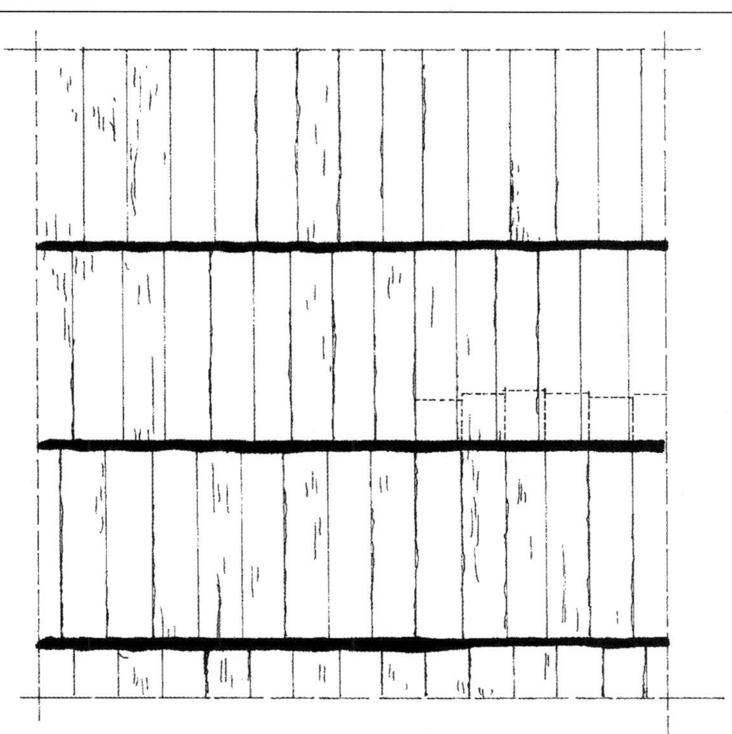

Beispiel 5:
Langschindeln: genutet, handgespalten, genagelt

Eine der ältesten Wandbekleidungen ist die Verwendung genuteter Langschindeln. Hierzu wurden verschiedene Holzarten benutzt. Sie waren stets handgespalten. Derartige Wände wirken sehr lebendig. Die Fugen verlaufen nicht durchgehend, sondern ergeben sich aus dem Schindelmaß. Die Handwerkskunst der Schindelherstellung ist fast verloren gegangen. Die Haltbarkeit einer solchen Verkleidung ist sehr gut.

Horizontalschnitt

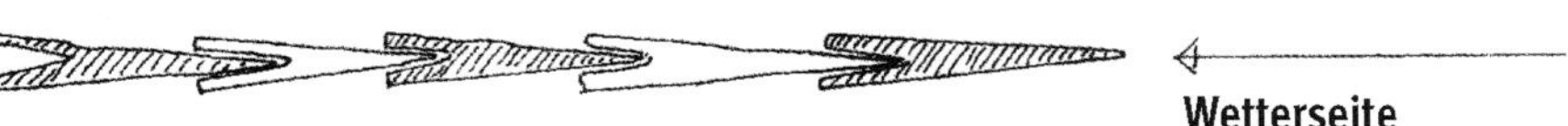

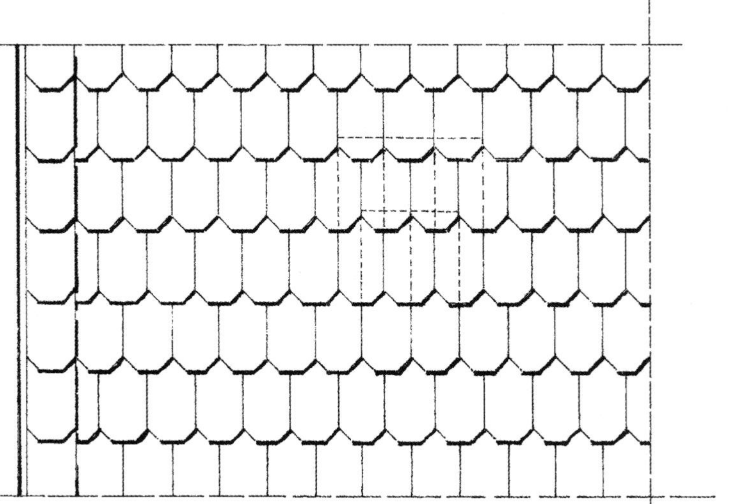

Beispiel 6:
Schuppenschindeln, Zweifachüberdeckung, genagelt

Die ältesten Bekleidungen sind die handgefertigten hölzernen Schuppenschindeln, die in vielfältigen Formen angetroffen werden.

6.2.9 Bekleidungen/Schlagregenschutz/Anstriche

Arbeitsblatt 89

Wandbekleidungen als Schlagregenschutz

Ansicht

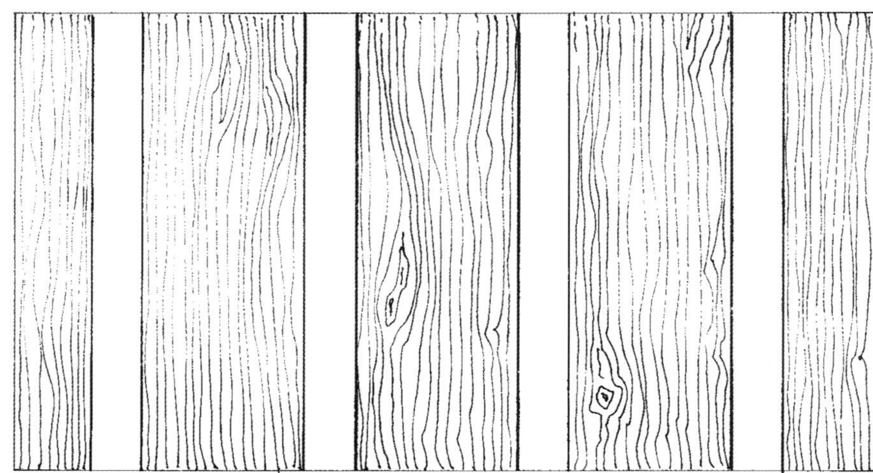

Beispiel 7:
Holzbekleidung:
vertikal,
farbig,
verdeckt vernagelt

Horizontalschnitt

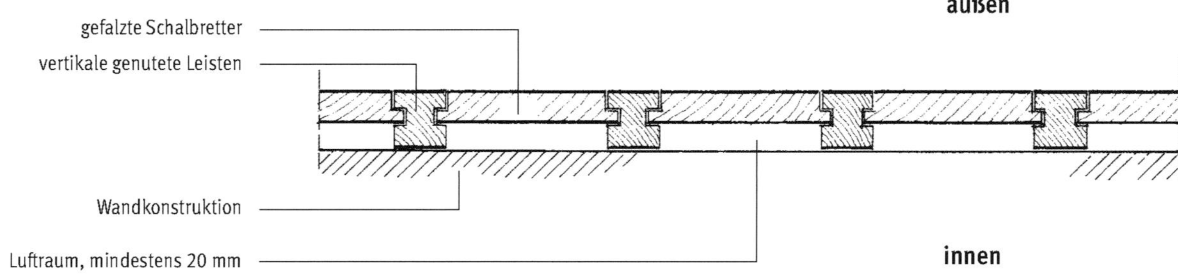

Die Darstellung zeigt eine Wetterschale für ein Fachwerkhaus in der Schweiz. Die Konstruktion überzeugt durch ihre Klarheit und Einfachheit. Auch der Beitrag zur Winddichtigkeit ist sehr gut. Dem Einfallsreichtum sind hier fast keine Grenzen gesetzt.

6.2.9 Bekleidungen/Schlagregenschutz/Anstriche

Arbeitsblatt 90

Wandbekleidungen als Schlagregenschutz
Tropfbrett/Tropfkante

Vertikalschnitte

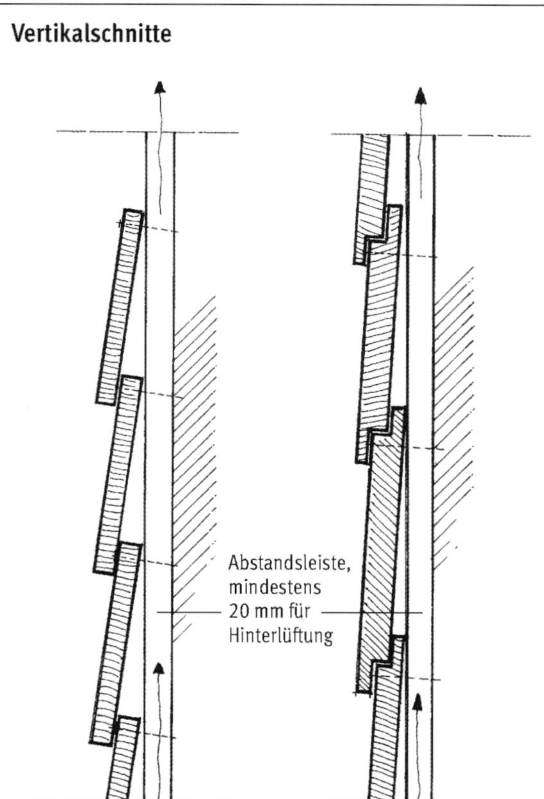

Beispiel 8:
Holzschalung: waagerecht, überdeckt, geklinkert

Beispiel 9:
Holzschalung: waagerecht, gefalzt

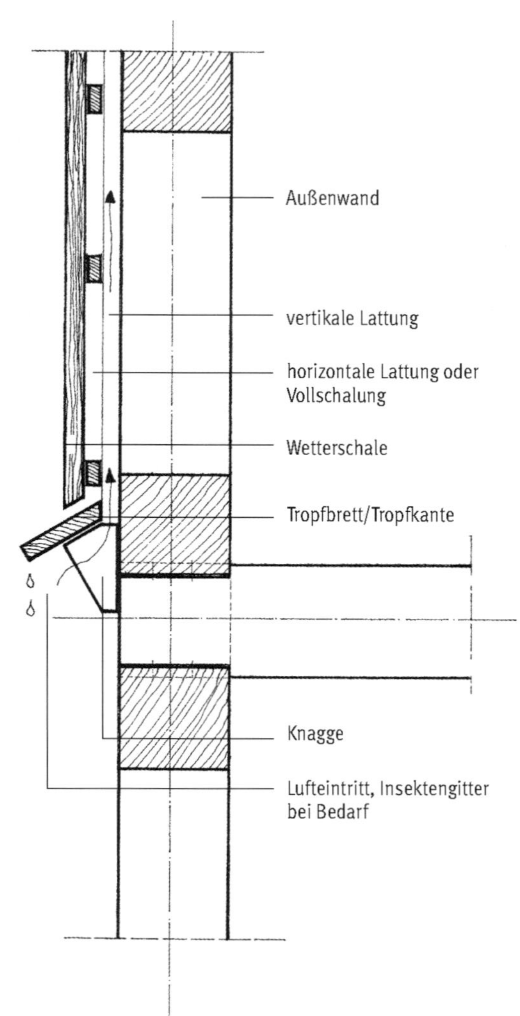

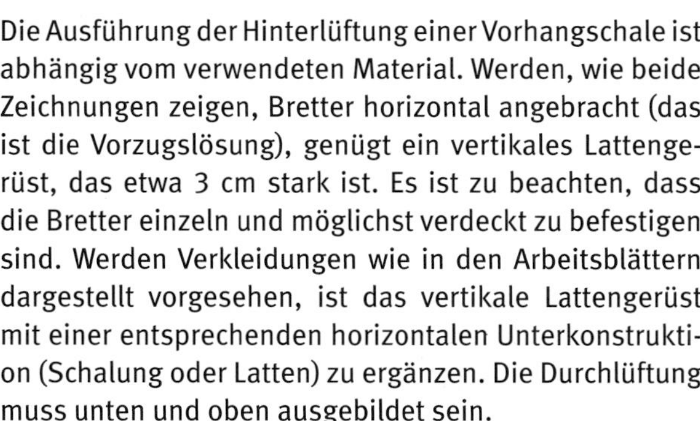

Die Ausführung der Hinterlüftung einer Vorhangschale ist abhängig vom verwendeten Material. Werden, wie beide Zeichnungen zeigen, Bretter horizontal angebracht (das ist die Vorzugslösung), genügt ein vertikales Lattengerüst, das etwa 3 cm stark ist. Es ist zu beachten, dass die Bretter einzeln und möglichst verdeckt zu befestigen sind. Werden Verkleidungen wie in den Arbeitsblättern dargestellt vorgesehen, ist das vertikale Lattengerüst mit einer entsprechenden horizontalen Unterkonstruktion (Schalung oder Latten) zu ergänzen. Die Durchlüftung muss unten und oben ausgebildet sein.

Der untere Abschluss einer Wetterschale muss zwei Funktionen erfüllen: Für eine ungehinderte Durchlüftung ist zu sorgen, und das anfallende Niederschlagswasser ist sicher abzuleiten. Die Darstellung zeigt, wie das Tropfbrett angeordnet wird, damit die darunterliegenden Fassadenteile geschützt bleiben. Diese Detailpunkte sind im Rahmen einer Planung genau vorzugeben.

6.2.10 Fenster/Türen/Treppen

Arbeitsblatt 91

Außentreppe am Fachwerkhaus

Vertikalschnitt

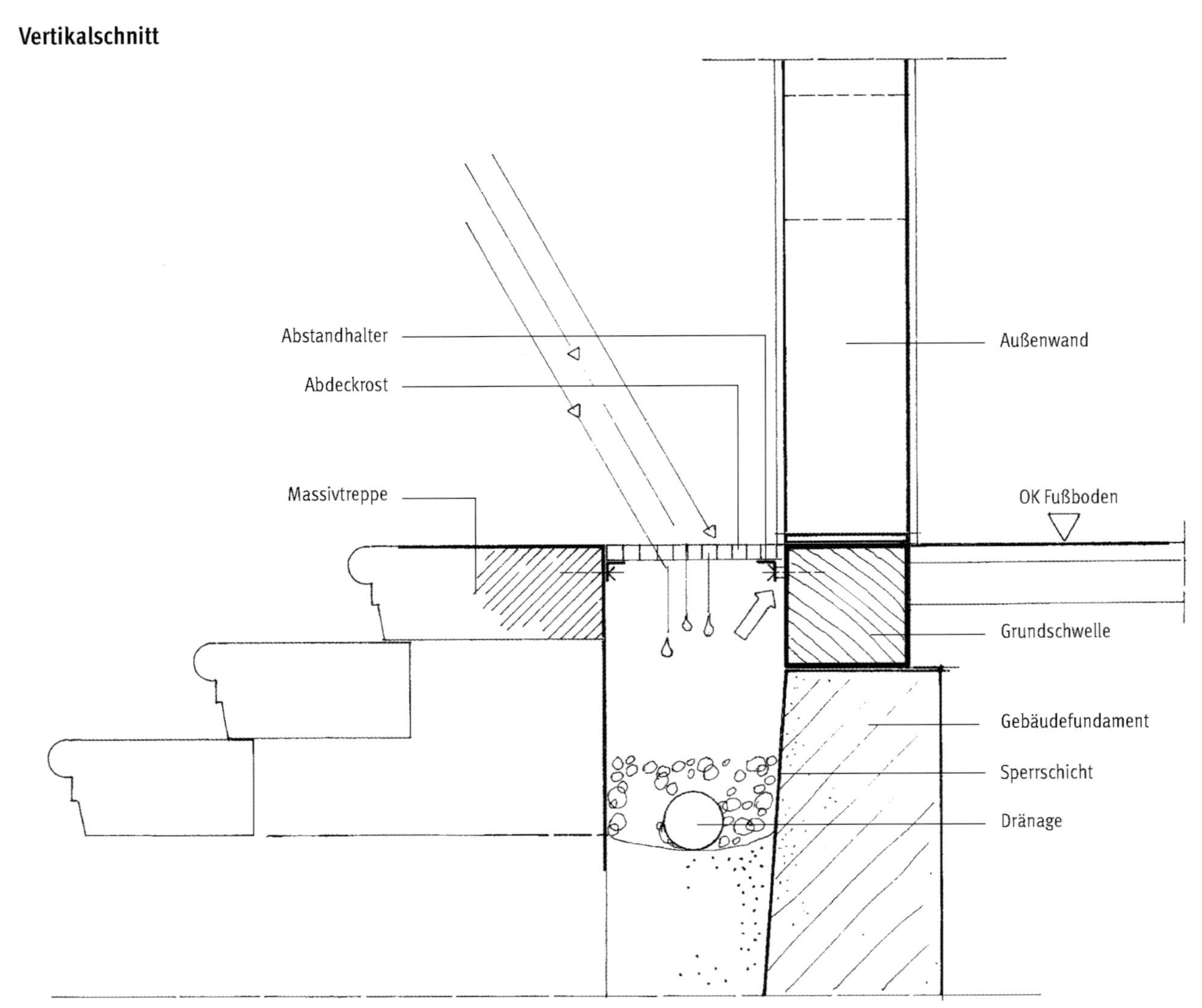

Ein häufiger Schadensfall besteht an Außentreppen. Diese sind oft massiv hergestellt, bis an die Grundschwelle geführt und fugenlos angeschlossen. Das ist ein Konstruktionsmangel, der im Zusammenhang mit einer Instandsetzung beseitigt werden sollte. Zwischen massiver Treppe und Grundschwelle ist ein belüfteter Bereich anzuordnen, der mit einem Rost überdeckt werden kann. So ist ein stolperfreier Hauseingang gewährleistet. Auch für die konstruktive Lösung eines Eingangs für Rollstuhlfahrer ist dieses Prinzip anwendbar.

6.2.10 Fenster/Türen/Treppen

Arbeitsblatt 92

Instandsetzung einer Innentreppe

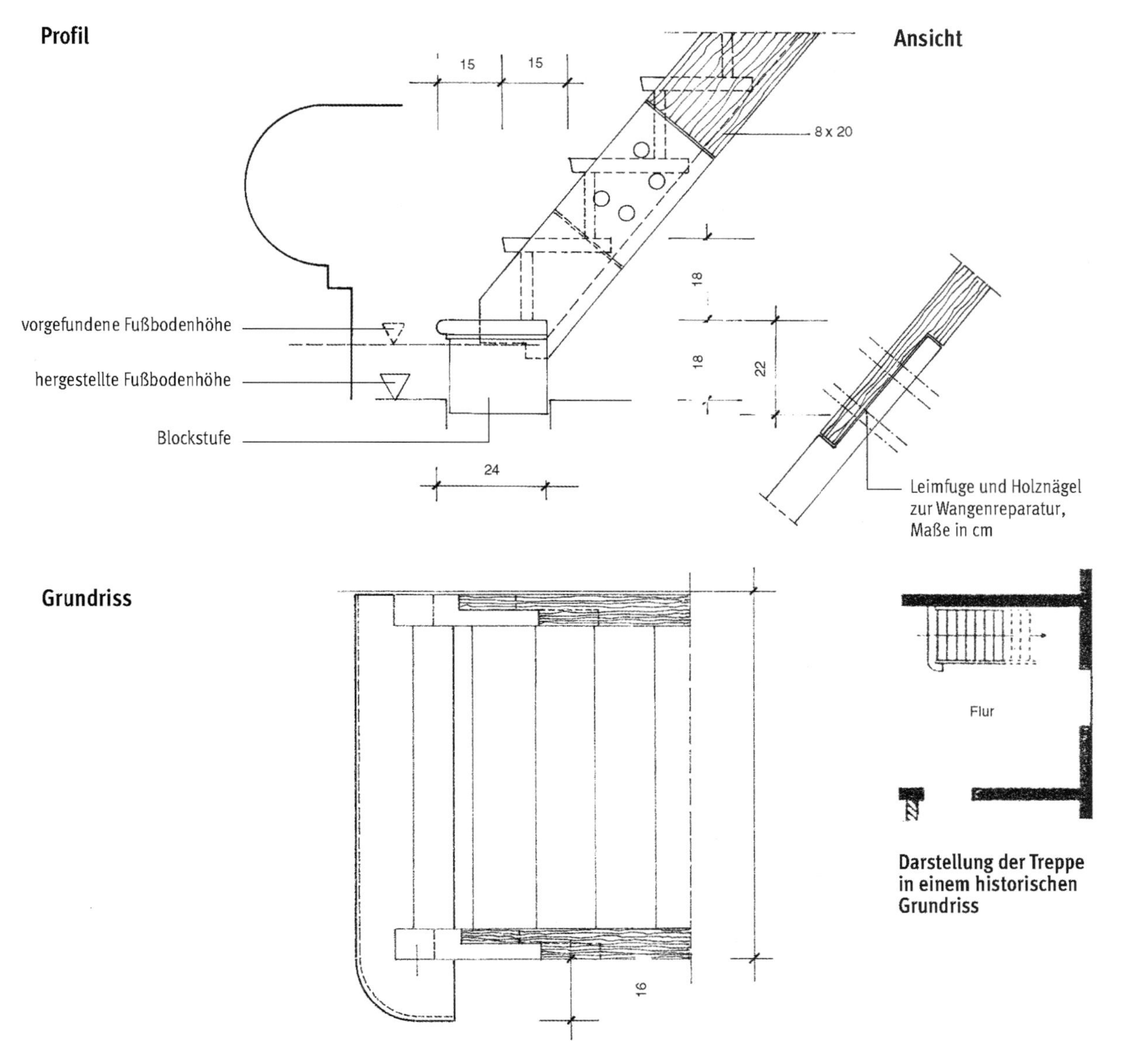

Darstellung der Treppe in einem historischen Grundriss

Die Fachwerkhäuser, besonders im ländlichen Bereich, hatten innen kaum massive Fußböden, sondern wurden mit Stampflehm geglättet. Das war eine wirtschaftliche Entscheidung.

Konnte man sich eine bessere Konstruktion leisten, wurde diese eingebaut (Steinpflaster, Dielung). Diese Konstruktion erhöhte die Fußbodenebene, und vorhandene Bauteile wie Schwellen, Blockstufen von Treppen u. dergl. wurden mit eingebaut. Das führte logischerweise zu Fäulnisschäden in diesen Bauteilen.

In der Zeichnung wird die Situation dargestellt, bei der der Antrittsbereich einer hölzernen Geschosstreppe stark geschädigt war. Solche Situationen sind mit handwerklichem Geschick reparierbar. Die Wangenteile wurden überblattet und mit eingeleimten Holzdübeln gesichert. Die Antrittsblockstufe konnte nach vorgefundenen Resten rekonstruiert werden. Der Einbau einer geeigneten Feuchtigkeitssperre ist zu sichern.

7 Anhang

7.1 Charta von Venedig (1964)

Die Charta von Venedig ist eine internationale Richtlinie für die Denkmalpflege, die von Fachleuten aus mehreren Ländern ausgearbeitet und unterzeichnet wurde. Die Charta enthält grundlegende Prinzipien und Methoden für die Konservierung und Restaurierung von Kunstdenkmalen. Diese Charta gilt als der wichtigste denkmalpflegerische Text.

Internationale Charta über die Erhaltung und Restaurierung von Kunstdenkmälern und Denkmalgebieten, Venedig 1964

Der II. Internationale Kongress der Architekten und Techniker der Denkmalpflege, welcher vom 25. bis zum 31. Mai 1964 in Venedig tagte, hat folgendem Wortlaut zugestimmt:

Definitionen

Art. 1 Der Denkmalbegriff umfasst sowohl die vereinzelte baukünstlerische Schöpfung (Einzeldenkmal) als auch das städtische oder ländliche Denkmalgebiet, das von einer ihm eigentümlichen Zivilisation Zeugnis ablegt, eine bezeichnende Entwicklung erkennen lässt oder mit einem historischen Ereignis in Zusammenhang steht. Er bezieht sich nicht nur auf große künstlerische Schöpfungen, sondern auch auf bescheidene Werke, die im Laufe der Zeit eine kulturelle Bedeutung bekommen haben.

Art. 2 Die Erhaltung und Restaurierung von Denkmälern bildet den Gegenstand eines Faches, welches sich aller naturwissenschaftlichen und technischen Mittel und Methoden bedient, die einen Beitrag zur Erforschung und Erhaltung der überkommenen Denkmäler leisten können.

Art. 3 Erhaltung und Restaurierung zielen genauso auf die Bewahrung des Kunstwertes wie auf die des geschichtlichen Zeugnisses hin.

Erhaltung

Art. 4 Die Erhaltung von Denkmälern bedingt zunächst eine andauernde Pflege.

Art. 5 Die Erhaltung von Denkmälern wird immer durch Widmung zugunsten einer der Gesellschaft nützlichen Funktion begünstigt. Eine derartige Widmung ist daher wünschenswert, aber sie kann nicht zur Veränderung der Disposition oder der Dekoration von Bauwerken führen. Innerhalb dieser Grenzen müssen Adaptierungen geplant und bewilligt werden, die durch die Weiterentwicklung von Nutzung und Gebrauch nötig werden.

Art. 6 Die Erhaltung eines Denkmals hat die seiner Umgebung und die des Maßstabes mit zu umfassen. Wenn die traditionelle Umgebung vorhanden ist, muss sie erhalten werden, und jede neue Baumaßnahme, jeder Abbruch, jede Umgestaltung, die dazu führen kann, die Maßverhältnisse oder etwa das Zusammenwirken der Farben zu stören, wird zu verbieten sein.

Art. 7 Das Denkmal ist mit seiner Geschichte, deren Zeuge es darstellt, sowie mit der Umgebung, in der es sich befindet, untrennbar verbunden. Dementsprechend ist eine Verschiebung des ganzen Objektes oder eines Teiles desselben nur zu dulden, wenn die Erhaltung des Denkmals dies unbedingt erfordert oder bedeutende nationale sowie internationale Interessen dies rechtfertigen.

Art. 8 Werke der Bildhauerei, der Malerei und des Kunstgewerbes, die einen festen Bestandteil eines Baudenkmals bilden, können von ihm nur getrennt werden, wenn diese Maßnahme die einzige Möglichkeit darstellt, um ihre Erhaltung zu gewährleisten.

Restaurierung

Art. 9 Der Restaurierung kommt immer der Charakter einer ausnahmsweisen Maßnahme zu. Ihr Ziel ist es, die ästhetischen und historischen Werte zu erhalten und aufzudecken. Sie gründet sich auf der Respektierung des alten Originalbestands und auf authentische Urkunden. Sie findet dort ihre Grenze, wo die Hypothese beginnt: Dort, wo es sich um hypothetische Rekonstruktionen handelt, wird jedes Ergänzungswerk, das aus ästhetischen oder technischen Gründen unumgänglich notwendig wurde, zu den architektonischen Kompositionen zu zählen sein und den Charakter unserer Zeit aufzuweisen haben. Vor Inangriffnahme und während der Restaurierung werden stets kunstwissenschaftliche und historische Untersuchungen anzustellen sein.

Art. 10 Wenn sich die traditionellen technischen Verfahren als unzutreffend herausstellen, kann die Restaurierung eines Denkmals sichergestellt werden, indem alle modernen Konservierungsverfahren und alle modernen technischen Maßnahmen eingesetzt werden, deren Wirksamkeit durch naturwissenschaftliche Erkenntnisse bewiesen und durch praktische Erfahrung garantiert ist.

Art. 11 Der Anteil jeder Zeit am Entstehen eines Baudenkmals muss respektiert werden. Die Stilreinheit ist keinesfalls eines der im Zuge der Restaurierung anzustrebenden Ziele. Wenn ein Bauwerk verschiedene übereinanderliegende Zustände aufweist, ist eine Aufdeckung verdeckter Zustände nur ausnahmsweise gerechtfertigt, wenn die zu entfernenden Elemente nur von geringer Bedeutung sind, wenn die aufzudeckenden Bestände ein Zeugnis von hervorragendem historischem, wissenschaftlichem oder ästhetischem Wert darstellen und wenn ihr Erhaltungszustand als ausreichend angesehen werden kann. Das Urteil über den Wert der infrage stehenden Elemente und die Entscheidung über die zu entfernenden Teile können nicht allein vom Verfasser des Projektes stammen.

Art. 12 Die Elemente, welche dazu bestimmt sind, fehlende Teile zu ersetzen, müssen sich dem Ganzen harmonisch eingliedern, aber dennoch vom Originalbestand unterscheidbar sein, damit die Restaurierung den Wert des Denkmals als Kunst- und Geschichtsdokument nicht verfälscht.

Art. 13 Hinzufügungen können nur geduldet werden, soweit sie alle interessanten Bauteile des Denkmals, seinen traditionellen Rahmen, die Harmonie seiner Komposition und seine Beziehung zur Umgebung respektieren.

Denkmalgebiete

Art. 14 Die Denkmalgebiete müssen Gegenstand besonderer Pflege sein, damit ihre Integrität, ihre funktionelle Erneuerung, ihre Anpassung und Wiederbelebung gesichert werden können. Die Erhaltungs- und Restaurierungsarbeiten sind so durchzuführen, dass sie eine sinngemäße Anwendung der Grundsätze der vorstehenden Artikel darstellen.

Grabungen

Art. 15 Ausgrabungen müssen nach wissenschaftlichen Richtlinien und nach der 1956 von der UNESCO angenommenen „Empfehlung" ausgeführt werden, welche die internationalen Grundsätze bei archäologischen Grabungen festlegt.

Die Erschließung der Ruinen sowie die Erhaltungs- und dauernden Pflegemaßnahmen von Architekturteilen und aufgedeckten Objekten sind zu gewährleisten. Darüber hinaus werden alle Initiativen ergriffen werden, um ein leichteres Verständnis der aufgedeckten Denkmäler zu ermöglichen, ohne dass deshalb ihrer Bedeutung jemals Abbruch getan wird.

Jede Rekonstruktionsarbeit soll jedoch von vornherein ausgeschlossen sein. Nur die Anastylose kann ins Auge gefasst werden, das heißt eine neuerliche Zusammenfügung von aus dem Zusammenhang gelösten Bestandteilen. Teile, die zur Integration solcher Elemente nötig sind – sie sind auf das Minimum zu beschränken, welches die Erhaltung des Denkmales und die Kontinuität seiner Formen gewährleistet –, werden immer als solche erkennbar zu gestalten sein.

Dokumentation und Veröffentlichung

Art. 16 Die Erhaltungs-, Restaurierungs- und Grabungsarbeiten werden stets mit der Erstellung einer exakten Dokumentation Hand in Hand zu gehen haben. Diese Dokumentation wird Berichte über Untersuchungen, Beurteilungen und Illustrationen in Form von Zeichnungen und Lichtbildern umfassen. Alle Abschnitte der Arbeit für die Freilegung, die Bestandssicherung, die Zusammenfügung und Integration sowie alle im Zuge der Arbeiten festgestellten technischen und formalen Einzelheiten werden zu verzeichnen sein. Diese Dokumentation wird in Archiven einer öffentlichen Organisation hinterlegt und den Forschern zur Verfügung gestellt werden. Eine Veröffentlichung dieses Materials wird empfohlen.

7.2 Ersatzstoffe in der Denkmalpflege?

Auszug: Zur Verwendung neu entwickelter Ersatzstoffe bei der Instandsetzung von Baudenkmälern

Stellungnahme der Vereinigung der Landesdenkmalpfleger in der Bundesrepublik Deutschland, vom Februar 1989

Voraussetzung (Denkmalbegriff)

Der in den Denkmalschutzgesetzen der einzelnen Bundesländer mit einigen Varianten festgelegte Denkmalbegriff baut auf der Einsicht auf, dass die Denkmäler vielfältige, aus anderen Geschichtsquellen nicht erschließbare Informationen sowohl über die Zeit ihrer Entstehung enthalten als auch über alle späteren Epochen, die sich die Denkmäler mit mehr oder weniger umfangreichen Veränderungen angeeignet haben. Die Definition des Denkmals als Geschichtszeugnis macht deutlich, dass wesentlich der originale materielle Bestand aus der Zeit (oder aus den Zeiten), über die der Gegenstand eine Botschaft in die Gegenwart trägt, das Zeugnis glaubwürdig macht. Erst die Originalität der Substanz mit den unverkennbaren Merkmalen alter handwerklicher oder historischer industrieller Fertigung und mit den Altersspuren seiner meist wechselvollen Biographie macht den historischen Gegenstand zum aussagekräftigen Geschichtszeugnis, dessen Bedeutungsgehalt ein öffentliches Interesse an der Erhaltung begründen kann.

Was im jeweiligen Einzelfall die Substanz ist, um deren Erhaltung es geht, muss insgesamt und auf die Details bezogen in der Bedeutungsanalyse herausgearbeitet werden. Dabei ist zu klären, inwieweit auch die Materialien des historischen Bestandes, die spezifischen Merkmale ihrer Bearbeitung und ihre Altersspuren für die Denkmalbedeutung konstituierend sind.

Denkmalpflegerische Zielsetzung

Denkmäler sind vergänglich. Ziel aller denkmalpflegerischen Maßnahmen ist es daher, die vorhandene Originalsubstanz als Träger der historischen Information so lange wie möglich zu erhalten. Deshalb hat die Erhaltung prinzipiell Vorrang vor der Wiederherstellung eines früheren Erscheinungsbildes.

Es kann keine allgemein verbindlichen Regeln zur Verwendung eines bestimmten Materials oder zur Anwendung einer bestimmten Bearbeitungstechnik geben, die über diesen Erhaltungsgrundsatz hinausgehen.

Ersatz

Gegenstand von Denkmalschutz und Denkmalpflege ist immer nur das bestehende Objekt in seinem gegenwärtigen Bestand. Oft sind jedoch originale Teile von Baudenkmälern bereits früher gegen solche ersetzt worden, die das Erscheinungsbild dadurch beeinträchtigen, dass die Denkmalaussage nur noch schwer verständlich ist. Bei einer notwendigen Erneuerung dieser Teile kann es richtig sein, sie nach dem Vorbild der verlorenen Originale auszubilden, soweit diese durch Befunde zuverlässig belegt sind. Auch bei solchen Teilrekonstruktionen ist wie beim Austausch abgängiger Originalteile die Verwendung des historisch richtigen Materials die sinnvollste Lösung. Nur wenn der Ersatz in Material, Konstruktion und Bearbeitung den formalen und technischen Möglichkeiten zur Entstehungszeit des Denkmals entspricht, kann das denkmalpflegerische Ziel erreicht werden, durch die Teilrekonstruktion den Originalbestand so zu ergänzen, dass dessen Aussage als Geschichtszeugnis besser nachvollzogen werden kann.

Wenn der Ersatz für bereits früher verlorene Originalteile wieder erneuert werden muss, ohne dass dabei auf Befunde zurückgegriffen werden kann, ist die Erneuerung in Material und Form so auszuführen, dass sie die Erhaltung des noch vorhandenen Originalbestandes und seine künftige Reparaturfähigkeit nicht infrage stellt, dass sie das Erscheinungsbild des Denkmals nicht beeinträchtigt und dass sie in ähnlicher Weise wie die historische Substanz altert. Rezepte für „denkmalgerechte" Lösungen gibt es dabei nicht.

Neu entwickelte Ersatzstoffe, die originalen Denkmalbestand vortäuschen, verfälschen den Zeugniswert. Aus historischen Materialien, Konstruktionen und Verarbeitungstechniken ergeben sich spezifische, vielfach funktional begründete Gestaltwerte; werden die durch industriell gefertigte moderne Ersatzmaterialien imitiert und damit auf bloße Oberflächeneffekte reduziert, so bedeutet das den Verlust der ursprünglichen historischen Einheit des Denkmals. Darüber hinaus können auch für das ungeschulte Auge die neu entwickelten Ersatzstoffe mit der Zeit das Erscheinungsbild des Denkmals beeinträchtigen, da sie in der Regel anders altern als die Materialien des originalen Bestandes, in diesen also nicht „einwachsen".

Sonderfälle

Wenn es gilt, einen akuten Schaden einzudämmen oder ein gefährdetes Baudenkmal vor der endgültigen Zerstörung zu retten, kann in Ausnahmefällen der Einsatz billiger und in Serie produzierter Industrieprodukte eine notbedingte Lösung auf Zeit sein. Doch muss man sich bei solchen Eingriffen immer bewusst bleiben, dass sie eine Minderung der historischen Aussagequalität des Denkmals bedeuten; sie müssen daher für künftige Maßnahmen reversibel bleiben.

Grundsätze und ihre Grenzen

Diese Grundsätze sollen bewirken, dass im Umgang mit dem Baudenkmal

- die durch die Geschichte geprägte, originale Denkmalsubstanz in größtmöglichem Umfang erhalten wird,
- der handwerklichen Reparatur im vorgegebenen Material gegenüber dem Austausch oder dem Ersatz der Vorrang gegeben wird,
- nur solche Eingriffe in die Denkmalsubstanz geschehen, die – soweit technisch und konstruktiv möglich – wieder rückgängig gemacht werden können und
- trotz des ständigen Zwanges zur Anpassung an veränderte Nutzungsansprüche geschichtlicher Zeugniswert auch für kommende Generationen erhalten bleibt.

Grundsätze dürfen nicht missbraucht werden, um aus ihnen jederzeit verfügbare und auf alle Vergleichsfälle übertragbare Rezepte abzuleiten. Unverzichtbare Grundlage für angemessene Lösungen ist die intensive Auseinandersetzung mit dem jeweiligen Denkmal.

7.3 Beratungspflicht Protokollvorschlag

Die Erfüllung der Beratungspflicht des Architekten ist in geeigneter Weise zu dokumentieren, um im Fall einer Beanstandung/ Mängelanzeige beweisfähig zu sein. Besonders für den Holzbau muss eine sorgfältige Erklärung der Besonderheiten erfolgen. Der nachstehende Vorschlag eines Beratungsprotokolls ist nach den Gebäudespezifiken zu präzisieren.

Das Beratungsprotokoll befindet sich auch in der DIN-Mediathek zum Ausfüllen unter www.dinmediathek.de

Vorschlag für ein Beratungsprotokoll

Protokoll
zu einem ausführlichen Beratungsgespräch zu wichtigen Fragen des Holzbaus

Sowohl der historische Holzbau (Bestandsgebäude) als auch der moderne Holzbau arbeiten mit dem Baustoff Holz, der besondere Eigenschaften hat.

Diese Eigenschaften können sich wie folgt darstellen:

- Rissbildung durch Nachtrocknung (auch bei Brettschichtholz)
- Verdrehung durch Wachstumseigenschaften
- Verfärbung (Vergrauung durch Lichteinstrahlung im Außenbereich)
- Quellen und Schwinden durch Unterschiede in der Raumfeuchtigkeit
- Fugenbildung am Anschluss zu anderen Bauteilen
- Ästigkeit, wachstums- und sortierungsbedingt, je nach Qualität
- Austritt von Harz aus verdeckten Harzgallen
- Ausdunstung ätherischer Öle (Allergien?)
- Begrenzte Haltbarkeit von Anstrichen (innen und außen unterschiedlich)
- Leichtes Knarren von Treppen und Fußböden
- Geringes Schwingen und Durchbiegen von Holzbalkendecken
- Oberflächenschäden durch die Nutzung (Holz ist ein weicher Baustoff)
- Oberflächenverfärbung (z. B. Wasserfleckenbildung) durch Flüssigkeiten

Inhalt der heutigen Beratung war die Erläuterung dieser Holzeigenschaften.

Ist die Frage zu klären, ob ein Mangel vorliegt, erfolgt die Bewertung des eingetretenen Zustandes allein nach den Normen der Holzsortierung (DIN 4074) und den Normen der Zimmer- und Holzbauarbeiten (z. B. DIN 18334, DIN 1052) sowie der Leistungsbeschreibung (Leistungsverzeichnis) zum Bauvorhaben.

Die Beratung bezog sich auf die Baumaßnahme ______________________________

Ort, Straße, Hausnummer ______________________________

Die Fachberatung erfolgte durch Frau/Herrn

____

Es wird bestätigt, dass diese Beratung am (Datum) ______________________________

Von ______________ Uhr bis ______________ Uhr stattfand.

Unterschrift

____

7.4 Begriffe der Denkmalpflege

Anastylose: das Wiederzusammensetzen vorhandener, jedoch aus dem Zusammenhang gelöster Bauteile

Austausch: siehe Ersatz

Baufuge: Anschlussfuge zwischen Bauwerksteilen aus verschiedenen Bauepochen

Befund: erkundeter und dokumentierter Zustand eines genau definierten Bauteils/Zustandes

Erhaltung: Summe aller Tätigkeiten wie Erforschung, Untersuchung, Planung, Ausführung, Nutzung und Pflege

Ersatz: Rettung originaler Substanz vor dem Totalverlust durch Austausch

Hauskundliche Untersuchung: die Hausgeschichte (Bauepochen, Nutzungen, Veränderungen usw.) erfassen und als Planungshilfe aufbereiten

Hinzufügung: etwas hinzufügen, das zum Erhalt unausweichlich notwendig ist und das Denkmal in jeder Weise respektiert

Instandhaltung/Wartung: Erhaltung der Gebrauchsfähigkeit durch vorbeugende Maßnahmen bei der Beseitigung von Mängeln aus Abnutzung, Alterung und Funktionsuntüchtigkeit

Instandsetzung: siehe Reparatur

Bild 7.4.1 Rekonstruktion eines Fachwerkhauses, ein Totalverlust aus dem 2. Weltkrieg. Zum Glück gab es ein komplettes Aufmaß, was diese Arbeit ermöglichte.
Knochenhauer Amtshaus, Hildesheim

Konservierung: Bewahrung eines Zustandes im Sinne von Festigung

Konsolidierung: Stabilisierung, Festigung eines Zustandes

Kopie: nicht vom Künstler selbst angefertigte Zweitfassung; Neuanfertigung auf der Grundlage des vorhandenen Originals

Modernisierung: alle baulichen Maßnahmen zur nachhaltigen Erhöhung des Gebrauchswertes eines Objektes einschließlich erforderlicher Reparaturen

Pflege: täglicher sachgerechter Umgang mit allen zum Denkmalobjekt gehörenden Teilen bezüglich des Raumklimas, der zulässigen Nutzung, der Sauberhaltung und Sicherheit

Rekonstruktion: Nachbildung eines ursprünglichen Zustandes aus einzelnen genau bekannten Teilen

Renovierung: Wiederherstellung verloren gegangener oder verdeckter oder auch nur unscheinbar gewordener Eigenschaften eines Gebäudes; Wiederherstellung ästhetischer Eigenschaften

Reparatur: den schadhaften Bestand im gleichen Material handwerklich ausbessern, um die Existenz und den Gebrauchswert zu erhalten; die Reparatur ist auf das Notwendige zu beschränken

Replik: Nachbildung eines Kunstwerkes durch den Künstler selbst

Restaurierung: Maßnahmen zur abgewogenen Instandsetzung von Denkmälern in technischer und ästhetischer Hinsicht

Reversibilität: Umkehrbarkeit, Eingriffe am Baudenkmal rückgängig machen, ohne Schädigungen der Substanz herbeizuführen

Revitalisierung: Wiederherstellung der Lebensfähigkeit, der Lebendigkeit im Sinne der Gebäudenutzung

Sanierung: alle Maßnahmen der Verbesserungen für Nutzung und technische Ausstattung mit dem Ziel einer langen Lebensdauer

Spolie/Spolium: Bruchstück eines verloren gegangenen Bauwerkes, oft in der erhaltenen Baukonstruktion eingeschlossen

Translozierung: an einen anderen Ort bringen, als Ausnahmesituation

Untersuchung: Klärung aller relevanten Zustände und Sachverhalte mit zerstörungsfreien oder zerstörungsarmen Mitteln

Literatur

Charta von Venedig, 1964

Stellungnahme der Vereinigung der Landesdenkmalpfleger in der Bundesrepublik Deutschland, Februar 1989

Nomen et omen
Bautenschutz und Bausanierung 3/1988, 5/1990

Praxishandbuch Mauerwerksanierung
Herausgeber Venzmer, H.: Verlag Bauwesen, Berlin 2001

Reimers, J.: Handbuch für die Denkmalpflege. Ernst Geibel Verlagsbuchhandlung, Hannover 1911

7.5 Leistungsverzeichnis Fachwerkinstandsetzung (Muster)

Fachwerkkonstruktionen zeigen sehr unterschiedliche Bauweisen in Bezug auf die Holzquerschnitte und den Anteil der Gefachflächen. Das bedeutet, dass die Prinzipien für Aufmaß und Preiskalkulation zu überdenken sind. Die Zeichnungen verdeutlichen das Ziel der Betrachtung.

Beispiel 1:

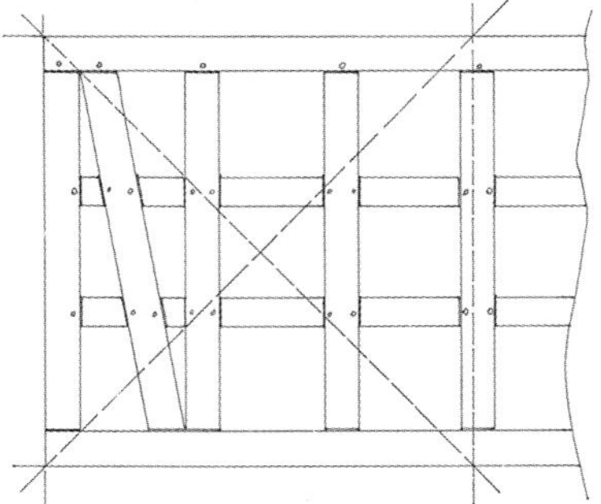

Beispiel 2:

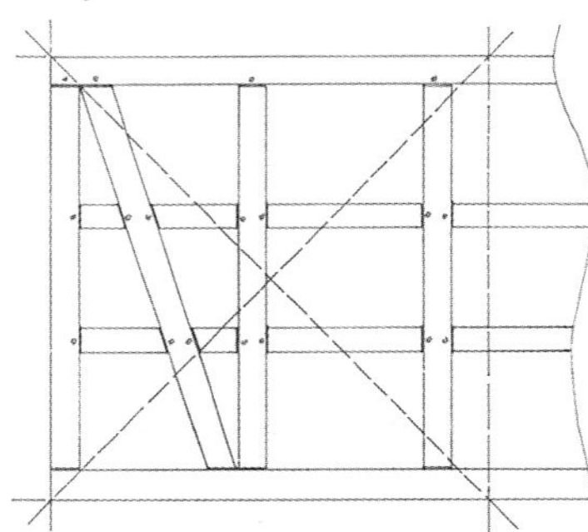

Auf beiden Beispielflächen wurden 6,25 m² einer Fachwerkwand rechnerisch bewertet.

Beispiel 1: Holzfläche = 56,22 %,
Gefachfläche: 43,78 %

Beispiel 2: Holzfläche = 44,50 %,
Gefachfläche: 55,50 %

Wand A

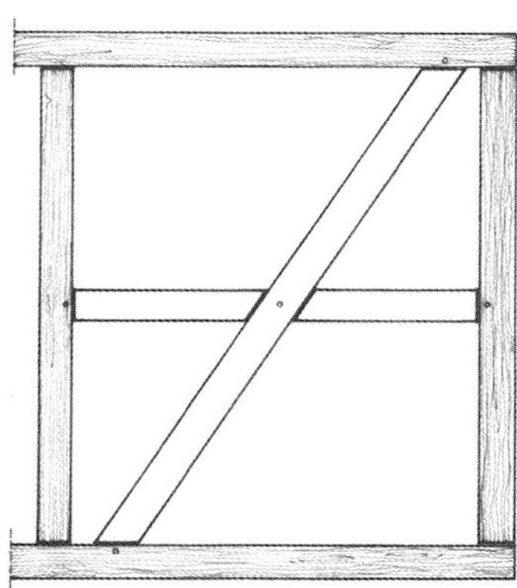

Wand B

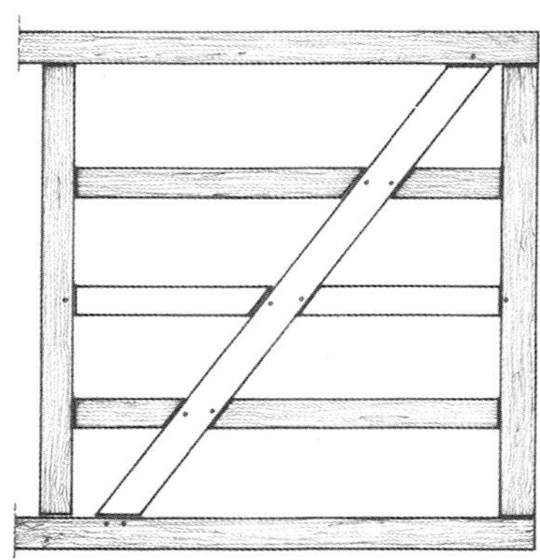

Ein Riegel und eine Strebe sind zu erneuern. Es wird nach Schnittholzmenge, Abbundlänge, Verbindungsanzahl und Holznagelanzahl berechnet. Die Unterschiede würden bei einer Abrechnung (Aufmaß) nach m² Wandfläche nicht berücksichtigt.

	Wand A	Wand B
m³ Schnittholz	0,098	0,098
m Abbund	3,20	3,20
Stück Überplattungen	1	3
Stück Zapfen	4	4
Stück Holznägel	5	11

- Das Muster-Leistungsverzeichnis beschränkt sich auf die Holz-Fachwerk-Bauteile.
- Massivbauteile, Gefachfüllungen, Dachtragwerk sowie Geschossdecken und andere Gebäudeeinbauten bleiben unbeachtet. Sie stellen nicht den Schwerpunkt dieser Spezifik dar.
- Im Leistungsverzeichnis wird von den Anforderungen an ein unter Denkmalschutz stehendes Haus ausgegangen.
- Im Leistungsverzeichnis wird vorausgesetzt, dass alle relevanten Untersuchungen und die Bestandsdokumentation am Gebäude abgeschlossen sind.
- Die im Text ausgelassenen Dimensionen und sonstigen Angaben sind, der tatsächlichen Situation entsprechend, zu präzisieren (Holzart, Maße, Feuchte, Arbeitsebene usw.).
- Es ist festzulegen, wie die erbrachten Leistungen mengenmäßig erfasst werden sollen. Die Abrechnung nach m² Fachwerkwand wird ausdrücklich nicht empfohlen.
- Nach dem vorliegenden Muster-Leistungsverzeichnis werden die Gefachflächen getrennt von den Holzflächen ausgeschrieben und aufgemessen.
- Im Text wird auf Detailzeichnungen verwiesen. Diese müssen Bestandteil der Ausschreibungsunterlagen sein.
- Das Muster-Leistungsverzeichnis trennt Menge und Schwierigkeit, soweit das zu vertreten ist, um Einheitspreiskalkulation, Aufmaß und Abrechnung eindeutig vornehmen zu können.

Das nachfolgende Leistungsverzeichnis befindet sich in der DIN-Mediathek zum Ausfüllen unter www.dinmediathek.de

Fa./Büro ....

Kontaktdaten ....

Kostenermittlung

Projekt-Nr.: .... **Bauvorhaben** .... Seite 1

LV-Nr.: .... Datum ....

Positions-Nr.:	Leistungsbeschreibung	Einheitspreis	Gesamtpreis
LB 1	**Freilegungsarbeiten**		
1.1	Lehmvorsatz im Wandbereich aus Leichtlehm im angezeichneten Bereich von der Wand abnehmen, transportieren und am angegebenen Ort auf der Baustelle zur Weiterverwendung einlagern und gegen Verschmutzen abdecken Ort: Alle Geschosse/Ebenen Stärke: .... Transportentfernung: .... Menge: .... m²	....	....
1.2	Gefachfüllung zur Bestandssicherung mit einer Hilfskonstruktion gemäß Detailzeichnung Nr. .... sichern, die Sicherungskonstruktion während der Bauzeit vorhalten und warten sowie nach Nutzungsende abbauen und entsorgen Ort: Alle Geschosse/Ebenen Einzelfläche: .... Menge: .... St	....	....
1.3	Vorhandene gekennzeichnete Gefachfüllungen ausbauen, den Schutt zum Container transportieren, Schutt entsorgen inkl. der Deponiekosten. Die Ausbaustelle ist im Innenraum mit Staubsauger zu reinigen. Gemessen wird die lichte Gefachfläche. Ort: Alle Geschosse/Ebenen Material: .... Menge: .... m²	....	....
1.4	Vorhandene gekennzeichnete Gefachfüllungen zur Weiterverwendung ausbauen, die Baustoffe trennen, das Material auf der Baustelle am angegebenen Ort lagern, vor Verschmutzung sichern. Der Ausbauort ist mit einem Staubsauger zu reinigen. Ort: Alle Geschosse/Ebenen Material: .... Stärke: .... Transportentfernung: .... Menge: .... m²	....	....

Projekt-Nr.: .... **Bauvorhaben** .... Seite 2

LV-Nr.: .... Datum ....

Positions-Nr.:	**Leistungsbeschreibung**	**Einheitspreis**	**Gesamtpreis**
LB 1	**Freilegungsarbeiten**		
1.5	Freigelegte Holzbauteile allseitig visuell auf Schäden kontrollieren, Feststellungen der Bauleitung mündlich übermitteln, Schadstellen/ Befunde mit Tafelkreide kennzeichnen Ort: .... Menge: .... m	....	....
1.6	Stundenlohnarbeiten auf Anordnung bzw. in Übereinstimmung mit der Bauleitung zur Erbringung besonderer Leistungen auf Nachweisbasis Facharbeiter: .... Menge: .... h	....	....
1.7	Stundenlohnarbeiten wie vor Hilfsarbeiter: .... Menge: .... h	....	....
Summe LB 1	**Freilegungsarbeiten**	....	....
LB 2	**Aussteifung und Sicherung**		
2.1	Aussteifungs- und Sicherungskonstruktion in Abstimmung mit der Bauleitung aufbauen, während der Bauzeit warten und nach Abschluss der Arbeiten abbauen und abtransportieren einschl. der Vorhaltungskosten. Aufgemessen wird die Menge der tragenden Hölzer, nicht die Schwerter, Laschen und Brettunterlagen. Ort: Alle Geschosse/Ebenen Holzlängen: .... Querschnitte: .... Menge: .... m	....	....
2.2	Stundenlohnarbeiten: Auf Veranlassung bzw. in Übereinstimmung mit der Bauleitung zur Erbringung besonderer Leistungen auf Nachweisbasis Facharbeiter: .... Menge: .... h	....	....
2.3	Stundenlohnarbeiten wie vor Hilfsarbeiter: .... Menge: .... h	....	....
Summe LB 2	**Aussteifung und Sicherung**	....	....

Projekt-Nr.:	Bauvorhaben	Seite 3
LV-Nr.:	....	Datum ....

Positions-Nr.:	Leistungsbeschreibung	Einheitspreis	Gesamtpreis
LB 3	**Arbeiten am Altholz**		
3.1	Freigelegtes und gekennzeichnetes Konstruktionsholz, das nicht weiterverwendet werden kann, ausbauen und entsorgen inkl. der Deponiekosten; dabei sind die Holznagelanschlüsse durch Zurückschlagen der Nägel vorsichtig zu lösen. Ort: Alle Geschosse/Ebenen Transportentfernung: .... Menge: .... m	....	....
3.2	Freigelegtes und gekennzeichnetes Holzbauteil, das wieder eingebaut werden soll, durch fachgerechtes Lösen der Holznagelverbindung ausbauen und am angegebenen Ort auf der Baustelle geschützt zwischenlagern; zum Leistungsumfang gehört eine geeignete Kennzeichnung des Bauteils. Ort: Alle Geschosse/Ebenen Transportentfernung: .... Menge: .... m	....	....
3.3	Vorhandene Holznagelverbindung mithilfe einer Bohrmaschine vorsichtig aufbohren, um die Verbindung lösen zu können, Bohrspäne entsorgen, als Zuschlag zum Ausbau des Bauteiles Ort: Alle Geschosse/Ebenen Durchmesser: .... Menge: .... St	....	....
3.4	Verzierte (Schnitzwerk) oder mit einer Farbfassung versehene Holzbauteile nach Angabe der Bauleitung als Transport- und Lagesicherung mit Packpapier und Sackleinen sowie Verschnürung versehen, als Zulage zur Verwahrung Ort: Alle Geschosse/Ebenen Menge: .... m	....	....
3.5	Schließen klaffender Fugen und Risse am Altholz, entstanden durch Verformung und Trocknung, indem trockene, artgleiche Holzstücke passend (Faserrichtung) zugeschnitten und eingesetzt werden, auch Ausspänen genannt. Vornehmlich im Bereich der Sichtflächen außen, im Detail nach Festlegung der Bauleitung Ort: Alle Geschosse/Ebenen Holzart: .... Länge: .... Breite: .... Tiefe: .... Feuchte: .... Menge: .... St	....	....

Projekt-Nr.: .... **Bauvorhaben** .... Seite 4

LV-Nr.: .... Datum ....

Positions-Nr.:	**Leistungsbeschreibung**	**Einheitspreis**	**Gesamtpreis**
LB 3	**Arbeiten am Altholz**		
3.6	Vorhandene Holzverbindungen zur Stabilisierung auskeilen, die Zapfenlöcher und Blattsassen sind so mit artgleichem, trockenem Holz auszufüttern, dass die Verbindung nicht „klappern“ kann und der Holznagel nicht auf Abscheren belastet wird. Siehe hierzu Arbeitsblatt Nr.: .... Ort: Alle Geschosse/Ebenen Holzart: .... Menge: .... St	....	....
3.7	Zur Wiederverwendung ausgebautes Wandholz zur Einbaustelle transportieren, wenn erforderlich, kleine Anpassungskorrekturen mit Stechbeitel durchführen, Hölzer in Einbaulage sichern, Befestigungsmittel in gesonderter Position Ort: Alle Geschosse/Ebenen Querschnitte: .... Transportentfernung: .... Menge: .... m	....	....
3.8	Herstellen einer Dränagebohrung in einer vorhandenen Holzverbindung, senkrecht oder schräg, alle Holzarten, Späne entsorgen Ort: Alle Geschosse/Ebenen Durchmesser: .... Menge: .... St	....	....
3.9	Stundenlohnarbeiten auf Anordnung bzw. in Übereinstimmung mit der Bauleitung zur Erbringung besonderer Leistungen auf Nachweisbasis Facharbeiter: .... Menge: .... h	....	....
3.10	Stundenlohnarbeiten wie vor Hilfsarbeiter: .... Menge: .... h	....	....
Summe LB 3	**Arbeiten am Altholz**	....	....

Projekt-Nr.: .... **Bauvorhaben** .... Seite 5

LV-Nr.: .... Datum ....

Positions-Nr.:	**Leistungsbeschreibung**	**Einheitspreis**	**Gesamtpreis**
LB 4	**Holzalterbestimmung**		
4.1	Probennahme: Nach Angabe der Bauleitung an gekennzeichneten Stellen von ausgebauten, nicht mehr verwendbaren Holzbauteilen etwa 5 cm breite Holzscheiben herausschneiden, nach Angabe kennzeichnen und unter Verschluss aufbewahren Ort: Alle Geschosse/Ebenen Holzarten: Alle Querschnitte: .... Menge: .... St	....	....
4.2	Laborproben: Ausgewählte Holzproben in einem Labor dendrochronologisch untersuchen lassen, dazu gehören: Liste der Holzproben mit Nr. und Entnahmeort, Transportaufwand inkl. sachgemäßer Verpackung, Übergabe je eines Exemplares des Gutachtens an Bauherr und Bauleitung Menge: .... St	....	....
Summe LB 4	**Holzalterbestimmung**	....	....
LB 5	**Arbeiten mit Neuholz**		
5.1	Holzlieferung: Bauholz nach Schnittliste für die Instandsetzung eines historischen Fachwerkhauses, frei Baustelle abgeladen, wie folgt liefern: Holzart: .... Querschnitte: .... Max. Länge: .... Holzfeuchte: .... Zuschnitt: .... Schnittklasse nach DIN 68365: .... Sortierklasse nach DIN 4074-1: .... Zulässige Verfärbungen: .... Chemischer Holzschutz: .... Gefährdungsklasse des Holzes: .... Einbringverfahren: .... Art des HS-Mittels .... Prüfprädikate .... Farbe .... Hinweis: Nach dem Abbund (vor dem Aufrichten) erfolgt der chemische Holzschutz! Angebotenes Holzschutzmittel: .... Menge: .... m^2	....	....

Projekt-Nr.: .... **Bauvorhaben** .... Seite 6

LV-Nr.: .... Datum ....

Positions-Nr.:	Leistungsbeschreibung	Einheitspreis	Gesamtpreis
LB 5	**Arbeiten mit Neuholz**		
5.2	Abbund Neuholz: Die benötigten neuen Holzbauteile maßgerecht ablängen, zum Einbauort transportieren und einbauen. Zur Leistung gehört nicht das Herstellen der Holzverbindungen (Knoten) und das Liefern von Verbindungsmitteln. Siehe hierfür gesonderte Positionen. Zum Leistungsumfang gehört das Herstellen der Nuten für den Einbau der Gefachfüllungen und das Anfasen der Holzkanten im Fassadenbereich (erforderlich für Farbautrag). Ort: Erdgeschoss/1. Ebene Holzarten: Alle Transportentfernung: .... Menge: .... m	....	....
5.3	Transportzuschlag: Abbund je weiteres Geschoss als Zuschlag für den Materialtransport Menge: .... m	....	....
5.4	Zapfen: Zapfen für vorhandenes Zapfenloch herstellen, alle Holzarten, alle Querschnitte, Späne entsorgen Ort: Alle Geschosse/Ebenen Menge: .... St	....	....
5.5	Handwerkliche Holzverbindung: Zapfen und Zapfenloch neu herstellen, alle Holzarten, alle Querschnitte, Späne entsorgen Ort: Alle Geschosse/Ebenen Menge: .... St	....	....
5.6	Einblattung zur Kreuzung zweier Hölzer: (z. B. Strebe-Riegel) neu herstellen, alle Winkel, alle Holzarten, alle Querschnitte Ort: Alle Geschosse/Ebenen Menge: .... St	....	....
5.7	Einblattung eines neuen Holzbauteils in eine vorhandene Blattsasse (Schwalbenschwanz, Weichschwanzblatt u. Ä.), Holznagel siehe gesonderte Pos. alle Holzarten, alle Querschnitte Ort: Alle Geschosse/Ebenen Menge: .... St	....	....

Projekt-Nr.:	Bauvorhaben	Seite 7
LV-Nr.:	....	Datum ....

Positions-Nr.:	Leistungsbeschreibung	Einheitspreis	Gesamtpreis
LB 5	**Arbeiten mit Neuholz**		
5.8	Schwalbenschwanz- oder Weichschwanzblattverbindung neu herstellen (z. B. Strebe an Ständer), alle Holzarten, alle Querschnitte, Holznagel in gesonderter Position Ort: Alle Geschosse/Ebenen Menge: .... St	....	....
5.9	Schwalbenschwanz- oder Weichschwanzblattverbindung in vorhandene Blattsasse herstellen (z. B. neue Strebe in vorh. Ständer), alle Holzarten, alle Querschnitte, Holznagel in gesonderter Position Ort: Alle Geschosse/Ebenen Menge: .... St	....	....
5.10	Versatz: Jede Ausführung (z. T. doppelter Versatz, Fersenversatz), in Neuholz herstellen, alle Holzarten, alle Querschnitte, einschl. der Dränagebohrung Ort: Alle Geschosse/Ebenen Menge: .... St	....	....
5.11	Balkenstoß: als Hakenblatt bzw. gerades oder schräges Blatt in Neuholz herstellen, alle Holzarten, alle Querschnitte, Verbindungsmittel siehe gesonderte Position Ort: Alle Geschosse/Ebenen Menge: .... St	....	....
5.12	Versatz an Alt- und Neuholz anarbeiten und in vorh. Aushebung einpassen, alle Bauarten, alle Holzarten, alle Querschnitte Ort: Alle Geschosse/Ebenen Menge: .... St	....	....
5.13	Kammverbindung: neu herstellen, alle Geometrien, alle Holzarten, alle Querschnitte, Verbindungsmittel in gesonderter Position Ort: Alle Geschosse/Ebenen Menge: .... St	....	....
5.14	Aufkämmen eines neuen Balkens in vorh. Kamm, alle Winkel, alle Holzarten, alle Querschnitte Ort: Alle Geschosse/Ebenen Menge: .... St	....	....

Projekt-Nr.: .... **Bauvorhaben** .... Seite 8

LV-Nr.: .... Datum ....

Positions-Nr.:	**Leistungsbeschreibung**	**Einheitspreis**	**Gesamtpreis**
LB 5	**Arbeiten mit Neuholz**		
5.15	Reparaturstück nach Arbeitsblatt Nr.: .... : ein Passstück fertigen, das zerstörte Holzteil am bestehenden Holzbauteil ausstemmen, ebene Fläche herstellen, das Reparaturstück einpassen und arretieren (Schraubzwinge), Befestigungsmittel in gesonderter Position Ort: Alle Geschosse/Ebenen Länge: .... Breite: .... Tiefe: .... Holzart: .... Holzfeuchte: .... Menge: .... St	....	....
5.16	Balkenkopfprofilierung, z. B. Karniesprofil (Hohlkehle mit Rundstab), ergänzt mit Abtreppung o. Ä., nach Profilzeichnung ausführen, inkl. Anfertigen einer Schablone Ort: Alle Geschosse/Ebenen Holzart: .... Querschnitt: .... Menge: .... St	....	....
5.17	Knagge, Kopf- oder Fußwinkelholz neu herstellen, einschl. der Zapfen und Zapfenlöcher, notwendiger Dränagebohrung, einbauen und arretieren, Verbindungsmittel siehe gesonderte Position Ort: Alle Geschosse/Ebenen Holzart: .... Querschnitt im Mittel: .... Länge: .... Menge: .... St	....	....
5.18	Ersatzzapfen aus Holz anfertigen, Zapfenlöcher entsprechend ausstemmen (nach Zeichnung Blatt: ....), das neue Zapfenholz einsetzen und arretieren, Verbindungsmittel, siehe gesonderte Position Ort: Alle Geschosse/Ebenen Holzart: .... Länge: .... Breite: .... Tiefe: .... Menge: .... St	....	....

Projekt-Nr.: .... **Bauvorhaben** .... Seite 9

LV-Nr.: .... Datum ....

Positions-Nr.:	**Leistungsbeschreibung**	**Einheitspreis**	**Gesamtpreis**
LB 5	**Arbeiten mit Neuholz**		
5.19	Stundenlohnarbeiten auf Anweisung bzw. in Übereinstimmung mit der Bauleitung für besondere Leistungen auf Nachweisbasis Facharbeiter: .... Menge: .... h	....	....
5.20	Stundenlohnarbeiten wie vor Hilfsarbeiter: .... Menge: .... h	....	....
Summe LB 5	**Arbeiten mit Neuholz**	....	....
LB 6	**Verbindungsmittel**		
6.1	Holznagelverbindung: Holznagel nach Arbeitsblatt Nr. .... handgespaltet und achtkantig herstellen und fachgerecht einschlagen, das Bohrloch ist maßgenau zu fertigen, der Zeitpunkt des Vernagelns ist mit der Bauleitung abzustimmen (z. B. nach dem Ausmauern der Gefache), Späne sind zu entsorgen, vor dem Einschlagen ist der Holznagel in ein öliges Holzschutzmittel (Iv. P) einzutauchen. Ort: Alle Geschosse/Ebenen Holzart: .... Nagellänge: .... Durchmesser: .... Kopfform: .... Holzfeuchte: .... Menge: .... St	....	....
6.2	Holznagelverbindung: Holznagel, wie beschrieben, passend für Anschlüsse an wieder eingebautem Altholz, neu herstellen und einsetzen, gegebenenfalls Bohrloch aufarbeiten, der Holznagel ist vor dem Einschlagen in ein öliges Holzschutzmittel (Iv. P) einzutauchen. Ort: Alle Geschosse/Ebenen Holzart: .... Nagellänge: .... Querschnitt: .... Kopfform: .... Feuchte: .... Menge: .... St	....	....

Projekt-Nr.: .... **Bauvorhaben** .... Seite 10

LV-Nr.: .... Datum ....

Positions-Nr.:	Leistungsbeschreibung	Einheitspreis	Gesamtpreis
LB 6	**Verbindungsmittel**		
6.3	Gewindebolzenverbindung, verzinkt, neu herstellen, maßgerecht bohren, Bolzen liefern und einbauen, dazu: Dübel gemäß Statik, 2 U-Scheiben und zwei Muttern, Bolzen und Muttern am Kopf bündig, ohne eine Versenkungsbohrung (siehe gesonderte Position), zum Leistungsumfang gehört das Nachziehen der Muttern in einem zu vereinbarenden Zeitraum Ort: Alle Geschosse/Ebenen Dübeltyp: .... Stahlgüte Bolzen: .... Durchmesser: .... Länge: .... U-Scheibe, Größe .... Mutter: .... Menge: .... St	....	....
6.4	Schlüsselschraube, verzinkt, verbohren, Schraube mit Unterlegscheibe liefern und maßgerecht einsetzen, ohne Versenkungsbohrung (siehe gesonderte Position) Ort: Alle Geschosse/Ebenen Materialgüte: .... Länge: .... Durchmesser: .... Scheibenmaß: .... Menge: .... St	....	....
6.5	Gewindebolzen mit Scheibenmuttern, verzinkt, bohren, Dübel gemäß Statik einbauen, Bolzen liefern und einbauen einschl. der beiden Gewindescheiben, siehe auch Detailblatt Nr.: .... Die Gewindescheiben werden in Materialstärke eingelassen (oberflächenbündig), die Scheiben werden nach dem Nachziehen mit je 2 Schlitz- bzw. Kreuzschrauben gesichert, Scheiben und Bolzen gratfrei oberflächenbündig abschleifen, dabei sind Schleifspuren am Holz unzulässig, gegebenenfalls mit Flüssigverzinkung nacharbeiten Ort: Alle Geschosse/Ebenen Materialgüte: .... Bolzenlänge: .... Scheibendurchmesser: .... Scheibenstärke: .... Menge: .... St	....	....

Projekt-Nr.: .... **Bauvorhaben** .... Seite 11

LV-Nr.: .... Datum ....

Positions-Nr.:	**Leistungsbeschreibung**	**Einheitspreis**	**Gesamtpreis**
LB 6	**Verbindungsmittel**		
6.6	Schrauben- und Bolzenverbindungen oberflächenbündig mit einer runden Holzscheibe abdecken, dazu ist das Bohrloch so zu versenken, dass eine holzgleiche Scheibe in Faserrichtung eingesetzt werden kann; Scheibe muss gut vorgetrocknet und fugenlos passend sein; Überschleifen ist nicht zulässig Ort: Alle Geschosse/Ebenen Holzart: .... Scheibendicke: .... Scheibendurchmesser: .... Feuchte: .... Menge: .... St	....	....
6.7	Stundenlohnarbeiten auf Anweisung bzw. in Übereinstimmung mit der Bauleitung für besondere Leistungen auf Nachweisbasis Facharbeiter: .... Menge: .... h	....	....
6.8	Stundenlohnarbeiten wie vor Hilfsarbeiter: .... Menge: .... h	....	....
Summe LB 6	**Verbindungsmittel**	....	....

Zusammenstellung

LB 1	Freilegungsarbeiten	....	.... EUR
LB 2	Aussteifung und Sicherung	....	.... EUR
LB 3	Arbeiten am Altholz	....	.... EUR
LB 4	Holzalterbestimmung	....	.... EUR
LB 5	Arbeiten mit Neuholz	....	.... EUR
LB 6	Verbindungsmittel	....	.... EUR
	Summe LV	....	.... EUR
	zzgl. gültige Mehrwertsteuer	....	.... EUR
	Gesamtsumme	....	.... EUR

Datum: ....

Stempel/Unterschrift: ....

7.6 WTA-Merkblätter Fachwerk/Holzkonstruktionen – Übersicht

Es ist stets der aktuelle Stand der WTA-Merkblätter zu verwenden siehe www.wta-international.org

Nummer	Bezeichnung
Referat 1	**Holz und Holzschutz**
1-1-08/D	Heißluftverfahren zur Bekämpfung tierischer Holzzerstörer
1-2-21/D	Der Echte Hausschwamm
1-4-00/D	Baulicher Holzschutz in der Denkmalpflege, Teil 2: Dachwerke
1-6-13/D	Probenahme am Holz – Untersuchungen hinsichtlich Pilze, Insekten, Holzschutzmitteln, Holzalter und Holzarten
1-7-12/D	Holzergänzungen
1-8-13/D	Dekontamination von Holzschutzmittel belastetem Holz I: Ermittlung und Gefährdungsbeurteilung
1-9-13/D	Dekontamination von Holzschutzmittel belastetem Holz II: Abreicherung von Holz
1-10-15/D	Sonderverfahren im Holzschutz, Teil 1: Bekämpfungsmaßnahmen
1-11-24/D	Sonderverfahren im Holzschutz, Teil 2: Vorbeugende Maßnahmen
Referat 2	**Oberflächentechnologie**
2-4-14/D	Beurteilung und Instandsetzung gerissener Putze an Fassaden
2-5-97/D	Anti-Graffiti-Systeme
2-7-01/D	Kalkputze in der Denkmalpflege
2-8-04/D	Bewertung der Wirksamkeit von Anti-Graffiti-Systemen (AGS)
2-9-20/D	Sanierputzsysteme
2-10-06/D	Opferputze
2-11-18/D	Gipsmörtel im historischen Mauerwerksbau und an Außenfassaden
2-12-13/D	Fassadenanstriche für mineralische Untergründe in der Bauwerkserhaltung und Denkmalpflege
2-13-15/D	Wärmedämm-Verbundsysteme – Wartung, Instandsetzung, Verbesserung
2-14-19/D	Funktionsputze
E-2-7-23/D	*Kalkputze in der Denkmalpflege*
Referat 3	**Naturstein und Kunststein**
3-5-98/D	Natursteinrestaurierung nach WTA I: Reinigung
3-7-95/D	Natursteinrestaurierung nach WTA V: Herstellen von Kopien durch Abformen
3-8-95/D	Natursteinrestaurierung nach WTA II: Handwerklicher Steinaustausch
3-9-95/D	Natursteinrestaurierung nach WTA XI: Bewertung von gereinigten Werkstein-Oberflächen
3-10-97/D	Natursteinrestaurierung nach WTA XII: Zustands- und Materialkataster für Natursteinbauwerke
3-11-97/D	Natursteinrestaurierung nach WTA III: Steinergänzung mit Restauriermörteln/Steinersatzstoffen
3-12-16/D	Natursteinrestaurierung nach WTA IV: Fugen
3-13-19/D	Salzreduzierung an porösen mineralischen Baustoffen mittels Kompressen
3-15-14/D	Instandsetzung von Ortterrazzo
3-16-09/D	Kunststeinrestaurierung
3-17-10/D	Hydrophobierende Imprägnierung von mineralischen Baustoffen
3-18-14/D	Monitoring von Bauten und Denkmalen aus Naturstein
3-19-16/D	Instandsetzung von Natursteinbodenbelägen im Innenbereich

Nummer	Bezeichnung
Referat 4	**Bauwerksabdichtung**
4-5-99/D	Beurteilung von Mauerwerk – Mauerwerksdiagnostik
4-6-14/D	Nachträgliches Abdichten erdberührter Bauteile
4-7-15/D	Nachträgliche mechanische Horizontalsperre
4-9-19/D	Nachträgliches Abdichten und Instandsetzen von Gebäude- und Bauteilsockeln
4-10-24/D	Injektionsverfahren mit zertifizierten Injektionsstoffen gegen kapillaren Feuchtetransport
4-11-16/D	Messung des Wassergehalts bzw. der Feuchte bei mineralischen Baustoffen
4-12-21/D	Ziele und Kontrolle von Schimmelpilzschadensanierungen in Innenräumen
E-4-6-24/D	*Nachträgliches Abdichten erdberührter Bauteile, kostenlos auf https://www.wta-international.org/de/service/wta-merkblaetter/entwuerfe/*
Referat 5	**Beton**
5-1-99/D	Wartung von Betonbauwerken: Musterwartungsvertrag
5-6-99/D	Diagnose an Betonbauwerken
5-7-99/D	Prüfen und Warten von Betonbauwerken
5-8-93/D	Untergrund-Anforderungen, Vorbereitung und Prüfung
5-15-03/D	Schutz und Instandsetzen von Beton: Leistungsbeschreibung
5-17-21/D	Schutz und Instandsetzung von Beton: Instandsetzungskonzepte
5-20-09/D	Gelinjektionen
5-21-09/D	Gebundene Bauweise – historisches Pflaster
5-24-15/CH	Überwachung der Qualität von Frischbeton in der Schweiz
Referat 6	**Bauphysik**
6-1-23/D	Leitfaden für hygrothermische Simulationsberechnungen
6-2-14/D	Simulation wärme- und feuchtetechnischer Prozesse
6-3-05/D	Rechnerische Prognose des Schimmelpilzwachstumsrisikos (vergriffen)
6-4-16/D	Innendämmung nach WTA I: Planungsleitfaden
6-5-14/D	Innendämmung nach WTA II: Nachweis von Innendämmsystemen mittels numerische Berechnungsverfahren
6-8-16/D	Feuchtetechnische Bewertung von Holzbauteilen – Vereinfachte Nachweise und Simulation
6-9-15/D	Luftdichtheit im Bestand, Teil 1: Grundlagen der Planung
6-10-15/D	Luftdichtheit im Bestand, Teil 2: Detailplanung und Ausführung
6-11-15/D	Luftdichtheit im Bestand, Teil 3: Messung der Luftdichtheit
6-12-11/D	Klima und Klimastabilität in historischen Bauwerken I
6-15-13/D	Technische Trocknung an durchfeuchteten Bauteilen, Teil 1: Grundlagen
6-16-19/D	Technische Trocknung an durchfeuchteten Bauteilen, Teil 2: Planung, Ausführung und Kontrolle
6-18-19/D	Bauthermografie im Bestand
E-6-3-23/D	*Rechnerische Prognose des Schimmelpilzwachstumsrisikos*
E-6-19-24/D	*Wandheizung – Teil 1: Grundlagen*
Referat 7	**Tragverhalten und Schadensdiagnostik**
7-1-18/D	Erhaltung und Instandsetzung von Mauerwerk – Konstruktion und Tragfähigkeit
7-2-19/D	Historische Holzkonstruktionen – Zustandsermittlung und Beurteilung der Tragfähigkeit geschädigter und verformter Holzkonstruktionen
7-4-21/D	Ermittlung der Druckfestigkeit von Bestandsmauerwerk aus künstlichen kleinformatigen Steinen

Nummer	Bezeichnung
Referat 8	**Fachwerk und Holzkonstruktionen**
8-1-14/D	Fachwerkinstandsetzung nach WTA I: Bauphysikalische Anforderungen an Fachwerkgebäude
8-2-07/D	Fachwerkinstandsetzung nach WTA II: Checkliste zur Instandsetzungsplanung und -durchführung
8-3-22/D	Fachwerkinstandsetzung nach WTA III: Ausfachungen von Sichtfachwerk
8-4-15/D	Fachwerkinstandsetzung nach WTA IV: Außenbekleidungen
8-5-18/D	Fachwerkinstandsetzung nach WTA V: Innendämmsysteme
8-6-20/D	Fachwerkinstandsetzung nach WTA VI: Beschichtung von Sichtfachwerkfassaden Ausfachungen/Putze
8-7-20/D	Fachwerkinstandsetzung nach WTA VII: Beschichtungen von Sichtfachwerkfassaden – Holz
8-8-06/D	Fachwerkinstandsetzung nach WTA VIII – Tragverhalten von Fachwerkbauten
8-9-23/D	Fachwerkinstandsetzung nach WTA IX – Gebrauchsanweisung für Fachwerkhäuser
8-10-20/D	Fachwerkinstandsetzung nach WTA X: Wärmeschutz bei Fachwerkgebäuden
8-11-16/D	Fachwerkinstandsetzung nach WTA XI: Schallschutz bei Fachwerkgebäuden
8-12-17/D	Fachwerkinstandsetzung nach WTA XII: Brandschutz von Fachwerkgebäuden und Holzbauteilen
8-13-13/D	Ertüchtigung von Holzbalkendecken nach WTA I: Schwingungen, Durchbiegungen, Tragfähigkeit
8-14-14/D	Ertüchtigung von Holzbalkendecken nach WTA II – Balkenköpfe in Außenwänden
Referat 10	**Präventive Konservierung**
10-2-19/D	Präventive Konservierung architekturgebundener Glasmalerei
10-3-22/D	Klima und Klimastabilität in historischen Bauwerken II: Klimazielwerte
Referat 11	**Brandschutz**
11-1-20/D	Brandschutz im Bestand und bei Baudenkmalen nach WTA I: Grundlagen
11-2-23/D	Brandschutz im Bestand und bei Baudenkmalen nach WTA II: Grundlagenermittlung/Analyse-Phase
11-3-23/D	Brandschutz im Bestand und bei Baudenkmalen nach WTA III: Brandschutzplanung

Weitere Arbeitshilfen (ohne Anspruch auf Vollständigkeit) können sein:

- Die Beratungsstelle für Handwerk und Denkmalpflege gibt die Johannesberger Arbeitsblätter heraus. Diese nach Themenbereichen gegliederten Publikationen umfassen alle Gewerke und Spezialleistungen. Hier ist geboten, sich genauer zu informieren:
  https://denkmalpflegeberatung.de/publikationen
  Zur Information über die Aktualität aller Unterlagen sollte man die Hilfe über info@denkmalpflegeberatung.de in Anspruch nehmen.
- bauinformation.de, Fraunhofer-Informationszentrum Raum+Bau
- INFORMATIONSDIENST HOLZ, fachberatung@informationsdienst-holz.de
- Berichte von Sachverständigentagungen (z. B. EIPOS)

Grundsätzlich gilt, dass der Benutzer/Anwender von Vorschriftenwerken, Merk und Arbeitsblättern, Produktzertifikaten von Herstellern, Empfehlungen und Veröffentlichungen (Fachliteratur) allein die Verantwortung dafür trägt, dass er nach aktuellen Unterlagen arbeitet.

8 Literaturverzeichnis

Ansorge, Dieter: Schäden an Fachwerkfassaden. Aus: ARCONIS Nr. 2/01, Fraunhofer IRB Verlag, Stuttgart

Arbeitsgemeinschaft Historische Fachwerkstädte Hessen und Niedersachsen: Das Holzskelett des Fachwerks und seine Instandsetzung. Arbeitsanleitung Heft 4, Kreisdruck Wiesbaden

Arendt, Claus: Aufwandsstufen bei Untersuchungen an Bauwerken – Wirtschaftlichkeit bautechnischer Untersuchungen, Ziele, Struktur, Kosten, Fallbeispiele. Herausgeber: Landesinstitut für Bauwesen und angewandte Bauschadensforschung des Landes Nordrhein-Westfalen, 1992

Arendt, Claus: Haustechnik im Baubestand verbessern und erneuern. Herausgeber: Landesinstitut für Bauwesen des Landes Nordrhein-Westfalen, 1997

Arnold, Ulrich: Baulicher Holzschutz, Grundlagen, Planung, Ausführung, Verlagsgesellschaft Rudolf Müller GmbH & Co. KG, Köln, 2016

Arnold, Ulrich; Huckfeld Tobias; Wenk, Hans-Joachim (Hrsg.): Holzfenster und -türen Band II. Rudolf Müller, Köln 2012

Autorenkollektiv: Praxis-Handbuch Holzschutz, Verlagsgesellschaft Rudolf Müller GmbH & Co. KG, Köln, 2014

Baumgarten, Karl: Kleine Mecklenburgische Bauernhaus-Fibel. Herausgeber: Mecklenburgisches Folklorezentrum für die drei Nordbezirke, Ostsee-Druck Rostock, 1982

Baumgarten, Karl; Heim, Angelika: Landschaft und Bauernhaus in Mecklenburg. Verlag Bauwesen, Berlin 1987

Berger, Hans: Baudenkmalpflege, Beiträge zur Methodik und Technologie. Verlag Bauwesen, Berlin 1990

Bernert, Karl: Umgebindehäuser. Verlag Bauwesen, Berlin 1988

Bertrams, U.: Anerkannte Regeln der Technik und Normung. Boden-Wand-Decke 11/82

Binding, Günther (Herausgeber): Fachterminologie für den historischen Holzbau: Fachwerk – Dachwerk. 38. Veröffentlichung der Abteilung Architekturgeschichte des Kunsthistorischen Instituts der Universität Köln, 1990

Binding, Günther; Mainzer, U.; Wiedenau, A.: Kleine Kunstgeschichte des deutschen Fachwerkbaus. Wissenschaftliche Buchgesellschaft, Darmstadt 1989

Blohm, Gustav: Das Deutsche Zimmerhandwerk, 1912, Ein praktisches Nachschlagewerk zur Anfertigung und Kalkulation aller Zimmerarbeiten. Nachdruck: Verlag Th. Schäfer, Hannover 1994

Brandenburgisches Landesamt für Denkmalpflege und Archäologisches Landesmuseum: Brandenburgische Denkmalpflege, Heft 1/2002, Verlag Willmuth Arenhovel, Berlin

Brändle, Evemarie: Bauernhaussanierung, Neues Wohnen in alten Häusern. BLV Verlagsgesellschaft, München 1988

Cramer, Johannes: Bauforschung und Denkmalpflege, Umgang mit historischer Bausubstanz. Deutsche Verlags-Anstalt, Stuttgart 1987

Eberl, Wolfgang; Kleeberg, Rudolf: Denkmalschutzgesetz. Schriftenreihe des Deutschen Nationalkomitees für Denkmalschutz, Band 54, 1997

Erler, Klaus: Alte Holzbauwerke, Beurteilen und Sanieren. HUSS-MEDIEN, Berlin 3. Auflage 2004/Beuth Verlag Berlin

Fiedler, Wilhelm: Das Fachwerkhaus in Deutschland, Frankreich und England. Reprint der Originalausgabe von 1903, Reprint-Verlag-Leipzig 1995

Fischer, H. B.; Rinn, F.: Bestandsplan mit farbiger Zustands-Kartierung, nicht Schadens-Kartierung, spart Kosten und Ärger! Aus: bauen mit holz, Heft 11/1996, Bruderverlag Karlsruhe

Fischer, Manfred F.: Wie lange dauern die Werke? Ein Lesebuch für Denkmalpfleger, ihre Freunde und Kritiker. Deutscher Kunstverlag, München 1990

Frick; Knöll; Neumann; Weinbrenner: Baukonstruktionslehre – Teil 2. Verlag B. G. Teubner, Stuttgart 1988

Gänßmantel, Jürgen: Praxis der Gefachsanierung. Aus: BAUSANIERUNG Nr. 3/94, Verlag Bertelsmann Fachzeitschriften, Gütersloh

GefStoffV Verordnung zum Schutz vor Gefahrstoffen - Gefahrstoffverordnung vom 26. November 2010 (BGBl I S. 1643, 1644), zuletzt geändert 21. Juli 2021 (BGBl. 1 S. 3115)

Gerner, Manfred: Fachwerk: Entwicklung – Gefüge – Instandsetzung. Deutsche Verlags-Anstalt, Stuttgart 1989

Gerner, Manfred: Farbiges Fachwerk: Ausfachung – Putz – Wärmedämmung – Farbgestaltung. Deutsche Verlags-Anstalt, Stuttgart 1983

Gerner, Manfred: Handwerkerlexikon, Wörterbuch für das Bauhandwerk. Deutsche Verlags-Anstalt, Stuttgart 1984

Gerner, Manfred: Handwerkliche Holzverbindungen der Zimmerer. Deutsche Verlags-Anstalt, Stuttgart 1992

Gerner, Manfred: Historische Häuser erhalten und instandsetzen. Augustus Verlag, Augsburg 1990

Gerner, Manfred: Praxis der Gefachsanierung. Aus: BAUSANIERUNG Nr. 3/94, Verlag Bertelsmann Fachzeitschriften, Gütersloh

Griep, Hans-Günther: Das Bürgerhaus in Goslar. Verlag Ernst Wasmuth, Tübingen 1959

Grossmann, G. Ulrich (Hrsg.): 500 Jahre Garantie, Auf den Spuren alter Bautechniken. Materialien zur Kunst- und Kulturgeschichte in Nord- und Westdeutschland – Band 12, Jonas Verlag, Marburg 1994

Haacke, Wolfgang: Wärmeschutz für Fachwerkbauten, Forschungsbericht, Celle 1990

Hähnel, Ekkehart: Gerüste richtig planen, bauhandwerk, Heft 9/2019, Bauverlag BV GmbH Gütersloh, 2019, Seite 42 ff

Hähnel, Ekkehart: Konstruktive Sicherung und Instandsetzung eines Speichers in Fachwerkbauweise – Die Heeresscheune in Schöneiche. Fachwerkinstandsezung nach WTA, Band 2, Fraunhofer IRB-Verlag, Stuttgart 2002

Hähnel, Ekkehart: Konstruktiver und chemischer Holzschutz bei der Fachwerkinstandsetzung. Aus: Bauzeitung Nr. 4/1990, Verlag Bauwesen, Berlin

Hähnel, Ekkehart: Holzbau und Holzschutz von A bis Z. HUSS-MEDIEN, Berlin 2007/Beuth Verlag Berlin

Hähnel, Ekkehart: Fehler und Mängel an historischen Holzkonstruktionen. In: WTA News 4/2003

Hähnel, Ekkehart: Maschinen aus Holz, Instandsetzung einer Bockwindmühle in Wilhelmsaue. Bauforschung – Denkmalpflege D 1010, Fraunhofer IRB-Verlag 2007

Hähnel, Ekkehart: Holzbalkenauflager in Außenwänden. EIPOS Dresden, Beiträge aus Praxis, Forschung und Weiterbildung, Band 14, expert verlag 2007

Hähnel, Ekkehart: Historische Holzverbindungen kritisch bewerten und weiterentwickeln. In: Historische Holzbauwerke und Fachwerk. Instandsetzen – Erhalten. Fraunhofer IRB-Verlag 2008

Hähnel, Ekkehart: Anatomie der klassischen Holzverbindungen. 7. Holzbauforum Leipzig, Tagungsband 2007

Hähnel, Ekkehart: Sperrschichtanordnung im Holzbau. In: Europäischer Sanierungskalender 2006. HUSS-MEDIEN, Berlin 2006/Beuth Verlag Berlin

Hähnel, Ekkehart: Fachwerkinstandsetzung unter feuchtetechnischen Gesichtspunkten. In: B+B Bauen im Bestand, Hefte 6.2017, 7.2017, Verlag Rudolf Müller Köln, 2017

Hähnel, Ekkehart: Spurensuche im Handwerk, bauhandwerk, Heft 11/2019, Bauverlag BV GmbH Gütersloh, Seite 38 ff

Hein, Theo: Holzschutz: Holz- und Holzrestestoffe erhalten und veredeln. Wegra Verlag, Tamm 1998

Hein, Theo: Bis ins Mark, Holz und Gefach – Zustand, Bewertung, Projektierung. Aus: BAUTENSCHUTZ BAUSANIERUNG, Heft Nr. 3/00, Verlagsgesellschaft Rudolf Müller, Köln

Hoffmann, Raimund; Leimer, Hans-Peter: Fachgerecht – Instandsetzung von Fachwerkaußenwänden mit raumseitigen Wärmedämmputzen. Aus: BAUTENSCHUTZ BAUSANIERUNG, Heft Nr. 3/1999, Verlagsgesellschaft Rudolf Müller, Köln

Holzschutzmittel-Verzeichnis: DIBt Holzschutzmittelverzeichnis, Stand März 2007. Schriften des Deutschen Instituts für Bautechnik, Erich Schmidt Verlag, Berlin 2007

Informationsdienst HOLZ: Anstriche für Holz und Holzwerkstoffe im Außenbereich. Herausgeber: Arbeitsgemeinschaft Holz e. V., Düsseldorf, 1999

Interessengemeinschaft Bauernhaus e. V., Lilienthal: Der Holznagel, Mitteilungsblatt, Heft 5, Sept./Okt. 2001

Interessengemeinschaft Bauernhaus e. V., Syke: Das Ausfachen mit Lehm. Eine Zusammenfassung von Beiträgen aus dem Mitteilungsblatt „Der Holznagel", Graphischer Betrieb Kurt Weber, Weyhe, 1990

Issel, Hans: Der Holzbau, Fachwerk-, Block-, Ständer- und Stabbau und deren zeitgemäße Wiederverwendung. 1900, wieder herausgegeben: Verlag Th. Schäfer, Hannover 1985

Kaletsch, Katherina, u. a.: Ein Hirtenhaus aus dem Stiftland. Eine Dokumentation des Oberpfälzer Freilandmuseums Neusatz-Perschen, Nabburg 1991

Kempe, Klaus: Dokumentation Holzschädlinge – Holzzerstörende Pilze und Insekten an Bauholz, HUSS-MEDIEN, Berlin, 3. Auflage 2004

Kiesow, Gottfried: Fachwerkbauten und ihre Pflege, in: Schutz und Pflege von Baudenkmälern in der Bundesrepublik Deutschland, Verlag Kohlhammer, Stuttgart/Berlin, 1980

Klöckner, Karl: Alte Fachwerkbauten. Verlag Georg D. W. Callwey, München 1991

Krämer, Georg: Holzbalkendecken aufgerüstet – Sanierung bestehender Holzbalkendecken unter Schall- und Brandschutzaspekten. Aus: bauen mit holz, Heft Nr. 12/1997, Bruderverlag, Karlsruhe

Krause, Ruth: Fachwerkbauten – Erhaltung, Instandsetzung, Modernisierung, Rekonstruktion und Gestaltung. BAUFORSCHUNG BAUPRAXIS, Heft 172, Bauakademie der DDR, Berlin 1987

Kress, Fritz: Der praktische Zimmerer. Maier, Ravensburg 1940

Kress, Fritz: Der Zimmerpolier. Maier, Ravensburg 1959

Kücükerman, Önder: Das Alttürkische Wohnhaus, Auf der Suche nach der räumlichen Identität. Türkischer Touring- und Automobil Club, Istanbul 1992

Künzel, Helmut: Gesichtspunkte beim Fachwerkbau – Früher und heute. Aus: WTA-Berichte 1994, Nr. 10. Herausgeber: Wissenschaftlich-Technische Arbeitsgemeinschaft für Bauwerkserhaltung und Denkmalpflege e. V., Baierbrunn 1994

Lachner, Carl: Geschichte der Holzbaukunst in Deutschland. Erster Teil: Der Norddeutsche Holzbau. Leipzig 1885. Wieder aufgelegt: Verlag Th. Schäfer, Hannover 1983

Landesamt für Denkmalpflege Sachsen-Anhalt: Fachwerksanierung, Das Gildehaus Voigtei 58 in Halberstadt. HUSS-MEDIEN, Berlin 2000

Landesamt für Denkmalpflege Sachsen-Anhalt: Die Fachwerkstadt Osterwieck – Eine Analyse der Baugeschichte der Stadt und ihrer Werte sowie ein Bericht über denkmalpflegerische Arbeiten bis 1990. HUSS-MEDIEN, Berlin 1997

Langematz, Rolf: Fachwerk in Wernigerode. Hermann Böhlaus Nachfolger, Weimar 1963

Lenze, Wolfgang: Fachwerkhäuser restaurieren – sanieren – modernisieren. Frauenhofer IRB Verlag, Stattgart 2001

Leschnik, Werner: Schallschutz bei der Sanierung von Fachwerkaußenbauteilen – Anforderungen und Möglichkeiten. Aus: WTA-Berichte 1994, Nr. 10. Herausgeber: Wissenschaftlich-Technische Arbeitsgemeinschaft für Bauwerkserhaltung und Denkmalpflege e. V., Baierbrunn 1994

Leszner, Tamara; Stein, Ingolf: Lehm-Fachwerk, Alte Technik – neu entdeckt. Verlagsgesellschaft Rudolf Müller, Köln 1987

Lissenko, Lev Michailovic: Die russische Holzbaukunst. Verlag Bauwesen, Berlin 1989

Maßong, Friedhelm: EnEV kompakt. Verlagsgesellschaft R. Müller GmbH & Co. KG, Köln 2014

Mönck, Willi: Bauen und Sanieren mit Holz. Deutsche Verlags-Anstalt, Stuttgart, 1983, bearbeitete Ausgabe: Verlag Bauwesen, Berlin 1987

Mönck, Willi; Hähnel, Ekkehart: Instandsetzung eines mittelalterlichen Speichers. Aus: Bauzeitung Nr. 12/1990, Verlag Bauwesen, Berlin

Müller, Hans: Fachwerkhäuser. Prisma-Verlag Zenner und Gürschott, Leipzig 1988

Muster-Verwaltungsvorschrift Technische Baubestimmungen (MVV TB) 2023/1. Ausgabe 17. April 2023 mit Druckfehlerberichtigung vom 10. Mai 2023

Neuburger, Albert: Die Technik des Altertums. R. Voigtländer's Verlag, Leipzig 1919

Niemeyer, Richard: Der Lehmbau und seine praktische Anwendung. 1946, Unveränderter Nachdruck: ökobuch Verlag, Staufen 1990

Opderbecke, Adolf: Das Holzbau-Buch. 1909, wieder aufgelegt: Verlag Th. Schäfer, Hannover 1995

Phleps, Hermann: Allemannische Holzbaukunst. 1967, unveränderte Wiederauflage: Bruderverlag, Karlsruhe 1988

Phleps, Hermann: Deutsche Fachwerkbauten. Verlag Karl Robert Langewiesche, Königsstein im Taunus 1951

Rau, Ottfried; Braune, Ute: Der Altbau, Renovieren – Restaurieren – Modernisieren. Verlagsanstalt Alexander Koch, Leinfelden-Echterdingen 1991

Reul, Horst: Schutz und Schmuck, Fachwerk und Anstrich – Anmerkungen zum dauerhaften Schutz. Aus: BAUTENSCHUTZ BAUSANIERUNG Heft Nr. 4/1999, Verlagsgesellschaft Rudolf Müller, Köln

Reuß, Christian G.: Anweisung zur Zimmermannskunst. 1764, wieder aufgelegt: Verlag Th. Schäfer, Hannover 1989

Rombock, Ulrich: Vermessungsverfahren in der Denkmalpflege. Herausgeber: Informationszentrum Raum und Bau der Fraunhofer Gesellschaft, IRB Verlag, Stuttgart 1990

Schaefer, Carl: Die Holzarchitektur Deutschlands vom XIV. bis XVIII. Jahrhundert. 1883–1888, wieder herausgegeben vom Curt R. Vincentz Verlag, Hannover 1981

Schauer, Hans-Hartmut, u. a.: Fachwerkbauten in Mecklenburg-Vorpommern, Brandenburg, Sachsen-Anhalt, Thüringen, Sachsen. HUSS-MEDIEN, Berlin 1992

Schauer, Hans-Hartmut: Das städtebauliche Denkmal Quedlinburg und seine Fachwerkbauten. Verlag Bauwesen, Berlin 1990

Schmidt, Wolf: Das Raumbuch als Instrument denkmalpflegerischer Bestandsaufnahme und Sanierungsplanung. Arbeitsheft 44 – Bayerisches Landesamt für Denkmalpflege, München 1989

Schönburg, Kurt: Lehmbauarbeiten. Beuth Verlag GmbH, Berlin 2008

Schönburg, Kurt: Bauwerksoberflächen schützen und bewahren. Beuth Verlag GmbH, Berlin 2014

Schönburg, Kurt: Techniken der Wandmalerei. Beuth Verlag GmbH, Berlin 2012

Schönburg, Kurt: Naturstoffe an Bauwerken. Beuth Verlag GmbH, Berlin 2010

Schönburg, Kurt: Mineralfarbentechnik am Bauwerk. Beuth Verlag GmbH, Berlin 2013

Schönburg, Kurt: Schäden an Sichtflächen. Beuth Verlag Berlin/Fraunhofer IRB-Verlag, Stuttgart 2009

Schönburg, Kurt: Historische Beschichtungstechniken. Beuth Verlag Berlin/Fraunhofer IRB-Verlag, Stuttgart 2011

Schöpp, Alexander: Alte deutsche Bauernstuben, Innenräume und Hausrat. 1934, Wiederherausgabe: Verlag Th. Schäfer, Hannover 1983

Schuldt, Ewald: Der Holzbau bei den nordwestslawischen Stämmen vom 8. bis 12. Jahrhundert. Deutscher Verlag der Wissenschaften, Berlin 1988

Schulze, Horst: Dämmstoffe und Folien im Holzbau – Die Bedeutung des Austrockungsvermögens von Holzbauteilen. Aus: bauen mit holz, Heft 6/1998, Bruderverlag, Karlsruhe

Uhde, Constantin: Der Holzbau – Seine künstlerische und geschichtlich-geographische Entwicklung sowie sein Einfluss auf die Steinarchitektur. 1903, Nachdruck: Reprint-Verlag Leipzig 1997

Venzmer, Helmuth (Hrsg.): Europäischer Sanierungskalender 2006, HUSS-MEDIEN, Berlin 2006/Beuth Verlag Berlin

Verband Deutscher Architekten und Ingenieurvereine: Das Bauernhaus im Deutschen Reich und in seinen Grenzgebieten. 1905/1906, Wiederauflage: Verlag Th. Schäfer, Hannover 1988

Verbundforschungsprojekt Fachwerkbautenverfall und Fachwerkbautenerhaltung: Erhaltung von Fachwerkbauten, Statusseminar in Fulda am 15./16. Mai 1990. Erschienen 1991

Verordnung (EU) 528/2012 des europäischen Parlaments und des Rates vom 22. Mai 2012 über die Bereitstellung auf dem Markt und Verwendung von Biozidprodukten

VOB Vergabe- und Vertragsordnung für Bauleistungen. Im Auftrage des Deutschen Vergabe- und Vertragsausschusses für Bauleistungen, herausgegeben vom DIN Deutsches Institut für Normung e. V., Beuth Verlag, aktuelle Ausgabe

Wachsmann, Konrad: Holzhausbau, Technik und Gestaltung. Birkhäuser Verlag, Basel/Boston/Berlin 1995, erweiterte Neuausgabe

Warth, Otto: Die Konstruktionen in Holz. 1900, Wiederherausgabe: Verlag Th. Schäfer, Hannover 1982

Weiss, Walter: Fachwerk, Bautraditionen in Mitteleuropa, Frauenhofer IRB Verlag, Stuttgart, 2019

Weiss, Walter: Fachwerk in der Schweiz. Birkhäuser Verlag, Basel/Boston/Berlin 1991

Wetzel, Johannes, u. a.: Historische Holzfachwerkbauten, Erhalt und Sanierung, Band 1: Sanierungspraxis. expert verlag, Renningen-Malmsheim 1996

Wilhelm, Johann: Architectura Civilis – Holzbaukunst. Reprint nach dem Original von 1668: Verlag Th. Schäfer, Hannover 1986

WTA-Publikation Leimer, H.-P. (Herausgeber): Instandsetzung historischer Fachwerkgebäude. WTA-Schriftenreihe – Heft 16. Herausgeber: Wissenschaftlich-Technische Arbeitsgemeinschaft für Bauwerkserhaltung und Denkmalpflege e. V., Aedificatio Verlag – Fraunhofer IRB-Verlag, Stuttgart 1998

WTA-Publikation: Fachwerkinstandsetzung nach WTA, Band 1: WTA-Merkblätter 8-1 bis 8-9. Herausgeber: Wissenschaftlich-Technische Arbeitsgemeinschaft für Bauwerkserhaltung und Denkmalpflege e. V., Aedificatio Verlag, Freiburg 2001

WTA-Publikation: Fachwerkinstandsetzung nach WTA, Band 2: Aktuelle Berichte. Herausgeber: Wissenschaftlich-Technische Arbeitsgemeinschaft für Bauwerkserhaltung und Denkmalpflege e. V., Fraunhofer IRB-Verlag, Stuttgart 2002

Zujest, Gilbert: Holzschutzleitfaden für die Praxis, Grundlagen – Maßnahmen – Sicherheit. HUSS-MEDIEN, Berlin 2003/Beuth Verlag Berlin

9 Bildquellen

Baugeschäft + Zimmerei Lutz Gregorczyk, Letschin: 5.13.2

Baumgart, F., Asperg: 4.7.3.1

Binding, Günther: Kleine Kunstgeschichte des Deutschen Fachwerkbaus, Wissenschaftliche Buchgesellschaft Darmstadt, 1989, Seite 132: 1.1.16

Erler, K., Leipzig: 2.8.4, 3.10.2

Fenzke, A., Bad Marienberg: 3.14.1; 3.14.2; 3.14.3; 3.14.4; 3.14.5

Gänßmantel, J., Dormettingen Zollernalb: 3.8.2; 3.8.3

Hähnel, S., Berlin: Zeichnung 1.1.14, Bild 4.6.2.4

Klemm, B., Frankfurt (Oder): 2.6.2

Ksink, H., Fürstenwalde: 2.2.9

Kunze, R., Dresden-Weixdorf: 1.1.11; 3.10.37, 3.10.38; 4.6.7.6

Mausolf, W., Frankfurt (Oder): 2.17.2; 2.17.3; 3.13.6; 4.6.5.5

Messbildstelle GmbH Dresden: 2.6.7

Spatzier, K., Wiesenburg: 3.10.26.3

Thümmler, U., Herrenmühle Hünfeld: 2.8.10

Die Kunstdenkmäler der Provinz Brandenburg. Band VI, Teil 1, Lebus, Berlin 1909, Seite 237: 2.6.1; 2.6.3

Internet: 3.13.1

Alle im Quellennachweis nicht genannten Bilder, Zeichnungen, Umzeichnungen, Fotos und Reproduktionen sind vom Autor.

Sachwörterverzeichnis

Türkei

Schweiz

Frankreich